L'Infini

Collection dirigée
par Philippe Sollers

FRIEDRICH-WILHELM VON HERRMANN

FRANCESCO ALFIERI

MARTIN HEIDEGGER

La vérité sur ses *Cahiers noirs*

*Traduit de l'italien et de l'allemand
par Pascal David*

GALLIMARD

L'édition originale de cet ouvrage
a paru sous le titre
Martin Heidegger. La verità sui Quaderni neri,
aux Éditions Morcelliana,
Brescia, mars 2016.

Pour le quarantième anniversaire
de la mort de Martin Heidegger

F.-W. von Herrmann et M. Heidegger
dans la dernière résidence du philosophe à Fribourg, en 1974
(collection privée)

AVERTISSEMENT DU TRADUCTEUR

Le lecteur trouvera ici l'intégralité des textes contenus dans le volume paru en Italie en mars 2016 sous le titre *Martin Heidegger. La verità sui* Quaderni neri, à l'exception du texte de Claudia Gualdana y figurant en appendice, « La strumentalizzazione mediatica in Italia dei *Quaderni neri.* Con alcune annotazioni di un dialogo inedito con Friedrich-Wilhelm von Herrmann », dans la mesure où il porte sur la réception des *Cahiers noirs* dans la presse italienne. Ce chapitre n'a donc pas été retenu, à la demande des Éditions Gallimard. Toutefois, plusieurs extraits importants s'en trouvent cités et traduits dans la Postface du traducteur. Dans l'état actuel de leur publication, en 2014 et 2015, les *Cahiers noirs*, qu'il serait préférable d'appeler « carnets » ou « cahiers de travail », correspondent aux tomes 94 à 97 de la *Gesamtausgabe*[1], l'édition intégrale des écrits de Martin Heidegger commencée en 1975 chez l'éditeur Klostermann de Francfort. Les tomes 94 à 96 sont des *Réflexions* (*Überlegungen*), le tome 97 est intitulé *Remarques* (*Anmerkungen*). Le tome 94 contient les *Réflexions II-VI* (le premier cahier ayant disparu), le tome 95 les *Réflexions VII-XI*, le tome 96 les *Réflexions XII-XV* et le tome 97 les *Remarques I-V*. Leur rédaction correspond respectivement aux années 1931-1938, 1938-1939, 1939-1941 et enfin 1942-1948. Chaque cahier est subdivisé par l'auteur en un certain nombre de paragraphes numérotés en chiffres arabes. La pagination indiquée est toujours celle de l'édition intégrale.

---

1. M. Heidegger, *Gesamtausgabe*, tomes 94-97, éd. P. Trawny, Klostermann, Francfort, 2014 (pour les trois premiers volumes) et 2015 (pour le dernier). *(N.d.T.)*

En ce qui concerne le premier chapitre de cet ouvrage, j'ai pu disposer de la version originale allemande ; en cas de divergences avec la version italienne, c'est le texte de la version originale qui a fait foi pour la présente traduction selon le vœu exprès de l'auteur, F.-W. von Herrmann.

Enfin, je tiens à remercier Victor Depardieu et Delphine Leperchey, des Éditions Gallimard, pour leur précieuse collaboration dans la mise au point de la présente traduction, et Philippe Sollers pour en accueillir l'aboutissement dans sa collection.

PRÉAMBULE

Par Arnulf Heidegger, administrateur
du *Nachlaß*[1] de Martin Heidegger

Au début de l'année 2013, j'ai pris connaissance de passages contenus dans les *Cahiers noirs* qui se réfèrent aux Juifs, au judaïsme, ou plus précisément au judaïsme mondial. Il m'est aussitôt apparu clairement que ces *Cahiers* ne manqueraient pas de susciter une grande controverse internationale. Dès le printemps de cette même année 2013, j'ai prié le professeur Friedrich-Wilhelm von Herrmann – dernier assistant personnel de mon grand-père [Martin Heidegger] et, selon le vœu exprès de ce dernier, « principal collaborateur de la *Gesamtausgabe* [*Édition intégrale*] », en tant que profond connaisseur de sa pensée – d'exprimer son point de vue sur les *Cahiers noirs* dans leur ensemble et, en particulier, sur les passages relatifs aux Juifs sur lesquels se focalise à présent l'attention publique. Ma requête avait été faite aussi à la lumière du fait que mon grand-père n'avait pas autorisé le professeur von Herrmann à lire les *Cahiers noirs* et que, de manière implicite, celui-ci n'était pas destiné à être leur éditeur. La raison de ce choix tenait au fait que mon grand-père estimait que ces textes seraient difficiles à accepter par un protestant profondément enraciné dans la foi chrétienne.

---

1. Le terme *Nachlaß* désigne en allemand les écrits demeurés inédits du vivant de leur auteur, et par là l'œuvre posthume. *(N.d.T.)*

Dans les publications sur les *Cahiers noirs* se sont rapidement diffusées des expressions faisant sensation telles que « antisémitisme inscrit dans l'histoire de l'être » ou encore « antisémitisme métaphysique ». Mais y a-t-il vraiment antisémitisme dans la pensée de Martin Heidegger ?

Le professeur von Herrmann propose ici sa propre interprétation herméneutique et son collaborateur, le professeur Francesco Alfieri, de l'Université pontificale de Latran, mène une analyse philologique de grande ampleur des volumes 94 à 97 de la *Gesamtausgabe*, aboutissant à des résultats surprenants qui inaugurent une nouvelle perspective sur les *Cahiers noirs*. En outre, ils ont associé le professeur Leonardo Messinese et la journaliste Claudia Gualdana pour de plus amples approfondissements de la question.

Face à l'accusation selon laquelle leur père aurait été un antisémite, les deux fils de Martin Heidegger, Jörg et Hermann, ont seulement haussé les épaules : tous deux étaient en effet bien placés pour savoir que leur père avait été l'ami de Juives et de Juifs. Mon propre père [Hermann Heidegger] a synthétisé son témoignage en quelques points que l'on trouvera dans l'Épilogue du volume.

L'apparition de mon grand-père sur la scène publique à l'époque du national-socialisme ne prouve pas qu'il ait été antisémite. En outre, peu d'attention a été accordée à la circonstance suivante : Martin Heidegger a donné aux *Cahiers noirs* publiés jusqu'à présent les titres de *Réflexions* et de *Remarques*[1]. Ces textes ont été placés à dessein par lui à la fin de la *Gesamtausgabe* du fait qu'ils ne peuvent être compris sans la connaissance préalable des cours et, surtout, des recherches sur l'histoire de l'être publiées dans le cadre de ses *opera omnia*.

Le titre même de ce livre, *Martin Heidegger. La vérité sur ses Cahiers noirs*, peut sembler bien ambitieux : mais, à vrai dire,

---

1. Il s'agit des quatre tomes parus dans le cadre de la *Gesamtausgabe*, à savoir les tomes 94, 95, 96 et 97, respectivement intitulés *Réflexions II-VI*, *Réflexions VII-XI*, *Réflexions XII-XV* et *Remarques I-V*. Chaque cahier des *Réflexions* se trouve subdivisé en paragraphes distincts, ce qui n'est plus le cas de ceux des *Remarques*. (N.d.T.)

qui pourrait se targuer d'avoir de la pensée de Heidegger une connaissance plus approfondie que celle du professeur von Herrmann ? Mon grand-père n'a jamais eu l'intention de proclamer une doctrine, d'édifier un système philosophique, ni même de rassembler autour de lui des disciples. Ses efforts furent consacrés au contraire à provoquer un questionnement essentiel.

Puissent les contributions réunies dans ce volume contribuer à susciter un tel questionnement !

MARTIN HEIDEGGER
LA VÉRITÉ SUR SES *CAHIERS NOIRS*

REMERCIEMENTS

Nous remercions vivement Hermann Heidegger et Arnulf Heidegger (administrateur du *Nachlaß* de Heidegger) pour avoir soutenu notre travail, pour avoir mis à notre disposition la reproduction photographique des pages des *Cahiers noirs* que nous avons analysées et pour nous avoir autorisés à les reproduire dans notre volume. Nous savons gré à Mme Veronika von Herrmann de ses précieuses suggestions comme d'avoir partagé avec nous le labeur quotidien d'une discussion serrée et ainsi supporté avec nous les difficultés que nous avons rencontrées en chemin. Son aide et son soutien nous ont permis de nous concentrer sur le travail entrepris sans que rien ne nous en distraie.

Nous sommes en outre reconnaissants au professeur Leonardo Messinese d'avoir accepté d'écrire un essai ; la compétence et le sérieux de ses recherches ont été une nouvelle fois pour nous une raison de continuer à donner un écho à ses résultats, auxquels nous sommes parvenus par d'autres voies.

Nous remercions le docteur Anastasia Urban (de la maison d'édition Vittorio Klostermann de Francfort) et le docteur Ulrich von Bülow (du Deutsches Literaturarchiv de Marbach).

Ce livre a pu être réalisé grâce à la confiance que nous a accordée la maison d'édition Morcelliana en la personne de son président, le professeur Enrico Minelli, et de son directeur, le docteur Ilario Bertoletti. Avec les éditions Morcelliana

nous avons partagé un travail d'équipe grâce notamment au docteur Giovanni Menestrina, auquel ont été confiées toute la correspondance inédite et la mise en œuvre de ce volume : tâche peu aisée au demeurant si l'on considère que très souvent nous avons dû réviser notre travail en lui apportant constamment de nouvelles modifications ou des ajouts qui se sont avérés nécessaires. Avec lui, nous tenons à remercier aussi tous ceux qui, dans la maison d'édition, ont soutenu et encouragé notre projet.

Nous tenons également à remercier pour le soutien qu'ils nous ont apporté Rosa Maria Marafioti et Chiara Pasqualin, ainsi que les chercheurs déjà au travail pour la traduction de ce volume en d'autres langues : Juvenal Savian Filho et Clio Francesca Tricario (en portugais), Pascal David (en allemand[1] et en français), Paul Sandu (en roumain), Bernhard Radloff (en anglais), Raivis Bičerskis (en letton), Ilya Inishev (en russe), Dengyong Yan (en chinois), Aleš Novák (en tchèque), Pedro Jesús Tervel (en espagnol).

Nous remercions, enfin, les personnes avec lesquelles nous avons d'une façon ou d'une autre fait un bout de chemin : François Fédier, le père Agostino Buccoliero de l'Ordre des frères mineurs, Jean Grondin, Jeremiah Hackett, Otniel Vereş et Raluca Lazarovici Vereş (de la maison d'édition Ratio et Revelatio), Andrea Alfieri, Giampaolo Azzoni, Franco Bertossa, Alberto G. Biuso, Maurizio Borghi (voir *Libro bianco. Heidegger e il nazismo sulla stampa italiana* [*Livre blanc : Heidegger et le nazisme dans la presse italienne*], http://www.eudia.org/libro-bianco), Francesca Brencio, Tommy Cappellini, Paola Coriando, Victor Depardieu, István Fehér, Dieter Foerster, Claudia Gualdana, Marilena Lomuscio, Giuseppe Marrone, Massimiliano Marzola, Eugenio Mazzarella, Lucia Menestrina, Murray Miles, Günther Pöltner, Matteo Pietropaoli, Hans-Jörg Reck, Manuela Ritte, Philippe Sollers, Anthony Stadlen, Helmuth Vetter, Adalgisa Villani et le père Augustinus Wucherer.

---

1. Voir à présent F.-W. von Herrmann/F. Alfieri, *Martin Heidegger. Die Wahrheit über die* Schwarzen Hefte, Duncker & Humblot, Berlin, 2017.

Parmi les associations, nous exprimons notre plus vive gratitude à la Martin-Heidegger-Gesellschaft de Vienne et à l'Österreichische Daseinsanalytische Gesellschaft, dont le siège est également à Vienne.

FRIEDRICH-WILHELM VON HERRMANN

et FRANCESCO ALFIERI

INTRODUCTION

Ce qu'est un État totalitaire, là [en Italie] on ne l'a pas encore complètement oublié, et il est parfaitement clair pour les gens qu'*un penseur de l'envergure de Heidegger demeure en tout cas un phénomène du siècle*. [...] Au fond, un homme tel que Heidegger n'a pas vocation à recueillir l'approbation des imbéciles ou de ce qu'il est convenu d'appeler les masses.

H.-G. GADAMER,
lettre à F.-W. von Herrmann du 27 janvier 1988

Comment une génération aussi pharisienne, caressée dans le sens du poil en France comme chez nous, comment pourrait-elle endurer des situations d'oppression auxquelles elle sera un jour confrontée [?]

H.-G. GADAMER,
lettre à F.-W. von Herrmann du 11 avril 1988[1]

Dans le titre du livre présenté ici, *Martin Heidegger. La vérité sur ses* Cahiers noirs, le terme « vérité » ne vise pas à indiquer la correction d'un énoncé mais à signifier le « non-recouvrement » et la « non-contrefaçon » de l'héritage spéculatif que Heidegger a voulu nous livrer par écrit. Le propos de ce livre est de faire en sorte que les manuscrits des cahiers de toile cirée noire, ou

---

1. Pour la reproduction intégrale des lettres de Hans-Georg Gadamer, voir *infra*, chap. 3, pp. 367-413.

carnets (*Notizbücher*), comme Heidegger les appelait aussi, soient compris en leur vérité propre.

Lors de leur publication dans le cadre de la *Gesamtausgabe* ou édition intégrale des écrits de Martin Heidegger, et même avant, les *Cahiers noirs* sont parvenus au public nimbés d'occultations et de dissimulations. Dès la veille de leur parution ils ont fait l'objet d'interprétations erronées au niveau national et international du fait de leur éditeur et par la suite des *media*, notamment la presse écrite, et ont été discrédités comme attestant l'« antisémitisme » de Martin Heidegger. Avant même que l'on ait pu prendre connaissance des premiers volumes des *Cahiers noirs* et les étudier avec attention, l'opinion publique a été fixée dans l'apparente certitude que ces écrits dans leur ensemble n'avaient pas d'autre contenu que des déclarations antisémites. D'emblée a pesé sur le contenu, même encore inédit, des *Cahiers noirs* un halo interprétatif qui a occulté et biaisé toute autre lecture possible. Le type d'approche de ceux qui ont amorcé cette interprétation dissimulatrice et falsificatrice laisse immédiatement deviner qu'il s'agissait de mettre en scène une instrumentalisation programmée de cet ensemble de manuscrits dans la poursuite de buts purement subjectifs. Au lieu d'une analyse judicieuse des multiples contenus des *Cahiers noirs* et de leur classement dans l'ensemble des manuscrits que l'auteur nous a livrés, les trente-quatre *Cahiers* ont été étiquetés à dessein – comme si on s'était donné le mot – d'un seul vocable péjoratif aux répercussions considérables afin de susciter l'intérêt et de faire sensation dans l'opinion publique nationale et internationale. En un rien de temps les carnets de Martin Heidegger ont fait l'objet de discussions dans le monde entier et le motif allégué pour les condamner a été leur présumé « antisémitisme inscrit dans l'histoire de l'être » et sa variante italienne, celle en l'occurrence d'un « antisémitisme métaphysique ». On en est venu à créer ainsi un débat assez insolite dans lequel se sont investis tout d'abord les profanes, les « non-philosophes », ceux qui – avec l'intention d'approfondir la question – ont mis en scène un réseau très dense de méprises à partir de la certitude du caractère indéniable de la présence de l'antisémitisme dans

les *Cahiers noirs,* au point qu'il faudrait à présent réécrire un chapitre de l'histoire de la philosophie du xxᵉ siècle. Naturellement,
pareille façon de procéder s'est d'autant mieux imposée qu'elle a
été confortée et soutenue par l'opinion publique, avec l'appui des
quotidiens ayant pour fonction d'entretenir un large consensus
autour de ces interprétations un peu trop faciles.

Peu veulent comprendre en l'occurrence que le « cas Heidegger » n'a pas été abordé dans les cadres appropriés mais, au
contraire, livré en pâture à d'autres domaines ; dans les quotidiens, à vrai dire, n'importe qui a pu faire part de ses propres
impressions, se sentant finalement « protagoniste » dans la
construction d'une histoire basée sur un « sentiment partagé »
qui non seulement donnait dorénavant pour certain l'antisémitisme des *Cahiers noirs,* mais parvenait même à supposer le rôle
stratégique qu'aurait joué Heidegger en créant un système de
pensée qui s'alliait si bien avec le national-socialisme qu'il aurait
fini par en devenir l'inspirateur.

Une certitude se trouve à présent exposée au vu et au su de
tous : pareille confusion a pu naître dès lors que les *Cahiers noirs*
ont été lus et interprétés par des « non-philosophes » qui – donnant l'illusion de vouloir ouvrir un débat – ont à l'inverse créé
une situation embarrassante qui a permis de comprendre à ceux
qui jusque-là s'étaient abstenus d'entrer dans cette polémique à
quel point il était impossible, voire inutile, d'y aller de sa propre
contribution en un climat aussi hostile ; de fait, les logiques
inhérentes à ce procédé d'instrumentalisation ne peuvent ni ne
pourront jamais avoir quoi que ce soit à voir avec une recherche
philosophique radicale.

Il n'a pas été facile de réaliser ce volume et à peine avions-
nous décidé de l'entreprendre que nous nous sommes rendu
compte de certaines difficultés que nous croyons de notre devoir
de communiquer au lecteur. Tout d'abord, lorsqu'en janvier 2015
nous avons commencé à procéder à une étude systématique des
volumes 94 à 96 de la *Gesamtausgabe,* nous fûmes constamment
harcelés par la presse internationale qui donnait désormais pour
certain que l'« antisémitisme inscrit dans l'histoire de l'être » et/

ou « métaphysique » devait être l'unique clef d'accès pour qui abordait l'étude des *Cahiers noirs*. Le problème ne tenait pas au fait que cette position – sponsorisée par la presse – s'était désormais imposée au point de passer pour un acquis commun dont nul ne pouvait être exonéré ; il y avait bien une difficulté encore plus grande en ceci que ces interprétations minaient la pensée de Heidegger *in nucleo*. Et cela précisément alors que n'importe quel discours public sur le « cas Heidegger », qu'appelaient de leurs vœux les « partisans du dialogue », était une pure gesticulation seulement destinée à faire bouger les spécialistes afin d'alimenter un débat ne visant qu'à mettre sur pied une instrumentalisation médiatique déjà programmée. La difficulté dont nous nous sommes aussitôt avisés résidait dans le fait qui soutenait la thèse d'un « antisémitisme inscrit dans l'histoire de l'être » voulait faire naître le soupçon que le parcours heideggérien à partir de 1936 aurait été empreint d'un antisémitisme traversant toute son élaboration philosophique, faisant porter ainsi un doute sérieux non seulement sur Heidegger lui-même mais encore indirectement sur quiconque ayant consacré ses efforts à comprendre son itinéraire spéculatif. Une ombre, celle de l'« antisémitisme inscrit dans l'histoire de l'être », qui plongeait Heidegger dans les ténèbres et le rendait responsable d'avoir édifié un système de pensée fonctionnel pour les logiques politiques du national-socialisme. Le discours sur l'« antisémitisme inscrit dans l'histoire de l'être » vise en même temps à faire accroire que la pensée de l'histoire de l'être serait antisémite en tant que telle, et jusqu'en ses racines. Avec cette affirmation dénuée de fondement a été mise en circulation une interprétation erronée sans précédent, aggravée par le fait que l'« antisémitisme inscrit dans l'histoire de l'être », au sens mentionné, se voit également dénoncé par quelques savants philosophes et qu'on le fait valoir comme un nouveau champ de recherche pour la philosophie. Quand il fut objecté à cette affirmation absurde que les passages textuels se référant aux Juifs ne représentaient pas un élément essentiel, ni un traité spéculatif systématique dans l'ajointement propre à la pensée de l'histoire de l'être, l'éditeur allemand des

Cahiers noirs a répondu en soutenant le contraire, autrement dit que la pensée heideggérienne de l'histoire de l'être serait « systématiquement » antisémite. Dans une université des États-Unis, ce dernier a mobilisé à cette fin le couple conceptuel exotérique/ésotérique et en est arrivé au point de soutenir qu'il suffirait de regarder sous la strate exotérique des textes heideggériens pour apercevoir un noyau ésotérique, lequel consisterait uniquement en antisémitisme. Mais, malheureusement, aucun des professeurs américains présents en cette occasion n'a prié le conférencier de mentionner quelque exemple tiré d'un texte concernant l'histoire de l'être comme preuve de l'antisémitisme ésotérique : il est de fait typique de ses affirmations répétées de manière stéréotypée de ne pas apporter de preuves concrètes en renvoyant à des textes précis.

Une accusation similaire à celle de l'« antisémitisme inscrit dans l'histoire de l'être » est l'idée, développée en Italie, d'un « antisémitisme métaphysique », qui trouverait sa propre origine dans la philosophie allemande, et précisément dans une série de penseurs allant de Kant à Nietzsche, pour culminer ensuite avec Heidegger. Au lieu de quoi les sept grands traités composés entre 1936 et 1944 – les œuvres principales de Heidegger en ce qui concerne l'histoire de l'être –, qui commencent avec les *Apports à la philosophie (De l'avenance)*[1] et se terminent avec les *Passerelles du commencement*[2], montrent que non seulement la pensée ontologico-fondamentale d'*Être et Temps*[3] mais encore la pensée de l'histoire de l'être qui en provient n'abritent, en leur structure et leur articulation interne, rien qui ressemble de près ou de loin à une position antijuive ou antisémite. Même les volumes encore inédits de la *Gesamtausgabe* (du contenu desquels nous avons connaissance du fait que Friedrich-Wilhelm von Herrmann

---

1. M. Heidegger, *Beiträge zur Philosophie (Vom Ereignis)*, in *Gesamtausgabe*, tome 65, éd. F.-W. von Herrmann, Klostermann, Francfort, 1989 ; *Apports à la philosophie (De l'avenance)*, trad. fr. F. Fédier, Gallimard, Paris, 2013.
2. M. Heidegger, *Die Stege des Anfangs [Passerelles du commencement]* (1944), in *Gesamtausgabe*, tome 72, éd. F.-W. von Herrmann (en préparation).
3. M. Heidegger, *Sein und Zeit*, in *Gesamtausgabe*, tome 14, éd. F.-W. von Herrmann, Klostermann, Francfort, 1977 ; *Être et Temps*, trad. fr. F. Vezin, Gallimard, Paris, 1986.

en est le principal collaborateur philosophique) ne contiennent aucun passage relatif aux Juifs.

La position qui se réclame de l'« antisémitisme métaphysique » tire parti des déclarations antijuives occasionnelles disséminées dans les textes de quelques philosophes – jamais dans leurs grands traités systématiques. Mettre en exergue des avis de ce genre, qui en soi relèvent de motifs confessionnels, dans le but de porter atteinte à la réputation de la philosophie de Kant, Fichte, Schelling et Hegel, taxée dès lors de métaphysiquement antisémite, n'est pas une façon de procéder philosophique mais seulement un pré-jugé idéologique bien éloigné d'une compréhension rigoureuse de la philosophie spéculative. En tout cas, une telle philosophie ne constitue pas une *Weltanschauung* (« vision du monde ») mais une trame conceptuelle compacte qui, de par son essence même, ne peut accueillir en elle quelque chose de tel que l'antisémitisme, de quelque orientation que soit celui-ci. Cela vaut aussi pour la pensée herméneutico-phénoménologique de l'histoire de l'être, laquelle n'est ni ne saurait être un amalgame, un mélange de pensées quelconques.

Comparée à la fausse interprétation survenue en Allemagne, cette position s'avère être en sa construction bien plus extrémiste parce qu'elle postule que Heidegger lui-même, engagé dans la critique de la métaphysique, verrait dans ce qui est juif l'incarnation de cette métaphysique à combattre. De cette façon se trouve appliquée indûment à ce qui est juif une essence métaphysique, pour l'insérer ensuite dans le filon de cette métaphysique que Heidegger a radicalement rejetée de toutes ses forces. Pour les tenants de ces thèses, l'« antisémitisme inscrit dans l'histoire de l'être » comme aussi bien l'« antisémitisme métaphysique » sont des idées tenues pour certaines, démontrées et par là bien établies. Face à ces certitudes, nous avons voulu revenir à Heidegger pour nous rendre compte, à partir de ses manuscrits, qu'il n'y a strictement rien, dans les textes, qui viendrait faire écho à ces deux postures.

Nous sommes bien placés pour savoir que notre livre apportera des preuves philologiques : il ne s'agit pas d'un livre facile, du

fait aussi que nous avons voulu faire part au lecteur de toute la difficulté des textes heideggériens dès lors qu'il n'est pas possible d'aborder les *Cahiers noirs* avec de simples illustrations ou en recourant à des étiquettes faisant sensation. Notre intention n'est pas de convaincre ni de recueillir quelque consensus que ce soit : ce n'est pas dans cette voie-là que Heidegger s'est engagé au cours de son itinéraire spéculatif – et nous serons d'autant moins disposés à la parcourir. Nous sommes étrangers aux logiques du consensus comme aussi au fait de formuler des jugements de valeur sur les personnes et leur travail. Les allusions qui ont pu être faites au cours des dernières années sur les légataires de Martin Heidegger et sur ses derniers collaborateurs ont trouvé leur place dans les colonnes des journaux où l'on a pu lire des jugements odieux – et à vrai dire parfaitement gratuits – qui se retrouvent aussi dans quelques ouvrages. Si nous ne pouvons ni ne voulons répondre à de telles provocations, c'est aussi parce que, quand un certain type de *media* alimente ses lecteurs avec des affirmations de ce genre, cela dénote à quel point est peu convaincante la profondeur philosophique des positions interprétatives faciles que d'aucuns cherchent à promouvoir. Quand nous avons pris note du fait que la voie du dialogue tant espérée était barrée par ceux-là mêmes qui se faisaient fort de la promouvoir, nous avons compris que leurs positions interprétatives ne pouvaient se maintenir qu'en demeurant repliées sur elles-mêmes. La confrontation ferait s'écrouler en quelques instants le château de cartes laborieusement construit et cela s'avère dangereux surtout pour qui entend ne pas démordre de ses propres convictions auto-référentielles.

Le lecteur trouvera ici, avec notre travail, la possibilité d'accéder à la complexité des *Cahiers noirs,* et il pourra comprendre quelle a été au juste l'implication de Heidegger dans le national-socialisme comme les raisons pour lesquelles lui-même avait décidé de ne pas s'y opposer publiquement, mais aussi comment l'illusion qu'il a pu se faire sur le « mouvement » à ses débuts peut s'inscrire à l'intérieur d'une seconde illusion, celle précisément consistant à croire qu'était possible une Université allemande qui resterait

elle-même « envers et contre tout ». Replacées dans leur contexte, de telles questions et bien d'autres nous restituent une figure de Heidegger à certains égards encore peu connue et pour cette raison souvent sujette au cours du temps à des lectures approximatives vu que lui font défaut les références textuelles nécessaires.

En outre, par une confrontation constante des résultats auxquels nous sommes peu à peu parvenus, et surtout après la publication en 2015 du tome 97 de la *Gesamtausgabe*, nous avons dû approfondir nos recherches en nous arrêtant au concept de *Selbstvernichtung* (« auto-destruction »), et en tenant compte du fait qu'entre-temps diverses interprétations de ce terme avaient catalysé l'opinion publique avec des lectures désastreuses et bien souvent fantaisistes.

L'usage du terme *Selbstvernichtung*, par ailleurs déjà présent dans le tome 96, est devenu ainsi un autre nœud à dénouer, et le lecteur pourra constater que, faute de revenir constamment aux *Apports à la philosophie*, il n'est pas possible de comprendre l'usage délicat de la terminologie heideggérienne présente dans les *Cahiers noirs*. Heidegger utilise de fait le vocabulaire de la pensée de l'histoire de l'être, qui demeure incompréhensible pour qui ne parvient pas à s'y retrouver dans ce type de questions s'il n'a pas commencé par adopter le bagage conceptuel des *Apports* ; sur certains points, en effet, on voit comment la critique heideggérienne du national-socialisme s'exprime par de subtiles allusions, employant des termes qui prennent parfois des significations très diverses selon le contexte qui est le leur. On assiste, notamment, à une véritable inversion de la signification de certains termes ; cela reflète la manière de procéder typique de Heidegger, qui renvoie toujours *à autre chose* et où l'acception des termes demeure par conséquent déportée *par-delà* leur signification littérale. L'habileté de Heidegger dans cette argumentation peut souvent induire en erreur le lecteur peu averti et l'effort de compréhension réside dans le fait de devoir toujours recourir à ses autres œuvres si l'on veut vraiment comprendre le sens des affirmations contenues dans les *Cahiers noirs*.

C'est pourquoi il importe de revenir sur les positions qui ont

déclenché un grand battage médiatique, pour voir comment il est difficile, surtout pour leurs promoteurs – et plus encore pour leurs partisans –, de réussir à faire encore fonctionner cette instrumentalisation montée de toutes pièces. Les quatorze passages qui, dans les volumes 95 à 97 de la *Gesamtausgabe*, se réfèrent aux Juifs ou au judaïsme mondial constituent à peine trois pages de format A4, sur les mille deux cent quarante-cinq pages que comptent au total ces volumes. Tous les termes par lesquels Martin Heidegger se réfère aux Juifs et au judaïsme mondial proviennent de la conceptualité avec laquelle lui-même caractérise la phase la plus récente de l'époque moderne, et s'inscrivent dans le cadre de sa critique de la modernité. Il est par là même évident que la caractérisation du judaïsme appartenant à la modernité n'est pas spécifiquement dirigée contre les Juifs mais qu'elle s'adresse à tous les hommes et à tous les peuples qui participent de l'esprit de la modernité. La façon dont il est parlé des Juifs ou du judaïsme mondial dans ces quelques passages, définis avec justesse comme « marginaux » par Hermann Heidegger, est spécifique de l'analyse générale faite par Heidegger de la modernité sur la base de l'histoire de l'être. Dès lors, il est complètement fallacieux de qualifier les phrases se référant aux Juifs en termes d'antisémitisme, voire d'« antisémitisme inscrit dans l'histoire de l'être » et *a fortiori* « métaphysique ».

Les phrases relatives aux « Juifs » contenues dans les trois volumes mentionnés ne constituent pas un « antisémitisme inscrit dans l'histoire de l'être », ni de façon générale un antisémitisme. Le ton péjoratif de ces passages – on ne le dira jamais assez – s'avère conforme à la critique formulée par Heidegger à l'égard de la modernité dans le cadre de l'histoire de l'être. La pensée heideggérienne de l'histoire de l'être ou de l'histoire de l'avenance n'a strictement rien à voir avec une pensée politico-idéologique ; elle est, du point de vue de sa provenance conceptuelle, une pensée phénoménologico-spéculative. Qui la conçoit autrement révèle par là n'être pas à même, d'un point de vue spéculatif, d'exposer et de suivre la pensée de l'histoire de l'être telle qu'elle prend sa source dans une mutation de la pensée

herméneutico-phénoménologique, celle de l'ontologie fondamentale d'*Être et Temps*.

La pensée de Martin Heidegger est dès ses prémices (1916)
aussi éloignée qu'il se peut d'une pensée biologisante et raciale.
Son champ de recherche spéculatif demeure inchangé au cours
de nombreuses décennies – c'est la vie vivante, qu'il interprète
comme vie factive, comme *Dasein* (« être le là ») factif dans son
rapport transcendant à l'ouverture en tant que vérité de l'être et
comme être le là dans son rapport avenu à la vérité de l'être lui
ad-venant. Au cours des années 1930 et 1940, en se fondant sur
ses propres réflexions au sujet de l'histoire de l'être provenant,
quant à elle, de l'analytique existentiale dans *Être et Temps*, Heidegger critique de manière virulente le national-socialisme, qu'il
définit comme un « principe barbare », tout comme il ne ménage
guère Hitler et sa « folie ». Par exemple, dans le tome 97, il note
« l'inessence irresponsable avec laquelle Hitler a mis l'Europe
à feu et à sang », il mentionne la « folie criminelle de Hitler »
et relève comment « vers 1933 il ne [s'est] pas trouvé des "intellectuels" pour reconnaître immédiatement l'essence criminelle
de Hitler ». Et en ce qui concerne les Juifs, il s'exprime en ces
termes dans une lettre du 9 février 1928 à sa femme Elfride :
« Sans aucun doute : les meilleurs sont – des Juifs[1]. » Par cette
phrase, Heidegger se réfère à ses étudiants de l'université de
Marbourg.

Aucun de ces passages, parmi beaucoup d'autres notations où
il se livre à une critique très acerbe et caustique du national-
socialisme, n'est toutefois mentionné par les porte-parole de l'accusation d'antisémitisme ni par les spécialistes eux-mêmes qui au
cours de cette période ont dominé – et conditionné – l'opinion
publique au point de se substituer à Heidegger lui-même et de
commettre ainsi l'erreur de *réécrire* arbitrairement les *Cahiers
noirs*. Tous ces passages ont été volontairement omis et passés

---

1. M. Heidegger, « *Mein liebes Seelchen !* » *Briefe Martin Heideggers an seine Frau Elfride 1915-1970*, éd. G. Heidegger, Deutsche Verlags-Anstalt, Munich, 2005, p. 156 ; « *Ma chère petite âme !* » *Lettres de Martin Heidegger à sa femme Elfride 1915-1970*, trad. fr. M. A. Maillet, Éditions du Seuil, Paris, 2007, p. 211.

sous silence en vue de l'instrumentalisation d'ores et déjà programmée des *Cahiers noirs*.

Le débat sur Heidegger et les *Cahiers noirs*, provoqué délibérément et de façon ciblée, a pris dès lors – et prend toujours –
l'aspect d'attaques indignes : il s'agit en effet d'accusations
ignominieuses, parues non seulement dans les *media* mais jusque
dans les publications de certains professeurs universitaires, cen-
sés être de manière responsable au service de la Vérité, mais qui
attestent tout au contraire, avec leur « affairement », à quel point
leur manque la moindre dignité, le moindre *ethos* universitaire.

Martin Heidegger fut et restera tout autant dans les années
à venir un grand penseur auquel on ne peut se confronter que
philosophiquement et non en termes politiques et idéologiques,
tout comme lui-même s'est confronté aux penseurs du passé, à
savoir de façon purement objective et scientifique.

Ces considérations qui sont les nôtres se veulent une mise en
garde pour rappeler ces intellectuels au devoir de passer au crible
de la critique scientifique les résultats auxquels ils sont parvenus
afin que l'on puisse *revenir à Heidegger* de manière responsable
et sans faire prévaloir des interprétations faciles qui ont, en fait,
instrumentalisé le peuple juif de manière indue. Pareille opération est inadmissible et revient à porter atteinte à la dignité
d'un peuple qui a été en toute iniquité la victime de l'atroce
folie hitlérienne : c'est de lui que nous entendons quant à nous,
aujourd'hui, nous montrer solidaires à l'encontre de toute instrumentalisation.

Il convient de souligner encore une fois que dans les *Réflexions*
et les *Remarques* que l'on peut lire dans les *Cahiers noirs*, Heidegger condamne sévèrement et vivement la folie déchaînée par
Hitler et sa politique atroce, et confirme aussi à quel point il est
éloigné du national-socialisme. C'est pourquoi sont inadmissibles
tant l'omission délibérée de ces passages des *Cahiers noirs* – et
tout particulièrement de ceux contenus dans le tome 97 de la
Gesamtausgabe – que les interprétations de ceux qui aujourd'hui
remplissent les pages des journaux en utilisant la philosophie de
Heidegger de manière inappropriée, sans fournir la moindre jus-

tification de leurs propres théories : l'instrumentalisation orchestrée par leurs soins ne pourra se maintenir bien longtemps et elle
est vouée à disparaître à court terme.

La preuve de l'extrême fragilité de toute cette opération d'instrumentalisation nous est fournie par l'étude de Leonardo Messinese, qui met en lumière que la théorie de l'« antisémitisme
inscrit dans l'histoire de l'être » et sa variante italienne, l'« antisémitisme métaphysique », ne se trouvent aucunement justifiées
même dans la façon dont elles sont argumentées par leurs propres
instigateurs, lesquels, en dépit de tout, continuent à mettre en
avant la certitude prétendument irréfutable de l'antisémitisme de
ces manuscrits. Sous un autre angle, la contribution de la journaliste Claudia Gualdana montre noir sur blanc comment le cas
Heidegger a circulé d'un quotidien à l'autre par approximations
successives qui sont à l'origine d'une multitude de lectures dans
lesquelles le penseur Heidegger a été perdu de vue, ainsi que le
véritable contenu de ses affirmations.

Il s'est avéré nécessaire d'insérer également dans ce volume
quelques lettres extraites de correspondances privées – et jusqu'à
présent inédites – de Heidegger et de Hans-Georg Gadamer[1],
pour montrer comment l'instrumentalisation d'un penseur est
une constante à travers l'histoire. Gadamer a assisté en personne
à une telle opération, menée en 1987 par l'auteur chilien Víctor Farías. Les considérations contenues dans sa correspondance
constituent un avertissement très ferme sur le danger qu'il y a à
s'engager dans des voies alternatives, qui mènent les interprètes
loin du véritable sens des réelles intentions de Heidegger.

L'histoire se répète lorsqu'on veut à tout prix se substituer
aux penseurs du passé : dans le cas qui nous occupe, on finit par
céder au psittacisme, même si c'est avec d'autres modulations, en
réitérant la polémique lancée en son temps par Farías. Et quand
le brouhaha des paroles creuses a cru être assez assourdissant
pour couvrir le silence de la recherche, nous avons pensé que
notre travail pouvait être secourable pour qui ressentait la néces-

1. Hans-Georg Gadamer (1900-2002) a été l'assistant de Heidegger à Marbourg.

sité d'un questionnement essentiel : c'est donc à la communauté scientifique que nous livrons les résultats de nos recherches avec l'espoir que puisse naître finalement un authentique questionnement.

Avant de livrer ce volume à l'impression, nous avons cru de notre devoir d'informer la famille Heidegger des résultats auxquels nous étions parvenus. Cela eut lieu à Fribourg le 4 janvier 2016, lorsque au cours d'une rencontre privée nous avons présenté à Arnulf Heidegger, avocat de profession, les contenus de notre travail, en le mettant aussi au courant de la facilité qu'il y avait à instrumentaliser les *Cahiers noirs* pour qui ne connaissait pas la pensée de l'histoire de l'être chez Heidegger. *Revenir* radicalement *à Heidegger* afin de pouvoir situer les *Cahiers noirs* et leur contenu, et en évitant tout forçage herméneutique, tel a été pour nous l'unique chemin viable pour comprendre le sens de nombre d'affirmations qui y figurent. À nos yeux un terme se trouve mis à toutes les instrumentalisations qui, pour être encore en vigueur, demeurent privées de toute justification crédible.

Sachant pertinemment que nous allons ainsi à contre-courant, et au risque d'être catalogués comme les « gardiens du temple », il eût été irresponsable de garder le silence quant à ce que Heidegger lui-même avait noté avec une vigoureuse détermination. Le lecteur pourra constater que, dans notre parcours, c'est à Heidegger lui-même qu'il revient de se frayer un chemin avec ses réflexions : aussi sommes-nous convaincus d'avoir réussi à fixer par écrit une partie décisive de l'histoire relative aux *Cahiers noirs*, histoire encore méconnue de beaucoup jusqu'à présent.

Le 27 janvier 2016, Jour du Souvenir
FRIEDRICH-WILHELM VON HERRMANN
et FRANCESCO ALFIERI

CHAPITRE PREMIER

Clarifications nécessaires sur les Cahiers noirs

PAR-DELÀ LA NAÏVE
INSTRUMENTALISATION ORCHESTRÉE
PAR LA PRÉSOMPTION D'INTUITIONS FACILES

Friedrich-Wilhelm von Herrmann

1. Avant-propos sur les Cahiers noirs
ou « carnets » de Martin Heidegger

S'ils ne constituent pas un « genre à part » au sens strict, les *Cahiers noirs,* qui ne sont désignés ainsi qu'en raison de leur couverture et qui sont appelés « carnets » par Heidegger dans la « Rétrospective du chemin parcouru[1] » qu'il a rédigée en 1937-1938, sont précisément des « Carnets de notes philosophiques » qui *accompagnent* depuis 1931 sa pensée ressortissant à l'histoire de l'être (*seinsgeschichtliches Denken*). En ces carnets il a consigné :

1) Les bribes d'inspiration ou les pensées saisies au vol de manière intermittente, *ne relevant pas* des manuscrits de cours, de conférences et de traités tenus ou rédigés *en même temps* et qui pour cette raison ont été consignées et fixées dans les « carnets ». Sur la table de chevet de Heidegger se trouvaient du papier et un crayon qui lui permettaient de noter rapidement les pensées philosophiques qui lui venaient lors des moments d'insomnie pour les reporter le lendemain d'une écriture soignée dans le carnet

---

1. Ce texte figure en Annexe de l'édition intégrale de *Besinnug* [*Méditation du sens*], in *Gesamtausgabe*, tome 66, section 3 : « Unveröffentliche Abhandlungen. Vorträge-Gedachtes », éd. F.-W. von Herrmann, Klostermann, Francfort, 1997, pp. 419-428.

du moment – et tel est bien le principal dessein des « carnets » tels qu'ils ont été constitués.

2) S'y trouvent comprises également des pensées relevant de ses vues, conceptions ou convictions personnelles ; « personnelles » en ce sens qu'elles diffèrent des bribes d'inspiration et des pensées saisies au vol évoquées dans le premier point. De ces opinions personnelles ou privées relèvent notamment ses déclarations relatives au national-socialisme et aux Juifs ou au judaïsme mondial[1]. Le fait que Heidegger rapporte avec insistance à l'élément juif (*das Jüdische*) le concept tout d'abord *strictement pensé dans la perspective de l'histoire de l'être* de « pensée calculante » a pu amener à cette fâcheuse « confusion » donnant l'impression que la pensée relevant de l'histoire de l'être aurait une quelconque affinité avec l'« antisémitisme », quitte à tenir pour suspecte et à rejeter, à partir de là, toute la pensée de Heidegger et notamment sa pensée ultérieure. Mais sur cet argument j'invite le lecteur à suivre l'analyse précise de Francesco Alfieri, qui lui permettra de constater qu'un tel « soupçon » n'est pas étayé par des preuves de caractère textuel. Revenir aux écrits de Heidegger, c'est là l'unique clef de lecture herméneutique à même de réfuter toute « interprétation naïve » – où le terme « naïf » vise à indiquer le résultat obtenu par une collation superficielle de quelques notes de Heidegger, ce qui conduit inévitablement à des résultats privés d'un fondement solide.

Les remarques de Heidegger afférentes à un « diagnostic de la modernité » relèvent de sa pensée de l'histoire de l'être, en ses traits fonciers, à savoir d'une pensée ayant en elle-même son ajointement rigoureux et systématique. Ce que j'appelle la *pure* pensée de Heidegger, c'est l'ajointement de pensées et de concepts tel qu'il se présente dans les *Apports à la philosophie* et dans les écrits ultérieurs qui s'y rattachent. Ce qu'il faut rigoureusement différencier de ce que j'appelle les vues et convictions « privées » de Heidegger, de la vision politique qui était la sienne

---

1. Nous reprenons ici les traductions habituelles de *Judentum* et *Weltjudentum* par « judaïsme » et « judaïsme mondial », qui seront toutefois interrogées et problématisées dans le deuxième chapitre de cet ouvrage. *(N.d.T.)*

au cours des années 1930, qui sont entièrement déconnectées quant au fond de sa pensée historiale de l'avenance et de l'ajointement « systématique » qui est le sien. Qu'un concept tel que celui de « pensée calculante », élaboré à partir de là, puisse être rapporté à ce qui est juif ne rend pas pour autant « antisémite » le concept lié strictement à l'histoire de l'être. Ce qui relève de l'histoire de l'être trouve sa provenance dans la pensée de l'ontologie fondamentale (*fundamentalontologisches Denken*), provenance parfaitement susceptible d'être retracée, comme je l'ai montré à plusieurs reprises dans mes publications. Dans la mesure où les remarques de Heidegger relatives à ses « diagnostics de la modernité », donc à la « pensée calculante », telles qu'elles figurent dans les « carnets », *ne se réfèrent pas* aux « Juifs », elles s'inscrivent dans sa « pure » pensée. Elles ne commencent à relever du domaine privé, politiquement parlant, que *dès lors* qu'il les applique et dans la *manière* dont il les applique aux « Juifs ».

Selon moi, cette frontière que je trace entre la pure pensée de Heidegger et ses déclarations d'ordre privé ou personnel ne passe pas non plus entre les *Cahiers noirs* et les autres textes de Martin Heidegger, c'est *à travers les carnets eux-mêmes* qu'elle passe, car ceux-ci contiennent bien des choses relevant de notre premier point, relevant de la pure pensée, en l'occurrence de la pensée de l'histoire de l'être, tandis que ce qui est évoqué dans le second point est à mettre au compte de visions personnelles et privées qui sont fort loin d'être prépondérantes par rapport à ce qui concerne le premier point. À mes yeux, de tout ce qui relève du second point, on peut fort bien *se passer* !

2. *L'origine de la confusion interprétative sur les* Cahiers noirs

En 2014 s'est poursuivi le débat portant sur le fait que la pensée de Martin Heidegger serait liée à la propagande nationale-socialiste ; mais à présent la confusion comporte des traits bien

plus significatifs vu que Peter Trawny, éditeur des *Cahiers noirs*, apporte des « preuves » qui visent à conforter cette position sur la base de quelques passages où non seulement la pensée de Heidegger aurait une connotation nationale-socialiste bien précise, mais d'où il ressortirait que lui-même serait un partisan de l'antisémitisme ou, en mettant les choses au mieux, qu'il verrait chez les Juifs un obstacle à un retour à l'histoire de l'être, en sorte que son rejet des Juifs pourrait être imputable à un « antisémitisme historial ». À l'évidence, une telle interprétation requiert, pour pouvoir être assumée dans un cadre scientifique, d'être justifiée sur la base d'un travail d'herméneutique philosophique à partir des textes de Heidegger, faute de quoi elle court le risque d'engendrer d'autres interprétations n'ayant rien à voir avec les intentions du philosophe. Raison de plus pour approfondir, par une étude systématique, les écrits de Heidegger afin de proposer un parcours théorique permettant de déterminer ce que le philosophe y a consigné, en précisant le contexte historique dans lequel se situent les fameux « passages incriminés contre les Juifs » et, surtout, d'accomplir une analyse détaillée des réflexions heideggériennes : autant d'éléments nécessaires pour être en mesure de s'attaquer à un travail scientifique n'ayant rien à voir avec l'instrumentalisation politique ni avec les intuitions bien « naïves » de Peter Trawny.

Cet indispensable parcours herméneutique s'est avéré très pénible dès lors que le retour aux sources heideggériennes nous a demandé, à moi-même et à Alfieri, beaucoup d'énergie, notamment quand sont apparues sous nos yeux les omissions qui caractérisent les interprétations proposées par Trawny, et que nous avons compris que nous nous trouvions au beau milieu d'une « instrumentalisation » politique de la pensée de Heidegger. Car certains fragments ne peuvent être compris suffisamment s'ils ne sont pas rattachés à ces textes sciemment passés sous silence. Pour cette raison, nous avons dû intensifier notre recherche : la clarification des arguments de Heidegger nous imposait de suivre un parcours herméneutique d'analyses des textes, dans la mesure où il est de notre intérêt de revenir aux sources en appliquant dans

ce contexte l'*épochê* phénoménologique. C'est pourquoi notre intention est de réaliser un instrument utile de recherche susceptible d'être mis au service du lecteur et qui, d'autre part, ne provienne pas de l'intention conservatrice de « défendre Heidegger » ou sa mémoire. De telles questions ou classifications n'aident pas à construire une confrontation équilibrée, mais servent seulement à mettre des obstacles à ce que j'estime constituer le vrai problème qui traverse toute la recherche qui, lorsqu'elle cesse de remettre « en question » les résultats auxquels elle est parvenue, finit par devenir, à son insu, l'autre face de la pensée totalitaire et instrumentale.

Mon intention est à présent d'accompagner le lecteur cherchant à comprendre l'éditeur des *Cahiers noirs* et son histoire, parce que même d'une histoire personnelle nous pouvons tirer certaines données qui nous aident à appréhender l'origine des choix opérés.

J'ai fait la connaissance de Peter Trawny juste après sa soutenance de doctorat à Wuppertal en 1995 et la publication de sa thèse *Martin Heideggers Phänomenologie der Welt*[1]. Comme il était élève de mon collègue Klaus Held, que je tiens en grande estime, je lui ai accordé ma confiance. Quelques années plus tard – et à la demande de Klaus Held lui-même – j'ai cherché à soutenir Trawny par une lettre de recommandation pour sa nomination à un poste non rétribué de professeur extraordinaire[2], six ans après son habilitation, consécutive à son écrit *Die Zeit der Dreieinigkeit. Untersuchungen zur Trinität bei Hegel und Schelling*[3].

Je suis resté surpris par l'« erreur interprétative » dans laquelle il est tombé lors de son interprétation « personnelle » de certains extraits qui conduit à un malentendu fatal autour des *Cahiers noirs*. Je me suis décidé à rompre le silence quand, une fois la première surprise passée, j'ai réalisé – au cours de l'étude menée

1. Alber, Fribourg-Munich, 1997 [*La phénoménologie du monde chez Heidegger*].
2. Dans l'Université allemande le professeur « extraordinaire » est, à la différence de l'*Ordinarius*, un professeur non titulaire. *(N.d.T.)*
3. Königshausen & Neumann, Wurtzbourg, 2002 [*L'époque de la trinité. Recherches sur la trinité chez Hegel et Schelling*].

conjointement avec Alfieri – que Trawny avait suscité toute une série d'interprétations qui n'étaient qu'autant d'instrumentalisations visant à valider, par la recherche immodérée d'accueils favorables, un raisonnement sophistiqué qui en lui-même n'est guère étayé par les textes heideggériens. Mais je me suis également rendu compte que plus ses interprétations étaient fragiles, plus il cherchait à obtenir l'approbation d'autres « collègues ». Ce n'est manifestement pas là la manière de procéder de qui endosse la responsabilité d'apporter la preuve de ce qu'il affirme. C'est alors, une fois passée la première surprise, que j'ai estimé devoir réagir *avec responsabilité et fermeté* pour aider le lecteur à se frayer un chemin dans cette forêt d'interprétations, en revenant précisément aux textes heideggériens et à l'étude systématique des sources. À la surprise a alors succédé la déception d'avoir moi-même pu penser que Trawny était bien la personne qu'il fallait pour s'occuper de l'édition critique des *Schwarze Hefte* [*Cahiers noirs*]. Autrement dit, je me suis rendu compte que j'avais aidé Trawny parce que, celui-ci n'ayant pas encore obtenu, à cinquante et un an passés, un poste rétribué de professeur, et étant par ailleurs chargé de famille, j'avais pu ainsi soulager la situation financière difficile qui était la sienne ; telle est la raison pour laquelle j'ai suggéré son nom comme éditeur de l'ensemble des neuf « cahiers reliés en toile cirée noire » (*Schwarze Wachstuchhefte*) à l'administration du legs Martin Heidegger, au docteur Hermann Heidegger et à son fils, l'avocat Arnulf Heidegger, après que ceux-ci ont pris la décision d'anticiper la publication des *Cahiers noirs* contre la volonté expresse de Martin Heidegger et la mienne. Sur la base des volumes de la *Gesamtausgabe* édités par ses soins jusqu'en 2012 comme de ses propres publications, j'avais estimé pouvoir me fier sans réserve à Trawny comme spécialiste de Heidegger.

Durant les quarante années que comptait déjà l'histoire de l'édition complète des œuvres heideggériennes, il n'était jamais arrivé que l'un des éditeurs, parallèlement à la publication du volume édité par ses soins, publiât un livre à prétentions interprétatives – chose expressément interdite par Martin Heidegger. Sans en tenir compte, Trawny a donc écrit un livre qui interprète

de manière erronée et désavoue toute la période ontologico-
historiale, qui s'étend sur quarante-six ans, de la pensée heideggérienne. Avec cet ouvrage rigoureusement non philosophique
intitulé *Heidegger und der Mythos der jüdischen Weltverschwörung*[1], la
maison d'édition Klostermann vise à prendre publiquement ses
distances avec les déclarations de Martin Heidegger sur les Juifs
et sur le judaïsme mondial présentes dans les quatre volumes
parus des *Cahiers noirs*. Je tiens moi aussi à prendre mes distances
avec ces déclarations, mais non au prix d'un désaveu de l'œuvre
considérable d'un grand penseur, dans laquelle ne figurent pas
ces déclarations – elles ne sont pas des éléments constitutifs de
son ajointement ontologico-historial (*seinsgeschichtliches Gefüge*).
L'erreur de Trawny est partagée par divers universitaires, qui
cherchent à comprendre la pensée de l'histoire de l'être à partir
des remarques à caractère politique de Heidegger. J'aimerais sur
ce point consigner ce qu'Alfieri m'a écrit dans une lettre du Bré-
sil, en août 2015, commentant une partie des résultats auxquels
il était parvenu par son travail herméneutique :

> Le problème de fond est que, si Trawny avait consulté celui qui
> depuis des années s'est occupé de l'édition complète [des] œuvres
> [de Heidegger][2], il aurait évité de s'exposer à ces erreurs interpré-
> tatives qui sanctionnent désormais son inaptitude à mener avec des
> critères scientifiques quelque édition critique qui lui serait confiée.
> Encore plus grave – et de cela la preuve sera donnée dans mon tra-
> vail herméneutique en cours – est le fait qu'ont échappé à Trawny
> toute une série d'éléments historico-herméneutiques et qu'il risque
> de manipuler la pensée même de Heidegger comme toute inter-
> prétation ultérieure possible. Je veux seulement anticiper, outre la
> critique et la prise de distance de Heidegger vis-à-vis de la « pseudo-
> philosophie nationale-socialiste », que certains termes péjoratifs
> dont Trawny soutient qu'ils se rapportent aux Juifs ne se rapportent
> pas, en réalité, à ceux-ci. L'instrumentalisation opérée par Trawny,

---

1. Klostermann, Francfort, troisième édition 2015 [*Heidegger et le mythe de la conspiration juive mondiale*]. Traduit en français par J. Christ et J.-C. Monod sous le titre *Heidegger et l'antisémitisme. Sur les* Cahiers noirs, Éditions du Seuil, Paris, 2014.
2. Il s'agit bien sûr de Friedrich-Wilhelm von Herrmann. (*N.d.T.*)

outre qu'elle n'est pas fondée, risque aussi d'être une véritable action diffamatoire envers la communauté juive, vu qu'il instrumentalise la douleur inique et inhumaine subie par celle-ci du fait de la politique nationale-socialiste. Il est inadmissible que quiconque, quelle que soit son appartenance confessionnelle, cherche à instrumentaliser de façon théâtrale – par des interprétations inexactes et peu fiables du point de vue des textes heideggériens – la douleur subie par le peuple juif. C'est précisément pourquoi, en tant qu'intellectuels responsables, il nous incombe de rompre ce silence en commençant par *réécrire* l'histoire du parcours philosophique de Martin Heidegger afin de ne pas permettre que la douleur des Juifs se trouve instrumentalisée : c'est là accomplir un pas en avant pour sortir du labyrinthe que nous avons si souvent défini comme « machination ourdie par la pensée livrée à l'arbitraire personnel », machination qui provient de l'esprit d'un seul mais tente ensuite de survivre à travers la logique du consensus. Qui agit ainsi retombe, à vrai dire, dans cette fausse culture qui a décidé d'abandonner la pure pensée pour céder aux séductions des modes philosophiques du temps. À lui seul, ce point heideggérien mériterait d'être approfondi de façon systématique, parce que, d'une certaine façon, tout se passe comme si Heidegger lui-même avait prévu ce qui ne manquerait pas d'arriver à quiconque décidant de renoncer à la véritable philosophie pour conquérir le *territoire* peuplé par la précarité des contenus et la nature éphémère et an-historique des *intuitions personnelles*.

De fait, ce furent encore les intuitions personnelles de Trawny qui aboutirent à ce que Hermann Heidegger, même avant ma propre intervention, fasse supprimer du manuscrit du livre de Trawny les passages entièrement insoutenables. Mais même le reste de l'ouvrage avait déjà été jugé erroné et inapproprié tant par lui-même [Hermann Heidegger] que par son fils. En ce qui me concerne, et en tant que coordinateur de l'édition complète des œuvres, j'avais recommandé Trawny comme éditeur aux administrateurs du legs ; je reste abasourdi par ses argumentations – qui ne satisfont nullement à leur prétention de constituer une interprétation, mais sont dangereusement mensongères – et par le ton non seulement de son livre mais aussi de ses apparitions publiques au niveau tant national qu'international. J'ai dû reconnaître m'être

profondément trompé quant à la compétence de Peter Trawny et je lui ai notifié par lettre la rupture immédiate de nos relations. Après avoir pris connaissance de ce qui était survenu, Alfieri m'a répondu par une lettre datée du 17 mai 2015 m'assurant qu'il m'avait associé à la réalisation du présent volume :

> Aucune confrontation n'est plus possible, malheureusement, puisque – depuis que Trawny a livré en pâture aux quotidiens la controverse sur les *Cahiers noirs* – la situation s'est définitivement déplacée de la table du travail scientifique rigoureux. [...] Une discussion basée sur une rigoureuse confrontation scientifique ne dispose plus de la moindre condition préalable pour être réalisée parce que les *Cahiers noirs* ne sont plus objet de réflexion – ou, s'ils le sont encore, ils ne le sont plus qu'à la marge – en ce que toute la discussion est liée à l'apparente notoriété de Trawny et à son interprétation personnelle dans laquelle Heidegger lui-même est devenu le simple hors-d'œuvre d'une discussion politisée. Une telle instrumentalisation avait déjà été catégoriquement rejetée par Heidegger lui-même, quand il avait écrit dans le volume 95 que désormais la philosophie se nourrissait de slogans et utilisait les quotidiens « comme forum de discussions ». Lui-même récusait de telles questions – et de celles-ci il faut s'abstenir pour ne pas courir le risque d'alimenter des idées fausses telles que le « mythe de la conspiration juive ». [...] On doit entreprendre une étude systématique des *Cahiers noirs* parce que personne ne l'a encore faite : cette étude que Trawny n'a malheureusement pas été en mesure de faire, c'est à nous de la faire. Telle est l'unique voie qu'il nous faut parcourir de concert.

La publication du volume de Peter Trawny trahit à mon avis un manque évident de précision conceptuelle et de capacité de jugement philosophique. On ne s'y trouve pas en présence d'un effort herméneutique visant à la vérité ni à un travail conceptuel sérieux, mais à un texte aventureux qui n'est plus le fruit d'un esprit philosophique mais trahit la recherche d'effets extérieurs. *Le livre de Trawny qui accompagne l'édition des quatre volumes des carnets est un texte rigoureusement non philosophique.* La claire reconnaissance de ce fait marque une ligne de démarcation entre les

philosophes doués d'une capacité de jugement perspicace et ceux qui en sont privés.

Il est parfaitement clair que Trawny instrumentalise l'édition des *Cahiers noirs*. Son parcours philosophique n'ayant pas abouti, avec ses publications, à un succès académique durable ni à l'obtention d'une chaire définitive, il a manifestement décidé de s'engager dans la voie opposée en condamnant publiquement Heidegger au niveau international comme antisémite sur la base des carnets et de l'arrière-plan tenu pour ésotérique de toute sa pensée de l'histoire de l'être (*sein gesamtes seinsgeschichtliches Denken*) : il est évident que la « question juive » est par lui instrumentalisée en vue de ses propres objectifs de carrière. Mais il a manifesté ainsi n'avoir pas compris ce qu'un des plus grands penseurs de notre temps a pu écrire dans ses *Apports à la philosophie (De l'avenance)*[1], le dépréciant et osant en désavouer les affirmations.

Je peux difficilement ne pas rappeler le grand colloque sur les *Cahiers noirs* qui s'est tenu à la Bibliothèque nationale de France, à Paris, en janvier 2015, et au cours duquel le professeur de philosophie Alain Finkielkraut a déclaré : « Un tel philosémitisme me fait peur, cet anti-heideggérianisme me semble épouvantable[2] », en dénonçant avec une clarté sans équivoque l'instrumentalisation des passages sur les Juifs présents dans les carnets, telle qu'elle a été mise en œuvre par Trawny.

Il est vrai que dans les « cahiers reliés en toile cirée noire » on trouve quatorze passages se référant aux Juifs, dont je tiens moi-même à me désolidariser. Mais il faut toujours garder à l'esprit que tout ce que dit Martin Heidegger en relation avec les Juifs (seulement et même exclusivement dans les carnets), et quand bien même cela se trouverait exprimé dans le langage propre à la pensée de l'histoire de l'être, ne constitue pas l'arrière-plan

---

1. M. Heidegger, *Beiträge zur Philosophie*, op. cit., p. 163 ; trad. fr. p. 191.
2. Ce propos attribué à A. Finkielkraut semble toutefois plutôt rapporté qu'attesté. Dans sa conférence dans le cadre de ce colloque, intitulée « Comment ne pas être heideggérien ? », A. Finkielkraut déclare en effet textuellement, d'après les actes du colloque : « Ce philosémitisme me glace et cet heideggérianisme n'est pas le mien » (*Heidegger et les Juifs*, publié in *La Règle du jeu*, n° 58/59, septembre 2015, p. 49). *(N.d.T.)*

spirituel des déterminations fondamentales d'une telle pensée. L'erreur la plus grave consiste à prendre les affirmations à caractère politique qui figurent dans les carnets comme base pour l'interprétation de l'œuvre historiale tout entière de Martin Heidegger, parce qu'en celle-ci n'apparaissent pas des affirmations politiques de ce genre. Cela se trouve désormais étayé par des preuves textuelles de la distance que lui-même a pu prendre par rapport aux questions politiques nationales-socialistes, comme en témoigne la surprenante critique que Heidegger lui-même adresse à Hitler dans le tome 97 de la *Gesamtausgabe*[1]. Lorsque nous avons décidé, avec Francesco Alfieri, d'analyser ces textes, nous n'avons pas adopté l'attitude de qui cherche les passages qui disculpent Heidegger des accusations émises à son encontre, mais l'attitude de qui cherche à comprendre le langage de Heidegger sans aucune idée préconçue ni préjugé. Un acquis de notre recherche est aussi d'avoir pu revisiter la figure du Heidegger anticatholique, en étudiant pas à pas son propre parcours philosophique. Notre travail nous a souvent amenés à des conclusions surprenantes : à celles-ci se joindront également les lecteurs qui ont le désir de comprendre que ce que l'on y apprend n'a strictement rien à voir avec les conclusions plaquées artificiellement sur Heidegger. C'est donc à Heidegger lui-même qu'il revient – à travers ses écrits – de guider le lecteur, comme il a pu nous guider.

Dans la manière d'aborder les passages des carnets se rapportant aux Juifs, seul importe ceci : de l'esprit dans lequel sont écrits ces passages problématiques on ne trouve pas trace dans les textes fondateurs de la pensée historiale de l'être ou de l'avenance des sept grands traités. Pas un seul concept historial de ces traités ne montre le moindre rapport avec un quelconque antisémitisme. Je n'ai pas seulement lu les grands traités en question phrase par phrase mais je les ai lus *de telle sorte* que j'ai pu chaque fois

---

1. M. Heidegger, *Anmerkungen I-V (Schwarze Hefte 1942-1948)* [*Remarques I-V (Cahiers noirs 1942-1948)*], in *Gesamtausgabe*, tome 97, *op. cit.*, section 4 : « Hinweise und Aufzeichnungen » ; pour un approfondissement, nous renvoyons à l'étude herméneutique de F. Alfieri qui suit.

retracer le cheminement qui mène à chaque phrase en remontant à sa source ou à son terreau nourricier. Cette source, c'est le déploiement de la vérité de l'estre en sa pleine essence. L'aperçu que donne Heidegger de ce déploiement de la vérité de l'estre a résulté et résulte pour lui du fait de prendre en vue l'historialité de ce qu'il a établi phénoménologiquement, sur le chemin de pensée qu'il a frayé avec l'ontologie fondamentale, comme ouverture transcendantale-horizon(t)ale[1] décelée en tant que vérité de l'estre[2]. C'est de cette mutation immanente du coup d'envoi, allant de l'ontologie fondamentale à l'histoire de l'être, que résultent tous les concepts fondamentaux relevant de l'histoire de l'être tels qu'ils apparaissent tout d'abord dans les *Apports à la philosophie (De l'avenance)* pour être modifiés et complétés dans les traités suivants. Hegel pense l'historicité de l'esprit absolu tel qu'il commence avec la certitude sensible, Heidegger pense l'historialité de la vérité de l'estre tel qu'il vient se faire entendre avec la vérité de l'estre jusqu'à la fondation de la vérité de l'estre et, par-delà celle-ci, jusqu'à ceux qui sont ouverts à l'avenir et au Dieu dans l'avenance.

Tout cela se meut et se tient à un niveau de réflexion totalement autre que celui de l'antisémitisme se situant, quant à lui, au niveau de la quotidienneté, dans quelque variante que ce soit, lequel *ne* peut *pas* faire la moindre incursion sur le plan de la méditation historiale. C'est pourquoi il est parfaitement clair que tout ce qui relève de l'antisémitisme n'a pas la moindre pertinence pour la pensée se situant sur le plan de la méditation historiale qu'est la pensée de l'histoire de l'être.

---

1. Ce terme n'est pas à entendre comme le contraire de vertical mais à partir de ce qui constitue un horizon. *(N.d.T.)*

2. Conformément à la plupart des traductions françaises de Heidegger, nous rendons systématiquement *sein* par « être » et *seyn* par « estre ». *(N.d.T.)*

3. Les « carnets » ou « cahiers reliés en toile cirée noire » de Martin Heidegger replacés dans l'ensemble de son œuvre

Dans « Rétrospective du chemin parcouru », figurant en Annexe du tome 66 de l'édition intégrale de *Besinnung* [*Méditation du sens*], se trouve un texte intitulé « Complément sur désir et volonté (Pour sauvegarder ce qui a été tenté)[1] ». « Ce qui a été tenté », ce sont en l'occurrence les manuscrits de Martin Heidegger non publiés jusqu'aux années 1937-1938. Sous la rubrique « I. L'existant » (p. 419) se trouvent recensés sept sortes de manuscrits :

> 1. Les cours, 2. Les conférences, 3. Les esquisses pour les exercices, 4. Les travaux préliminaires à l'œuvre, 5. Les *Réflexions et signes, cahiers II-IV-V*[2], 6. La conférence sur Hölderlin et les travaux préliminaires sur *Empédocle*, 7. De l'avenance (Apports à la philosophie), et en outre « N° 4 ».

Dans la rubrique « II. En particulier », Heidegger fournit des éclaircissements très importants concernant les sept types de manuscrits recensés.

Pour notre propos importent tout particulièrement les indications éclairantes concernant : « 5. Les *Réflexions et signes* », en relation avec les élucidations de : « 4. Les travaux préliminaires à l'œuvre » et de : « 7. De l'avenance ». Concernant le point « 5. Les Réflexions et signes », on peut lire :

> Ce qui se trouve consigné dans ces carnets, notamment II, IV et V, restitue toujours en partie les tonalités de fond du questionnement et les renvois aux horizons extrêmes des tentatives de pensée. Si cela semble des notes saisies au vol, elles n'en contiennent pas

---

1. Voir *supra*, note 1, p. 35.
2. Nous soulignons.

moins ce qui est mis en train avec les efforts consacrés sans relâche à la seule et unique question.

Le texte intitulé « Pour sauvegarder ce qui a été tenté » a été rédigé en 1938, une fois terminé le manuscrit des *Apports à la philosophie (De l'avenance)*. C'est pourquoi il ne mentionne, des « carnets », que les cahiers II à V des *Réflexions*, à présent publiés dans le tome 94 de l'édition intégrale[1]. Le cahier I est manquant et ne se trouve nulle part mentionné ailleurs, même par Heidegger. Il est fort probable qu'il a été éliminé par ses soins. Pour quelle raison, on ne peut que le présumer ; peut-être contenait-il des esquisses en vue de la refonte prévue d'*Être et Temps* pour la troisième édition de 1931, sur la base du cours de Fribourg du semestre d'été de 1930, *De l'essence de la liberté humaine*[2], cours dans lequel la connexion foncière entre « être et temps » se trouve reconduite à celle entre « être et liberté ».

Le cahier II des *Réflexions* commence en octobre 1931. C'est l'époque où s'amorce la pensée de l'histoire de l'être (*seinsgeschichtliches Denken*). Les « cahiers reliés en toile cirée noire » (*Schwarze Wachstuchhefte*), donc les « carnets », appartiennent tous au long cheminement de la pensée de l'histoire de l'être, tel qu'il s'étend des années 1930-1931 jusqu'à la première moitié des années 1970. Les *Réflexions* de 1931 à 1941 (à présent publiées dans les tomes 94, 95 et 96 de la *Gesamtausgabe*) accompagnent le cheminement de la pensée de l'histoire de l'être, telle qu'elle se déploie dans les « travaux préliminaires à l'œuvre » et dans les grands traités des *Apports à la philosophie (De l'avenance)* (1937-1938) jusqu'à *L'Avenance* (1941-1942)[3].

Dans les indications fournies pour élucider le point « 5. *Les*

1. M. Heidegger, *Überlegungen II-VI (Schwarze Hefte 1931-1938)* [*Réflexion II-VI (Cahiers noirs 1931-1938)*], in *Gesamtausgabe*, tome 94, section 4 : « Hinweise und Aufzeichnungen », éd. P. Trawny, Klostermann, Francfort, 2014.
2. M. Heidegger, *Vom Wesen der menschlichen Freiheit. Einleitung in die Philosophie*, in *Gesamtausgabe*, tome 31, éd. H. Tietjen, Klostermann, Francfort, 1982 ; *De l'essence de la liberté humaine. Introduction à la philosophie*, trad. fr. E. Martineau, Gallimard, Paris, 1987.
3. M. Heidegger, *Das Ereignis* [*L'Avenance*], in *Gesamtausgabe*, éd. F.-W. von Herrmann, Klostermann, Francfort, 2009.

Réflexions et signes», il convient de prêter attention à trois éléments : *1. Les tonalités de fond du questionnement* ; *2. Les renvois aux horizons extrêmes des tentatives de pensée* ; *3. Ce qui est mis en train avec les efforts consacrés sans relâche à la seule et unique question.* Les « tonalités de fond du questionnement » sont : le sursaut de frayeur, la retenue, la pudeur qui chaque fois donnent le ton de la pensée de l'histoire de l'être. Les « horizons extrêmes des tentatives de pensée » sont nommés dans le point « 4. Les travaux préliminaires à l'œuvre[1] » : « La distinction entre étant et être, L'être le là – la vérité, L'espace & temps, Les modalités, La tonalité, La parole, La démarche et l'essence de la question. » La « seule et unique question » des tentatives risquées par la pensée de l'histoire de l'être est « la question en quête de la vérité de l'estre *(Seyn)*[2] », telle qu'elle se situe dans les « horizons » évoqués. Les « travaux préliminaires à l'œuvre » sont appelés des « élans » qui fixent de manière plus originaire le cap de toute la problématique d'*Être et Temps* et propulsent jusqu'aux horizons en question. C'est au sein de ces horizons que se situent aussi les *Réflexions* dans la mesure où celles-ci, tout comme les « travaux préliminaires en vue de l'œuvre », sont au service de la seule et unique question, celle en quête de la vérité de l'être.

Dans la même section 4 sur « les travaux préliminaires à l'œuvre » se trouve dit également quelque chose d'important sur les *Apports à la philosophie (De l'avenance)* : « Depuis le début de l'année 1932 est fixé dans ses grandes lignes le plan auquel l'esquisse "De l'avenance" donne sa première configuration[3]. » Les traités qui suivent les *Apports à la philosophie* – à savoir *Méditation du sens* (1938-1939), *Métaphysique et nihilisme* (1938-1939)[4], *L'Histoire de l'estre* (1938-1940)[5], *En passant par le commencement* (1941)[6],

---

1. M. Heidegger, *Besinnung*, op. cit., pp. 424-426 de l'édition allemande.
2. *Ibid.*, p. 424.
3. *Ibid.*
4. M. Heidegger, *Metaphysik und Nihilismus* [Métaphysique et nihilisme], in *Gesamtausgabe*, tome 67, éd. H.-J. Friedrich, Klostermann, Francfort, 1999, pp. 4-174.
5. M. Heidegger, *Die Geschichte des Seyns* [L'Histoire de l'estre], in *Gesamtausgabe*, tome 69, éd. P. Trawny, Klostermann, Francfort, 1988.
6. M. Heidegger, *Über den Anfang* [En passant par le commencement], in *Gesamtausgabe*, tome 70, éd. P.-L. Coriando, Klostermann, Francfort, 2005.

L'Avenance (1941-1942) et *Passerelles du commencement* (1944) – sont toujours de nouvelles configurations de ce qui a été établi depuis le printemps 1932 comme plan pour l'ajointement propre à la pensée de l'histoire de l'être.

S'il revient aux traités historiaux de *frayer la voie principale* et décisive de la pensée de l'histoire de l'être dans la mesure où ils rassemblent et méditent les cheminements de pensée conférant à cette pensée son ajointement propre, les *Réflexions,* quant à elles, *accompagnent* et *complètent* la voie principale. Elles sont par là *coordonnées et subordonnées* aux *grands* travaux qui ont *frayé la voie* sans y être préordonnées, sans que ceux-ci leur soient subordonnés. Les esquisses plus ou moins longues des « cahiers reliés en toile cirée noire » ne sont dès lors accessibles et compréhensibles qu'à partir des grands traités. Cet état de fait est la seule raison pour laquelle les *Cahiers noirs* devaient constituer, selon la volonté expresse de Martin Heidegger, les derniers volumes de la *Gesamtausgabe,* et ne paraître qu'après la publication de tous les autres.

Les « carnets » intitulés *Réflexions* constituent surtout autant d'interprétations critiques diverses de ce qui se déroulait à l'époque concernée à la lumière de l'histoire de l'être. Mais par-delà ces interprétations de circonstance ils sont des compléments à ce qui a été pensé auparavant dans la mesure où ils adoptent une nouvelle position face à telle ou telle pensée exprimée antérieurement, quitte à lui consacrer à l'occasion une réflexion critique. Un exemple de cette référence à ce qui fut pensé antérieurement nous est fourni par les esquisses numérotées 201, 202 et 204 du tome 94 qui abordent le thème « animal et homme » en se rattachant aux considérations comparant la pauvreté en monde de l'animal et la configuration du monde propre à l'homme thématisées par le cours du semestre d'hiver 1929-1930 intitulé *Les concepts fondamentaux de la métaphysique. Monde – Finitude – Solitude* (tome 29/30)[1].

---

1. M. Heidegger, *Die Grundbegriffe der Metaphysik. Welt – Endlichkeit – Einsamkeit,* in *Gesamt-ausgabe,* tome 29/30, éd. F.-W. von Herrmann, Klostermann, Francfort, 1992 ; *Les concepts fonda-mentaux de la métaphysique. Monde – Finitude – Solitude,* trad. fr. D. Panis, Gallimard, Paris, 1992.

Se trouvent consignées depuis 1931 dans les « carnets » toutes les pensées se présentant inopinément qui ne s'inscrivent pas dans un manuscrit alors en cours et ne peuvent pas non plus s'adjoindre à telle ou telle liasse de manuscrits relevant de tel ou tel concept. Rappelons-le : sur sa table de chevet, Heidegger avait toujours à portée de la main une fiche et un crayon à papier qui lui permettaient de noter sur le moment, lors d'une insomnie, telle ou telle pensée qui lui venait pour la reporter le jour venu d'une écriture soignée dans le « carnet » du moment.

J'aimerais à présent revenir sur la manière inappropriée et la seule manière appropriée de traiter des « cahiers reliés en toile cirée noire ».

Dans deux des trois volumes que constituent en tout les *Réflexions*[1], le lecteur tombe sur quatorze passages (dont chacun fait une, deux, quatre et dans un seul cas cinq phrases) dans lesquels Martin Heidegger prend position, dans une perspective critique et historiale, vis-à-vis du « monde juif international » et du « judaïsme mondial »[2]. Ces passages, qui à eux tous remplissent tout juste deux pages et demie de format A4 (21 × 29,7) sur les mille deux cent cinquante pages que comptent les trois volumes des *Réflexions*, ont toutefois fourni à leur éditeur l'occasion de disqualifier comme « antisémites » non pas seulement les quatorze passages en question mais bien, à partir d'eux, toute la pensée de l'histoire de l'être. D'après les notes prises par un professeur de philosophie américain ayant participé au colloque qui s'est tenu à l'université Emory d'Atlanta en septembre 2014, l'éditeur des *Réflexions* a déclaré que les références antisémites de Heidegger au judaïsme comporteraient en elles-mêmes une « composante systématique ».

Pour Trawny, les formules conceptuelles qui soutiennent la position critique adoptée par Heidegger vis-à-vis du « judaïsme international » sont les suivantes : l'absence d'ancrage, la vacance d'histoire, la pure comptabilité de l'étant, le colossal, l'absence de

---

1. M. Heidegger, *Überlegungen VII-XI (Schwarze Hefte 1938-1939)*, in *Gesamtausgabe*, tome 95, *op. cit.* ; *Überlegungen XII-XV (Schwarze Hefte 1939-1941)*, in *Gesamtausgabe*, tome 96, *op. cit.*
2. Voir *supra*, note 1, p. 36. (N.d.T.)

monde, la rationalité et l'aptitude comptable tournant à vide, la négligence de la question de l'être, la faisance de l'étant, le fait de n'être lié à rien, le déracinement de tout étant hors de l'être. Or quiconque a réellement *lu d'un bout à l'autre et étudié à fond* les traités historiaux, à savoir les principaux textes de la pensée historiale (ou ressortissant à l'histoire de l'estre), voit d'emblée que les formules conceptuelles énumérées sont ces concepts historiaux avec lesquels Heidegger caractérise l'esprit de *ce qui est à la pointe des Temps nouveaux*, et donc du temps présent, dans la mesure où il les comprend foncièrement à partir de l'esprit de la science mathématique de la nature et de la technique moderne. Or cela signifie que ces formules conceptuelles ne sont pas en tant que telles antisémites, qu'elles ne se rapportent pas seulement à l'esprit juif mais bien de manière générale à l'esprit du temps. Qu'il évoque spécifiquement le « judaïsme mondial » sous un éclairage critique spécifique, alors que la caractéristique qu'il dégage est tout autant celle, plus généralement, de l'esprit du présent des Temps nouveaux, cela doit être compris comme un reflet de la mentalité de l'époque telle qu'elle régnait alors. La tournure de pensée historiale et la conceptualité qui lui est propre ne sont pas par essence antisémites et ne proviennent pas d'une position foncièrement antisémite mais d'un esprit phénoménologique qui éprouve les phénomènes, les rend visibles et les conçoit en leur historialité propre. Le scandale, si scandale il y a, ce ne sont pas les quatorze passages mentionnés des *Réflexions* ; *le seul scandale, c'est la manière falsificatrice, calomniatrice et profondément dénuée de vérité d'en user avec ces passages.* Le « livre » de l'éditeur, qui n'est pas un ouvrage philosophique selon le jugement sûr d'Ingeborg Schüßler de Lausanne, ne propose pas une interprétation véritable et vraie. *Sa thèse de l'antisémitisme systématique de la pensée de Martin Heidegger n'est pas une vue interprétative qui offrirait sérieusement matière à discussion, mais une pure et simple allégation sans preuves à l'appui.*

En qualité de « principal collaborateur » philosophique de la *Gesamtausgabe*, comme Martin Heidegger m'a nommé textuellement, et d'assistant personnel au cours des quatre dernières

années de sa vie, je n'avais recommandé l'actuel éditeur des *Cahiers noirs* que comme *éditeur* du texte et non comme leur *interprète.*

L'ouvrage de l'éditeur accompagnant l'édition des *Réflexions aurait dû être conçu et rédigé tout autrement.* S'il s'agissait avec cet ouvrage d'une explication fournie par la maison d'édition relativement aux quatorze passages litigieux, la prise de position censée apporter des éclaircissements sur ces déclarations aurait dû faire ressortir la *dimension proprement philosophique* des *Réflexions* comme des déclarations critiques disséminées en celles-ci – comme nous l'avons fait dans la première section et au début de la seconde section du présent chapitre. Telle eût été *la seule manière appropriée* d'en user avec les trois premiers volumes des « cahiers reliés en toile cirée noire ». Au lieu de quoi l'éditeur passe outre la dimension philosophique des *Cahiers noirs* et par là des trois volumes de *Réflexions* et adopte une *perspective purement idéologico-politique* dans laquelle il ignore complètement le contenu philosophique des *Réflexions* comme la manière dont elles se situent par rapport aux autres genres de manuscrits de la pensée historiale de l'être. En cela il suscite chez les lecteurs de son ouvrage entièrement non philosophique comme chez les auditeurs de ses déclarations orales une fausse impression selon laquelle les *Cahiers noirs* dans leur ensemble constitueraient un fonds de pensée antisémite. Sa manière d'en user avec les « cahiers reliés en toile cirée noire », avec les « carnets » de Heidegger, est de ce fait de part en part falsificatrice et profondément dénuée de vérité.

On trouve dans les *Apports à la philosophie* un passage qui confirme pleinement nos dires. Ce passage s'énonce comme suit sous la plume de Martin Heidegger :

> C'est une idiotie sans nom de prétendre que la recherche expérimentale est quelque chose de nordique et germanique et que la recherche rationnelle lui serait au contraire *racialement étrangère* [= juive] ! Il faudrait alors nous accommoder de compter Newton et Leibniz au nombre des « Juifs ». C'est précisément le projet *mathé-*

matique de la nature qui constitue le présupposé rendant possible et nécessaire l'« *expérimentation* » comme opération qui effectue des mesures[1].

Heidegger s'oppose ici par une critique d'une ironie très caustique à une thèse nationale-socialiste portant sur l'essence de la science dans les sciences de la nature, thèse qui détermine la recherche expérimentale comme nordique et germanique et la recherche rationnelle comme « racialement étrangère », entendons : « juive ». Cette classification affectant la recherche expérimentale à l'esprit nordique et germanique et la recherche rationnelle à l'esprit juif est qualifiée par Heidegger d'« idiotie sans nom », car la recherche expérimentale des sciences de la nature a elle-même besoin de la fondation rationnelle par le projet mathématique de la nature institué de manière essentielle par Newton et Leibniz. Si une telle répartition de la recherche expérimentale et de la recherche rationnelle aux domaines respectivement germanique (*das Germanische*) et juif (*das Jüdische*) était pertinente, alors il faudrait que les nationaux-socialistes comptassent les grands rationalistes Newton et Leibniz parmi les « Juifs » dont on ne sache pas qu'ils aient fait partie. Le mot « Juifs » est écrit ici par Heidegger entre guillemets car il emploie le terme, en l'occurrence, dans l'usage qu'en faisait le national-socialisme. Cette citation des *Apports à la philosophie* permet d'établir clairement que Heidegger, à l'encontre de la thèse nationale-socialiste, ne conçoit pas la recherche et la pensée rationnelles comme une spécificité restrictivement inhérente à l'esprit juif, que par conséquent Heidegger ne fait pas du rationnel comme tel l'apanage de l'esprit d'un peuple. Ce passage illustre à sa façon que Heidegger ne pense pas de manière antisémite ni dans le domaine des sciences positives ni dans celui de la philosophie.

De notre caractérisation de la *dimension philosophique* des trois volumes de *Réflexions* comme de notre analyse de la conceptualité qui est celle des quatorze brefs passages incriminés de ces

---

1. M. Heidegger, *Beiträge zur Philosophie*, *op. cit.*, p. 163 ; trad. fr. p. 191.

Réflexions, il ressort clairement que *ces passages ne constituent en rien des « éléments constitutifs » d'une pensée en son caractère systématique, c'est-à-dire des cheminements de pensée constitutifs dans l'ajointement de la pensée de l'histoire de l'être.* Pour comprendre ce constat en sa teneur, encore faut-il avoir une compréhension un tant soit peu claire de ce que veulent dire la systématicité interne et le caractère intrinsèque d'ajointement d'une pensée philosophique. En d'autres termes, il faut soi-même s'y entendre à penser de manière systématique et être à même de faire la distinction entre une pensée engageant une systématicité et une pensée simplement accessoire (Hegel dirait : *ein lediglich beiherspielender Gedanke* [« venant illustrer accessoirement »][1]). Heidegger lui-même le souligne dans ses *Apports à la philosophie* et surtout dans son premier cours sur Schelling qui en est contemporain : « Toute philosophie est systématique, mais toute philosophie n'est pas un système[2]. » Toute philosophie et par là aussi la pensée de l'histoire de l'être est en elle-même systématique, c'est-à-dire ajointée. Le caractère systématique de la pensée de l'histoire de l'être, Heidegger le saisit dans le terme « ajointement » (*Fügung*) qui désigne le jointoiement interne et l'économie du questionnement. Les « cahiers reliés en toile cirée noire » des *Réflexions,* leurs esquisses numérotées sont déterminés par les efforts sans relâche consacrés à la seule et unique question qui est en quête de la vérité de l'estre (*Seyn*), telle qu'elle se déploie de manière systématique en un rigoureux ajointement du questionnement et du questionné. Voir cela, le dégager et le concevoir, telle est la seule manière légitime d'en user avec ces esquisses. En quoi il faut faire la distinction entre ce qui est *pensée engageant la systématicité de l'ajointement* et *pensée illustrant accessoirement* mais ne relevant pas d'un ajointement systématique. En ce sens, *les quatorze passages des tomes 95 et 96 de l'édition intégrale auxquels nous avons mûrement réfléchi sont*

---

1. G. W. F. Hegel, *Phänomenologie des Geistes,* Felix Meiner Verlag, Hambourg, 1952, p. 80 ; *Phénoménologie de l'Esprit,* trad. B. Bourgeois, Vrin, Paris, 2006, p. 132. *(N.d.T.)*
2. M. Heidegger, *Vom Wesen der menschlichen Freiheit* (1809), in *Gesamtausgabe,* tome 42, éd. H. Feick, Klostermann, Francfort, 1988, p. 51 ; *Schelling : le traité de 1809 sur l'essence de la liberté humaine,* trad. fr. J.-F. Courtine, Gallimard, Paris, 1983, p. 59.

purement et simplement accessoires ; les laisser tomber ne changerait strictement rien à l'ajointement du questionnement s'enquérant de la vérité de l'être. C'est en ce sens et en ce sens seulement que ces passages sont « philosophiquement sans pertinence » pour reprendre l'expression dont la formulation au jugement si sûr revient à István Fehér, mon collègue hongrois de Budapest.

Martin Heidegger a trouvé chez ses étudiants juifs d'une certaine envergure, tels que Hannah Arendt, Hans Jonas et Karl Löwith, au lieu d'une pensée seulement rationnelle, un don certain pour la pensée créatrice et les a tenus en haute estime jusqu'à la fin de ses jours. Hans Jonas a publié, dans le volume d'hommage à Martin Heidegger pour son quatre-vingtième anniversaire, une contribution dont ce dernier s'est particulièrement réjoui[1].

4. *Les* Cahiers noirs *ne sont pas philosophiquement déterminants*

Je voudrais à présent adopter une position bien arrêtée en apportant un *correctif* sur l'ensemble de manuscrits desdits « cahiers noirs » ou « cahiers de travail ».

L'actuel éditeur des *Cahiers noirs* – je le répète – a été recommandé par moi exclusivement comme *éditeur* des textes en question, et nullement comme leur *interprète*. Eu égard à la pensée de Martin Heidegger et à la vérité, il me faut *prendre nettement mes distances* avec ses « tentatives herméneutiques » exposées au niveau international, qui m'ont profondément déçu par leur manque intrinsèque d'honnêteté intellectuelle.

Les *Cahiers noirs* se bornent à accompagner la pensée heideggérienne de l'histoire de l'être ou de l'avenance (*Seins- oder ereignisgeschichtliches Denken*), c'est-à-dire la seconde phase de l'élaboration de la question de l'être, telle qu'elle commence vers

---

1. Voir H. Jonas, « Wandlungen und Bestand. Vom Grunde der Verstehbarkeit des Geschichtlichen » [*Ce qui change et ce qui demeure. De ce sur quoi repose l'intelligibilité de ce qui est historique*], in V. Klostermann (dir.), *Durchblicke. Martin Heidegger zum 80. Geburtstag*, Klostermann, Francfort, 1970, pp. 1-26.

1930-1931. S'ils ont, pour cette raison, un contenu philosophique, ils n'en sont pas moins coordonnés et subordonnés aux grands travaux de la pensée historiale. Le contenu philosophique de ces notes, de caractère non systématique, peut donc seulement être compris à partir de leurs liens conceptuels fondamentaux avec les traités qui en sont contemporains.

Les passages relatifs au judaïsme – fort peu nombreux au demeurant proportionnellement au contenu des trente-quatre cahiers et qui n'apparaissent dans aucun contexte plus vaste – sont philosophiquement *dénués de toute pertinence* et par là superflus pour la pensée de Martin Heidegger. Et surtout, *ils ne représentent pas un « élément constitutif » à caractère systématique et conceptuel* de la pensée de l'histoire de l'être. Cela est prouvé du fait qu'aucun des cours, conférences et manuscrits des traités de la même période ne contient *quoi que ce soit d'antisémite*.

Le judaïsme et son histoire antique et grandiose ne s'inscrivent pas, pour Heidegger, dans l'histoire de l'être, qui embrasse uniquement la pensée occidentale allant des premiers philosophes grecs jusqu'à Hegel et Nietzsche ainsi que la science et la technique modernes, caractérisées quant à elles par la « pensée calculante » dans laquelle Heidegger discerne un grand danger pour l'humanité.

Le concept confus et équivoque d'« antisémitisme historial » (*seinsgeschichtlicher Antisemitismus*), forgé de toutes pièces par l'éditeur des *Cahiers noirs* en relation avec les quelques phrases relatives aux Juifs qu'on peut y trouver, conduit à la *conclusion désastreuse et fallacieuse que la pensée historiale serait en tant que telle antisémite*.

Il n'est pas même possible de dire que Heidegger aurait « pensé de cette façon pendant un certain temps » – selon ce qu'aurait déclaré Trawny –, c'est-à-dire selon la façon qui ressort des phrases sur le judaïsme. Lorsqu'il s'exprime de manière aussi approximative, le lecteur et l'auditeur imaginent que Martin Heidegger, à l'époque où il écrivait ces phrases, aurait pensé « de cette façon » (*so*) – autrement dit de façon antisémite – y compris dans ses grands traités historiaux, ce qui est parfaitement insensé. Du reste, le fait

que la pensée de l'histoire de l'être, en son propre ajointement (*Gefüge*) structurel, n'implique en aucune façon une attitude antijuive, cela est attesté par les sept grands traités historiaux composés entre 1936 et 1944, des *Apports à la philosophie* jusqu'aux *Passerelles du commencement*.

5. *Aucun antisémitisme ne peut trouver place dans la pensée de l'histoire de l'être chez Heidegger*

Quand on se confronte aux passages sur les Juifs récurrents dans les carnets, s'avère décisif le fait qu'on ne trouve aucune trace de l'esprit de ces passages litigieux dans les textes fondamentaux de la pensée de l'histoire de l'être ou de l'avenance (*Seins- oder ereignisgeschichtliches Denken*) exposée dans les sept grands traités. Aucun des concepts de la pensée historiale de l'avenance présents en ces traités n'est susceptible d'être rattaché d'une quelconque façon à l'antisémitisme. Je n'ai pas seulement lu phrase par phrase les grands traités, mais je les ai lus de telle sorte qu'il me soit possible de comprendre chaque phrase particulière en remontant à sa source ou à son fondement radical (*Quellgrund oder Wurzelgrund*). Cette source fondamentale n'est autre que l'avènement essentiel de la vérité de l'estre (*Wesungsgeschehen der Wahrheit des Seyns*). La vision heideggérienne du déploiement essentiel de la vérité de l'être est issue et surgit du regard porté sur l'historialité de ce que le philosophe a phénoménologiquement montré, au cours de son chemin de pensée ressortissant à l'ontologie fondamentale, comme ouverture en une déclosion sur un mode transcendantal-horizon(t)al de cette vérité de l'être. De cette transformation immanente de l'approche de l'ontologie fondamentale (*fundamentalontologisch*) à celle ressortissant à l'histoire de l'être (*seynsgeschichtlich*) découlent tous les concepts historiaux fondamentaux, introduits pour la première fois dans les *Apports à la philosophie (De l'avenance)* puis modifiés et intégrés dans les traités successifs. Hegel pense l'historicité de l'Esprit absolu en

partant de la certitude sensible ; Heidegger pense l'historialité
de la vérité de l'être en partant de ce qui vient se faire entendre
(*Anklang*) de la vérité de l'être jusqu'à parvenir à la fondation de
la vérité de l'être et même, par-delà elle, à ceux qui sont tournés
vers l'avenir et au dieu dans l'avenance.

Tout cela se meut et se maintient à un niveau bien différent de
celui de l'antisémitisme vulgaire, et celui-ci ne peut absolument
pas s'insinuer au niveau de la réflexion historiale de l'avenance.

Pour parvenir à voir cela, il n'est pas nécessaire de se livrer à
de grandes investigations ni à une re-lecture des écrits de Martin
Heidegger, il suffit de disposer d'une aptitude philosophique
assez développée au *krinein* (« discerner », « discriminer ») et au
jugement. Aptitude dont Peter Trawny ne dispose pas, et c'est
bien pourquoi, en son indigence conceptuelle, et faute de dis-
cernement suffisant, il se répand en insanités sur l'antisémitisme
dans la pensée de Heidegger. Il est donc parfaitement clair que
l'antisémitisme est dénué de toute pertinence pour la pensée qui
se meut sur le plan de la réflexion de l'histoire de l'être.

Rien ne permet donc d'établir le moindre lien entre les passages
litigieux des carnets et la pensée de Heidegger relevant de l'histoire
de l'être.

Si l'on distingue à bon droit antisémitisme racial et antijudaïsme confessionnel, ces passages litigieux des carnets n'appartiennent ni au premier ni au second. De quoi relèvent-ils alors ?
Ils relèvent simplement de la vision politique privée de Heidegger, telle qu'elle se trouve toutefois dépassée et entièrement
reconfigurée dans le concept historial de « pensée calculante ».
Mais cette reconfiguration conceptuelle ultérieure ne rend pas
pour autant « antisémite » la source historiale à laquelle puise sa
pensée. Lorsque Heidegger parle de la pensée calculante inhérente au monde juif de la finance et de l'économie, ces phrases
ne constituent pas le moindre élément constitutif systématique
de la pensée de l'avenance en son propre ajointement systématique – le prétendre, telle est l'énorme erreur commise par Peter
Trawny comme par tous ceux qui lui emboîtent le pas.

L'antisémitisme tel qu'il fait partie du paysage politique sous le

Troisième Reich trouve bien en dernier ressort son origine dans l'antijudaïsme de nature confessionnelle du XIXᵉ siècle.

Donc : il nous faut opérer un départage (krinein) rigoureux entre les passages relatifs aux Juifs dans les carnets et, d'autre part, la pensée historiale, strictement philosophique, qui n'a par elle-même pas la moindre affinité avec quelque antisémitisme que ce soit !

Tout lecteur des écrits publiés doit parvenir à opérer ce partage s'il réaccomplit en pensée pour son propre compte le cheminement qui mène à ces écrits en remontant à leur source.

Au cours de mon étude approfondie des écrits de Martin Heidegger, je ne suis jamais tombé sur la moindre trace d'antisémitisme et de national-socialisme dans sa pensée. Je n'ai pas besoin de me replonger une fois de plus dans la lecture de ces écrits pour en constater l'absence. Et si d'aventure l'attitude foncière du nouveau comité de la Société Martin-Heidegger devait consister prioritairement à mener des investigations et des discussions visant à établir si l'« antisémitisme » allégué de Heidegger « s'applique ou non à sa pensée », je me verrais contraint de démissionner de son conseil d'administration et de ladite société, non pas certes pour marquer ma désapprobation vis-à-vis de la pensée de Heidegger mais bien en guise de protestation contre une attitude aussi peu sûre vis-à-vis de la pensée de Martin Heidegger. Les membres de cette société et les brillants représentants de la Wiener Daseinsanalytische Gesellschaft méritent à bon droit une prise de position sans ambiguïté vis-à-vis de la pensée de Martin Heidegger. Car la « personne » privée n'est pas l'affaire de la société, mais seulement la *pensée* du penseur. En ce qui me concerne, je n'ai *rien à ajouter philosophiquement en matière de clarification à fournir,* comme je viens de l'exposer sans ambiguïté dans ce qui précède.

L'attitude à laquelle je me tiendrai eu égard à cette question ne vise pas à « blanchir » Martin Heidegger, mais simplement à préserver sa pensée philosophique de toute adultération.

6. *Grandeur et portée du cheminement philosophique de Martin Heidegger*

6.1. L'expérience originaire de Heidegger dans le domaine de la pensée : celle d'une « philosophie vivante de la vie »

Après son premier cours en tant que *Dozent*[1] durant l'hiver 1915-1916, Heidegger écrit le 5 mai 1916 à sa fiancée Elfride Petri :

> Je sais à présent qu'il peut y avoir une philosophie vivante de la vie – que je peux m'engager dans un combat à couteaux tirés contre le rationalisme – sans m'exposer pour autant aux foudres de l'excommunication pour non-scientificité – je le *peux* – je le *dois* – et la nécessité du problème se pose aujourd'hui pour moi dans les termes suivants : comment créer la philosophie comme vivante vérité, pleine de valeur et de sens en tant que formatrice de la personnalité[2].

La découverte que vient de faire notre jeune philosophe dans le domaine de la pensée et qui le réjouit profondément n'est autre que la possibilité qui se manifeste alors à lui d'élaborer une philosophie de la vie vivante, une philosophie entendue comme vivante vérité, telle qu'elle lui ouvre et lui indique alors le chemin. C'est la révélation qu'il y a, différente de la vie théorétique de la connaissance, la vie pré- ou a-théorétique dans laquelle nous vivons préalablement avant d'adopter l'attitude théorétique de la connaissance et à partir de laquelle s'élève la vie théorétique de la connaissance ; dans cette mesure, c'est la tâche primordiale de la philosophie de parvenir à expliciter cette vie pré- et a-théorétique, c'est-à-dire la vie vivante en ce qu'elle a de plus propre.

---

1. *Dozent* est dans l'Université allemande un statut qui équivaut à peu près à notre « maître de conférences ». (N.d.T.)
2. M. Heidegger, « *Mein liebes Seelchen !* » *Briefe Martin Heideggers an seine Frau Elfride 1915-1970, op. cit.*, pp. 36-37. (C'est nous qui traduisons.)

Ce que le jeune Heidegger prend ici pour la première fois en vue comme vie vivante, c'est ce qu'il ne va pas tarder à saisir, dans ses cours entre 1919 et 1923, comme vie factive et existence factive. Avec la publication des premières lettres de Martin Heidegger, de 1916 à 1918, et notamment de la lettre importante du 5 mai 1916, se trouve porté à notre connaissance que la première expérience fondamentale, l'expérience originaire pour la problématique philosophique la plus propre à Heidegger, a lieu dès le premier tiers de l'année 1916. Cette expérience philosophique fondamentale de Heidegger se trouve élaborée dans les cours qu'il donne en qualité de *Dozent* après la Première Guerre mondiale jusqu'en 1923, puis dans les cours de Marbourg de 1923-1924 à 1928 et, finalement, de manière systématique dans sa première œuvre capitale, *Être et Temps* (1927).

6.2. Les cours de Heidegger en qualité de *Dozent*
    de 1919 à 1923 comme voie d'élaboration
    de la phénoménologie herméneutique
    de la vie factive

La philosophie de la vie vivante qu'inaugure Heidegger est en même temps mise en chantier comme perspective et voie de questionnement pour une nouvelle philosophie de la religion à élaborer sur de nouveaux frais, qu'il appelle la « véritable philosophie de la religion ». La « véritable philosophie de la religion » recherchée doit trouver sa véracité à partir des nouvelles assises de la philosophie de la vie vivante.

Heidegger donne des impulsions à cette philosophie de la religion fondée sur de nouveaux frais dans deux cours dispensés juste après la Première Guerre mondiale. Dans le cours fondateur de la phénoménologie de la religion du semestre d'hiver 1920-1921, intitulé *Introduction à la phénoménologie de la religion*, Heidegger explicite la religiosité chrétienne originaire du Nouveau Testament comme expérience chrétienne originaire de la vie au sens de l'expérience factive de la vie, en passant par une interprétation herméneutique pénétrante de trois épîtres de saint Paul. Dans

le cours du semestre d'été de 1921 *Augustin et le néo-platonisme*, auquel la philosophie de la religion fournit également son orientation, Heidegger interprète l'auto-explicitation de l'*anima* et de la *vita* dans le livre X des *Confessions*, telle qu'elle est conduite par la quête de Dieu par Augustin, comme largement déterminée par l'expérience factive de la vie propre à la vie vivante (*durch die faktische Lebenserfahrung des lebendigen Lebens*). Tant dans son cours sur Paul que dans celui sur Augustin, Heidegger met au jour l'existence chrétienne en la dégageant de l'hellénisme, et donc sans reprises de la conceptualité aristotélicienne, néo-platonicienne et stoïcienne, mais exclusivement à partir de la vie factive et vivante. Ce qui vient se déployer dans ces deux cours majeurs du début des années 1920 trouve son origine déterminante dans cette extraordinaire découverte faite dans le domaine de la pensée dont Heidegger fait part avec une certaine exaltation à sa fiancée dans la lettre du 5 mai 1916.

Au cours de cette même année 1916, qui devait s'avérer si fructueuse pour la problématique la plus propre à Heidegger, celui-ci adresse une autre lettre à sa fiancée, où il lui communique une vue d'aussi grande importance et d'aussi grande portée dans le domaine de la pensée. Il s'agit de la lettre du 13 juin 1916, où on peut lire :

> J'ai réussi un coup de maître, ce dernier a consisté en ceci que j'ai découvert un problème fondamental de la doctrine des catégories – la solution vient d'elle-même, pour la recherche c'est toujours la position du problème qui est décisive[1].

Le « coup de maître » mentionné ici – avoir découvert un problème fondamental de la doctrine des catégories –, c'est d'avoir aperçu qu'en dehors de la seule manière logique et objective de traiter des catégories ayant prévalu jusque-là en philosophie depuis Aristote, il y a la question toute nouvelle consistant à s'enquérir de ces catégories tout autres, les plus propres qui soient à

---

1. *Ibid.*, p. 41. (*C'est nous qui traduisons.*)

la vie vivante et à l'esprit vivant lui-même, qu'il s'agit à présent de
dévoiler – vaste programme ! Cette découverte, cet aperçu, c'est
l'anticipation décisive de ce qui sera dégagé après la Première
Guerre mondiale, dans le cours de 1919-1920 et lors des années
suivantes, comme « sens » quant à la « teneur » (*Gehaltsssinn*),
au « rapport » (*Bezugssinn*) et à l'« accomplissement » (*Vollzugs-
sinn*) de la vie factive, vivante, et finalement dans *Être et Temps*
comme les existentiaux de l'être le là (du *Dasein*) existant ayant
une entente de l'être.

Heidegger dit dans la préface à son dernier cours de Fribourg
en qualité de *Dozent*, cours intitulé *Ontologie. Herméneutique de la
factivité*) :

> Compagnons de route me furent le jeune *Luther*, avec pour
> modèle *Aristote*, que celui-là détestait. Les impulsions, je les ai reçues
> de *Kierkegaard*, quant à *Husserl*, il m'a mis les yeux en face des trous[1].

Heidegger se réfère ici au regard phénoménologique tel qu'il
en a fait d'abord l'apprentissage avec les *Recherches logiques* de
Husserl. Les yeux de l'esprit pour le regard spirituel philosophique des choses à penser envisagées comme phénomènes, c'est
à la phénoménologie de Husserl qu'il en est redevable. Mais la
phénoménologie propre à Husserl entendue comme démarche
méthodique a le caractère d'une phénoménologie réflexive
conformément à laquelle l'expérience sensible envisagée en
toute sa portée constitue la position de départ que la conscience
humaine a du monde. Dès le début de ses premiers cours de
Fribourg (avant d'y revenir comme professeur après avoir été
nommé entre-temps à Marbourg), Heidegger a transformé la
phénoménologie réflexive husserlienne en phénoménologie herméneutique. Cette phénoménologie s'appelle herméneutique
parce qu'elle interprète la vie-au-sein-du-monde envisagée dans
son accomplissement et sans anticipation réflexive. Or c'est là

1. M. Heidegger, *Ontologie. Hermeneutik der Faktizität*, in *Gesamtausgabe*, tome 63, éd.
K. Bröcker-Oltmanns, Klostermann, Francfort, 1988, p. 13 ; *Ontologie. Herméneutique de la factivité*,
trad. fr. A. Boutot, Gallimard, Paris, 2012, p. 22.

ce que Heidegger appelle la vie pré-théorétique, tandis que la manière dont Husserl prenait la simple expérience sensible était déjà marquée de manière théorétique et réflexive. Heidegger n'en a pas moins pu faire l'apprentissage du regard phénoménologique grâce à la phénoménologie husserlienne, mais en le mettant désormais à profit pour la phénoménologie herméneutique ayant préséance sur la phénoménologie réflexive.

Les dix cours conservés de Fribourg (première période) élaborent selon diverses perspectives la phénoménologie herméneutique de la vie factive. Chacun de ces cours constitue une avancée considérable de l'engagement philosophique de Heidegger, au cours de laquelle la vie factive, autrement dit la vie humaine effective, parvient à être explicitée en la factivité qui est la sienne. Mais si Husserl ne fait pas, pour sa part, incursion dans le domaine de cette vie factive dans le cadre de sa phénoménologie de la vie de la conscience, ce n'en est pas moins lui qui, dans sa mise en œuvre du regard phénoménologique des phénomènes de la conscience, a rendu possible le regard phénoménologique et l'interprétation des phénomènes de la vie factive.

6.3. Les cours de Marbourg de 1923-1924 à 1928 envisagés en tant qu'ils mènent à l'élaboration de la première œuvre capitale, *Être et Temps*

Lorsque Martin Heidegger a quitté en 1923 l'université de Fribourg pour celle de Marbourg, il a poursuivi sur la voie tracée par ses premiers cours de Fribourg. L'interprétation herméneutique-phénoménologique de la vie factive devient alors phénoménologie herméneutique et analytique ontologico-existentiale du *Dasein* ayant une entente de l'être. Cette analytique est guidée par la question universelle de l'être entendue comme question en quête du sens de être en général. L'« être en général », deux choses sont à entendre par là : l'être comme constitution ontologique de l'être le là humain, du *Dasein* en sa factivité, et l'être entendu comme constitution ontologique de tous les autres domaines de l'étant, au beau milieu desquels le *Dasein* humain existe en

ayant une entente de l'être. Le dernier cours de Fribourg (avant le départ pour Marbourg) traitait déjà de l'ontologie comme herméneutique de la factivité. L'aperçu précoce de Heidegger selon lequel les catégories de l'existence factive *et* celles de l'étant auquel se rapporte l'existence factive relèvent du problème des catégories constitue déjà un préalable à la question de l'être en son entier, de l'être en général et du sens de être. Dans cette mesure, les cours de Marbourg et la mise en chantier d'*Être et Temps* (qui va de pair avec eux) se situent dans le droit-fil des premiers cours de Fribourg.

La première partie d'*Être et Temps* s'articule en trois sections : 1) « L'analyse fondamentale préparatoire du *Dasein* » ; 2) « *Dasein* et temporellité (*Zeitlichkeit*) » ; 3) « Temps et être ». L'ensemble prend le nom d'ontologie fondamentale, laquelle précède chaque ontologie régionale en la fondant. Dans la première section les « catégories » du *Dasein* ayant une entente de l'être se trouvent dégagées analytiquement comme autant d'existentiaux, à la différence des catégories *stricto sensu*, à savoir celles de l'étant auquel se rapporte le *Dasein* humain. Dans la deuxième section, le sens de être des existentiaux se trouve mis en évidence de manière herméneutique et phénoménologique comme temporellité existentiale du *Dasein*. La troisième section, « *Temps et être* », s'enquiert, à partir de la temporellité du *Dasein*, du sens qui appartient à l'être de l'étant qui n'est pas le *Dasein*, mais auquel le *Dasein* se rapporte foncièrement. S'y trouve interrogé le sens, quant à l'être, des catégories de l'être de l'étant, sens lui-même vu et conçu comme temporalité (*Temporalität*) à la différence de la temporellité propre au *Dasein* (*Zeitlichkeit*). Si la temporellité du *Dasein* s'accomplit de manière transcendantale, le temps conçu comme temporalité est l'horizon, c'est-à-dire le champ de vision à partir duquel le *Dasein* a une entente du temps, dans l'accomplissement de sa propre temporellité, comme sens ontologique de l'être de l'étant. La temporellité transcendantale de l'existence du *Dasein et* la temporalité horizon(t)ale (le temps) de l'être de l'étant auquel se rapporte le *Dasein* constituent en leur coappartenance la réponse

à la question directrice d'*Être et Temps*, celle du sens de être en général et en entier.

Certes, lors de la parution d'*Être et Temps* en 1927 la troisième section n'a pas été publiée. Mais dans le cours de Marbourg du semestre d'été de 1927 Heidegger donne une « nouvelle élaboration de la troisième section d'*Être et Temps*[1] », publiée depuis lors comme tome 24 de l'édition intégrale. Dans le dernier cours de Marbourg, celui du semestre d'été de 1928, Heidegger livre aussi des développements substantiels de la troisième section intitulée « Temps et être ». Quant au cours de Marbourg de l'été 1927, intitulé *Les problèmes fondamentaux de la phénoménologie*, à savoir de la phénoménologie herméneutique qui est celle de l'ontologie fondamentale, il demande à être lu comme ré-élaboration de la troisième section d'*Être et Temps*.

6.4. L'expérience de l'historialité de l'être lui-même et la voie de la pensée de l'histoire de l'être

Cette expérience de la pensée que l'être lui-même est historial à partir de lui-même est une nouvelle fois une découverte fondamentale d'une envergure considérable sur le chemin de pensée de Martin Heidegger. Cette expérience de l'historialité de l'être lui-même, et non seulement du *Dasein*, de l'être le là en ses possibilités d'existence, survient au cours de l'année 1930. L'un des premiers textes où se trouve attestée cette nouvelle expérience est la fameuse conférence de 1930 « De l'essence de la vérité »[2]. Depuis 1930, tous les cours de Fribourg, au nombre de vingt-neuf au total, se situent dans la perspective nouvellement percée de la pensée de l'histoire de l'être.

L'œuvre fondatrice pour la pensée de l'histoire de l'être, ce sont les *Apports à la philosophie (De l'avenance)*, rédigés entre 1936 et 1938. Dans une rétrospective de son chemin de pensée, Heideg-

---

1. M. Heidegger, *Die Grundprobleme der Phänomenologie*, in *Gesamtausgabe*, tome 24, éd. F.-W. von Herrmann, Klostermann, Francfort, 1975 ; *Les problèmes fondamentaux de la phénoménologie*, trad. fr. J.-F. Courtine, Gallimard, Paris, 1985.
2. M. Heidegger, « De l'essence de la vérité », trad. A. de Waelhens et W. Bienel, in *Questions I*, Gallimard, Paris, 1968, pp. 161-194.

ger notifie que le projet qui trouve sa première configuration dans le manuscrit des *Apports à la philosophie* se trouve établi dans ses grandes lignes depuis le printemps 1932. Les *Apports* constituent le premier des sept traités historiaux, rédigés jusqu'en 1944. La pensée de l'histoire de l'être qui s'amorce avec les *Apports*, dont les débuts remontent, rappelons-le, à l'année 1930, ouvre une nouvelle voie d'élaboration de la question de l'être, une seconde voie, une autre voie qui, à la différence de la première, à savoir celle d'*Être et Temps*, ne prend pas son départ avec une analytique ontologico-existentiale de l'entente de l'être qu'a le *Dasein* mais avec l'historialité de l'être en son entier. Si sur la voie qui est celle d'*Être et Temps* l'être en son entier perce comme ouverture transcendantale-horizon(t)ale en sa déclosion ou éclaircie ou encore (en ce sens) vérité de l'être, qui est bien plus ou moins originaire mais sans être pour autant historiale par elle-même, cette même vérité entendue comme clairière de l'être est dorénavant éprouvée en son règne (*Walten*) historial telle qu'elle se découvre ou se recouvre, voire se retire. La pensée de l'histoire de l'être a elle aussi un caractère herméneutique et philosophique. L'historialité de la vérité de l'être se montre en son amplitude en ceci que la vérité de l'être soit se tourne vers nous, soit se détourne de nous. Qu'elle se tourne vers nous, c'est là ce que Heidegger conçoit comme l'appropriation au cœur de ce qui nous regarde (*Ereignis*). Qu'elle s'en détourne, c'est la dés-appropriation de ce qui nous regarde. L'histoire des Temps nouveaux, de la science de la nature et de la technique moderne à l'âge de la globalisation ou mondialisation, Heidegger la pense comme une histoire du retrait croissant de la vérité de l'être. De ce retrait historial relève de manière tout à fait essentielle la « pensée calculante » par laquelle les Temps nouveaux sont foncièrement déterminés jusqu'à nos jours. Le parcours historial qui va de l'extrême retrait de l'être jusqu'à l'abondement manifeste de la vérité de l'être connaît dans les *Apports à la philosophie* six stations et débouche sur la résurgence de la dimension du divin et du dieu. Ce parcours de la vérité de l'être se laisse saisir comme une phénoménologie de la vérité de l'être. Ce qui est pour Hei-

degger la phénoménologie de la vérité de l'être est pour Hegel la phénoménologie de l'esprit. Une comparaison à cet égard entre les deux penseurs est très stimulante.

Une question fondamentale et centrale de la pensée de l'histoire de l'être est celle du rapport entre être et parole, et par là celle de l'essence plénière de la parole. La question historiale de l'être et le poétiser sont pensés comme deux modes insignes de la relation à l'essence plénière de la parole telle qu'elle a trait à l'être. Le poète le plus proche de cette pensée, dans la perspective de la pensée historiale, c'est, pour Heidegger, Friedrich Hölderlin. C'est pourquoi Heidegger interroge la proximité et le voisinage de la poésie hölderlinienne avec la pensée historiale. Les poèmes tardifs de Hölderlin, les élégies et les hymnes, vivent selon Heidegger à partir de l'expérience poétique de la clairière (*Lichtung*) et de l'ouverture de l'être. C'est là ce à quoi se rattachent les trois grands cours sur Hölderlin des années 1930 et 1940. La question de l'essentiel voisinage entre poésie & pensée telle que la pose Heidegger a également occupé une place significative dans les années 1950, lorsque l'auteur de ces lignes était encore étudiant à l'université de Fribourg. Ces tentatives risquées pensivement par Heidegger ont abouti à la version plus étoffée d'*Approche de Hölderlin*[1] et au livre *Acheminement vers la parole*[2].

La pensée ressortissant à l'histoire de l'être procède d'une mutation immanente à la pensée de l'être au fil de l'ontologie fondamentale (*fundamentalontologisches Seinsdenken*). L'engagement de la pensée de l'histoire de l'être est seulement motivé par l'expérience de l'historialité propre à la vérité de l'être. Cette expérience trouve de plus en plus à se déployer à partir de 1930, dans les cours de Fribourg et surtout dans les sept grands traités historiaux. Eux seuls permettent de voir quels cheminements de pensée relèvent de l'ajointement systématique de la pensée de l'histoire de l'être. Il n'y a pas lieu d'établir ici une distinction

---

1. M. Heidegger, *Approche de Hölderlin*, trad. H. Corbin, M. Deguy, F. Fédier, J. Launay, Gallimard, Paris, 1973.
2. M. Heidegger, *Acheminement vers la parole*, trad. J. Beaufret, W. Brokmeier, F. Fédier, Gallimard, Paris, 1981.

entre une pensée exotérique et une pensée ésotérique, celle-ci étant qualifiée de manière erronée d'antisémitisme par l'éditeur des « cahiers reliés en toile cirée noire ». Oralement, Heidegger se référait bien aux « cahiers noirs », désignation ne se référant qu'à la couleur de leur couverture ; mais dans sa rétrospective du manuscrit il appelle ces cahiers des « carnets » (*Notizbücher*), caractérisant en cela la teneur de ces cahiers quant à la pensée. Ce sont des carnets *sui generis*, non pas seulement des notes jetées sur le papier en vue de leur élaboration ultérieure, mais aussi des pensées saisies au vol, qui ne s'inscrivent pas dans le cadre des manuscrits qui se trouvaient alors en chantier, des notations telles qu'elles lui sont venues de temps à autre, parfois même nuitamment dans des moments d'insomnie. Pour la plupart, ces notations sont des compléments à la pensée de l'histoire de l'être, même quand elles se rapportent à des manuscrits plus anciens. Quant aux autres notations – outre celles qui sont des compléments à la pensée de l'histoire de l'être –, elles sont autant de prises de position sur des événements politiques ou autres mais ne relèvent pas, fussent-elles rédigées dans la langue de la pensée de l'histoire de l'être, du fonds proprement dit des cheminements propres à la pensée historiale. Ce qui appartient à ce fonds ne peut être relevé, et de manière exhaustive, que dans les traités historiaux. Chacun de ces traités est, quant à lui, une reconfiguration de l'ajointement systématique de la pensée historiale. *Qui n'est pas à même de distinguer entre les développements à caractère systématique et les déclarations venant simplement interférer avec ceux-ci manque visiblement de jugement philosophique.*

La pensée de l'être dans la perspective de l'ontologie fondamentale et celle ressortissant à l'histoire de l'être, élaborées l'une et l'autre par Martin Heidegger, ont le rang de positions philosophiques fondamentales comparables à celles des grands penseurs de la tradition. Mais la phénoménologie transcendantale de Husserl, telle qu'elle se rattache surtout à la tradition moderne de Descartes, Kant et Fichte, représente pour Heidegger une position philosophique dont on ne saurait surestimer l'importance.

Dans les dernières lettres qu'il m'a écrites, Otto Pöggeler a

parlé d'une « polyphonie » de la philosophie – expression à laquelle je souscris volontiers.

Chaque position philosophique fondamentale des penseurs de quelque envergure demeure un chemin qui a ses limites propres, qui accorde à la pensée de faire incursion dans ce qui est à penser et ne peut être entièrement parcouru.

CHAPITRE DEUX

Les Cahiers noirs

ANALYSE HISTORICO-CRITIQUE
SE PASSANT DE TOUT COMMENTAIRE

Francesco Alfieri

1. Avant-propos « pour ceux qui ne sont pas en nombre – pour les rares êtres libres »

Avoir entre les mains les *Schwarze Hefte* de Martin Heidegger et parcourir ces pages aussi prestement que le philosophe a voulu saisir ses pensées au vol en les fixant dans ses carnets, c'est là une opération quelque peu périlleuse. Et même fort périlleuse en ceci qu'elle dévoile sans équivoque possible la limite à laquelle se heurte quiconque voudrait naïvement procéder de la sorte, à savoir : l'incapacité à *se laisser guider par le mouvement propre à la pensée de Heidegger*. Et c'est là la raison pour laquelle certains n'ont pas hésité à se substituer à l'auteur en recourant à une autre voie, moins semée d'embûches, celle des intuitions personnelles, et se sont ainsi *égarés* sur un *sentier interrompu* (*Holzweg*)[1]. Que ces notes puissent être périlleuses, cela n'avait pas échappé à Heidegger lui-même puisqu'il a exprimé la volonté que les

---

1. Cette expression de « sentier interrompu » (*sentiero interrotto*) appelle quelques éclaircissements. Elle évoque en effet, pour le lecteur italien, le titre de la traduction italienne des *Holzwege* de Heidegger par Vincenze Cicero (Bompiani, Milan, 2002) : *Sentieri errante nella selva*, traduits en français sous le titre *Chemins qui ne mènent nulle part* (Gallimard, Paris, 1962), en reprenant le sens courant de *Holzweg* rappelé par Heidegger dans l'exergue de son recueil : « des chemins qui, le plus souvent encombrés de broussailles, s'arrêtent soudain dans l'infrayé » (« *Wege, die meist verwachsen jäh im Unbegangenen aufhören* ») : « sentier interrompu » est donc à prendre ici au sens courant *négatif* de l'expression allemande *auf dem Holzweg sein* (« se fourvoyer complètement »). *(N.d.T.)*

Schwarze Hefte ne fussent publiés qu'une fois achevée l'édition complète de ses œuvres. Un détail, dira-t-on, mais qu'on ne saurait éliminer facilement, parce que c'est la connaissance de sa production scientifique qui constitue la seule et unique grille interprétative pour aborder ces carnets et pouvoir ainsi *parcourir* leurs contenus fragmentaires, formulés avec la précarité stylistique typique d'une écriture de premier jet qui vise seulement à *retenir* des pensées qui pourraient d'une certaine façon s'enfuir avec le temps. Cette précarité stylistique est d'emblée reconnaissable dans nombre des *Réflexions* rassemblées dans les volumes 94 et 95 de la *Gesamtausgabe*, où le texte tout entier est à l'évidence une série d'observations spontanées, « décousues », composées à la hâte au fur et à mesure qu'elles venaient à l'esprit de l'auteur, non pas développées et approfondies mais plutôt formulées pour certaines d'entre elles en langage parlé et assurément pas en un langage scientifique et châtié ; il ne saurait s'agir d'un texte élaboré à prendre comme pensée construite. J'ai donc estimé opportun de signaler entre accolades ({}) quelques passages dans lesquels se laisse aisément reconnaître ce registre de l'écriture heideggérienne : se familiariser avec lui pourra aider le lecteur à s'orienter dans ce que ces notes ont de fragmentaire. Mais cela n'est pas encore suffisant : en effet, ces notes comportent une variété thématique si vaste que seule une partie d'entre elles a fait l'objet d'une réélaboration systématique au cours du temps, dont les œuvres de la *Gesamtausgabe* ont gardé la trace ; mais de la majeure partie il n'est pas fait mention dans les autres œuvres de Heidegger, elles n'ont pas été reprises ni n'ont fait l'objet de plus amples approfondissements. Comment est-il possible que certaines notes contenues dans les carnets aient été cantonnées par Heidegger en une écriture au fil de la plume n'ayant rien à voir avec une réflexion d'ordre systématique ? Il est possible – si l'on garde à l'esprit que ce questionnement mène à un *nouveau commencement* qui n'est autre que le questionnement lui-même – d'émettre la supposition que si, dans la *Gesamtausgabe*, on ne trouve pas trace de certaines notes esquissées dans les carnets, cela pourrait vouloir dire que celles-ci doivent être parcourues

en tenant compte de la *fluidité* de toute une série de catégories heideggériennes qui, depuis *Être et Temps,* sont autrement entendues dans les *Apports à la philosophie (De l'avenance)* et reçoivent par la suite de plus amples éclaircissements dans la *Lettre sur l'humanisme*[1] (1946) et *La question de la technique*[2] (1953).

Un tel questionnement rend encore plus ardue l'entreprise visant à entendre le sens de ces notes. À la rendre plus ardue mais non pas impossible pour peu que celles-ci soient replacées dans le lexique heideggérien, seule voie, à mon avis, pour ne pas tomber dans des méprises qui portent naturellement à s'écarter dangereusement du parcours que Heidegger a laborieusement tracé. C'est la responsabilité de l'intellectuel qui se sent le devoir de ne pas trouver précipitamment et à tout prix des voies alternatives et qui décide en personne de séjourner au sein de la complexité de ces notes pour tenter de les comprendre *sans s'en tenir* à ce qui, au cours de ces dernières années, a semblé à beaucoup être « évident ». Naturellement, il n'a pas été facile d'aborder l'étude des carnets sur fond de l'« évidence » des résultats auxquels avaient pu parvenir certains chercheurs. Toutefois, ce qui est tenu par certains pour bien établi, mettant par là un terme à la discussion, n'était pas en mesure d'apaiser, chez l'auteur de ces lignes, l'insistance du questionnement – souvent inquiet – qui réveille chez lui l'urgence de remettre en question les résultats obtenus parce qu'il doute que la solution puisse reposer sur le résultat quand il s'agit d'aborder un cheminement qui ne cesse de nourrir un nouveau questionnement. J'ai donc abordé ces carnets en étant parfaitement conscient de vouloir *éprouver* ce que Heidegger notait chemin faisant et, si laborieux que cela puisse être, je n'ai pas voulu me laisser « distraire » par son écriture au fil de la plume et par la « tentation » de parvenir à comprendre ce qui en réalité ne se comprend qu'en faisant retour au commencement. Ce qui ne veut pas dire que je serais parvenu pour

---

1. M. Heidegger, *Lettre sur l'humanisme,* trad. R. Munier, in *Questions III,* Gallimard, Paris, 1976, pp. 73-157.
2. M. Heidegger, « La question de la technique », trad. A. Préau, in *Essais et conférences,* Gallimard, Paris, 1958, pp. 9-48.

autant à mettre un terme à la *vexata quæstio* des *Schwarze Hefte*, bien au contraire : pour mettre un terme à quoi que ce soit, il faut accepter que – à la fin du cheminement – subsiste une *vexata quæstio* et cela quelle qu'en soit la portée.

Mon intention est de faire ressortir tout d'abord la complexe stratification terminologique des notes de Heidegger en tenant compte du contexte dans lequel elles s'insèrent. C'est ensuite au lecteur, auquel je restitue ce bout de chemin que j'ai pu accomplir, qu'il appartiendra d'éprouver la nécessité de *revenir* à Heidegger afin de poursuivre un nouvel itinéraire de recherche qui prendra en charge cette complexité, endurera le questionnement, et ne pourra ensuite redescendre au niveau du compromis avec *le caractère éminemment réfutable de l'évidence se donnant pour telle.* Aux chercheurs qui, ces dernières années, ont proposé leurs propres « interprétations », à leurs verdicts très différents du nôtre sur le legs de Martin Heidegger, mais aussi à ce qu'ont pu faire ses disciples, il convient de ne répliquer *en aucun lieu.* Il reste à vérifier la fiabilité de leurs assertions en les estimant sur la base des notes que Heidegger a entendu nous livrer. Même sur fond d'*évidences irréfutables* auxquelles sont parvenus certains chercheurs, je n'ai pas estimé pour autant devoir faire droit à leurs investigations dans cette tentative d'analyse, en vertu du fait qu'en dernière instance, et par conséquent sur la base des résultats auxquels nous serons parvenus grâce à une analyse philologique des carnets, il sera possible de *trancher* quant à savoir si lesdites évidences reposent bien sur un fondement interprétatif d'ordre herméneutique. Il importe de préciser d'emblée que dans ce travail il s'est avéré nécessaire d'opérer un virage radical, un renversement de perspective revenant à Heidegger pour analyser *en se passant de tout commentaire* les *Schwarze Hefte* édités à ce jour par Klostermann. Le lecteur pourra constater que s'ouvrent de nouveaux horizons qu'il est revenu à Heidegger lui-même d'indiquer. Jusqu'à présent j'ai toujours conclu mes propres études en indiquant quelques conclusions possibles auxquelles j'étais parvenu ; ici, en revanche, j'ai décidé de laisser au lecteur lui-même le soin de tenter une telle opération, dès lors

que j'éprouve la nécessité de revenir sur mes pas pour retourner à contre-courant à mon point de départ.

Cette *tentative* de recherche – que je qualifie comme étant *à contre-courant* pour rester *en relation* avec le style d'écriture auquel a recours Heidegger – part des carnets pour remonter jusqu'aux *intentions* de l'auteur et, à l'aide de ses œuvres, chercher à parcourir transversalement l'itinéraire de sa pensée. Pour chaque recueil des *Schwarze Hefte* sera proposée une série de passages choisis. Ils seront présentés en deux colonnes où, face à la traduction française, est reporté le texte original allemand. Figurent en caractères gras les termes clefs qui seront examinés à tour de rôle. Pour certains passages, on trouvera la reproduction des manuscrits afin de faire ressortir comment Heidegger reconsidère le concept ontologique de « catégorie » qui se réfère à l'aspect ontique de certains événements historiques, auxquels il a jugé opportun de réagir en personne, en leur concrétude effective. Le *passage* herméneutique qui marque le virage d'une reconsidération du *Dasein* et de la sphère ontique au sein du *seinsgeschichtliches Denken* [« pensée de l'histoire de l'être »] est le seul et unique élément décisif pour *revenir à Heidegger* et appréhender la complexité de ces notes. Au vu, toutefois, de l'importance des thèmes traités, je considère le présent écrit comme une *tentative* de les soumettre au crible d'une critique radicale, la mienne et celle d'autrui.

2. *Réflexions II-VI (Cahiers noirs 1931-1938)*[1]

2.1. La *fermeté* de la position de Heidegger à l'égard du national-socialisme

Regardons donc de plus près les matériaux que Heidegger nous a livrés ici. Il n'y a pas d'autre solution en effet pour chercher à comprendre quelle a été sa *réelle implication* dans le national-socialisme, en cette période si tourmentée qui le voit

---

1. M. Heidegger, *Überlegungen II-VI (Schwarze Hefte 1931-1938)*, op. cit.

en première ligne en sa qualité de recteur de l'université de Fribourg. Après analyse du tome 94, j'ai sélectionné tous les passages de l'unité thématique « national-socialisme » – mais j'ai identifié aussi d'autres sous-unités qui lui sont liées – dans lesquels il note ses réflexions au cours de la période qui va de 1931 à 1938. C'est là en effet, répétons-le, la seule façon de comprendre son implication et ses éventuelles responsabilités. Bien que le lecteur dispose d'une grille textuelle, j'ai estimé devoir laisser une trace de ma démarche, en indiquant en caractères gras les termes et les expressions des *Schwarze Hefte* que j'ai analysés à tour de rôle pour comprendre leur emploi et surtout pour saisir les concordances sur la base d'un contexte historique toujours mouvementé. En effet, il arrive souvent que certains termes connaissent un changement de registre dû précisément au contexte dans lequel ils viennent s'insérer. Mais avant d'aborder la lecture des textes, j'aimerais fournir ici un relevé conceptuel qui, à la fin de cette section, pourra m'être utile pour amorcer une tentative de réflexion.

La **question de l'estre** (*Seyn*) est le fond sur lequel évoluent les réflexions heideggériennes, et ce fond ne constitue pas seulement le point d'arrivée mais surtout un chemin de retour propre à réveiller le commencement (*Anfang*). Dans ce contexte, l'être le là (*Dasein*) doit être recompris et peut assurément courir le risque d'être mené sur d'autres voies qui ne sont pas celles précisément du retour aux origines de l'histoire de l'être. S'engager dans une autre voie équivaut à l'égarement du sens originaire du commencement qui est précisément le *questionnement*. Heidegger met d'emblée en garde au sujet de la question de l'être, qui n'est pas réductible à un « jeu » pour « philosophies scientifiques » (*Winke X Überlegungen (II) und Anweisungen*, § 211), mais est en rapport avec de « nouveaux commencements ». La référence à la métamorphose créatrice du *Dasein* est une constante, elle revient continuellement : ce qui est « créateur » (*schöpferisch*) ne rentre pas dans le cadre des « fabrications » (*Machenschaften*) (*Überlegungen und Winke III*, §§ 68 & 69), et c'est seulement par un savoir « élevé » et « supérieur » que se construit un « monde spirituel historial » (§ 83). D'où « l'urgence spirituelle d'être le là » (*geistige Daseinsnot*) et le retour à un impé-

rieux questionnement : « Quand parviendrons-nous à la grande urgence d'être le là ? [...] Quand prendrons-nous au sérieux ce qu'être le là a de digne de questionnement [...] ? » (§ 88).

Une fois précisé ce contexte, venons-en à présent à la mise en place de la terminologie heideggérienne et aux diverses déclinaisons prises par ses termes dans les *Réflexions II-VI*.

Dans les *Überlegungen und Winke III* se trouvent les déclinaisons suivantes pour **national-socialisme** : « mouvement national-socialiste » avec des références explicites aux « slogans » et à des « lieux communs » (§ 46). C'est précisément en référence aux « slogans » et aux formules toutes faites (*Schlagworte*) – sur lesquels il reviendra dans le tome 95 en évoquant précisément le national-socialisme – que Heidegger s'autorise à en employer une quand il parle du « philosophe » national-socialiste Alfred Baeumler (ou Bäumler) qu'il qualifie de « néokantien réchauffé au national-socialisme » (§ 207). Les déclinaisons continuent avec les « organisations professionnelles nationales-socialistes » et leurs besoins « calculateurs » (*rechnend*) (§ 68). C'est dans ce même contexte du § 68 que note Heidegger, en envisageant l'avenir de l'Université, la manière dont le national-socialisme a été seulement « un vernis » à appliquer rapidement sur toute chose ; le « national-socialisme n'a pas été forgé initialement comme "*théorie*" mais [il] a commencé par l'action » (§ 69) ; on ne vise pas à « fonder le national-socialisme "théoriquement", tout en s'imaginant ainsi pouvoir le rendre solide et durable » (§ 70).

C'est à partir du § 72 que se remarque un changement de registre chez Heidegger avec l'introduction d'un « national-socialisme spirituel » (*geistiger Nationalsozialismus*) qu'il estime ne pas être « théorique », ni « meilleur », ni plus « authentique ». Il se demande s'il est bien « nécessaire ». Même changement de registre dans le § 73.

Un changement de cap amène Heidegger à noter un peu plus loin la « dégénérescence du national-socialisme » considéré comme une « trouvaille » (*Dreh*), et dans ce parcours le lecteur tombera sur ce que l'auteur qualifie d'« avantage » de ces « nationaux-socialistes » qui sont « encensés par la presse (*Presse*)

devant le peuple » (§ 78). C'est alors qu'apparaît pour la première fois le terme « idéologie » en référence au national-socialisme (§ 80), qui par la suite endosse les vêtements d'un « national-socialisme vulgaire » (*Vulgärnationalsozialismus*) par le biais d'une figure très controversée, celle en l'occurrence du « journaliste » (*Zeitungsschreiber*) qui joue le rôle d'« intervenant culturel » (§ 81). Dans le contexte d'une critique de la posture socialiste et des associations estudiantines, Heidegger estime que « l'étudiant d'aujourd'hui n'est pas un national-socialiste » (§ 83).

À la suite de quoi le national-socialisme semble pour Heidegger partager les destinées du christianisme : beaucoup se réfugient « hypocritement dans un christianisme devenu vide ou dans l'annonce d'une "vision du monde nationale-socialiste" *spirituellement* contestable et d'origine douteuse » (§ 88). Pour le moment nous nous contentons de relever ces données mais il faudra approfondir pour déterminer à quel christianisme Heidegger se réfère au juste en l'occurrence.

Une rélexion sur les « étudiants » et le « corps enseignant » ramène au national-socialisme : « sous couvert d'un national-socialisme souvent bien discutable et forts d'une assurance injustifiée ils jouent à s'ériger en juges, dissimulant ainsi entièrement leur manque total d'aptitude créatrice tournée vers l'avenir et s'engageant dans la meilleure direction pour "organiser" une médiocrité indépassable » (§ 96, n° 5).

Le § 101 nous fait entrer dans le bilan de l'expérience du rectorat qui touche alors à sa fin : « La simple réaction avec les moyens du pouvoir national-socialiste et les fonctionnaires concernés peut éventuellement donner l'impression, extérieurement, d'une position de force ; mais à quoi bon là où toute la structure est en elle-même impuissante. »

Le retour au national-socialisme se trouve ensuite confronté avec les « moyens littéraires » « plus modernes » des Jésuites et avec l'appel : « lisez la presse nationale-socialiste » (§ 169).

On trouve un autre brusque changement de cap par rapport au § 72 – dans lequel Heidegger introduisait le « national-socialisme spirituel » – avec le § 183, quand celui-ci relève que dans le

national-socialisme « on se méprend sur l'*"esprit"* ». Cela dans un contexte qui mène encore une fois à tenir le « catholicisme allemand » pour équivalent du « national-socialisme », contexte dans lequel ce dernier est « autre » et « nouveau », au risque de se perdre dans ce qui est « gauche » et « incomplet » (§ 184).

Heidegger se demande « dans quelle mesure le national-socialisme ne peut jamais être au principe d'une philosophie » (§ 198) et pour la première fois il le qualifie de « principe barbare » (*barbarisches Prinzip*) dont l'essence repose sur le « sens commun » et sur les « sciences exactes » (§ 206). La qualification du national-socialisme comme « principe barbare » reviendra par la suite dans les volumes 95 et 97.

Le ton se fait encore plus tranchant dans les *Überlegungen V* (§ 61) : « Une "philosophie nationale-socialiste" n'est pas une "philosophie", ni ne sert le "national-socialisme" – mais se contente de courir derrière lui avec un pénible pédantisme » (§ 61) ; dans les *Überlegungen VI*, elle est considérée comme « superflue » et « impossible » au même titre que la « philosophie catholique » (§ 154).

La seule référence à **Hitler** se trouve dans les *Überlegungen und Winke III* : « bien entendu, et de manière écervelée, sous l'invocation de *Mein Kampf* de Hitler [se répand dans le peuple] une doctrine bien déterminée de l'histoire et de l'homme : cette doctrine peut être définie en mettant les choses au mieux comme *matérialisme éthique* », qui procure la « bonne idéologie » et « un biologisme assez trouble » (§ 81). Le contexte d'une telle réflexion est fourni par le « national-socialisme vulgaire ».

Dans ce premier groupe de textes heideggériens entre aussi – s'insérant dans le contexte du système universitaire de l'année 1933 – un plus ample approfondissement du terme **lutte** ou **combat** (*Kampf*), décliné en « lutte spirituelle » (*geistiger Kampf*) (§ 68, n° 9), ou à entendre comme préparant « ce qui est à venir, en son devenir » « à partir de cercles restreints et en silence » (§ 68, n° 11). Le terme est ensuite référé au national-socialisme (§ 79), mais voici que Heidegger nous dit un peu plus loin dans quel sens il entend la lutte, la qualifiant d'« anticipatrice » : par « l'endurance et le danger, autrement dit par le *savoir* ! » (§ 81). Le terme de

« lutte » est ensuite décliné comme le fait de mener un combat
(*bekämpfen*) contre « le catholicisme », en tant que celui-ci s'est
converti en un sens politico-*spirituel* (§ 184).

Les diverses unités thématiques formulées ci-dessus ont pour
seule fonction d'indiquer au lecteur les différentes déclinaisons
que celles-ci peuvent prendre dans cette section. À la fin des passages que nous rapportons à présent sans plus tarder – dans lesquels le lecteur pourra se familiariser directement avec les notes
de Heidegger – sera indiquée une voie interprétative possible en
tenant compte de tout le matériau rassemblé.

Winke X Überlegungen (II)
und Anweisungen

§ 211 [123], S. 87-88 :

Das Ende – die Verwesung des Wesens
zum Sein (vgl. S. 105 f.)

Das Sein ist vergessen – eben weil noch
ständig beiläufig gekannt und gebraucht.
Das Sein in einem Gemenge wurzelloser
Begriffe vertan, in einem Gewirre aller
(leicht) aufstellbaren »dialektischen«
Begriffsbeziehungen vernutzt der Tum-
melplatz für das Spiel irgendwelcher
Systeme und »wissenschaftlicher Philosophien« – die sogar den fatalen Schein-
vorzug haben, meist *richtig* – beileibe
aber nicht im geringsten *wahr* zu sein.
Doch diese **Unphilosophie** nur die Folge
der Verwesung des Seins. Durch diese
das *Dasein aus der Bahn geworfen* und
abgesetzt in der dumpfen Ruhe einer viel-
fachen Ungefahr – darin alles Große ver-
zehrt, ohne Maß und Richtung – zerfahren
und gestaltlos und ohne inneres Gesetz
der Nation –. Und wo sie im Aufbruch,
da bleibt die eigentliche Disziplin und
Zucht ihrer Zuständigkeit (Geist und Leib)
ein Nachtrag, dessen leichte Erledigung
übertragen wird.

Signes X Réflexions (II)
et instructions

§ 211 [123], pp. 87-88 :

La fin – la décomposition de la pleine
essence en être (cf. p. 105 sq.)

L'être est oublié – précisément parce
qu'il est toujours constamment connu et
employé incidemment. L'être gaspillé dans
tout un fatras de concepts sans racines,
gâché dans un fouillis de relations conceptuelles « dialectiques » susceptibles d'être
(facilement) établies, scène où s'affrontent
toutes sortes de systèmes et de « philosophies scientifiques » – qui présentent
de surcroît le fatal avantage d'être généralement *exacts* – sans pour autant être le
moins du monde *vrais*. Et pourtant cette
non-philosophie n'est jamais que la conséquence de la décomposition de l'être. Par
elle *l'être le là se trouve jeté hors de sa voie*
et destitué dans la paisible hébétude d'une
tranquillité assurée à tous égards – où tout
ce qui est grand se retrouve consumé, sans
mesure et sans direction – brisé, informe,
et sans loi intérieure de la nation. Et là où
celle-ci s'éveille, sa propre discipline et
l'éducation de ses aptitudes (esprit et corps)
ne sont qu'un extra, dont on s'acquitte sans
peine en les livrant au pire gâchis.

Winke X Überlegungen (II)
und Anweisungen

§ 218 [129-130], S. 92 :

Weder die Unmittelbarkeit zum »totalen« Staat, noch die Erweckung des Volkes und die Erneuerung der Nation, erst recht nicht die Rettung der »Kultur« als Nachtrag zu Volk und Staat und vollends nicht die Flucht in den christlichen Glauben und das fürchterliche Vorhaben einer christlichen Kultur können und dürfen im Ersten und Letzten bestimmend sein.

Es muß vielmehr die weit aus dem Verborgenen genährte Unumgänglichkeit des Werkes der Wesensermächtigung in den wenigen Einzelnen erfahren und verwahrt werden. Das vertrauende Behüten der Möglichkeit des Erwirkens solchen Werkes muß ungezwungen gesichert sein. Gerade weil es sich nicht darum handeln kann, eine »Grundlegung« zu schaffen, sondern das Seiende im Ganzen zu *Raum und Bahn* eines großen Daseins zu bringen. (S. 131). Ohne das bleibt alles ein zufälliges und uferloses Gezerre und ein kleines Behagen ohne Maß und Rang – trotz aller Erweckung der Massen zur gewachsenen Einheit von Volk und Nation. Wenn wir uns nicht dahin bringen, daß unsere Geschichte wird ein Erkämpfen des Zuspruchs einer wesentlichen Weite und Tiefe des Daseins aus dem verschwiegenen Wesen des Seins, dann haben wir das Ende verwirkt, und zwar ein kleines und lächerliches Ende.

Überlegungen und Winke III

§ 46 [18], S. 121 :

Weg von den Geschäften, die andere viel besser machen, heißt nicht: Abseitsstehen von der Bewegung. Soll unser Volk

Signes X Réflexions (II)
et instructions

§ 218 [129-130], p. 92 :

Ni la voie qui mène tout droit à l'« État total », ni le réveil du peuple, ni le regain de la nation, encore moins le sauvetage de la « culture » entendue comme supplément au peuple et à l'État, et tout aussi peu le refuge dans la foi chrétienne et l'épouvantable dessein d'une culture chrétienne ne sont à même ni en droit d'être déterminants dans ce qui est premier et dernier.

Il faut bien plutôt que soit éprouvé et préservé chez quelques rares êtres singuliers le caractère inévitable de l'œuvre de l'habilitation essentielle, telle qu'elle est nourrie de loin par ce qui se tient à l'abri en retrait. La garde confiante de la possibilité de faire en sorte qu'advienne une telle œuvre doit être assurée sans rien de forcé. Précisément parce qu'il ne saurait s'agir de procurer une « fondation » mais de mettre l'étant en son entier *au large et sur la voie* d'un grandiose être le là. (P. 131.) Faute de quoi tout demeure un tiraillement fortuit et à n'en plus finir et un contentement à peu de frais, sans mesure et sans classe – malgré tout réveil des masses en l'unité portée à maturité entre peuple et nation. Si nous ne parvenons pas à faire en sorte que notre histoire conquière de haute lutte de devoir répondre d'une ampleur et d'une profondeur essentielles de l'être le là à partir de la pleine essence de l'être demeurant tue, alors c'est la fin, et qui plus est une fin mesquine et ridicule.

Réflexions et Signes III

§ 46 [18], p. 121 :

S'éloigner des affaires dont d'autres se chargent bien mieux, cela ne veut pas dire pour autant : se tenir à l'écart du mouve-

nach wenigen Jahren an den ständigen **Schlagworten** und Phrasen verhungern – oder werden wir einen wirklichen geistigen Adel schaffen, der stark genug ist, die Überlieferung der Deutschen aus einer großen Zukunft zu gestalten?

Ist es eine natürliche Folge, daß heute notwendig die Gestalt des künftigen Geistes verkannt wird und daß man innerhalb der **nationalsozialistischen Bewegung** *die* Anfänge verkennen muß, die in ihr zu einer wirklichen gewachsenen Verwandlung der Kräfte und Wege und Werke drängen?

Überlegungen und Winke III

§ 68 [31-38], S. 130-133 :

Welche Einrichtungen und Strebungen jetzt (Dezember 1933) die **Universität** *bestimmen* (vgl. S. 68) :
1. die Deutsche Studentenschaft;

2. die (in der Bildung begriffene) Deutsche Dozentenschaft;
3. das S.A.-Hochschulamt.

Diese Organisationen wirken nach ihrer Willensbildung und Haltung nicht aus dem wirklichen geschichtlichen Leben der einzelnen Hochschulen, sondern kommen von außen her, aus rätemäßigen Ansprüchen auf die einzelnen Hochschulen zu. Diese »Organisationen« arbeiten innerhalb der einzelnen Hochschulen nur mit Funktionären, von denen verlangt wird, nach der Führung sich zuerst zu richten. Der Blick für die je eigenen Aufgaben einer Hochschule – nach Landschaft, Geschichte, Lehrkörperzusammensetzung, Art des Studentenzuzugs je verschieden – wird nicht frei – d. h. eigentlich *politische* Entscheidungen können gar nicht vollzogen werden. Es fehlt die Eignung und Kraft zur Besinnung auf die Lage; es fehlt

ment. Notre peuple va-t-il dépérir au bout de quelques années à force de **slogans** et de formules toutes faites – ou bien allons-nous créer une véritable noblesse spirituelle, assez forte pour donner sa configuration à la tradition des Allemands à partir d'un avenir grandiose ?

Serait-ce une conséquence naturelle si à présent est méconnue la figure de l'esprit à venir et si, au sein du **mouvement national-socialiste**, ne peuvent être que méconnus *ces* commencements qui poussent en lui vers une véritable métamorphose enfin mûre des forces, des chemins et des œuvres ?

Réflexions et Signes III

§ 68 [31-38], pp. 130-133 :

Quelles sont les dispositions et les aspirations qui déterminent à présent (décembre 1933) l'**Université** (cf. p. 68) :
1. la corporation des étudiants allemands ;
2. le corps enseignant allemand (en formation) ;
3. le service de la SA pour les questions universitaires.

Ces organisations n'agissent pas d'après leur volonté et leur attitude à partir de la vie historique véritable des universités concernées mais viennent du dehors, fortes d'exigences dictées par leurs Conseils respectifs. Ces « organisations » ne travaillent au sein des universités concernées qu'avec des fonctionnaires dont on attend qu'ils obtempèrent aux ordres de la direction. Le regard porté sur les tâches qui incombent spécifiquement à chaque université – chaque fois autres selon la région, l'histoire, la composition du corps enseignant – ce regard n'est pas libre – autrement dit des décisions proprement *politiques* ne peuvent strictement pas être prises. Il y manque l'aptitude et la force de méditer sur la situation ;

vor allem jedes eigentliche weitgreifende Vorauswollen.

Die Verzettelung und Verschnürung in Augenblicks-»aktion« ist unvermeidlich – zumal ja verlangt wird, daß etwas »geschieht«.

4. der nationalsozialistische Ärztebund;

5. der nationalsozialistische Juristenbund;

6. der nationalsozialistische Lehrerbund.

Diese berufsständischen Organisationen sichern sich einen wesentlichen Einflußbereich auf die Hochschule. Sie bestimmen mit die Auswahl der Lehrkräfte, die Anlage und Verteilung des Lehrstoffes, die Gestaltung des Prüfungswesens. Sie setzen mit die Maßstäbe für die Arbeit und das Urteil in der Hochschulwirklichkeit. Auch hier wird nicht politisch aus jeweiligen Notwendigkeiten und Lagen und Entwicklungsstufen und Widerständen entschieden, sondern aus den **rechnenden** Gesamtbedürfnissen der allgemeinen berufsständischen Ansprüche.

7. Die Ministerien übernehmen verwaltungsmäßig die Hochschulen. Sie fordern, regeln, gleichen aus all die Strebungen und Vorschläge und Forderungen der genannten Einrichtungen. Als Sicherung ist in der Hochschule die Rektoratsverfassung eingeschaltet. Sie soll eine Führung der Hochschule gewährleisten. Der Rektor wird aber lediglich zur Vermittlungsstelle jener Organisationen. Er hat allenfalls die fragwürdige Aufgabe, für alles, was in die Hochschule hineingetragen wird, die Verantwortung zu übernehmen. Es ist nur ein verhältnisweiser – kein schlechtinniger – Unterschied, ob dabei der Rektor Nationalsozialist ist oder nicht. Im letzten Falle arbeiten sogar die genannten Organisationen

il y manque surtout toute authentique volonté d'anticiper sur le long terme.

S'égarer en concoctant des « actions » ponctuelles est inévitable d'autant plus qu'il est exigé que quelque chose « se passe ».

4. l'Union nationale-socialiste des médecins ;

5. l'Union nationale-socialiste des juristes ;

6. l'Union nationale-socialiste des enseignants.

Ces organisations professionnelles s'assurent une sphère d'influence essentielle sur l'université. Elles contribuent à déterminer le recrutement des enseignants, à établir la nature et la répartition des enseignements dispensés, l'organisation des examens. Elles participent à l'établissement des critères pour le travail et son évaluation dans la réalité universitaire. Là encore les choses ne se décident pas politiquement à partir des nécessités, des situations, des niveaux de développement et des résistances rencontrés dans chaque cas mais à partir des attentes globales et **comptables** des revendications générales des organisations professionnelles.

7. Les ministères se chargent des universités de manière administrative. Ils exigent, régulent, aplanissent toutes les aspirations, les propositions et les demandes des institutions susdites. La position de recteur a été intégrée dans le circuit pour qu'il s'en porte garant dans l'université. Il doit assurer une direction de l'université. Mais le recteur n'est qu'une courroie de transmission de ces organisations. Il a au mieux la tâche douteuse d'assumer la responsabilité de tout ce qui est introduit dans l'université. **Dans tout cela, le fait que le recteur soit national-socialiste ou non, c'est là une différence toute relative – et n'ayant rien d'absolu. S'il ne l'est pas, le travail des organisations en**

leichter, weil schon aus bloßer Vorsicht, wenn nicht gar Angst, alles bejaht und zur Durchführung gebracht wird.

8. Die Hochschule selbst bringt eine eigentliche »Selbstbehauptung« nicht mehr auf; sie versteht diese Forderung gar nicht mehr; sie verliert sich in das bloße Beibehalten des überkommenen Betriebes mit den jetzt unvermeidlichen Gleichschaltungen und Neuerungen. Sie findet nicht mehr dahin zurück, die Notwendigkeit des Wissens ursprünglich zu erfahren und daraus ihre Aufgabe zu gestalten. Sie weiß nichts davon, daß eine Selbstbehauptung nichts Geringeres bedeuten müßte als die grundsätzliche Auseinandersetzung mit der großen geistiggeschichtlichen Überlieferung, wie sie durch die Welten des Christentums, des Sozialismus als Kommunismus und die neuzeitliche Aufklärungswissenschaft heute noch *Wirklichkeit ist.*

9. Von all dem wissen aber auch all die vorgenannten (1-7) Einrichtungen und Stellen nichts; weshalb sie sich genau mit dem herrschenden **Wissenschaftsbetrieb** abfinden, wenn er nur eine gewisse politische Erziehung als notwendige Mitleistung sicherstellt. Noch mehr: es bleibt nicht nur bei der Duldung des wesentlichen Charakters der bestehenden Wissenschaft, es herrscht sogar und wird gepflegt ein Widerwille gegen allen Geist, den man zuvor als Intellektualismus mißdeutet hat. Die Abneigung gegen jeden geistigen Kampf gilt als Charakterstärke und als Sinn für die »Lebensnähe«. Diese ist aber im Grunde nur eine mit Rückgefühlen geladene Spießbürgerei. Sie wäre sogar belanglos, wenn sie nicht unbewußt die ganze Bewegung in eine geistige Ohnmacht abdrängte, die den Mangel an jeglichen scharfen und harten Waffen für den bevorstehenden **geistigen Kampf** noch vollends als Unbeschwertheit mit Wissenskram und leeren Theorien sich zurechtlegte.

est même facilité, ne serait-ce que par précaution, sinon même peur, pour que tout soit approuvé et mis à exécution.

8. L'Université en tant que telle n'est plus en mesure d'être « envers et contre tout elle-même » ; elle ne comprend plus du tout cette exigence ; elle se perd dans le maintien du simple affairement qui s'en est emparé avec les mises au pas et les innovations à présent inévitables. Elle ne retrouve pas comment éprouver la nécessité du savoir originaire pour définir sa tâche à partir de là. Elle ne sait rien du fait qu'être elle-même envers et contre tout devrait vouloir dire se confronter fondamentalement à la grande tradition de l'histoire de l'esprit telle qu'elle est aujourd'hui encore *réalité à l'œuvre* à travers les mondes du christianisme, du socialisme entendu comme communisme et les lumières de la science des Temps nouveaux.

9. Or, de tout cela, toutes les institutions et tous les postes mentionnés ci-dessus (de 1 à 7) ne savent rien ; c'est pourquoi ils s'accommodent fort bien de l'**affairement scientifique** régnant pour peu qu'il assure une certaine éducation politique comme nécessaire prestation collatérale. Plus encore : on ne se contente pas de tolérer le caractère essentiel de la science actuelle, il règne même une répugnance que l'on cultive pour tout esprit, que l'on a commencé par confondre avec de l'intellectualisme. L'aversion pour toute lutte spirituelle passe pour de la force de caractère, pour ce qui est « proche de la vie ». Or cette proximité n'est au fond qu'un philistinisme plein de ressentiment. Cette aversion importerait peu si elle ne repoussait pas à son insu tout le mouvement dans une impuissance spirituelle qui va jusqu'à faire passer le manque d'armes aiguisées et percutantes pour la **lutte spirituelle** à mener pour le fait de ne pas se laisser importuner par un savoir de pacotille et des théories creuses.

10. Diese Gesamtlage mag ein alsbald verschwindender Übergangszustand sein, gesehen aus der Enge des Geschickes *einer* Hochschule in der knappen Zeitspanne eines Jahres. Sie kann aber auch gedeutet werden als der rasch und unbeachtet weiterfressende Anfang eines großen Versäumnisses in der Inangriffnahme der dringlichsten Erziehungsaufgabe an der deutschen Jugend: der volklich, geschichtlich, geistigen Wissenserziehung, für die Wissen nicht mehr bedeutet: unverbindlicher Besitz an Kenntnissen, sondern ein *Sein* – das sich begreifende und im Begriff ergriffene Gewachsensein gegenüber der großen und deshalb schweren Zukunft unseres Volkes.

11. Was sollen wir in dieser Lage tun?

a) Unmittelbar in der harschen Wirklichkeit nach vorne drängend mitarbeiten, d. h. sich nicht in den Formen sogenannter Führerstellen verfangen und sich um die echte – auf Keimen und Reifen angewiesene – Wirkung bringen. Also: aus der Mannschaft heraus, sie umbildend im **Kampf** sich eine Führerschaft werden und aus kleinen Bezirken heraus und im Stillen das Kommende in seinem Werden vorbereiten.

b) Wo möglich, auf wenige, einfache, im Fluß zu haltende Einrichtungen und deren Schaffung drängen, die *vor allem* die Gewähr bieten, daß sich in ihrer Ordnung **neue Anfänge** herausbilden, echte Kräfte zusammenschließen und so langsam und stetig die höchsten geistigen Maßstäbe gesetzt, in Gesinnung und Haltung vertraut gemacht, in Wort und Werk zur Erscheinung gebracht werden.

c) Nach beiden Weisen kann nur gehandelt und durchgehalten werden, wenn die Universität als Vorhandenes verneint, aber der Auftrag der ganz anderen Wissenserziehung bejaht wird.

{Wenn begriffen wird, daß sowohl die

10. Cette situation d'ensemble pourrait être un stade transitoire bientôt appelé à disparaître, en étant envisagé dans la perspective très limitée du destin d'*une* université au cours du bref laps de temps d'une année. Mais elle peut aussi être interprétée comme le commencement dévorant, soudain et inaperçu d'une grande négligence dans la mise en œuvre de la tâche éducative urgente à l'égard de la jeunesse allemande ; de là l'éducation au savoir n'a plus de signification : non pas détenir des connaissances qui n'engagent à rien, mais bien un *être* – être à la hauteur, se concevant soi-même et saisi par le concept, face à l'avenir grandiose et pour cette raison difficile réservé à notre peuple.

11. Que devons-nous faire dans cette situation ?

a) Travailler étroitement et de concert à aller de l'avant dans la dure réalité, c'est-à-dire ne pas rester empêtré dans le caractère formel des postes dits de direction et chercher le véritable effet – sur ce qui est en germe et en pleine maturation. Donc : à partir de l'équipe, la modelant dans la **lutte** menée, jouer le rôle de guide et préparer, à partir de cercles restreints et en silence, ce qui est à venir en son devenir.

b) Là où c'est possible, encourager les quelques rares et simples dispositions à maintenir à flot et leur activité qui fournissent *surtout* la garantie qu'en leurs ordres se forment de **nouveaux commencements**, que se conjuguent d'authentiques forces et qu'ainsi s'établissent lentement et sûrement les plus hauts critères spirituels rendus familiers dans la manière de penser et l'attitude et manifestés dans la parole et dans l'œuvre.

c) Il n'est possible d'agir et de tenir bon de ces deux façons que si l'Université est niée comme simple réalité là devant et si l'on accepte la mission d'une tout autre éducation au savoir.

{Si l'on comprend qu'aussi bien la

Reaktion, die am Bestehenden hängt, als auch die neuen Organisationen, die das Bestehende nur umschalten, an der unaufhaltsamen Auflösung und endgültigen Zersetzung der Universität arbeiten}. Solange diese Einsicht fehlt, kommt alle Arbeit für die neue Wissenserziehung nicht ins Freie und nicht auf einen wachstumspendenden **Boden**.

Geschichtlich-geistige Welten und Mächte werden nicht dadurch überwunden, daß man ihnen den Rücken kehrt oder durch **Abmachungen** in Ketten legt.

Der Grundmangel der heutigen »politischen Erziehung« – eine Tautologie – liegt nicht darin, daß zu wenig und dieses nur zögernd und unsicher geschieht, sondern daß zuviel und zu überstürzt im Handumdrehen als neu gemacht werden will. Als sei der **Nationalsozialismus** ein Anstrich, der allem jetzt schnell aufgetragen wird.

Wann begreifen wir etwas von der Einfachheit des Wesens und der bedächtigen Stetigkeit seiner Entfaltung in Geschlechtern?

Wir taumeln je nur in abwegigen und überkommenen, nur scheinbar vorgreifenden Zielsetzungen. {Vielspältige Aufgaben anerkennen und in ihrer Notwendigkeit und Rangstufe begreifen und doch *das* Eine der eigensten Berufung festhalten. Keine Untreue gegenüber der nichtalltäglichen ursprünglichen Sicherheit des *Schöpferischen*. Dieses nicht mit den **Machenschaften** verwechseln. Keine »Klassen«, aber Rang.

Keine »Schichten«, aber Überlegenheit}.

réaction qui s'en tient à l'existant que les nouvelles organisations qui ne font que le renverser ne font que travailler à la dissolution irrépressible et à la décomposition définitive de l'Université.} Aussi longtemps que l'on ne s'en avise pas, tout travail en vue d'une nouvelle éducation au savoir ne débouche sur rien et n'accède pas à un **terrain** propice à la croissance.

Des mondes et des puissances spirituels et porteurs d'histoire ne sont pas surmontés en leur tournant le dos ni quand ils se retrouvent pieds et poings liés par des **conventions**.

Ce qui fait foncièrement défaut à l'actuelle « éducation politique » – pure tautologie – ne tient pas au fait que trop peu de choses se passent de façon timorée et sans assurance, mais au fait que l'on veuille beaucoup trop innover en tout de manière précipitée et en un tournemain. Comme si le **national-socialisme** était un vernis dont il fallait vite enduire toute chose.

Quand donc comprendrons-nous quelque chose à la simplicité de la pleine essence et à la constance circonspecte de son déploiement au cours des générations ?

Nous ne faisons que tituber sur des voies aberrantes et héritées vers des buts qui font seulement mine d'anticiper. {Reconnaître des tâches diverses et variées qui nous appellent, les comprendre dans leur nécessité et en fixant des priorités, tout en nous en tenant fermement à l'*unité* de notre vocation la plus propre. Ne pas manquer de loyauté envers la sûreté originaire et insolite de ce qui est *créateur*. À ne pas confondre avec les *fabrications*. Pas de « classes », mais de la classe.

Pas de « couches », mais de la hauteur.}

Überlegungen und Winke III

§ 69 [39-40], S. 133-134 :

Eine beliebte Redeweise: der National-sozialismus ist nicht zuerst als »*Theorie*« ausgebildet worden, sondern hat mit dem Handeln begonnen. Gut. Aber folgt daraus, daß die »Theorie« überflüssig ist; folgt daraus gar, daß man sich »sonst« »im übrigen« mit schlechten Theorien und »Philosophien« aufputzt? Man sieht nicht, daß »Theorie« hier zweideutig genommen wird – je nach Bedarf – und daß man also gerade in der Deutung des eigenen Tuns »theoretisch« fehl-greift; denn: waren die vielen »Reden« im Kampf nicht »Theorien« – was wurde denn getan, als dies: die Menschen und Volksgenossen zu anderen Anschauun-gen umzuerziehen, z. B. vom Arbeiter und Arbeiter, von Wirtschaft, von Gesell-schaft, von Staat – **Volksgemeinschaft** – Ehre – Geschichte?

»Theorie« als abgelöster bloßer Gedanke, der nur gedacht wird, und »Theorie« als vorgreifende Wissensforderung dürfen nicht zusammengeworfen werden; je nachdem ist auch der Sinn von Praxis ein anderer; Einsatz ist nicht bloße Praxis; und bloßes Losbrechen und Umsichschlagen ist auch kein Einsatz. Der Unbegriff von »Theorie« kann praktisch die verhängnis-vollsten Folgen haben; denn Praxis wird dann nur »Betrieb« = schlecht verstan-dene »Organisation«.

Jetzt ist aber nicht der Endzustand – auch nicht einfach der Abschnitt einer bloßen Ausbreitung desselben im ganzen Volk über Partei hinaus – sondern jetzt gerade Einsatz in diesem vermeintlichen *Theoretischen* – weil da die Grundstimmungen sich verwur-zeln und aus diesen heraus die geschichtli-che Welt geschaffen werden muß.

Réflexions et Signes III

§ 69 [39-40], pp. 133-134 :

On répète volontiers que le national-socialisme n'a pas été forgé initialement comme « *théorie* » mais qu'il a commencé par l'action. Soit. Mais s'ensuit-il que la théorie serait superflue ; s'ensuit-il que « sinon », « pour le reste », on se passe de mauvaises théories et « philoso-phies » ? On ne voit pas que « théorie » est pris ici en deux sens – selon le besoin – et que l'on se trompe précisé-ment à interpréter « théoriquement » l'agir propre, car en effet : si les nom-breux « discours » tenus lors du combat mené n'étaient pas des « théories » – qu'a-t-on fait d'autre que rééduquer les hommes et nos compatriotes à d'autres vues, relatives par exemple au fait qu'il y a travailleur et travailleur, à l'économie, à la société, à l'État – à la **communauté du peuple** – à l'honneur – à l'histoire ?

Il faut se garder de confondre la théo-rie comme simple pensée détachée, qui n'est que pensée, et la « théorie » comme exigence de savoir en prenant les devants ; la signification de la « pra-tique » n'est pas la même dans les deux cas ; s'engager ne relève pas de la pure pratique ; rompre les amarres et se débattre, ce n'est pas pour autant s'en-gager. Le concept qui n'en est pas un de « théorie » peut avoir les conséquences les plus funestes ; car la pratique devient alors simple « affairement » = « organisa-tion » mal comprise.

Mais nous n'en sommes pas réduits aujourd'hui aux dernières extrémités – et pas davantage à une phase où celles-ci se répandraient dans tout le peuple par-delà le Parti – c'est plutôt le moment de s'engager dans ce qui est prétendument *théorique* – parce que c'est là que s'en-racinent les tonalités de fond et que c'est

Je ursprünglicher und stärker die sinn-bildliche Kraft der Bewegung und ihre Arbeit, umso notwendiger das Wissen. Aber dieses nicht in seiner satzmäßigen Folgerichtigkeit und Berechnung – son-dern als Grundstimmungsmacht der Weltüberlegenheit[1].

Überlegungen und Winke III

§ 70 [40-41], S. 134-135 :

Wir wollen nicht den **Nationalsozialis-mus** »theoretisch« unterbauen, etwa gar, um ihn erst so vermeintlicherweise trag- und bestandsfähig zu machen.

Aber wir wollen der Bewegung und ihrer Richtkraft Möglichkeiten der Weltgestal-tung und der Entfaltung vorbauen, wobei wir wissen, daß diese Entwürfe als solche, d. h. zu »Ideen« umgefälscht, keine Wirk-fähigkeit besitzen; wohl aber dann, wenn sie geworfene in der Bewegungskraft und ihrem Feld entsprungene und darin ver-bleibende **Fragehaltungen** und *Sprache sind.*

Die stimmende und bildschaffende Kraft des Entwurfs ist das Entscheidende – und das läßt sich nicht errechnen. {Stimmung und Bild – aber muß dem verschlossenen Gestaltwillen des Volkes entgegentreten[2].}

à partir d'elles qu'il faut édifier le monde historial.

Plus la force symbolique du mouve-ment et de son travail est originaire et forte, et plus nécessaire s'avère le savoir. Non pas toutefois dans la cohérence et le calcul de propositions mais comme puissance à même de donner la tonalité fondamentale de la prédominance du monde[1].

Réflexions et Signes III

§ 70 [40-41], pp. 134-135 :

Nous ne visons pas à fonder le **national-socialisme** « théoriquement », tout en s'imaginant ainsi pouvoir le rendre solide et durable.

Ce que nous voulons, c'est construire par anticipation pour le mouvement et sa force d'orientation des possibili-tés de configuration du monde et de déploiement, tout en sachant que ces projets en tant que tels, c'est-à-dire déformés en « idées », n'ont pas d'effi-cacité ; mais seulement s'ils sont autant d'**attitudes questionnantes** projetées dans la force du mouvement provenant de son champ et y demeurant, et s'ils *sont parole.*

Ce qui est décisif est la force qu'a le projet de donner le ton et de configurer – et cela ne se laisse pas supputer. {Ton et figure – mais en devant aller à l'encontre de la volonté de configuration verrouillée du peuple[2].}

---

1. Nous nous trouvons ici en présence d'une série de pensées ébauchées sans aucune prétention littéraire. Le style est plutôt familier, comme le montre l'ample usage qui est fait du point-virgule (;), du signe mathématique =, des tirets (–) et la fréquente absence de verbes dans les phrases. Ce qui vaut peu ou prou pour la majeure partie des autres passages.

2. Le verbe au singulier (*muß*) ne peut avoir pour antécédent grammatical « *Stimmung und Bild* » ; on doit peut-être supposer un autre sujet (par exemple *man* (« on »), impersonnel, ce qui donnerait : « On doit aller à l'encontre... »).

Überlegungen und Winke III

§ 71 [41], S. 135 :

Ist es ein Wunder, daß allenthalben die Spießbürgerei hochkommt, eingebildete **Halbkultur**, kleinbürgerliche **Scheinbildung** – daß die inneren Forderungen des deutschen Sozialismus gar nicht erkannt und daher auch nicht gewollt werden – am wenigsten aus dem vielberufenen Charakter heraus? Die billigste Plattheit als volksverbundenes Denken! Aber solche Zustände sind nicht zu umgehen. Mittelmäßigkeit muß sein – nur darf man sie nicht bessern wollen; sie ist gestraft genug; am härtesten dadurch, daß sie um ihre Elendigkeit nicht weiß und ihrem eigenen Gesetz nach nicht darum wissen darf.

Überlegungen und Winke III

§ 72 [42], S. 135:

Der **geistige Nationalsozialismus** ist nichts »Theoretisches«; er ist aber auch nicht der »bessere« und gar »eigentliche«; wohl aber ist er ebenso notwendig wie der der verschiedenen Organisationen und der Stände. Wobei zu sagen ist, daß die »Arbeiter der Stirn« nicht weniger weit vom geistigen Nationalsozialismus entfernt sind wie die »Arbeiter der Faust«. {Deshalb *durchstehen* mit den geistigen Forderungen,} und wenn auch dieses Wollen noch so oft und leicht von oben her als Nachträgliches belächelt und nach gut marxistischer Denkweise als bloßes »Mitläufer« wesen beiseitegeschoben wird.

Überlegungen und Winke III

§ 73 [42], S. 136 :

Die drohende Verbürgerlichung der Bewegung wird gerade dadurch wesent-

Réflexions et Signes III

§ 71 [41], p. 135 :

Faut-il s'étonner du fait que partout le philistinisme plastronne, **demi-culture** arrogante, **peudo-culture** petite-bourgeoise – que les exigences internes du socialisme allemand ne soient nullement reconnues et par là ne soient pas non plus voulues – et cela d'autant moins à partir du caractère tant vanté ? La platitude à bon marché comme pensée proche du peuple ! Mais on ne peut contourner de telles circonstances. Il faut bien qu'il y ait de la médiocrité – il faut seulement se garder de vouloir l'améliorer ; elle est déjà bien assez punie comme ça ; et le plus durement en ce qu'elle ne sait rien de sa misère et, selon sa propre loi, n'en doit rien savoir non plus.

Réflexions et Signes III

§ 72 [42], p. 135 :

Le **national-socialisme spirituel** n'est rien de « théorique » ; il n'est pas pour autant « meilleur » ni plus « authentique » ; il est tout aussi nécessaire que celui des diverses organisations et corporations. Mais il faut noter que les « travailleurs intellectuels » ne sont pas moins éloignés du national-socialisme spirituel que les « travailleurs manuels ». {Raison de plus pour *ne rien céder* sur les exigences spirituelles,} quand bien même cette volonté est si souvent et si facilement tournée en dérision en étant prise de haut comme quelque chose de subsidiaire et mis sur la touche à titre de simple « compagnon de route » par la façon de penser orthodoxe du marxisme.

Réflexions et Signes III

§ 73 [42], p. 136 :

Le risque d'embourgeoisement du mouvement est précisément rendu impos-

lich unmöglich, daß der Geist des Bür-
gertums und der durch das Bürgertum
verwaltete »Geist« (Kultur) von einem
geistigen Nationalsozialismus her zerstört wird.

Überlegungen und Winke III

§ 78 [50-51], S. 140-141 :

Die Herabsetzung des Nationalsozialismus zu einem »Dreh«, mit Hilfe dessen
man jetzt, als einer neuen Laterne, die
bisherige Wissenschaft und ihre Stoffe
absucht und, entsprechend prompt neu
beleuchtet, auf den Markt wirft. Das hat
neben bequemen Erfolgsmöglichkeiten
überdies noch den Vorteil, daß man *als*
Nationalsozialist gilt und für die Massen
durch **die Presse** empfohlen wird. {Durch
all das bringt man in die Bewegung eine
Erstarrung[1]} – unter dem Schein der geistigen Verlebendigung.

Die Erstarrung schafft einen bloßen
Zustand – d. h. unterbindet alle vorgreifenden Antriebe und Stimmungen und
versetzt in eine gleichgeschaltete Behäbigkeit, die schlimmer ist als die vorige.
Zuguterletzt schafft man sich eine Wissens-
lage, von der aus man überlegen vorrech-
nen kann, daß ja der **Nationalsozialismus**
eigentlich immer schon da gewesen und
vorbereitet sei. Und von da entbindet man
sich erst vollends von der Grundstimmung
der Übernahme eines ganz neuen und
unerhörten geistigen Auftrags.

Überlegungen und Winke III

§ 79 [51-52], S. 141 :

Entscheidend bleibt, ob die geistiggeschichtlichen Ausgriffe und Grundstim-

sible du fait que l'esprit de la bourgeoisie
et l'« esprit » administré par la bourgeoisie (culture) sont détruits par un **national-
socialisme spirituel.**

Réflexions et Signes III

§ 78 [50-51], pp. 140-141 :

Le rabaissement du national-socialisme
en une simple « *trouvaille* » à l'aide de
laquelle on explore à présent, comme
muni d'une nouvelle lanterne, la science
telle qu'elle a eu cours jusqu'ici et ses
matières pour la lancer sur le marché, forte
de ce nouvel éclairage. De faciles possibilités de succès étant ainsi assurées, cela
offre en outre l'avantage de passer pour
national-socialiste et d'être recommandé
par **la presse** auprès des masses. {Tout cela
revenant à provoquer dans le mouvement
une certaine sclérose[1]} – sous l'apparence
de le vivifier spirituellement.

La sclérose crée un simple *statu quo*
– c'est-à-dire entrave tous les élans et
toutes les tonalités et dispose à un état
de flegme mis au pas qui est encore
pire que le précédent. Pour finir on crée
ainsi un état du savoir du haut duquel on
peut estimer tout compte fait qu'en fait
le **national-socialisme** a toujours été là et
se préparait depuis toujours. Et à partir
de là on se détache complètement de la
tonalité fondamentale requise pour assumer une mission spirituelle entièrement
inédite et inouïe.

Réflexions et Signes III

§ 79 [51-52], p. 141 :

Ce qui reste décisif, c'est de savoir si les
bonds et les tonalités de fond propres à

---

1. Syntaxe peu correcte, propre au style familier. La forme passive serait ici préférable : « *Durch all
das wird Erstarrung in die Bewegung gebracht* » (« Par tout cela une certaine sclérose est provoquée
dans le mouvement »).

mungen so ursprünglich und zugleich so klar sind, daß sie eine schöpferische Umschaffung des **Daseins** erzwingen –; und dafür ist Voraussetzung, daß der Nationalsozialismus im *Kampf* bleibt – in der Lage des Sich-durchsetzen-müssens, nicht nur der »Ausbreitung« und des »Anwachsens« und Behauptens. *Wo steht der Feind und wie wird er geschaffen?* Wohin der Angriff? Mit welchen Waffen?

Bleibt alles im Zustand des Behauptens des Errungenen, des vorzeitigen Nur-ausbauens hängen? {Beachte[1] die übertriebene Betonung des *bisherigen* **Kampfes**, als sei es nun zu Ende.} Wer sich nur noch behauptet und dabei einer hohlen Überlegenheit verfällt, der ist am wenigsten gefeit gegen jene Urteilslosigkeit, die eines Tages wahllos all das schluckt und preist, was vordem angeblich bekämpft wurde.

Überlegungen und Winke III

§ 80 [52], S. 142 :

Wir kommen jetzt in die Zeit der schnell angepaßten »Ideologie« für den Nationalsozialismus; {heute besonders leicht}. Die Gefahr dieser: *einerseits* unerheblich und gerade deshalb die Vielen irreleitend, anderseits erheblicher und dann von Anderen abgelehnt, {was zur Verneinung zugleich des Geistigen wird[2]}. Alles bewegt sich {doch[3]} in bürgerlich-liberalen Vorstellungsformen.

l'histoire de l'esprit sont assez originaires et en même temps assez clairs pour imposer une métamorphose créatrice de l'être le là – ; ce qui présuppose que le national-socialisme se maintienne dans le *combat* – dans la situation de ce qui doit parvenir à s'imposer, et non pas seulement « se répandre », « croître » et s'affirmer. *Où est l'ennemi et comment le susciter?* Vers quoi diriger l'attaque? Avec quelles armes?

Faut-il se contenter de revendiquer ce qui a été conquis, de s'en tenir aux simples consolidations qui anticipent? {À noter[1] l'insistance avec laquelle on parle de **combat** *mené jusqu'à présent*, comme s'il était terminé.} Celui qui se contente de s'imposer et succombe ainsi à une vraie condescendance est le moins prémuni contre cette absence de jugement qui un beau jour le mènera à gober et à exalter ce qu'auparavant il semblait combattre.

Réflexions et Signes III

§ 80 [52], p. 142 :

Nous arrivons à présent à l'époque de l'« idéologie » prête à porter pour le national-socialisme : {aujourd'hui très facilement}. Le danger qui lui est inhérent : *d'une part* qu'elle soit insignifiante et pour cette raison propre à en égarer beaucoup, *d'autre part* qu'elle soit plus consistante et se voie alors rejetée par d'autres {ce qui revient du même coup à rejeter le spirituel[2]}. Tout se meut {en effet[3]} dans des formes de représentation bourgeoises-libérales.

---

1. *Beachte* : littéralement « Note bien ». On peut supposer que Heidegger s'adresse ici au lecteur en le tutoyant même si – comme c'est plus probable – c'est à lui-même qu'il s'adresse.
2. Une construction plus correcte serait : « *Was zugleich zur Verneinung des Geistigen wird* ».
3. *Doch* est un mot intercalaire typique du langage parlé, qui correspond en gros à « n'est-ce pas ? », « comme tu le sais bien ».

Überlegungen und Winke III

§ 81 [52-56], S. 142-144 :

Man kann heute schon von einem »*Vul-gärnationalsozialismus*« sprechen; damit meine ich die Welt und die Maßstäbe und Forderungen und Haltungen der zur Zeit bestallten und geschätzten Zeitungs-schreiber und Kulturmacher. Von hier geht, unter hirnloser Berufung natürlich auf Hitlers »**Mein Kampf**«[a] eine ganz bestimmte Geschichts- und Menschen-lehre ins Volk; diese Lehre läßt sich am besten als *ethischer Materialismus* bezeich-nen; damit sei nicht gemeint die Forde-rung von Sinnengenuß und Ausleben als höchstes Daseinsgesetz; {beileibe nicht[1]}. Die Kennzeichnung dient als bewußte Abhebung gegen den Marxismus und dessen *ökonomisch* – materialistische Geschichtsauffassung.

Materialismus bedeutet im obigen Titel: daß der sogenannte »*Charakter*«, der ja doch mit Brutalität und Engstirnig-keit nicht identisch ist, der aber als das A und O gilt – eben wie ein Ding angesetzt wird, um das sich alles dreht. »Charakter« kann {ja[2]} besagen: {bürgerliche Bieder-mannigkeit; oder aber einsatzbereite, auf seine Arbeit und Sachkenntnis unauffällig beschränkte und unentwegte Einsatzfä-higkeit; kann auch bedeuten: Geschick-lichkeit in allen **Machenschaften**, die nach etwas aussehen und die Dürftigkeit des Könnens und die Ernstheit und Gewach-senheit der Gesinnung – so sie fehlen – gut verdecken. Kurz: Charakter ist ja nicht vorhanden wie Steine und Autos – er wird auch nicht nur gebildet in Kurzschulungs-

Réflexions et Signes III

§ 81 [52-56], pp. 142-144 :

On peut dès à présent parler d'un « *national-socialisme vulgaire* » ; j'entends par là le monde, les critères, les exigences et les attitudes des journalistes et interve-nants culturels en place et appréciés du moment. De là se répand dans le peuple, en se réclamant bien entendu, et de manière écervelée, sous l'invocation de *Mein Kampf* de Hitler[a], une doctrine bien déterminée de l'histoire et de l'homme : cette doctrine peut être définie en mettant les choses au mieux comme *matérialisme éthique* ; par là n'est pas visée l'exigence du plaisir des sens, de jouir de la vie comme loi suprême de l'exis-tence ; {surtout pas[1]}. Cette désignation sert à le démarquer sciemment du marxisme et de sa conception de l'histoire relevant, quant à elle, d'un matérialisme *économique*.

« Matérialisme » signifie, dans la qua-lification proposée : que le prétendu « *caractère* », synonyme de brutalité et d'étroitesse d'esprit, passe pour être l'A[l-pha] et l'O[méga] – ce autour de quoi tout tournerait. « Caractère » peut {bel et bien[2]} signifier : {faire partie des braves gens ; ou alors : capacité à s'engager en se mettant à pied d'œuvre et en se consacrant exclusive-ment et de manière acharnée à son travail et à son domaine de connaissance, sans osten-tation ; comme cela peut signifier : habileté dans toutes les **fabrications** qui font bonne figure et s'entendent fort bien à marquer le peu de capacité et de hauteur de vue – qui font précisément défaut. Bref : le caractère n'est pas quelque chose qui se trouverait là devant comme le sont les pierres et les autos

---

a. A. Hitler, *Mein Kampf* [Mon combat], tome 1 : *Eine Abrechnung* [Un bilan], tome 2 : *Die national-sozialistische Bewegung* [Le mouvement national-socialiste], Munich, 1925 et 1927. [Les notes appelées par des lettres sont celles de l'éditeur scientifique de la *Gesamtausgabe*, Peter Trawny.]

1. *Beileibe nicht* est une expression propre au langage parlé. Elle correspond à « pour rien au monde », « quoi !? ».
2. *Ja* intercalaire similaire à *doch* (voir *supra*, note 3, p. 93).

lagern – sondern entfaltet sich in der Bewährung innerhalb der Geschichte, die er so oder so *mit*gestaltet – aber beileibe nicht allein – jedenfalls nicht als vorhandene Kraft – sondern wenn überhaupt – dann als In-der-Welt-sein – d. h. Kraft der Fähigkeit der wissenden, geistigen und natürlichen Auseinandersetzung mit dem Seienden}.

Dieser *ethische* Materialismus – steht zwar höher als der ökonomische – sofern man das Sittliche *über* das Wirtschaftliche stellt – was ja auch erst begründet werden muß und mit »Charakter« nicht entschieden werden kann. Dieser ethische Materialismus ist daher keineswegs gefeit gegen den ökonomischen – vor allem nicht in der Hinsicht, daß er sich als Unterbau und als Tragend und Bestimmend ansieht und alles andere von vornherein als »Überbau« mißdeutet.

Mit diesem reichlich bürgerlichen Charaktergetue, das eines Tages an seiner eigenen Unfähigkeit scheitern könnte – verbindet sich nun ein *trüber Biologismus*, der dem ethischen Materialismus doch die rechte »Ideologie« verschafft.

Man verbreitet die irrsinnige Meinung, die geistig-geschichtliche Welt (»Kultur«) *wachse pflanzenhaft* aus dem »Volk« heraus, gesetzt, daß man nur die Hemmnisse wegschafft – also z. B. die bürgerliche Intelligenz fortgesetzt schlechtmacht und auf die Unfähigkeit der Wissenschaft schimpft. Was wird aber so allein erreicht? Das dergestalt vor der »Intelligenz« gerettete »Volk« verfällt in seinem dunklen Drang in die ödeste Spießbürgerei und drängt auf Nachahmung und Eignung der bürgerlichen Vorrechte und deren Ansehen; das verfügbar Vorhandene Herrschende wird aufgegriffen, um sich damit selbst zur Herrschaft zu bringen; »man« scheut den **Kampf**, der nach vorne ins

– il est tout aussi peu forgé par des camps de formation accélérée – mais se déploie en **faisant ses preuves** au cours de l'histoire qu'il *contribue* à façonner de telle ou telle façon – mais heureusement pas à lui tout seul – sans être une force en présence – mais le cas échéant – comme être-au-monde – c'est-à-dire force donnant la capacité d'en découdre avec l'étant, sciemment, spirituellement et naturellement}.

Ce matérialisme *éthique* – se situe bien plus haut que le matérialisme économique – en plaçant ce qui est éthique au-dessus de ce qui est économique – ce qui reste à fonder et ne peut être tranché par le « caractère ». C'est pourquoi ce matérialisme éthique n'est nullement prémuni contre le matérialisme économique – et surtout pas dans la perspective où il se considère comme infrastructure, comme l'élément porteur et déterminant, et se méprend sur tout le reste en le considérant d'emblée comme « superstructure ».

À ce caractère prétentieux assez bourgeois, qui pourrait échouer un jour du fait de sa propre incapacité – se joint un *biologisme assez trouble* qui procure au matérialisme éthique la juste « idéologie ».

On répand l'idée extravagante selon laquelle le monde et l'histoire de l'esprit (la « culture ») *pousseraient de manière végétale* à partir du « **peuple** », à supposer que les obstacles soient éliminés – ce qui fait par exemple que l'on ne cesse de dénigrer l'intelligence bourgeoise et d'invectiver contre l'incapacité des sciences. Mais qu'est-ce qui se trouve seulement atteint de cette façon ? Le « peuple » ainsi préservé de l'« intelligence » succombe par un obscur penchant au philistinisme le plus fade et s'empresse d'imiter et de faire siens les privilèges bourgeois et la considération dont ils permettent de jouir ; on s'empare de ce qui se trouve là devant disponible et dominant pour accéder soi-

Ungewisse stößt und der weiß, daß nur aus dem Verschlossenen und Erlittenen durch **Wenige** und **Einzelne** das Große erschlossen wird. Wobei wir die Frage noch ganz beiseitelassen, wie weit eine Ursprünglichkeit des »Volkes« heute überhaupt auf solchem Wege erreicht wird – etwa durch Abstreichen der Intelligenz, durch Hervorholen des abgelebten Volkskundlichen und dergleichen. Es bleibt dann immer noch eine *Kleinbürgerliche* Masse und die Masse der *Proletarier* – die nur in einem Geschichtsverlauf – aber nicht durch Abstimmung umgeschafft werden können. Wenn diese Gruppen auch nicht mehr in Klassen zerteilt und aufgeteilt und in Parteien organisiert sind – als geschichtliche Haltungen und volkliche Mächte sind sie noch da und werden nur langsam überwunden: einmal von der Jugend her und dann durch geistig-geschichtliche Grundstimmung und Leidenschaft unseres Daseins und schließlich durch den Wesenswandel der Arbeit und des Besitzes.

Und all dieses soll ohne »Geist« geschaffen und nur mit »Charakter« gepredigt werden? Und all das soll »von selbst« aus dem Volk hervorwachsen – ohne daß es zur Entscheidung gezwungen und in die Wissenszucht genommen wird.

Aus bloßer Beseitigung von Hemmungen ist noch nie etwas – geschweige denn etwas Großes entstanden – sondern nur durch vorgreifenden **Kampf** – d. h. Leiden und Gefahr und d. h. *Wissen*!

Überlegungen und Winke III

§ 83 [60-62], S. 146-147 :

{**Das** *sozialistische* **Getue** der Studentenschaften – blödeste Romantik: Zusammenhocken und Saufen mit »Arbeitern«;

même au pouvoir ; « on » craint la **lutte** qui s'avance vers l'**inconnu** et qui sait pertinemment que ce qui est grand ne peut être ouvert que par ce qui est voilé, et enduré que par *ceux qui ne sont pas en nombre*, qui sont *singuliers*. Et dans tout cela nous laissons encore entièrement de côté la question de savoir dans quelle mesure une quelconque originarité du « peuple » peut bien être atteinte aujourd'hui avec de tels moyens – tels que faire une croix sur l'intelligence, dépoussiérer les traditions populaires les plus surannées et autres choses de ce genre. Il reste donc toujours une masse *petite-bourgeoise* et la masse des *prolétaires* – qui ne peut être transformée qu'au cours de l'histoire – mais non par un scrutin. Même si ces groupes ne sont plus divisés et répartis en classes ni organisés en partis – ils sont toujours là en tant qu'attitudes historiques et pouvoirs populaires et ne peuvent être surmontés que lentement : d'un côté par la jeunesse, et de l'autre par la tonalité foncière et la passion de notre être le là accordé à l'histoire de l'esprit, et enfin par la mutation essentielle du travail et de la propriété.

Tout cela serait donc créé sans « esprit » et serait exalté seulement grâce à un « caractère » ? Et tout cela pousserait « tout seul » à partir du peuple – sans qu'il soit acculé à la décision ni soumis à une éducation au savoir ?

Rien n'est jamais né – et notamment rien de grand – quand on s'est contenté d'éliminer les obstacles – mais seulement à travers le **combat** prenant les devants – c'est-à-dire l'endurance et le danger autrement dit par le **savoir** !

Réflexions et Signes III

§ 83 [60-62], pp. 146-147 :

{La posture *socialiste* *affectée* par les **corporations** d'étudiants – romantisme des plus niais : partager une même tablée

das Besichtigen und Herumstehen in Betrieben – wo man genau weiß, daß man hier nie auf die Dauer leben und gar arbeiten wird – all das ist genau so dumm, wie wenn der Bauer zur Zeit der Ackerbestellung oder Ernte in die Universitätsstadt zöge und sich zu Studenten-Kommersen einladen ließe, um so von sich aus die **Volksverbundenheit** zu bekunden; inzwischen gehen Acker und Ernte zum Teufel – oder einige Frauen schinden sich zu Tode – Sozialismus[1]?!} Wenn sich die Studenten um die Wissenserziehung einen Teufel kümmern; statt in der Vorbereitung zu einer echten Mitwissenschaft mit dem Wissen des Volkes diesem handelnd im Beruf und von diesem aus dienstbereit zu sein und seine **geschichtlich-geistige Welt** mitzubauen, den Geschmack vor der endgültigen Verkommenheit im Spießerischen zu bewahren, um echte Bedürfnisse zu wecken und zu hegen – durch einfach dienende Vorbildlichkeit, die freilich eine lange Erziehung verlangt und nur aus einem höheren und überlegenen echten Wissen entspringt. Gerade als »*Student*« **ist der heutige Student kein Nationalsozialist**, sondern ein ausgemachter Spießbürger; denn in der Wissenserziehung rettet er sich zur billigsten und üblichsten Aneignung eines »Wissensbesitzes«, den er irgendwoher bezieht – ohne wissende Haltung, die in sich »sozialistisch« genannt werden könnte – d. h. von Verantwortung bewegt und durch wahrhafte Überlegenheit gesichert und handlungsbereit wäre.

Dieses »sozialistische« Getue ist nur der Deckmantel für eine Flucht vor der eigentlichen Aufgabe und vor der eigenen Unfähigkeit.

et des beuveries avec des « travailleurs », visiter des usines et rester planté là – où l'on sait pertinemment qu'on ne va quand même pas y passer sa vie ni y travailler – tout cela est aussi stupide que si un paysan se rendait à la ville universitaire au moment des labours ou de la récolte et se faisait inviter à des banquets d'étudiants pour montrer qu'il est **lié au peuple** ; pendant ce temps-là champ et récolte sont envoyés au diable – à moins que quelques pauvres femmes s'échinent à mort – c'est cela le socialisme[1]?!} Quand les étudiants se fichent éperdument de l'éducation au savoir ; au lieu de se préparer à une véritable science partagée avec le savoir du peuple, d'agir en sa faveur dans leur future profession et de contribuer ainsi à édifier un **monde dans l'histoire de l'esprit**, de préserver leur goût de la dépravation dans le philistinisme, pour éveiller et cultiver d'authentiques besoins – tout simplement en donnant l'exemple, ce qui demande assurément une longue éducation et ne provient que d'un savoir authentique plus haut et éminent. En tant précisément qu'« *étudiant* », l'étudiant d'aujourd'hui n'est pas un national-socialiste mais un parfait petit-bourgeois ; car dans l'éducation au savoir il s'en tire par un « bagage » acquis aux moindres frais et des plus convenus, qu'il s'est procuré on ne sait où – mais sans attitude, dans son rapport au savoir, susceptible d'être appelée par elle-même « national-socialiste » – c'est-à-dire mue par le sens des responsabilités, assurée d'une véritable supériorité et prête à l'action.

Cette posture « socialiste » affectée n'est que la couverture d'une fuite devant la véritable tâche et sa propre incapacité à l'assumer.

---

1. Il est évident que ce passage (comme le suivant) a été écrit d'un seul jet, dans un état d'agitation et de colère. On le voit aux phrases incomplètes, aux exclamations, aux termes propres au langage parlé (« *blöd* », « *hocken* », « *saufen* », « *zum Teufel gehen* », « *sich zu Tode schinden* », etc.).

Überlegungen und Winke III
§ 88 [64-65], S. 148-149 :

Wir sind durch die wirtschaftliche Welt-*Not* hindurchgegangen und stehen noch in ihr (Arbeitslosigkeit), wir sind der geschicht-lich-staatlichen *Not* verhaftet (Versailles), wir kennen langsam die Verkettung dieser Nöte – aber wir spüren noch nichts von der **geistigen** *Daseinsnot* – und daß wir noch nicht erfahrungs- und leidensfähig und d. h. noch nicht groß genug für *sie* sind, gerade das ist die *größte Not.* Denn man ist jetzt dabei, jeden Anbruch *dieser* Not schnell und grob auszuwischen ent-weder durch eine verlogene Flucht in ein leer gewordenes **Christentum** oder durch ein Ausrufen einer *geistig* **fragwürdigen** und in ihrer Herkunft zweifelhaften natio-nalsozialistischen»**Weltanschauung**«. Und deshalb wird auch das Geschehen ver-kleinert und nicht frei gemacht zu seiner geistig existenziell bedrängenden Macht. Deshalb wird alles herabgesetzt in ein billiges Schelten gegen»liberalistische Wissenschaft« und dergleichen. Als ob es in unserer eigenen Geschichte nur die-ses gegeben hätte, was die Spießbürger sehen.

{Wann kommen wir in die große **Not** des Daseins?

Wie vollbringen wir die große Nötigung in die größte Not?

Wann machen wir Ernst mit der **Frag-würdigkeit des Daseins** und mit der gro-ßen Angst, die vor dem Wagnis aufbricht? Wann zerschmettern wir die lärmende und »besitzlose« Kleingeistigkeit, die sich für »Charakter« ausgibt? Wann schaffen wir die wahrhafte Begegnung des deutschen »**Arbeiters**« mit seiner und seines Volkes deutscher Überlieferung[1]?}

Réflexions et Signes III
§ 88 [64-65], pp. 148-149 :

Nous sommes passés par la *pénurie* éco-nomique mondiale et nous ne sommes pas sortis de cet état nécessiteux (chômage), nous sommes prisonniers des *nécessités* historiques et étatiques ([traité de] Ver-sailles) et peu à peu nous connaissons leur enchaînement – mais nous ne sentons encore rien de l'*urgence spirituelle d'être le là* – et que nous ne soyons pas encore à même de l'éprouver et de l'endurer, c'est-à-dire pas encore à *sa* hauteur, telle est bien la *nécessité la plus impérieuse.* Car on en vient à effacer rapidement et grossièrement toute émergence de *cette* urgence soit en se réfugiant hypocritement dans un **christia-nisme** devenu vide ou dans l'annonce d'une « **vision du monde** » **nationale-socialiste spi-rituellement contestable et d'origine dou-teuse.** Et c'est précisément pourquoi même ce qui arrive est minimisé et n'est pas libéré en sa puissance d'oppression spirituelle et existentielle. C'est pourquoi tout se voit rabaissé à de faciles imprécations contre, entre autres, la « science libérale ». Comme s'il n'y avait eu au cours de notre propre his-toire que ce que voient les petits-bourgeois.

{Quand donc parviendrons-nous à la grande **urgence d'être le là** ?

Comment allons-nous accomplir ce qui urge le plus dans l'urgence la plus grande ?

Quand prendrons-nous au sérieux **ce qu'être le là a de digne de questionnement** comme la grande angoisse devant l'au-dace ? Quand briserons-nous la mesquinerie bruyante et « n'ayant rien en propre » qui se fait passer pour du « caractère » ? Quand allons-nous susciter la véritable rencontre du « travailleur » allemand avec la tradition allemande qui est la sienne et celle de son peuple[1] ?}

---

1. Nous sommes en présence ici d'une série de questions qui resteront sans réponses, et qui ne peuvent donc être considérées comme faisant partie d'un discours achevé, s'inscrivant dans une structure élaborée de la pensée. Il s'agit de *flash* qui traversent l'esprit et qui appellent par la suite une réflexion plus approfondie.

Überlegungen und Winke III

§ 96 [70-71], S. 152-153 :

Studentenschaft und »Dozentenschaft« betreiben jetzt denselben Berufungs- und Besetzungsbriefwechsel, den früher die bösen Ordinarien besorgten. Nur ist jetzt der Unterschied, daß

1. jetzt noch weit mehr Leute mit solchen An- und Rückfragen beschäftigt sind,

2. daß demzufolge die Beliebigkeit der Urteilenden und die Unnachprüfbarkeit ihrer Eignung zum Urteil sich steigert,

3. daß die jetzt Urteilenden noch weit *unerfahrener* sind,
4. daß sie noch weniger als früher auf das Ganze der Hochschule ausgerichtet sind – weil sie nichts übersehen,
5. daß sie unter dem Deckmantel eines oft recht fragwürdigen **Nationalsozialismus** aus einer unberechtigten Selbstsicherheit heraus den Gerichtshof spielen und so im Ganzen den völligen **Mangel an Gestaltungsfähigkeit** nach vorne verdecken und auf dem besten Wege sind, eine unübertreffliche Mittelmäßigkeit zu »organisieren«.

Überlegungen und Winke III

§ 101 [74-76], S. 154-155 :

Die wesentliche Erfahrung des zu Ende gehenden Rektoratsjahres:
Das ist das unaufhaltsame *Ende* der **Universität** in jeder Hinsicht aus der Unkraft zu einer echten »**Selbstbehauptung**«. Diese bleibt als letzte verhallende Forderung ohne jeden Widerhall.

Aus den Formen und Einrichtungen der Hochschule – erst recht nach der Verfassungsänderung – zieht sich das noch flackernde bisherige Treiben mehr und mehr zurück. Was sich als »neu« gebärdet, ist der

Réflexions et Signes III

§ 96 [70-71], pp. 152-153 :

Les étudiants et le « corps enseignant » procèdent à présent aux mêmes échanges épistolaires relatifs aux nominations et aux recrutements que ceux dont se chargeaient auparavant les vilains titulaires. La seule différence est à présent

1. que bien plus de gens sont à présent impliqués dans ces expertises et compléments d'information,

2. que par conséquent se trouvent accrus l'arbitraire de ceux qui sont appelés à se prononcer et l'impossibilité de vérifier s'ils réunissent bien les compétences requises à cette fin,

3. que ceux qui sont appelés à se prononcer sont encore moins *expérimentés*,
4. qu'ils prennent moins en considération l'Université dans son ensemble – faute d'en avoir la moindre vision d'ensemble,
5. que sous couvert d'un **national-socialisme** souvent bien discutable et forts d'une assurance injustifiée ils jouent à s'ériger en juges, dissimulant ainsi entièrement leur **manque** total **d'aptitude créatrice** tournée vers l'avenir et s'engageant dans la meilleure direction pour « organiser » une médiocrité indépassable.

Réflexions et Signes III

§ 101 [74-76], pp. 154-155 :

L'expérience essentielle de l'année de rectorat parvenant à son terme :
C'est à tous égards la *fin* inéluctable de l'**Université**, qui n'a pas la force d'être véritablement « **elle-même envers et contre tout** ». Celle-ci demeure comme ultime exigence se perdant au loin sans rencontrer le moindre écho.

À partir des formes et des dispositions de l'Université – et plus que jamais depuis le changement apporté à ses statuts – une activité déjà vacillante la déserte de plus en plus. Ce qui se donne l'allure de la « nou-

Aufgabe nicht gewachsen; das »Alte« ist müde und findet in keinen Ursprung zurück; zu ängstlich, sich noch einmal der volle Fragwürdigkeit der bisherigen wissenschaftlichen Arbeit auszusetzen; zu sehr auf das eigene Fach und Gebiet und Leistungsbereich und Fachwelt festgebunden, als daß ein freier Gefolgewille erwachen könnte; unfruchtbares Wohlwollen ist wertlos.

Das bloße Reagieren mit **nationalsozialistischen Machtmitteln** und den dazugehörigen Funktionären kann vielleicht nach Außen die Behauptung einer Machtstellung vortäuschen; was soll das, wo das ganze **Gebilde in sich ohnmächtig** ist und ihm überdies die Zufuhr neuer junger Kräfte oder auch nur die Erhaltung bildsamer Lehrkräfte versagt bleibt. Der Zeitpunkt meines Einsatzes war zu früh, oder besser: **schlechterdings überflüssig;** die zeitgemäße »Führung« soll es nicht auf inneren Wandel und Selbsterziehung absehen – sondern auf möglichst sichtbare Anhäufung neuer Einrichtungen oder auf eindrucksvolle Änderung des Bisherigen. Es kann bei diesem Tun aber das Wesentliche ganz beim Alten bleiben. All dieses muß sich auslaufen; die »Zuschauer« müssen an ihrer eigenen Langeweile verkümmern; inzwischen sammelt sich die **Daseinskraft** zu neuer Gründung der deutschen Hochschule.

Wann sie kommt und auf welchen Wegen – das wissen wir nicht. Gewiß ist nur: wir müssen an unserem Teil das Kommende vorbereiten. Wir dürfen uns nicht an der Fortführung des Bisherigen verbrauchen, wir können uns nicht die geheime Sicht auf das Kommende verunstalten lassen. Wir werden auch nie beiseite stehen, wo das rechte Wollen auf – und Können – sich ans Werk macht. Wir werden in der **unsichtbaren Front** des geheimen geistigen Deutschland bleiben.

veauté » n'est pas à la hauteur de la tâche ; ce qui est « ancien » est las et ne retrouve le chemin d'aucun commencement ; trop craintif pour s'exposer encore une fois à ce qu'avait d'entièrement douteux le travail scientifique accompli jusque-là ; trop cramponné à sa propre discipline, à son domaine, à son champ et à sa spécialité pour susciter des vocations ; la bienveillance stérile ne sert à rien.

La simple réaction avec **les moyens du pouvoir national-socialiste** et les fonctionnaires concernés peut éventuellement donner l'impression, extérieurement, d'une position de force ; mais à quoi bon là où toute **la structure** est **en elle-même impuissante** et que de surcroît lui est refusé l'afflux de jeunes et nouvelles forces vives ou ne serait-ce que le maintien de forces éducatives se laissant former. Le moment de mon engagement était **prématuré,** ou pour mieux dire : **parfaitement superflu ;** la « direction » actuelle ne doit pas s'attendre à un changement interne ni à ce que les étudiants prennent en main leur éducation mais à une accumulation aussi visible que possible de nouvelles directives ou à un changement impressionnant de ce qui a eu cours. Mais dans toute cette agitation tout demeure comme avant quant à l'essentiel. Tout cela doit suivre son cours ; les « spectateurs » doivent mourir d'ennui ; en même temps se rassemble la **vigueur d'être le là** pour une nouvelle fondation de l'Université allemande.

Quand elle adviendra et par quelles voies – nous ne le savons pas. La seule chose qui soit sûre, c'est que nous devons pour notre part préparer ce qui vient. Il ne nous est pas permis de nous dépenser à perpétuer ce qui a eu cours, nous ne pouvons pas laisser défigurer la secrète vision de ce qui vient. Jamais nous ne nous tiendrons à l'écart tandis que la volonté – avec la capacité requise – est mise en œuvre. Nous demeurerons sur le **front invisible** de l'Allemagne spirituelle secrète.

Überlegungen und Winke III

§ 169 [114], S. 180 :

{Wie »reaktionär« das alles ist und wie sehr Nach-vorne-denken – in *seinem* Sinne – das sichere Arbeiten der Jesuiten[1], die mit den modernsten literarischen Mitteln eine »Literatur« hinstellen, der gegenüber der Ruf »**lest die nationalsozialistische Presse**« eines Tages nur noch komisch wirkt – gesetzt, daß man sich nicht entschließt, auch im Geiste revolutionär zu sein, statt den Geist »politisch« zu verfälschen}.

Réflexions et Signes III

§ 169 [114], p. 180 :

{À quel point tout cela est « réactionnaire » et à quel point penser en avant – au sens qui est le *sien* – [c'est là] le sûr travail des **Jésuites**[1] qui avec les moyens littéraires les plus modernes mettent en place une « littérature », comparée à laquelle l'appel « **lisez la presse nationalesocialiste** » ne fera plus un jour qu'un effet bizarre – à supposer qu'on ne se décide pas à être révolutionnaire aussi en esprit au lieu de falsifier l'esprit « politiquement ».}

Überlegungen und Winke III

§ 183 [121-122], S. 185 :

Die *Leicht-fertigkeit* der Stellungnahmen.

1. Man vermißt im **Nationalsozialismus** den »*Geist*« und befürchtet und beklagt seine **Zerstörung**; ja aber was versteht man da unter Geist? Irgendeine unklare Berufung auf irgendein Bisheriges – was in seiner Zeit Geltung hatte. Dieses unklare Vermissen und schwache Sichberufen gibt sich den Anschein des Überlegenen und Höheren – und vermag doch nichts zu schaffen; man ist leicht-fertig mit dem Geschehenden und dem was »gesollt« werden »soll«. Und man hat bei solcher Leichtfertigkeit auch immer leicht jederzeit wieder Anhalt und Nahrung, um sich fortgesetzt in solchem Tun zu betätigen.

2. *Man verteidigt einfach Bisheriges* und gleicht es dem Geschehenden an; man betreibt eine schlaue Vermittlung, die sogar wie Aufbau aussieht, und doch ist es kein Wagen; kein Ernstmachen mit wirklicher *Verwandlung*. Man versteift sich

Réflexions et Signes III

§ 183 [121-122], p. 185 :

Combien les positions sont *prises à la légère*.

1. On se méprend sur l'« **esprit** » dans le national-socialisme, on craint et on déplore sa **destruction** ; mais qu'entend-on au juste par esprit ? Toute confuse invocation de quoi que ce soit ayant eu cours – qui valait en son temps. Ce manque confus et cette faible invocation se donnent l'air de quelque chose de supérieur et de plus éminent – et pourtant ne sont pas à même de créer quoi que ce soit ; on s'en tire à peu de frais avec les événements qui se déroulent et ce qui « devrait » « devoir » être. Et avec cette légèreté on trouve toujours facilement un appui et un aliment pour continuer à agir ainsi.

2. *On se contente de défendre ce qui a eu cours*, que l'on compare à ce qui est en cours ; on opère une médiation astucieuse qui ressemble même à une construction, mais qui ne prend aucun risque ; rien qui prenne au sérieux une véritable *métamor-*

1. La structure logico-syntaxique de cette note devrait être celle proposée dans la traduction en regard. L'*incipit* de cette note pourrait également avoir une valeur exclamative : « Comme tout cela est "réactionnaire" et combien le travail des Jésuites est un "penser en avant" ! »

auf Solches, was man überdies *selbst gar nicht geschaffen*, sondern nur übernommen hat; man ist gar nicht in der Lage jener, die das Kommende schaffen wollen.

Mit der Leicht-fertigkeit geht die *Leicht-mütigkeit* zusammen. Statt wahrhaft zu bestehender Not, herrscht nur die sittlich entrüstete Verdrießlichkeit der Ausgeschalteten und die enge und glatte betriebsame Begnüglichkeit der Eingeschalteten.

Und doch vollzieht sich in all diesem Widrigen und Kleinen der Außenheit [?] und des unabwendbaren Massenwesens eine Wandlung. Aber sie darf nur als notwendig – nicht jedoch als hinreichend genommen werden; sonst bleibt es bei einem mehr und mehr erblindenden Verrechnen von Erfolgen.

Überlegungen und Winke III

§ 184 [122-123], S. 185 :

Der *deutsche Katholizismus* beginnt jetzt, sich der geistigen Welt des deutschen Idealismus – Kierkegaards und Nietzsches – zu bemächtigen, in seiner Weise und mit den klaren und festen Mitteln seiner Überlieferung sich anzuverwandeln. Er übernimmt in seiner Weise eine wesentliche und starke Überlieferung und schafft sich damit im voraus eine neue geistige »Position«; während man im **Nationalsozialismus** Gefahr läuft, vor lauter Betonung des **Anderen** und **Neuen** sich von der großen Überlieferung abzuschneiden und im **Unbeholfenen** und **Halben** sich zu verlaufen. Indem man aber dem Konkordat gemäß dem Kampf gegen die katholische Kirche absagt, sieht man nicht das Heraufkommen des **Katholizismus** als einer in gewisser Weise sich selbst bewußt »säkularisierenden« Macht – **die leicht sich mit den übrigen Mächten verbindet.**

phose. On se crispe sur ce que de surcroît *on n'a soi-même nullement créé* mais que l'on s'est contenté de reprendre paresseusement ; on n'est nullement dans la situation de ceux qui veulent créer ce qui vient.

Cette légèreté va de pair avec une *superficialité*. Au lieu qu'on endure véritablement l'urgence, règne la contrariété moralement indignée de ceux qui ont été mis hors jeu et le contentement étriqué, superficiel et besogneux de ceux qui sont entrés dans le circuit.

Et pourtant une mutation s'accomplit bien dans cette situation répugnante et mesquine d'extériorité [?] et d'inévitable grégarité. Mais elle ne doit être considérée que comme nécessaire – et non comme suffisante ; pour le reste, on s'en tient à faire le compte, de plus en plus aveuglément, des résultats obtenus.

Réflexions et Signes III

§ 184 [122-123], p. 185 :

Le **catholicisme allemand** commence à présent à s'emparer du monde spirituel de l'idéalisme allemand – de Kierkegaard et de Nietzsche – et à se modifier à sa façon avec les moyens clairs et solides de sa tradition. Il assume à sa manière une tradition essentielle et puissante et se crée ainsi par avance une nouvelle « position » spirituelle ; tandis que dans le **national-socialisme** on court le risque, à tant insister sur ce qui est autre et nouveau, de se couper de la grande tradition et de se perdre dans ce qui est **emprunté**, dans ce qui est **demi-mesure**. Mais le concordat ayant amené à renoncer au combat contre l'Église catholique, on ne voit pas l'émergence du **catholicisme** comme étant d'une certaine façon une puissance se « sécularisant » elle-même sciemment – et **se liguant facilement avec les autres puissances.**

Gegen die Kirche zu kämpfen ist sinnlos – wenn nicht eine Macht gleicher Art dagegen aufsteht – aber den **Katholizismus** zu bekämpfen – als das in das *Geistige-politische* sich hinüberverwandelnde Zentrum – mit dem ganzen festen inneren Gefüge seiner erstarkt kirchlichen »Organisation« – ist Grunderfordernis. Doch dieser **Kampf** verlangt zuerst eine entsprechende Ausgangsstellung und ein klares Wissen um die Lage.

Überlegungen und Winke III

§ 190 [125], S. 188 :

Man sagt, der **Nationalsozialismus** sei nicht durch Gedanken, sondern durch die Tat geworden; zugegeben – folgt daraus, daß nun das Denken herabgesetzt und verdächtigt werde – oder folgt das Umgekehrte, daß deshalb erst recht das Denken in eine ungewöhnliche Größe und Sicherheit gesteigert werden müsse?

Überlegungen und Winke III

§ 198 [129], S. 190 :

{Inwiefern der **Nationalsozialismus** niemals Prinzip einer Philosophie sein kann, sondern immer nur unter die Philosophie als Prinzip gestellt werden muß.

Inwiefern dagegen der **Nationalsozialismus** wohl bestimmte Stellungen beziehen kann und so eine neue Grundstellung zum Seyn mitwirken kann!}

Dieses aber auch nur unter *der* Voraussetzung, daß er sich selbst in seinen Grenzen erkennt – d. h. begreift, daß er nur wahr ist, wenn er imstande ist, in den Stand kommt, eine ursprüngliche Wahrheit freizugeben und vorzubereiten.

Il est insensé de combattre l'Église – si une puissance à sa mesure ne s'y oppose pas – en revanche, c'est une nécessité de combattre le **catholicisme** – en tant que centre s'étant mué en force *politico-spirituelle* – avec tout le solide agencement interne de son « organisation » ecclésiale renforcée. Toutefois, ce **combat** demande d'abord une position de départ adéquate et un savoir au fait de la situation.

Réflexions et Signes III

§ 190 [125], p. 188 :

On dit que l'avènement du **national-socialisme** n'est pas dû à la pensée mais à l'action ; soit, mais s'ensuit-il pour autant que la pensée est à présent rabaissée et tenue pour suspecte – ou bien, à l'inverse, que pour cette raison précisément la pensée doit enfin être élevée à une grandeur et une sûreté insolites ?

Réflexions et Signes III

§ 198 [129], p. 190 :

{Dans quelle mesure le **national-socialisme** ne peut jamais être au principe d'une philosophie mais doit toujours lui être subordonné comme à un principe.

Dans quelle mesure, en revanche, le **national-socialisme** peut fort bien assumer des positions déterminées et ainsi contribuer à établir une nouvelle position foncière à l'égard de l'estre !}

Mais cela seulement à *cette* condition qu'il reconnaisse ses propres limites – c'est-à-dire qu'il comprenne qu'il n'est vrai que lorsqu'il est à même, s'il se rend à même d'adopter une position de départ adéquate et un savoir au fait de la situation.

Überlegungen und Winke III, § 206, S. 136
[*Gesamtausgabe*, tome 94, p. 194]

Überlegungen und Winke III

§ 206 [136], S. 194 :

Der Nationalsozialismus ist ein *barbarisches Prinzip*. Das ist sein Wesentliches und seine mögliche **Größe**. Die Gefahr ist nicht er selbst – sondern daß er verharmlost wird in eine Predigt des Wahren, Guten und Schönen (so an einem Schulungsabend). Und daß jene, die **seine** **Philosophie** machen wollen, dann nichts anderes dazu setzen als die überkommene »Logik« des **gemeinen Denkens** und der **exakten Wissenschaft**, statt zu begreifen, daß jetzt gerade die »Logik« neu in die Not und Notwendigkeit kommt und neu entspringen muß.

Réflexions et Signes III

§ 206 [136], p. 194 :

Le national-socialisme est *un principe barbare*. C'est là ce qu'il a d'essentiel, et son éventuelle **grandeur**. Le danger, ce n'est pas lui-même – mais le fait qu'il soit minimisé dans des prêchi-prêcha sur le vrai, le bon et le beau (comme ce fut le cas dans une soirée de formation). Comme le fait que ceux qui veulent faire **sa philosophie** ne trouvent rien d'autre à y mettre que la « logique » traditionnelle de la **pensée commune** et des **sciences exactes** au lieu de comprendre qu'à présent précisément la « logique » en vient à se trouver dans l'urgence et dans la nécessité et doit trouver un nouvel élan.

Überlegungen und Winke III

§ 207 [137], S. 194 :

{Wurde ich da neulich gefragt: wer Baeumler sei? Antwort: ein Professor – findig und gescheit –»philosophisch«: der auf den Kopf gestellte *Klages*. Im übrigen: ein mit **Nationalsozialismus** aufgewärmter Neukantianismus}. In diesem Falle sind solche Kennzeichnungen mit **Schlagworten** erlaubt, weil ein wirkliches Philosophieren nicht da ist – sondern nur Spiel mit aufgegriffenen »Stellungen« – das auch unangreifbar ist, wie jeder »Dualismus«; denn nach diesem Prinzip ist alles leicht bestimmbar: wenn es das eine nicht ist, ist es das andere. Und man ist's zufrieden. Die Karriere ist außerdem auch gemacht.

Réflexions et Signes III

§ 207 [137], p. 194 :

{On m'a demandé récemment : qui donc est Baeumler ? À quoi j'ai répondu : un professeur – habile et intelligent – « philosophique » : l'inverse d'un *Klages*. Pour le reste : un néo-kantisme réchauffé au **national-socialisme**.} En ce cas de figure les caractérisations avec **des formules à l'emporte-pièce** sont permises parce qu'on ne se trouve pas en présence d'un véritable philosopher – mais seulement d'un jeu avec des « positions » trouvées ailleurs – et par là inattaquables, comme tout « dualisme » ; car d'après ce principe tout est facilement déterminable : si ce n'est pas l'un, c'est donc l'autre. Et l'on s'en tire à si peu de frais. Du reste, sa carrière est déjà faite.

207

137

Überlegungen und Winke III, § 207, S. 137
[*Gesamtausgabe*, tome 94, p. 194]

Überlegungen V

§ 61 [53-54], S. 348 :

Jene Gegnerschaft der Philosophie gegen ihre Zeit entspringt nicht irgendwelchen Mängeln und Mißständen des Zeitalters, sondern kommt aus dem Wesen der Philosophie und dies umso genötigter, je mehr gerade und je echter das Wollen ins Künftige Gestalt und Richtung in der Zeit gewinnt. Denn immer noch ist auch dann und zwar wesenhaft das Erdenken der Wahrheit *des Seyns* aller Einrichtung, Rettung und Wiederbringung des *Seienden* – allem unmittelbaren Schaffen und Werken – *voraus*gesprungen. Deshalb kann auch die Philosophie – gesetzt, daß sie solche ist – nie »politisch« abgeschätzt werden, weder in einem bejahenden noch in einem verneinenden Sinne. Eine »nationalsozialistische Philosophie« ist weder eine »Philosophie« noch dient sie dem »Nationalsozialismus« – sondern läuft lediglich als lästige Besserwisserei hinter ihm her – aus welcher Haltung schon zur Genüge das Unvermögen zur Philosophie erwiesen ist.

Sagen, eine Philosophie sei »nationalsozialistisch« bzw. sei dies nicht, bedeutet ebensoviel wie die Aussage: ein Dreieck ist mutig bzw. ist es nicht – also feig.

Überlegungen VI

§ 154 [135], S. 509 :

Wer heute die Überflüssigkeit und Unmöglichkeit der Philosophie verkündet, hat den Vorzug der Ehrlichkeit vor allen jenen, die eine »nationalsozialistische Philosophie« betreiben. Dergleichen ist noch unmöglicher und zugleich weit überflüssiger als eine »katholische Philosophie«.

Réflexions V

§ 61 [53-54], p. 348 :

Toute aversion de la philosophie contre son temps ne provient pas de je ne sais quels manques et anomalies de l'époque ; elle vient de l'essence de la philosophie et cela d'autant plus nécessairement que la volonté tournée vers l'avenir prend forme et direction, avec le temps, avec plus de droiture et d'authenticité. Car c'est alors toujours et encore, et foncièrement, la pensée qui parvient à la vérité *de l'estre* qui a pris les devants sur toute installation, sauvetage et restitution *de l'étant* – sur toute création et toute œuvre immédiate. Et c'est bien pourquoi la philosophie – à supposer qu'elle en soit une – ne pourra jamais être estimée « politiquement » ; que ce soit en un sens positif ou négatif. Une « philosophie nationale-socialiste » n'est pas une « philosophie » ni ne sert le national-socialisme – mais se contente de courir derrière lui avec un pénible pédantisme – attitude qui montre amplement l'inaptitude à la philosophie.

Dire d'une philosophie qu'elle est « nationale-socialiste » ou bien qu'elle ne l'est pas, c'est comme si l'on disait d'un triangle qu'il est courageux ou bien qu'il ne l'est pas – autrement dit qu'il est lâche.

Réflexions VI

§ 154 [135], p. 509 :

Celui qui annonce aujourd'hui que la philosophie est superflue et impossible a au moins l'avantage de la sincérité par rapport à tous ceux qui cultivent une « philosophie nationale-socialiste ». Quelque chose de ce genre est encore plus impossible et en même temps bien plus superflu qu'une « philosophie catholique ».

L'unité thématique relative au « national-socialisme » comprend, par ordre chronologique, tous les passages du volume 94 rapportés ci-dessus. Il s'avère à présent nécessaire de retracer l'itinéraire accompli par Heidegger pour saisir le cours de ses réflexions et, à l'aide des intertextes restants, d'évaluer si des évolutions ou des involutions sont présentes dans sa pensée.

Le cadre qui soutient l'échafaudage du discours heideggérien est la question de l'être ; c'est là une constante non seulement tout au long de l'unité thématique que nous sommes en train d'analyser mais bien, de manière transversale, tout au long des réflexions présentes dans les carnets. Une question, précisément, que selon Heidegger ne pourront *jamais* prendre en charge les « philosophies scientifiques » par lui qualifiées de « non philosophiques ». Pareillement, la fuite dans la « foi chrétienne » et le recours au projet d'une « culture chrétienne » ne constituent pas une solution plausible dès lors qu'ils ne sont pas en mesure de déterminer « ce qui est premier et dernier » (*Winke X Überlegungen (II) und Anweisungen*, §§ 211 et 218).

Ce discours est intervenu dans la situation délicate dans laquelle se trouvaient le système universitaire et la tentative faite par Heidegger de promouvoir une nouvelle culture du savoir à même de refonder l'Université, en la rendant autonome par rapport à tous les rapprochements douteux, quels qu'ils soient, avec des organisations lui étant extérieures : telles sont les circonstances dans lesquelles s'inscrit son discours tenu le 27 mai 1933 : « Die Selbstbehauptung der deutschen Universität »[1], et dans lesquelles mûrissent *progressivement* les réflexions sur le « mouvement » national-socialiste. La priorité demeure toujours l'idée d'une culture qui aurait des « racines », c'est-à-dire un élément fondateur, car sinon le *Dasein* « fait fausse route », il est « jeté hors de sa voie » (§ 211). Heidegger adresse une critique assez virulente à l'émergence de la phi-

---

1. M. Heidegger, « Die Selbstbehauptung der deutschen Universität », in *Reden und andere Zeugnisse eines Lebensweges* [*Discours et autres témoignages au cours du cheminement d'une vie*], in *Gesamtausgabe*, tome 16, éd. H. Heidegger, Klostermann, Francfort, 2000, § 51, pp. 107-117 ; « L'Université allemande envers et contre tout elle-même », trad. fr. F. Fédier, *in* M. Heidegger, *Écrits politiques 1933-1966*, présentation, traduction et notes par F. Fédier, Gallimard, Paris, 1995, pp. 99-110.

losophie scientifique qui n'a qu'un rôle fonctionnel et se nourrit du jeu de systèmes qui se disent « justes » sans pour autant être « vrais ». Se laisser séduire par une telle culture a-philosophique risque de mener à l'introduire peu à peu dans le système universitaire, après qu'elle se sera insinuée dans les masses du fait de la politique de la communication. La dissension chez Heidegger adopte un ton beaucoup plus tranchant dans le long § 68 des *Überlegungen und Winke III*, qui ne peut être compris à son tour que si l'on prend comme point de référence le constat du § 211 dans lequel il note que, quand la non-philosophie prend pied, la discipline authentique et l'éducation « ne sont qu'un extra », et dès lors disparaît cette nécessité que requiert la fondation de l'Université.

La première occurrence du terme « sol » (*Boden*) apparaît en référence au contexte universitaire, lequel peut favoriser le développement d'une « nouvelle éducation ». Le *sol* pour Heidegger est toujours lié au fait de se tenir sur quelque chose qui vous soutient, et renvoie par là à la solidité de la chose telle qu'elle repose en elle-même. Le sol qui vous soutient est référé à la « chose même » à partir de quoi il est atteint. *« Sol » est par conséquent un concept phénoménologique ; la remontée en pensée au sol qui soutient est remontée à ce qui est de l'ordre du phénomène.* La maxime de la phénoménologie en sa formulation heideggérienne telle qu'elle se donne à entendre dans *Être et Temps* : « Droit aux choses mêmes ! » (*Zu den Sachen selbst !*) revêt la même signification que la première formulation de ce principe méthodique dans l'introduction aux *Recherches logiques* de Husserl : « Revenir aux choses mêmes » (*Auf die Sachen selbst zurückgehen*).

Mais avant d'aborder le contenu du § 68, il faut nous souvenir aussi que Heidegger a pu noter qu'aucun réveil des « masses » ni du « peuple », qu'aucun renouveau de la « nation » ne pourront jamais être redevables à la non-philosophie scientifique (*Winke X Überlegungen (II) und Anweisungen*, § 218).

Sur la base de ces présupposés, nous pouvons entrer dans le vif du § 68 (décembre 1933) et vérifier si peut être poursuivie l'intention de Heidegger, à savoir que l'Université soit véritable-

ment le terreau dans lequel une nouvelle culture est susceptible de s'enraciner.

Le § 68 a pour cadre deux questions que Heidegger avait notées dans le § 46, auxquelles les réponses ne sont apportées qu'à présent : a) est-il inévitable que le « peuple » dépérisse derrière les « slogans » continuels et les « lieux communs » ou bien une « noblesse spirituelle » peut-elle être suscitée ? b) est-il possible qu'au sein du mouvement national-socialiste « les commencements » (*die Anfänge*) ne puissent être que méconnus ?

Avant d'aborder le questionnement heideggérien, il est important d'avoir pour toile de fond un élément – aux contours encore à définir – contenu dans le volume 95 (*Überlegungen XI*, § 53) de 1938-1939 : « Pensant de manière purement "métaphysique" (c'est-à-dire dans la perspective de l'histoire de l'estre), j'ai tenu le national-socialisme au cours des années 1930-1934 pour la possibilité d'une *transition* vers un autre commencement (*Anfang*) et en ai donné cette interprétation. Ce qui revenait à méconnaître et à sous-estimer ce "mouvement". » « Erreur d'appréciation » commise par Heidegger qui devra être davantage approfondie dans la section consacrée au volume 95. Toutefois, sur la base de cet élément, le questionnement de Heidegger dans le § 46 des *Überlegungen und Winke III* peut provoquer de *nouvelles* questions.

Poursuivons notre itinéraire : dans le § 68 Heidegger, en en prenant fermement acte, a pris ses distances non seulement avec le mouvement national-socialiste mais aussi avec des « organisations » et des « unions professionnelles nationales-socialistes » qui, dans le contexte universitaire, tenaient un rôle qui était *presque* d'encadrement tout en étant des unions « extra »-universitaires, exerçant un fort ascendant sur son fonctionnement interne. Le fait qu'il s'agisse d'unions « externes » ne signifie pas ici seulement qu'elles sont en dehors du système universitaire : ce qu'elles ont d'« externe », pour Heidegger, tient aussi à leur incapacité à « réfléchir », au point qu'elles jouent uniquement le rôle de « fonctionnaires » réglant la vie universitaire sur la base de nécessités « comptables » (*rechnend*) et réduisent l'Université à un

« affairement scientifique » (*Wissenschaftsbetrieb*)[1] : accusations très fortes adressées par Heidegger à qui voudrait réduire l'Université à une simple organisation externe de fonctionnaires qui, sur la base de « conventions » (*Abmachungen*) dictées par les circonstances, font s'envoler toute possibilité d'enraciner une culture spirituelle tournée vers ce qui est « créateur » (*schöpferisch*), c'est-à-dire vers une « métamorphose créatrice de l'être le là » (§ 79) ; ce n'est pas un hasard, en effet, si Heidegger relève bien plus loin (§ 96) comme ils sont nombreux, ceux qui sous couvert de national-socialisme dissimulent un « manque total d'aptitude créatrice » (*Mangel an Gestaltungsfähigkeit*) capable de se tourner vers l'avenir. Par conséquent, le fait de tout réduire au calcul, à un élément quantifiable et fonctionnel est imputé ici aux unions nationales-socialistes, pour lesquelles tout se ramène à l'« action » (*Aktion*). Mesurer à quel point la pensée chez Heidegger est éloignée de la fonctionnalité de l'action, cela mériterait un traité à part, en partant précisément de la *Lettre sur l'humanisme*.

Cette manière dont viennent s'embrouiller ce qui est « interne » et ce qui est « externe » n'est pas sans déranger Heidegger en sa qualité de recteur servant plutôt d'« intermédiaire » entre les parties – et c'est dans cette situation de forte instabilité que demande à être re-compris son discours officiel de 1933. Demeurer dans l'instabilité en jouant le rôle d'« intermédiaire » revient pour Heidegger à noter ceci : « que le recteur soit national-socialiste ou non, c'est là une différence toute relative » (§ 68) à partir du moment où ce qui est externe exerce un pouvoir beaucoup plus fort que celui auquel il reviendrait d'assumer le rôle de « direction *spirituelle* » (*geistige Führung*)[2], si par « spirituel »

---

1. Une telle situation était déjà présente *in nuce* dans la conférence inaugurale que Heidegger a tenue le 24 juillet 1929 dans l'Aula magna de l'université de Fribourg : M. Heidegger, *Was ist Metaphysik ?*, Klostermann, Francfort, 16ᵉ édition, 2007, p. 27 ; « Qu'est-ce que la métaphysique ? », trad. fr. H. Corbin, *in* M. Heidegger, *Questions I*, Gallimard, Paris, 1968, p. 48 : « La multitude des disciplines ainsi émiettées ne doit plus aujourd'hui sa cohérence qu'à l'organisation technique d'universités et de facultés ; elle ne conserve un sens qu'à travers les buts pratiques poursuivis par les spécialistes. En revanche, l'enracinement des sciences dans leur fondement essentiel est bel et bien mort. »

2. M. Heidegger, *Die Selbstbehauptung der deutschen Universität, op. cit.*, p. 107 ; trad. fr. p. 99. Assumer la direction *spirituelle* de l'Université veut dire pour Heidegger en retrouver l'essence par un « savoir radical » qui ne saurait jamais se confondre avec le savoir de type « fonctionnel-instrumental ».

on entend ce que Heidegger entendait par là quand il parlait de l'Université allemande « envers et contre tout elle-même » : « être elle-même envers et contre tout devrait vouloir dire se confronter fondamentalement à la grande tradition » (§ 68) historique et spirituelle qui contribue à la formation d'une « noblesse spirituelle » au sens où celle-ci est entendue par Heidegger dans son questionnement au § 46. Ainsi commence à se dessiner ce lent éloignement physique et spirituel de Heidegger par rapport au terrain universitaire dans lequel la culture ne trouve plus d'espace où prendre racine ; ce malaise est manifesté précisément par la conscience de ne pas être en mesure d'estimer la charge que représenterait en réalité le fait d'assumer une telle direction. Rôle qui par bien des aspects avait davantage un caractère de médiation politique que de direction effective dans la fondation d'une culture nouvelle. Alors que faire ? Pour Heidegger il n'est pas possible de « rester empêtré dans le caractère formel des prétendus postes de direction », mais il faut se poser comme « guide dans la lutte (*Kampf*) » (§ 68, 11 a), en encourageant les quelques rares institutions qui garantissent la formation de « nouveaux commencements » (§ 68, 11 b).

Mais comment devons-nous entendre le recours de Heidegger à la « lutte » ? Dans les écrits heideggériens, les termes *Kampf* (« lutte », « combat »), *Krieg* (« guerre ») ou *Streit* (« conflit »)

Dans la partie centrale du discours officiel de 1933 nous pouvons évaluer le sens de ce qu'il entendait par « esprit » en se référant à l'essence de la science et à la mission du recteur comme guide spirituel de l'Université : « […] "esprit", ce n'est ni la subtilité vide ni le jeu sans engagement du bon sens ni l'exercice interminable de l'entendement se livrant à ses analyses, et encore moins la raison universelle. L'esprit, c'est au contraire : dans un accord au ton des origines, savoir s'être résolu pour l'essence de l'être » (p. 112 ; trad. fr. p. 104). Nous pouvons aussi lire dans son discours les signes avant-coureurs de la situation dans laquelle se retrouvera par la suite Heidegger, celle de pion embarrassant pour le « mouvement » national-socialiste et ainsi, pour qui visait à donner une configuration autre à l'Université, se retrouver précisément fonctionnel pour autre chose. En voici quelques-uns : « Toute science est philosophique, qu'elle soit capable de le savoir et de le vouloir, ou non. Toute science reste imbriquée dans le commencement (*Anfang*) de la philosophie » (p. 109 ; trad. fr. p. 101) ; « Questionner (*Fragen*) ainsi fait se briser l'isolement et la sclérose des sciences en disciplines séparées, les ramène de leur dispersion sans limite et sans but en champs et secteurs dissociés » (p. 111 ; trad. fr. p. 104) ; « Le savoir n'est pas au service des professions, […] il n'est pas la tranquille acquisition de connaissances autour de l'étant » (p. 114 ; trad. fr. p. 106) ; « Diriger implique en tout état de cause que ne soit jamais refusé à ceux qui suivent le libre usage de leur force. Or suivre comporte en soi la résistance » (p. 116 ; trad. fr. p. 109).

ne se comprennent qu'à la lumière du fragment 53 d'Héraclite sur le *polemos* : « Guerre (combat) est le père de toutes choses, de toutes le roi ; et les uns, elle les porte à la lumière comme dieux, les autres comme hommes ; les uns, elle les fait esclaves, les autres, libres[1] ». *Polemos* désigne ici ce principe d'être qui produit les étants en les mettant en opposition. Mais pour Heidegger le *polemos* en tant que lutte est enraciné dans la vérité de l'être, c'est la lutte conforme à l'être à travers le dévoilement et le voilement qui tous deux appartiennent essentiellement à la vérité de l'être. C'est pourquoi il est parfaitement clair que Heidegger, dans ses manuscrits, n'empruntait aucun terme à une quelconque idéologie politique : il ne cesse de se référer aux penseurs présocratiques, notamment à Anaximandre, Héraclite et Parménide. En outre le mot « destin » (*Geschick*), qui soutient la pensée heideggérienne de l'histoire de l'être, reprend directement le concept parménidien de *Moïra*.

Le système universitaire, préoccupé qu'il est de réagir exclusivement aux besoins du jour en recherchant une utilité éphémère, ne sera jamais à même de concevoir quelque chose de tel qu'une « lutte spirituelle » (*geistiger Kampf*), fût-ce en manifestant pour elle de l'aversion. On compte deux occurrences de l'expression « lutte spirituelle » dans le § 68, et par la suite il sera possible de reconnaître qu'une lutte déclinée ensuite en « lutte prenant les devants » ne pourra être menée, quant à elle, que par « l'endurance et le danger, autrement dit par le *savoir* (*Wissen*) ! » (§ 81).

Avec le § 69 on entre dans le vif d'une réflexion sur le national-socialisme et sur la question controversée de savoir si celui-ci repose sur une « théorie » – que celle-ci soit entendue « comme pensée purement abstraite » ou « comme exigence de savoir » – ou si son essor a été déterminé par une « action ». La théorie entendue comme exigence de savoir n'est pas envisagée par le national-socialisme, comme on peut le déduire du fait que

---

1. Dans le § 144 des *Beiträge zur Philosophie* (*op. cit.*, p. 265 ; trad. fr. p. 303), Heidegger mentionne le fragment 53 d'Héraclite et renvoie, pour l'analyse qu'il lui consacre, au cours du semestre d'hiver 1933-1934 intitulé *Vom Wesen der Wahrheit*, à présent dans M. Heidegger, *Sein und Wahrheit*, in *Gesamtausgabe*, tome 36-37, éd. H. Tietjen, Klostermann, Francfort, 2001, pp. 81-264.

ses projets sont « déformés en "idées" » et « n'ont pas d'efficacité » (§ 70). Pour Heidegger, tout projet, pour être durable,
doit avoir « un langage et des attitudes questionnants » venant
s'insérer dans le mouvement d'une histoire ne relevant pas seulement de l'immédiateté d'un présent contingent. Ce réquisit
fait défaut au national-socialisme, qui ne tardera pas à toucher
à sa fin : « Nous ne visons pas à fonder "théoriquement" le
national-socialisme, tout en s'imaginant ainsi pouvoir le rendre
solide et durable » (§ 70).

On note un changement de registre avec l'introduction du
« national-socialisme spirituel », locution qui revient en tout
trois fois (deux fois dans le § 72 et une fois dans le § 73). Même
le « national-socialisme spirituel » n'a aux yeux de Heidegger
« rien de "théorique" ; il n'est pas pour autant "meilleur" ni
plus "authentique" ». Il reste toutefois à comprendre pourquoi
Heidegger soutient que celui-ci est « tout aussi nécessaire que
celui des diverses organisations et corporations ». Les §§ 72 et 73
témoignent de la manière dont il a pu penser, ou pour mieux
dire idéaliser dans son esprit, une forme de national-socialisme
spirituel susceptible de faire face à la menace d'un embourgeoisement de la culture. C'est pourquoi il estime qu'il est nécessaire
au même titre que les « organisations » nationales-socialistes et
les corporations que pourtant il avait vivement critiquées dans
le § 68 pour leurs ingérences réitérées dans le système universitaire. Raison de plus pour clarifier ce *caractère* « *nécessaire* » du
« national-socialisme spirituel » – dont il ne sera plus question
dans les autres *Schwarze Hefte* – c'est la critique de la médiocrité introduite par « la demi-culture, la pseudo-culture petite-
bourgeoise », qui ne fait rien d'autre que produire « la platitude
à bon marché comme pensée proche du peuple » (§ 71). À ce
moment-là, Heidegger parle d'une « pseudo-culture » en se référant seulement à la classe petite-bourgeoise et croit que l'embourgeoisement du mouvement est impossible : « l'esprit de la
bourgeoisie et l'"esprit" administré par la bourgeoisie (culture)
sont détruits par un national-socialisme spirituel » (§ 73).

Un tel optimisme représente seulement un petit bout de che-

min, vite interrompu et brusquement abandonné avec la certitude
d'avoir atteint un point de non-retour, et, à partir du § 78 – c'est
une constante, récurrente jusqu'à la fin dans les autres passages
recensés ci-dessus –, Heidegger relève les effets de ce qu'il estime
être la « dégradation du national-socialisme ». Dégradation qui,
en effet, fait du national-socialisme une « trouvaille » (*Dreh*)
– celle à laquelle recourt quiconque cherche, avec sa lanterne, à
explorer la science traditionnelle et en distord le sens. Ici revient
de façon prépondérante le caractère fonctionnel de la fabrication
qui instrumentalise la culture – et s'imagine pouvoir lancer sur
le marché de nouvelles lectures. Pour décréter le succès d'une
telle action intervient « la presse » qui a pour fonction de faire
passer des idées qui « ressemblent à un regain spirituel » afin
d'avoir prise sur le peuple. C'est là la grande limite inhérente au
national-socialisme, d'autant plus fort qu'il cherche davantage
à créer « un état du savoir du haut duquel on peut estimer tout
compte fait qu'en fait le national-socialisme a toujours été là et se
préparait depuis toujours ». Pour Heidegger il est bien établi que
le national-socialisme n'est pas capable d'« assumer une mission
spirituelle entièrement inédite et inouïe ». Le mouvement tente
de surmonter la faiblesse due à son manque de racines par le
besoin qu'il éprouve constamment de s'affirmer, de s'imposer :
« le national-socialisme se maintien[t] dans le *combat* » – et le philosophe d'ajouter aussitôt : « À noter l'insistance avec laquelle on
parle de combat *mené jusqu'à présent* » (§ 79), combat qui a peu
à voir avec celui qui passe « par le *savoir* » dont parle Heidegger
dans le § 81.

Mais le national-socialisme est d'abord et avant tout une « idéologie » (§ 80). Le passage de la « dégradation » à l'« idéologie »
est naturel parce que la dégradation est l'effet d'une culture qui
s'appuie sur l'utilisation fonctionnelle d'idées qui ne sont pas
ancrées dans le projet spirituel créatif du *Dasein* – aussi sont-elles
appelées par antonomase la « négation spirituelle » du savoir. Par
conséquent, plus forte est la dégradation, plus il lui faut avoir
prise sur le peuple en ayant recours à des idées qui ne visent
pas à manifester la rationalité de leur contenu mais seulement à

convaincre en prenant dans les rets de consensus engendrés par l'habileté de la fabrication. Dans le § 81 qui suit, Heidegger passe en revue les causes qui ont pu conduire au « national-socialisme vulgaire » (*Vulgärnationalsozialismus*), amorçant ainsi le *crescendo* de ses réflexions sur le national-socialisme qui vont jusqu'au § 154 des *Überlegungen VI*, et qui touchent aussi par ailleurs à la question de l'Université.

Le *Vulgärnationalsozialismus* est une conséquence de l'œuvre du journaliste (*Zeitungsschreiber*) considéré en son activité d'« intervenant culturel », mais dépend surtout de la dégradation du national-socialisme (§ 78) telle qu'elle se manifeste avec ces journalistes qui, avec l'illusion de lancer sur le marché leurs propres idées à travers « la presse », ont pour objectif d'avoir prise sur le peuple. C'est dans ce contexte que surgit *Mein Kampf* de Hitler, utilisé par les journalistes à une fin bien précise : diffuser « dans le peuple [...] une doctrine bien arrêtée de l'histoire et de l'homme », doctrine pouvant être qualifiée à son tour de « matérialisme éthique ». Mais il faut prêter attention à la manière de procéder très serrée de Heidegger dans le § 81, vu que le « matérialisme éthique » se veut l'expression d'un *caractère* autour duquel tout doit tourner, mais peut aussi signifier « habileté dans toutes les fabrications (*Machenschaften*) » qui « dissimulent bien l'indigence des aptitudes comme le sérieux et l'ancrage des convictions ». Ce *caractère* si ingénieux « n'est pas présent là devant » pour Heidegger et – comme il l'ajoute un peu plus loin – « n'est nullement immunisé contre le caractère *économique* ». Et comme si cela ne suffisait pas, c'est ici que Heidegger prend ses distances avec une telle propagande nationale-socialiste et nous explique ce qu'il faut entendre par le terme « idéologie », ce qui se trouve seulement partiellement esquissé avec le § 81 : « À ce caractère prétentieux assez bourgeois, qui pourrait échouer un jour du fait de sa propre incapacité – se joint un **biologisme assez trouble** qui procure au matérialisme éthique la juste "idéologie". » À cet égard, Heidegger a éprouvé non seulement la nécessité de noter une réflexion, mais plus encore l'urgence de se demander quel crédit accorder à l'idée insensée de donner à accroire que le monde historico-

culturel « pousse comme une plante ». C'est pourquoi on craint
la « lutte » qui s'avance vers « l'inconnu » (*Ungewisses*).

Il faut rapporter *in extenso* la réflexion heideggérienne parce
qu'il y a en elle un sens dont la portée ne peut être négligée :
« "On" craint la lutte qui s'avance dans l'inconnu et qui sait pertinemment que ce qui est grand ne peut être ouvert (*erschlossen*)
que par ce qui est voilé (*Verschlossenes*), et enduré (*Erlittenes*) que
par ceux qui ne sont pas en nombre (*Wenige*), qui sont singuliers (*Einzelne*). » Le terme « l'inconnu » (*Ungewisses*) n'a qu'une
seule occurrence dans le volume 94, pour revenir ensuite dans
les *Überlegungen VI* (§ 2). Ici Heidegger se réfère précisément à
l'estre (*Seyn*) tel qu'il demeure « inconnu » de ceux qui ne sont
pas disposés à se lancer dans la « lutte prenant les devants » à travers le savoir. « Ce qui se trouve là devant disponible et régnant »,
c'est-à-dire le « monde historico-spirituel », n'est pas saisi dans le
national-socialisme régnant, mais dans l'entente qu'en a la sphère
publique, obtuse en sa platitude, pour « se procurer le pouvoir »
grâce à cette entente non originaire. L'entente publique régnante
est ce que Heidegger appelle dans *Être et Temps* le mode d'être
du « on » (*Man*) correspondant au *Dasein* : moi, en tant qu'être
singulier, je ne vis pas sur la base d'une entente du monde historique et spirituel qui aurait été dégagée et forgée par moi-même,
je vis au sein et sur la base d'une entente publique générale et
ne résultant pas, de ce fait, d'une ouverture originaire ; je partage avec l'autre (homme) cette entente moyenne de manière
uniforme avec celle de tout autre, celle de tous, bref, celle du
« on ». Le « on » est la désignation de l'entente nivelée du monde
historique et spirituel, celle que tout un chacun partage de la
même façon avec tout un chacun.

Dans ce mode d'être du « on » les hommes évitent la lutte,
c'est-à-dire le projet ouvrant originairement, mis en œuvre dans ce
qui, de l'être, est encore indéterminé, parce que encore « voilé »
et, pour cette raison, « enduré ». En revanche les hommes qui
prennent sur eux la lutte, c'est-à-dire le projet ouvrant de l'être,
sont toujours et seulement « peu nombreux » et « singuliers »
comme le sont les penseurs (*Denker*) et les poètes (*Dichter*). Le pro-

jet d'être de ces « peu nombreux » et « singuliers » sait que c'est seulement ce qui, de l'être, est encore « voilé » et « enduré » qui est susceptible d'être « ouvert » (*erschlossen*), c'est-à-dire « déclos » (*aufgeschlossen*) dans le projet, « ce qui est grand » (*das Große*), à savoir l'entente originaire du monde historique et spirituel.

Pour qui n'assume pas cette décision en personne, l'être, assurément, demeure « inconnu », et de cela Heidegger est conscient lorsqu'il parle des « peu nombreux » et « singuliers » : ceux auxquels il revient de *questionner* et *penser* la noblesse de l'être. Cet élément référentiel était déjà présent dans *Winke X Überlegungen (II) und Anweisungen*, au § 218, se rapportant au « caractère inévitable de l'œuvre de l'habilitation essentielle », nourri depuis longtemps par ce qui est voilé, tel qu'il est appelé à être éprouvé et gardé chez ces « quelques rares êtres singuliers (*wenige Einzelnen*) ». Le national-socialisme porte la responsabilité d'avoir guidé le « peuple » (*Volk*) hors de la voie authentique sur laquelle « l'inconnu » pourrait se révéler, mais uniquement à ceux qui ont surmonté *l'angoisse de la pensée qui questionne*. Beaucoup voient là un obstacle. On vise « l'originarité du "peuple" » (*Ursprünglichkeit des "Volkes"*), mais de quelle façon ? Heidegger, lui, a déjà trouvé une réponse à son questionnement dans une autre question : « Tout cela serait donc créé sans "esprit" et serait exalté seulement grâce à un "caractère" ? » La réponse, comme distance prise par Heidegger avec le national-socialisme, est reconnaissable dans les considérations contenues dans le § 81.

Avec le § 83 Heidegger poursuit sa réflexion sur le concept alors en vogue d'une culture ayant prise sur le peuple et qui dérive, comme nous l'avons vu, du « national-socialisme vulgaire », mais cette fois entre en jeu « le romantisme des plus niais » dans la « posture socialiste affectée par les corporations d'étudiants ». Cette réflexion assez dure de Heidegger, conçue dans un état d'agitation et de colère[1], est liée à la constatation qu'on veut seulement faire voir le « lien avec le peuple » (*Volksverbundenheit*) – « démonstration » qui n'a rien à voir avec une authen-

---

1. Voir *supra*, note 1, p. 97, où est analysée la terminologie employée par Heidegger.

tique « construction », par le savoir, d'un « monde historial et spirituel » (*geschichtlich-geistige Welt*).

Toutefois, il y a une autre affirmation du § 83 dont le sens apparaît clairement : « En tant précisément qu'"étudiant", l'étudiant d'aujourd'hui n'est pas un national-socialiste. » Dès lors que Heidegger a auparavant déprécié la « pseudo-culture petite-bourgeoise » (§ 71), « l'esprit bourgeois » (§ 73), les « formes bourgeoises libérales » (§ 80), le « philistinisme bourgeois » (§ 81), sans doute pouvons-nous supposer que l'étudiant en son « comportement socialiste » est seulement un parfait petit-bourgeois et qu'il ne peut être qualifié de national-socialiste à partir du moment où le national-socialisme *diffère* de tout ce fatras ? Heidegger pourrait supposer ici que le national-socialisme aurait la possibilité, à l'avenir, de s'élever au-dessus de ce comportement socialiste que, selon la conclusion du § 83, il estime n'être « que la couverture d'une fuite (*Flucht*) devant un véritable engagement et face à sa propre incapacité » ? Le lecteur pourrait alors facilement en déduire que Heidegger considère que le national-socialisme a été préservé d'une telle dégradation, mais il suffit de poursuivre la lecture de ses réflexions pour que de tels doutes soient aussitôt dissipés.

Le § 88 revient sur l'impérieux rappel de Heidegger à « l'urgence spirituelle d'être le là » (*geistige Daseinsnot*) : c'est elle qui constitue la plus « grande urgence » qui soit (*die größte Not*). Cette réflexion est à placer dans le contexte de la situation historique et nationale créée par le traité de Versailles et le chômage : Heidegger n'ignore rien des nécessités économiques, mais que l'on soit en mesure d'éprouver « l'urgence la plus grande » qui soit, cela n'est pas encore perceptible. Il ne s'agit pas seulement pour Heidegger de percevoir celle-ci, mais si on ne la perçoit pas cela veut dire que l'on n'est pas encore à la hauteur de la situation. D'où l'émergence de l'indigence et la fuite « hypocrite » vers le « christianisme désormais vide » et, simultanément, l'annonce d'« une "vision du monde" nationale-socialiste *spirituellement* contestable et d'origine douteuse ». Tournure dans laquelle le « christianisme » – et nous comprendrons bientôt à quel chris-

tianisme au juste Heidegger adresse ici ses invectives – se voit associé au national-socialisme et également, ensuite, à « ce que voient les petits-bourgeois ». L'affirmation selon laquelle « en tant précisément qu'"étudiant", l'étudiant d'aujourd'hui n'est pas un national-socialiste » doit donc être entendue à la lumière de ces autres réflexions : l'étudiant en tant que tel n'est pas national-socialiste parce que le national-socialisme trouve ses racines dans le philistinisme bourgeois et pour cette raison l'étudiant est un parfait petit-bourgeois. Trouver l'origine du national-socialisme équivaut à comprendre pourquoi Heidegger a pu parler d'« une "vision du monde" nationale-socialiste *spirituellement* contestable et d'origine douteuse ». Le problème est précisément l'absence d'« origines » et c'est là ce qui fait la grandeur de sa misère. L'étudiant en tant que tel ne peut être national-socialiste et son comportement est le réflexe typique de qui agit en cherchant à camoufler la misère d'une absence qui est absence de fondement (*Grund*).

Dans le § 88 le drame de la « "vision du monde" nationale-socialiste *spirituellement* contestable et d'origine douteuse » vient s'insérer textuellement entre la constatation initiale, percevant « l'urgence spirituelle du *Dasein* », et le questionnement qui suit de Heidegger : « Quand donc parviendrons-nous à la grande *urgence d'être le là* […]. Quand briserons-nous la mesquinerie bruyante et "n'ayant rien en propre" qui se fait passer pour du "caractère" ? » L'« urgence », dans le projet spirituel heideggérien, est antithétique du « caractère » : en effet, Heidegger emploie le terme « caractère » en référence à la « science actuelle » (§ 68, n° 9), à la force de caractère qui refuse toute lutte spirituelle (§ 68, n° 9), au caractère exalté du philistinisme (§ 71), au caractère prétentieux pour autant qu'il est bourgeois (§ 81) et à cette volonté de créer sans « esprit » et d'exalter seulement avec « caractère » (§ 81).

L'« urgence spirituelle d'être le là » prend une tonalité émotive encore plus forte chez Heidegger qui prend dès lors conscience que sa vision de l'Université était prématurée et s'avise du fait que l'expérience du rectorat doit toucher à son terme parce qu'il ne

partage pas l'arbitraire dans lequel sont tombés les « étudiants »,
le « corps enseignant » et les « fonctionnaires » : « sous couvert
d'un national-socialisme souvent bien discutable et forts d'une
assurance injustifiée ils jouent à s'ériger en juges, dissimulant
ainsi entièrement leur manque total d'aptitude créatrice tournée vers l'avenir et s'engageant dans la meilleure direction pour
"organiser" une médiocrité indépassable » (§ 96). L'absence de
créativité ne marque pas seulement pour Heidegger la fin de son
expérience de recteur, mais aussi « la fin inéluctable de l'Université », précisément parce qu'elle est foncièrement incapable
« d'être véritablement "elle-même" ». Et cela marque aux yeux de
Heidegger un point de non-retour. Une « fin » qui se consume
peu à peu et qui a été relevée à partir du § 66, dans les §§ 68,
83 et 96.

Le § 101 marque l'épilogue qui associe l'Université à l'expérience de Heidegger comme recteur, et même si l'élément commun est la « fin », cela va néanmoins inciter Heidegger à « se
retirer » afin de préparer un nouveau « commencement ».

Toute activité est dès lors « mise en retrait », mais pour céder
la place à la « nouveauté » : le lecteur a déjà pu se familiariser
avec cette nouveauté au moment où Heidegger – se référant à
l'Université dans le § 68 – avait noté l'envie de tout rénover en en
faisant trop et trop précipitamment ; de manière analogue, dans
le § 78, se référant à la dégénérescence du national-socialisme,
il désapprouve que la science traditionnelle soit explorée avec
une « nouvelle lanterne » et qu'on l'éclaire sous de « nouveaux angles » pour avoir prise sur le peuple. Dans le même
paragraphe le philosophe note qu'il sait pertinemment que le
national-socialisme ne peut « accomplir une tâche spirituellement
neuve » ; et un peu plus loin, se référant toujours au national-
socialisme, il définit l'une de ses caractéristiques qui reviendra
avec insistance : « l'engouement pour ce qui est nouveau et différent » (§ 184) – « nouveauté », donc, sans grand rapport avec
les « nouveaux commencements » dont parlait Heidegger en se
référant au contexte universitaire (§ 68, n° 11 b).

En dépit de cette « nouveauté » qui gagne du terrain sans être

pour autant « à la hauteur de la tâche à accomplir », Heidegger doit reconnaître sans ambages que son rectorat était « prématuré », « parfaitement superflu ». Aucun changement intérieur n'était possible vu que les « pouvoirs (*Machtmittel*) nationaux-socialistes » et leurs « fonctionnaires » disposaient seulement du pouvoir de « donner l'illusion à l'extérieur de disposer d'une position de force (*Machtstellung*), mais toute la structure (*Gebilde*) [était] impuissante (*ohnmächtig*) en elle-même ». À partir de cette phrase lapidaire Heidegger n'emploie plus le terme d'université ; il introduit à la place le terme de « structure » (*Gebilde*), qui peut être mis en rapport avec l'« affairement scientifique ». Au sein de cette structure le rôle de Heidegger est superflu parce qu'il ne pourra jamais faire sienne l'idée de « gestion ». On ne pourra parler d'« Université allemande » que quand se sera rassemblée « la vigueur d'être le là (*Daseinskraft*) pour une nouvelle fondation (*Gründung*) ».

Le retrait de Heidegger ne se confond pas avec le fait de se tenir passivement « à l'écart » : « Jamais nous ne nous tiendrons à l'écart tandis que la volonté juste – avec la capacité requise – est mise en œuvre. Nous demeurerons sur le front invisible de l'Allemagne spirituelle secrète. » Il importe de relever que les expressions « front invisible » (*unsichtbare Front*) et « Allemagne spirituelle secrète » (*geheimes geistiges Deutschland*) ne figurent que dans ce passage (§ 101) et ne se retrouvent pas ailleurs dans le tome 94 ni dans les tomes 95, 96 et 97. Cette phrase constitue un *hapax* et elle pourrait bien traduire le projet, conjugué au pluriel (« nous […] nous tiendrons »), de vouloir rester à l'écart tout en demeurant à l'œuvre à la périphérie, invisible « à la plupart », d'une Allemagne au sein de laquelle seuls « ceux qui ne sont pas en nombre » seraient à même de prendre en charge la lutte spirituelle du savoir.

Mais s'il serait encore précipité d'anticiper une note de Heidegger tirée des *Anmerkungen III* [57-58][1] de 1946-1947 contenues dans le tome 97 (et que nous approfondirons plus loin,

---

1. M. Heidegger, in *Gesamtausgabe*, t. 97, p. 258.

le moment venu d'examiner le contenu de ce volume), nous la mentionnons dès maintenant parce qu'elle s'avère être une clef de lecture indispensable pour éclairer le cheminement exposé jusqu'ici. Le lecteur est seulement invité à *garder présent à l'esprit* ce qui suit afin d'être accompagné dans ce parcours par ce questionnement susceptible de l'aider à échapper à d'éventuels doutes à propos de la décision prise par Heidegger de « démissionner » d'une mission, celle de recteur, qu'il *ne pouvait nullement assumer en étant simultanément entravé par les obstructions de ses collègues* :

> Peut-être se trouvera-t-il un jour quelqu'un pour comprendre que dans le Discours de rectorat de 1933 a été faite la tentative de penser par avance ce procès de l'accomplissement de la science quand la pensée touche à sa fin, de ramener à nouveau à la pensée le savoir comme savoir essentiel, mais non de le livrer à Hitler. Pourquoi le Parti a-t-il combattu ce discours dans tous les cercles savants ? Certainement pas parce que, comme veut le faire croire l'opinion publique mondiale, il aurait trahi l'Université en la livrant au national-socialisme.

Si l'on revient aux *Überlegungen und Winke III* (§ 169), Heidegger ne note plus des réflexions liées au système universitaire mais il continue à évoquer le national-socialisme et y ajoute de nombreux éléments. L'un d'eux est le « travail des Jésuites » qui, avec leur littérature, défigurent « politiquement » l'esprit, tout comme l'appel : « lisez les journaux nationaux-socialistes ». On ne peut comprendre cette réflexion que si on l'interprète en la rattachant au § 47 des *Überlegungen X*, qui figure dans le tome 95 : leur contexte est la critique du catholicisme politique et de la politique qui est la sienne où « catholique » acquiert pour la première fois une « forme véritable » et proprement dite « avec le *jésuitisme* ». Le jésuitisme est érigé en modèle occidental de « l'intransigeance de l'"organisation" », pour le règne de la « propagande ». Telle est la raison pour laquelle Heidegger met sur le même plan la « littérature » des Jésuites

et l'« appel », relevant de la propagande, à lire les journaux nationaux-socialistes. Sur le fond demeure la conviction que le jésuitisme aurait façonné le « caractère » du catholicisme sur lequel Heidegger réfléchira dans le § 184 des *Überlegungen und Winke III* ; d'autre part, la référence à la « propagande » est un thème déjà longuement abordé par Heidegger dans une réflexion sur le « national-socialisme vulgaire », mis en relation avec le « journaliste » en tant qu'« intervenant culturel ». Tout cela est récusé par Heidegger, sur un ton nettement plus vif, dans les *Anmerkungen I* [28][1] sur le « journalisme » en général et, par la suite, dans les *Anmerkungen II* [70, 75][2] sur le « journalisme mondial » et le « journalisme moderne ». La constante dans le rejet par Heidegger de la propagande est la conscience que le penser est désormais nié et que dès lors fait défaut l'« esprit ». Parcours linéaire qui nous aide à comprendre le § 183 des *Überlegungen und Winke III* : « on se méprend sur l'"esprit" dans le national-socialisme, on craint et on déplore sa destruction (*Zerstörung*) ».

Le national-socialisme en sa « déconsidération » et sa « superficialité » trouve sur son chemin le « catholicisme allemand » (§ 184). Il importe de remarquer ici que Heidegger ne critique pas le catholicisme *tout court*[3], mais bien ce catholicisme qui se transforme en un sens « politico-*spirituel* », qui se « sécularise » et, par là, « se solidarise facilement avec les autres pouvoirs » ; l'un d'entre eux est pour Heidegger le national-socialisme : tous deux ont pour dénominateur commun de rechercher une certaine « position ».

Après ce long parcours nous pouvons nous approcher, en nous aidant des notes rapides contenues dans le § 198, de la façon dont Heidegger envisageait, du moins peut-on le présumer, le national-socialisme, et que nous avons en partie relevée dans les §§ 72 et 73 où sa réflexion portait sur le « national-socialisme spirituel ». Dans cette réflexion contenue dans le

---

1. M. Heidegger, *Gesamtausgabe*, t. 97, p. 19.
2. *Ibid.*, pp. 154-158.
3. En français dans le texte. *(N.d.T.)*

§ 198, Heidegger soutient que même si le national-socialisme
« ne peut jamais être au principe d'une philosophie », il peut
« contribuer à établir une nouvelle position foncière à l'égard de
l'estre [...] *à cette condition* qu'il reconnaisse ses propres limites
– c'est-à-dire [...] s'il se rend à même d'adopter une position
de départ adéquate et un savoir au fait de la situation ».

Ces notes sont par la suite revues et dépassées quand il écrit
au § 206 des *Überlegungen und Winke III* : « Le national-socialisme
est un *principe barbare* (*barbarisches Prinzip*). Telle est son essence
propre et son éventuelle grandeur (*Größe*). »

Il faut commencer par noter que la tournure « le national-
socialisme est un *principe barbare* » n'apparaît pas ailleurs dans les
écrits de Heidegger. C'est pourquoi il est préférable d'expliquer
l'adjectif « barbare » à partir des *Schwarze Hefte* en regardant
d'autres contextes où Heidegger emploie ce terme. Deux occurrences figurent dans le tome 95 : « la meilleure protection contre
le danger [...] qu'une telle barbarie (*Barbarei*) de la "pensée"
se voie néanmoins contrainte un jour de reculer » (*Überlegungen VIII*, § 51) et « le *sérieux* de la pensée n'est pas l'affliction et
la récrimination sur des temps prétendument mauvais et sur une
barbarie (*Barbarei*) menaçante » (*Überlegungen XI*, § 29) ; dans le
tome 97 nous en trouvons deux occurrences : « face au retour
de la barbarie (*Verwilderung*) du *national-socialisme* » (*Anmerkungen I* [151][1]) et « la barbarie (*Barbarei*) du "nouveau monde" »
(*Anmerkungen V* [137][2]). Donc en tout cinq occurrences dans les
Cahiers noirs, étant bien entendu que pour l'une d'entre elles la
traduction « retour à la barbarie » a été adoptée pour le terme
Verwilderung (« ensauvagement »). Sur les quatre occurrences
des tomes 95 et 97, non seulement le lecteur trouvera dans les
sections aux volumes concernés ces simples citations, mais il
pourra disposer du texte plus complet que nous sommes en
train d'analyser, où figure le terme « barbare ». Mais procédons
par étapes.

1. M. Heidegger, *Gesamtausgabe*, t. 97, p. 100.
2. *Ibid.*, p. 509.

Les cinq passages où se trouve déclinée la « barbarie » ont respectivement pour toile de fond le national-socialisme tel qu'il est envisagé dans les *Überlegungen und Winke III* (§ 206), la philosophie nationale-socialiste dans les *Überlegungen VIII* (§ 51), la fabrication (*Machenschaft*) présente à l'époque moderne dans les *Überlegungen XI* (§ 29), de nouveau le national-socialisme dans les *Anmerkungen I* [151] et, enfin, l'Occident et la critique de la modernité dans les *Anmerkungen V* [137].

Dans les deux premiers passages (*Überlegungen und Winke III*, § 206 et *Überlegungen VIII*, § 51) revient le terme « danger » (*Gefahr*), qui se laisse facilement rattacher au national-socialisme et à sa philosophie dans la mesure où celle-ci suit « la "logique" traditionnelle de la pensée commune et des sciences exactes » (§ 206), non moins qu'au patrimoine intellectuel national-socialiste vis-à-vis duquel Heidegger prend ses distances de la même façon qu'il réfute et critique sévèrement la philosophie nationale-socialiste de Hans Heyse (1891-1976), qui avait adhéré en 1933 au Parti socialiste national allemand des travailleurs (NSDAP). Les méprises de Heyse sur *Être et Temps* mêlées au patrimoine intellectuel national-socialiste sont vivement récusées par Heidegger, au point qu'il qualifiera cette opération de « délayage » et déclarera qu'elle n'a strictement rien à voir avec lui.

Dans le troisième passage (*Überlegungen XI*, § 29), très étendu, Heidegger a en vue la duperie, les manigances et les agissements des « exécutants et des décideurs de la fabrication ». Sa critique est celle de la modernité où « le règne de l'étantité sur l'étant […] a une position de primat sur l'être », où « la pseudo-philosophie n'est qu'une vague rumeur ». L'Occident est « l'époque de l'oubli de l'être » mais, malgré son déclin, y demeure comme point fixe le « sérieux de la pensée » qui ne s'afflige pas « sur les sombres temps présents et sur la barbarie imminente », car la pensée « remonte aux sources ».

Dans le quatrième passage (*Anmerkungen I* [151]), le fil conducteur est le thème de la « faute » et même de la « faute collective » et, dès lors qu'il s'agit d'une note cruciale, en anticiper dès

à présent les contenus et quelques clefs herméneutiques nous amènerait trop loin. Enfin, le contexte du cinquième passage (*Anmerkungen V* [137]) est à nouveau la critique de l'Occident et de la modernité.

Il est aisé d'entrevoir que le fil conducteur qui relie les cinq passages analysés ci-dessus est la « pseudo-philosophie » – élément qui revient souvent en étant référé au national-socialisme et aux « fonctionnaires » de la culture – associée à l'absence de « pensée » (*Denken*) qui par bien des aspects rapproche le national-socialisme et la modernité : dans l'un comme dans l'autre la culture est un affairement en des actions instrumentales, fonctionnelles, qui par la suite seront mises au service de la fabrication instrumentale de la technique. En tout cela l'être est bel et bien oublié. Ce long parcours peut s'avérer utile pour situer le sens de l'affirmation selon laquelle « le national-socialisme est un *principe barbare* ». Sur la base des cinq passages mentionnés ci-dessus et du contexte dans lequel ils s'insèrent, on peut supposer que par « principe barbare » Heidegger entendait souligner le manque, le fait d'être entièrement dépourvu de principes susceptibles de fonder une nouvelle éducation au savoir (*Wissen*). Il reste à présent à analyser le sens de la phrase : « c'est là son essence et son éventuelle grandeur (*Größe*) ». Dans le § 206 des *Überlegungen und Winke III*, elle se situe juste après celle selon laquelle « le national-socialisme est un *principe barbare* ».

Si nous devions nous arrêter au sens littéral de cette expression, cela reviendrait inévitablement à invalider le parcours que nous avons suivi jusqu'à présent. Un indice qui peut nous être utile est fourni toutefois par le terme de *Größe* (« grandeur »). Ce terme, en effet, ne possède pas une valeur univoque chez Heidegger ; il est employé par exemple dans le § 56 des *Überlegungen VII*[1] en une acception positive : « *Déclin (vers la grandeur)* = ce qui décline (vers la grandeur) », comme dans les *Apports à la philosophie* (§§ 2,

---

1. Il s'agit bien des *Überlegungen VII* – et non des *Überlegungen VIII* comme indiqué par erreur dans l'édition italienne. (*N.d.T.*)

11, 44, 116, 250 et 271), où *Untergang* (« déclin ») a toujours une acception positive. Dans les *Überlegungen VIII* (§ 53), le terme *Größe* a en revanche une acception négative : « la grandeur (*Größe*) propre des visions du monde » d'une époque qui – sur la base de la « pseudo-philosophie "nationale-socialiste" » – comprend l'être de façon approximative, le réduisant à la calculabilité. Et de manière analogue dans les *Überlegungen XI* (§ 29), centrées sur la vive critique de l'accomplissement de l'époque moderne dominée par la faisance (dont l'essence n'est autre, précisément, que sa propre « in-essence »), les exécutants de ladite faisance « sont eux-mêmes soumis à des impératifs leur conférant cette sûreté qui est chaque fois l'apanage de la "grandeur" (*Größe*) » ; à l'évidence, *Größe* a ici une valeur négative comme dans le § 2 des *Apports à la philosophie*[1].

On peut supposer que les cours de Fribourg des années 1933-1945, dans lesquels Heidegger reconnaît la « grandeur » propre au « mouvement » national-socialiste, doivent être revisités herméneutiquement sur la base de la complexité du terme *Größe* dans l'emploi qu'il en fait. Le doute demeure et peut être justifié par la *fluidité* avec laquelle Heidegger *outrepasse* – au sens d'une re-création – les unités sémantiques de nombre de paroles fondamentales (*Grundworte*) afin d'accéder à de nouveaux horizons de sens pouvant être inférés aussi sur la base du contexte dans lequel se situent ses réflexions. À poursuivre un tel itinéraire, l'herméneutique devra tenir compte de concordances philologiques assez difficiles et donc s'y confronter.

Quelques exemples seulement, pour signaler qu'il n'est pas possible de supposer un sens littéral aux termes employés par Heidegger parce qu'ils comportent des nuances diverses et prennent parfois une autre signification qui ne peut se comprendre qu'à partir du contexte dans lequel ces termes se situent. Revenons à notre phrase : « Le national-socialisme est un *principe barbare* (*barbarisches Prinzip*). C'est là son essence et son éventuelle grandeur

---

1. M. Heidegger, *Beiträge zur Philosophie*, *op. cit.*, p. 8 ; trad. fr. p. 22 : « L'être humain est devenu incapable d'être le là, vu que la violence déchaînée d'une agitation démente au sein du gigantisme s'est emparée de lui en se donnant l'air de la "grandeur". »

(*Größe*). » Cette phrase n'est pas susceptible d'être interprétée si on l'isole de tout un contexte et si l'on ne tient pas compte du caractère herméneutiquement problématique des termes dans l'emploi qu'en fait Heidegger. Il n'est pas nécessaire de suggérer le sens de ces deux expressions vu que ce sens peut être inféré des analyses proposées ci-dessus, et l'interprétation reste ouverte à d'autres clefs herméneutiques se retrouvant au cours du présent travail.

En revenant sur le « national-socialisme » dans le § 207 des *Überlegungen und Winke III*, Heidegger rapporte aussi un jugement qu'il a émis en réponse à une question à lui adressée par Baeumler (c'est-à-dire le philosophe allemand Alfred Bäumler, 1887-1968, interprète de Bachofen et de Nietzsche, qui avait adhéré au parti nazi en 1933). Sans mâcher ses mots, Heidegger lui répond qu'il est un néo-kantien « réchauffé au national-socialisme » – en s'accordant la permission de recourir à une formule toute faite analogue à un « slogan » (« en ce cas il est permis d'user de formules à l'emporte-pièce »). Pour Heidegger, il n'y a rien de philosophique chez Baeumler.

L'aversion de Heidegger pour l'instrumentalisation de la philosophie – et nous voilà presque parvenus au terme de cette première section – est reprise par le § 61 des *Überlegungen V* : « La philosophie [...] ne pourra jamais être estimée politiquement. [...] Une "philosophie nationale-socialiste" n'est pas une "philosophie", ni ne sert le "national-socialisme", mais se contente de courir derrière lui avec un pénible pédantisme. » Voilà une preuve convaincante du fait que Heidegger ne fait pas reposer sa pensée de l'histoire de l'être sur le national-socialisme ni, par là, sur la politique. Lorsqu'il se déclare contre la philosophie qui se présentait alors comme nationale-socialiste, cela vaut encore quand, comme aujourd'hui, on voudrait qualifier sa propre philosophie, et d'ailleurs on ne s'en prive pas, de nationale-socialiste. Celui qui procède de cette façon s'expose à faire les frais de l'ironie heideggérienne : « Dire d'une philosophie qu'elle est "nationale-socialiste" ou bien qu'elle ne l'est pas, c'est comme si l'on disait d'un triangle qu'il est courageux ou qu'il ne

l'est pas – autrement dit qu'il est lâche. » Parlant ainsi, Heidegger entend précisément rappeler qu'une telle caractérisation de la philosophie est purement insensée.

Le projet heideggérien d'un savoir spirituel visant à rejoindre la vérité de l'être avait peu à voir avec la fonctionnalité dans laquelle était tombée la culture de son temps. S'occuper d'une philosophie nationale-socialiste « est encore plus impossible et en même temps bien plus superflu [que de s'occuper d'une] "philosophie catholique" » (*Überlegungen VI*, § 154).

2.2. *Entwurzelung, Boden* et leurs composés : leur « origine » et leur usage a-politique

Entwurzelung (« déracinement »), *Boden* (« sol ») et leurs composés sont employés par Heidegger quand il se réfère aux causes qui conduisent à la défaite de la « véritable philosophie », lorsqu'elle en vient à être utilisée comme monnaie d'« échange » (en un pur et simple « commerce ») pour l'accès aux charges académiques. Repérer les *causes* du déclin de la véritable philosophie, devenue incapable de revenir à l'histoire de l'être, nous aiderait à situer ponctuellement la terminologie heideggérienne et à en comprendre l'« origine » à partir précisément du « contexte » dans lequel ses réflexions prennent leur essor. En négliger le contexte équivaut à en défigurer la signification et à *perdre* le chemin qui mène à l'entente proprement dite en en privilégiant d'autres : il y va de la responsabilité du « chercheur ».

2.2.1. Entwurzelung – *une forte résistance*

Entwurzelung (« déracinement ») apparaît en tout six fois : une fois dans le § 269 des *Überlegungen IV* et cinq dans les *Überlegungen V* (§§ 85-87, 95 et 123). Le contexte est marqué par la crise du savoir originaire, auquel on a tenté de *substituer* la « tyrannie de la *technique* », laquelle, étant privée de quelque fondement que ce soit, produit une instabilité insurmontable. Cette substitution marque l'époque du « progrès »

mais aussi de la « grande vacuité » (*großen Leere*) (*Überlegungen V*, § 123) dans laquelle l'homme, après s'être laissé fasciner par la technique, « titube » en un présent dépourvu de toute réflexion sur soi. Tout relève de la technique dans la fonctionnalité inhérente à ce qui est l'objet d'une instrumentalisation ; sur cette voie, l'homme a mis à profit un mécanisme mais sans s'aviser du fait qu'il en partage, lui aussi, le destin : l'égarement dans le sans fond (*Un-grund*).

Le terme *Entwurzelung* est décliné ainsi : « opposer une résistance au déclin de l'Occident » (*Überlegungen IV*, § 269) ; en référence à la tyrannie de la technique : « quel niveau doit déjà avoir atteint tout cela pour céder à tout cet ensorcellement » (*Überlegungen V*, § 85) ; un symptôme de l'instrumentalisation de Hölderlin, devenu désormais une « mode » (*Mode*) (§ 86) ; la combinaison de « *technique et déracinement* » et leur « fondement commun » (*gemeinsamer Grund*) (§ 87) ; l'époque, qui a perdu de vue la recherche de la « vérité » (*Wahrheit*) et se met en quête de la « validité » (*Geltung*), fait seulement du « tapage » et « on ne *veut* plus entendre rien d'autre que – l'envoûtement par le déracinement organisé » (§ 95) ; le progrès d'une culture qui poursuit la désolation déjà commencée du « déracinement de l'étant hors de l'être » (§ 123).

Ce à quoi se rattachent ces rappels sera approfondi plus loin ; pour l'instant, nous nous contentons de signaler qu'au chapitre du « déracinement » nous retrouvons certaines références heideggériennes à « ce qui est "chrétien" » (§ 86) et à l'« impuissance (*Ohnmacht*) de la foi chrétienne » (§ 123).

Mais quel lien y a-t-il entre le « déracinement » et les deux références mentionnées ci-dessus à l'intérieur d'un contexte marqué par les *avancées* de la tyrannie de la technique et le *progrès* de la culture ? Quelles peuvent être les conséquences d'un savoir réduit à une pure donnée historiographique (*historisch*), comme c'est le cas lorsque Hölderlin est interprété de manière erronée à d'autres fins ?

Überlegungen IV

§ 269 [105-106], S. 292-293 :

Wir können nicht *wissen*, was im Grunde mit uns geschieht; solches Wissen war auch noch nie einem geschichtlichen Zeitalter beschieden. Was es zu wissen meint, ist immer noch ein Anderes als das, was geschieht. Aber wir müssen ein Zwiefaches ergreifen und in seiner Zusammengehörigkeit begreifen:

einmal der **Entwurzelung** des Abendlandes die **Gegenwehr** entgegenstellen und dann zugleich die höchsten Entscheidungen geschichtlichen Da-seins vorbereiten. Jene **Gegenwehr** ist in der Art ihres Vorgehens und ihrer Ansprüche völlig verschieden von dieser **Vorbereitung**. Jene braucht einen unmittelbaren Glauben und die Fraglosigkeit der zugreifenden Gegenhandlung. Diese muß ein ursprüngliches Fragen werden, sehr vorläufig und fast – von dort gesehen – nutzlos. Es ist nicht nötig, ja vielleicht sogar unmöglich, daß Beides zugleich aus einem höheren Wissen heraus vollzogen wird. Es ist sogar wahrscheinlich, daß im Gesichtskreis der **Gegenwehr**, die sich zugleich als Neu-Gründung weiß, alles Fragen als zurückgebliebene Haltung abgewiesen werden muß. Und dennoch – nur wenn die **Vorbereitung** der äußersten Entscheidungen sich einen gegründeten Raum schafft – als Dichten, und Kunst überhaupt, als Denken und Besinnung – nur dann wird die kommende Geschichte mehr sein als nur die Forterhaltung der leiblichen Geschlechterfolge in einem leidlich erträglichen »Lebens« kreis.

Réflexions IV

§ 269 [105-106], pp. 292-293 :

Nous ne pouvons pas *savoir* ce qu'il advient de nous au fond ; un tel savoir n'a du reste jamais été accordé à une époque historique. Ce qu'elle croit savoir est toujours quelque chose d'autre que ce qui advient. Mais il nous faut saisir deux choses et en comprendre la solidarité :

D'un côté, opposer une **résistance** au **déracinement** de l'Occident et en même temps **préparer** les plus hautes décisions de l'être le là historial. Dans sa manière de procéder et ses exigences, cette **résistance** est entièrement différente de cette **préparation**. Celle-là requiert une adhésion immédiate, et que la contre-offensive ne fasse pas l'ombre d'un doute. Celle-ci doit devenir un questionnement originaire, très provisoire et – de ce point de vue – inutile. Il n'est pas nécessaire, peut-être est-il même impossible que l'une et l'autre soient accomplies simultanément à partir d'un savoir plus haut. Il est même vraisemblable que dans l'horizon de la **résistance**, qui se sait être en même temps une nouvelle fondation, tout questionnement doive être décliné comme attitude rétrograde. Et pourtant – il suffit que la **préparation** de la décision extrême se crée un espace fondé – comme poétiser et art en général, comme penser et méditation – pour qu'alors, mais alors seulement, l'histoire à venir soit davantage que la simple perpétuation charnelle des générations dans une sphère de « vie » à peu près acceptable.

Überlegungen V

§ 85 [78], S. 363 :

Die Tyrannei der *Technik* – wo sie selbst gegen sich so ungesichert, schwankend und schwindend ist; im Nu durch sich selbst überholt und ohne Verlaß – daß solches herrschen und bezaubern kann – welchen Menschen setzt dies voraus? Wie weit muß die **Entwurzelung** schon reichen, um durch Solches **hingerissen zu werden**; denn es handelt sich ja nicht um Einzelne, die vielleicht noch romantisch sich wehren und doch mitzermahlen werden.

Technik kann verlängern, verzögern, so oder so ins Meßbare wirken – **sie kann niemals** überwinden, d. h. **gründen** –; sie wird selbst mehr und mehr das stets Überwindbare, und so gerade hält sie sich in einer Dauer – obzwar sie keine Gewähr bietet, zumal wo sie gegen ihresgleichen steht.

Überlegungen V

§ 86 [78-79], S. 363-364 :

Die **geschichtliche Entwurzelung** und Ungebundenheit des Zeitalters hat ihr deutlichstes Kennzeichen in der Hölderlin-Mode; denn entweder verrechnet man Hölderlin auf das »Vaterländische« oder man spielt ihn offen und versteckt ins »**Christliche**« hinüber. So wird die Entscheidung, die er *ist*, nicht nur umgangen, sondern überhaupt nicht ins Wissen gehoben. Aber jedesmal besteht der Schein, als sei sein Werk nun am Höchsten gemessen, wo es doch nur **historisch** gemacht und zu irgendeinem Nutzen in Bezug gestellt ist.

Réflexions V

§ 85 [78], p. 363 :

La tyrannie de la *technique* – là où elle-même est si peu assurée contre elle-même, vacillante et évanescente ; en un rien de temps elle se voit dépassée par elle-même sans qu'on puisse compter sur elle – le fait que cela puisse dominer et ensorceler – quel homme tout cela présuppose-t-il ? Jusqu'où faut-il que le **déracinement** s'étende déjà pour que l'on puisse **être fasciné** par tout cela ? Car il ne s'agit pas de quelques-uns qui s'en défendraient encore romantiquement, quitte à être eux aussi broyés.

La **technique** peut ralentir, différer, agir de telle ou telle façon dans le domaine du mesurable – **jamais elle ne peut** surmonter, c'est-à-dire **fonder** ; elle-même n'a de cesse de devenir de plus en plus dépassable, et c'est précisément ainsi qu'elle se maintient à la longue – sans pour autant offrir aucune garantie, surtout là où elle est confrontée à ce qui lui est apparenté.

Réflexions V

§ 86 [78-79], pp. 363-364 :

Le **déracinement historial** et sa frénésie trouvent leur symptôme le plus manifeste dans la mode Hölderlin ; car soit on inscrit de manière erronée Hölderlin dans le registre du « patriotique », soit on le recrute ouvertement ou à la dérobée pour le « **christianisme** ». Ainsi, la décision qu'il *est* en lui-même n'est pas seulement contournée, elle n'est pas même élevée au savoir. Mais dans un cas comme dans l'autre subsiste l'apparence qu'on aurait à présent pris la mesure de son œuvre, de très haut niveau assure-t-on, alors qu'il est seulement devenu l'objet de l'**historiographie** et mis à profit en étant rattaché à ceci ou cela.

79

Überlegungen V

§ 87 [79], S. 364 :

Technik und Entwurzelung. – Während Radio und allerlei Organisation das innere Wachsen und d. h. ständige Zurückwachsen in die Überlieferung im Dorf und damit dieses selbst zerstören, errichtet man Professuren für »Soziologie« des Bauerntums und schreibt haufenweise Bücher über das Volkstum. Dieser Vorgang des Schreibens über ... ist genau derselbe wie das Aufreden des Radioapparats an die Bauern mit Rücksicht auf die Bedürfnisse der städtischen Fremden, die das Dorf zunehmend überschwemmen.

Aber das Verhängnisvollste ist, daß man diese Vorgänge überhaupt nicht sehen will, geschweige denn ihre Selbigkeit und ihren **gemeinsamen Grund**.

Überlegungen V

§ 95 [86-87], S. 369 :

Wer ahnt unter den Heutigen jenes *andere* Gesetz, daß das Wesentlichste zuerst in *der* Gestalt erstritten wird, die von ihm fordert, zuvor noch einmal in das Verborgene zurückzusinken als das *zu* Frühe? Und vollends: wer wagt diesen Umweg in einem Zeitalter gar, wo nur die **greifbare** »Tat«, d. h. der **Nutzen** und der **Erfolg**, in Geltung steht – wo gar nicht Wahrheit, sondern nur **Geltung** gesucht wird.

Wann kommen die Wegbereiter der Umwege des Zu-Frühen? (Vorerst lärmen nur die Trompeter des Allzuspäten und sie lärmen unausgesetzt und sich überlärmend, weil die Ohren für den Lärm immer größer und zahlreicher werden – weil man schließlich gar nichts anderes mehr hören *will* als – die **Betörung** über die organisierte **Entwurzelung**.)

Réflexions V

§ 87 [79], p. 364 :

Technique et déracinement. – Tandis que la radio et toutes sortes d'organisations détruisent la croissance intérieure, et cela veut dire la croissance qui ne cesse de revenir dans la tradition du village, on crée des chaires de « sociologie » de la paysannerie et l'on écrit des tas de livres sur le vieux fonds populaire. Ce processus consistant à écrire des livres sur ... est exactement le même que celui de la radio flattant les paysans tout en tenant compte des besoins des citadins étrangers au village, et qui l'envahissent de plus en plus.

Mais ce qu'il y a de plus funeste, c'est que l'on ne veut pas du tout voir ces processus, sans même parler de leur mêmeté et de leur **fondement commun**.

Réflexions V

§ 95 [86-87], p. 369 :

Qui pressent, parmi ceux d'aujourd'hui, cette *autre* loi qui veut que ce qu'il y a de plus essentiel soit d'abord conquis de haute lutte sous *la* forme qui exige de lui qu'il sombre à nouveau dans l'inapparent parce que *par trop* précoce ? Et surtout : qui se risque à ce détour à une époque où seule compte l'« **action tangible** », c'est-à-dire le **profit** et le **résultat** escomptés – là où on ne cherche nullement la vérité mais seulement la **validité** ?

Quand arriveront les précurseurs des détours auxquels sont amenés ceux qui sont par trop précoces ? (Dans un premier temps viennent sonner les trompettes du « trop tard » en un bruit continu et c'est à qui couvrira le bruit des autres, parce que les oreilles qui les écoutent sont toujours plus grandes et plus nombreuses – parce que finalement on ne *veut* plus rien entendre d'autre que – l'**envoûtement** par le **déracinement** organisé.)

Überlegungen V

§ 123 [115-117], S. 387-389 :

Wir bewegen uns immer noch im Zeitalter des *Fortschritts* – nur daß er eine Zeitlang als internationales Gut angestrebt wurde und heute als der Wettbewerb der Nationen ausgerufen wird: die »besten« Filme und die »schnellsten« Flugzeuge – die »sichersten« Mittel, nirgendwo mehr zu verweilen und auf etwas zuzuwachsen – sondern alles unversehens in einem zu besitzen und dann? in der **großen Leere taumeln** und sich überschreien.

Der **Fortschritt**, zum Wettbewerb eigens ausgerufen, wird jetzt zur noch schärferen Zange, die den Menschen in seine **Leere** einklemmt. Und was ist denn nun eigentlich **Fortschritt**? Das Fort- und Wegbringen des Seienden und was dafür gilt aus der an sich schon genug dürftigen Wahrheit des Seyns. Denn sehen wir einmal offenen Auges zu und fragen wir, wohin ist z. B. die neuzeitliche **Naturwissenschaft** fortgeschritten? Man möchte sagen: seit drei Jahrhunderten so weit und so rasch und sich überstürzend, daß keiner mehr diese Bewegung übersieht. Und was geschah im Grunde hinsichtlich des Wissens von der Natur? Es ist um keinen Schritt »weiter« gekommen und es konnte dies und durfte es auch nicht, wenn jener **Fortschritt** ermöglicht werden sollte; denn noch ist Natur: der zeiträumliche Bewegungszusammenhang von Massepunkten – trotz Atomphysik und dergleichen.

Ja anfänglich war noch diese Natur eingehalten in eine Ordnung des Seienden – jetzt ist auch diese mit der wachsenden **Ohnmacht des christlichen Glaubens** geschwunden und [an] deren Stelle treten

Réflexions V

§ 123 [115-117], pp. 387-389 :

Nous sommes toujours encore dans l'époque du *progrès* – à cette seule différence près qu'il a été poursuivi pendant un certain temps comme patrimoine international et qu'il est à présent l'enjeu d'une concurrence entre les nations : les « meilleurs » films et les avions « les plus rapides » – les moyens « les plus sûrs », ne plus séjourner nulle part pour s'acclimater à quelque chose – mais avoir tout d'un seul coup, et après ? Tituber dans la **grande vacuité** et crier à qui mieux mieux.

Le **progrès**, à présent proclamé concurrence, devient l'étau encore plus puissant qui enserre l'homme en sa **vacuité**. Et qu'est-ce à vrai dire que le **progrès** ? Emporter l'étant et ce qui passe pour tel plus loin et le jeter par-dessus bord hors de la vérité de l'estre par elle-même déjà assez indigente. Car ouvrons enfin les yeux et demandons-nous vers quoi a progressé, par exemple, la **science de la nature** des Temps nouveaux ? On sera peut-être tenté de répondre : elle est allée si loin, si vite et si précipitamment depuis trois siècles que personne ne peut plus avoir une vue d'ensemble de ce mouvement. Mais que s'est-il passé au fond eu égard au savoir de la nature ? Il n'a pas fait un seul pas « en avant » et du reste il ne le pouvait pas et n'était pas non plus autorisé à le faire pour que ce **progrès** fût rendu possible ; il y a bien toujours la nature : la cohérence articulée du mouvement, avec les coordonnées spatio-temporelles des points de masse, malgré la physique atomique et choses semblables.

À l'origine cette nature était encore insérée dans un ordre de l'étant – à présent celui-ci aussi a disparu avec l'**impuissance croissante de la foi chrétienne** et viennent [s'y] substituer les « états d'âme » « person-

die »persönlichen« »Sentimentalitäten« der Naturforscher, die natürlich gegenüber den weit ehrlicheren und redlicheren »Materialisten« des vorigen Jahrhunderts zugeben, daß es »daneben« – »neben« ihrem Beschäftigungsbereich – noch das »Innere« »gäbe«. Fortschritt beruht auf der wachsenden Vergessenheit des Seyns aufgrund der immer findigeren und beliebigeren berechnenden Ausnutzung der »Natur«; bald wird auch die lebendige Natur so weit sein, daß sie in die Zange der Planung genommen und zerstört wird. Aber dieser Vorgang ist deshalb gleichgültig, weil er – soweit er auf die Zerstörung treibt – immer dasselbe bringt, weil das, was er vermag, schon in seinem Beginn ausgeschöpft wurde – die Übernahme der Natur in die Berechnung und die Versetzung des Menschen in die Haltung des Sichsicherns durch die Nutzung. Das Nur-noch-sich-sichern bei der Zunahme der Massen und die Versorgung dieser panibus et circensibus nimmt sich überdies als Kulturleistung in Anspruch, so daß der Fortschritt der Kultur nunmehr als gesichert gelten kann. Unabsehbar ist, was in diesem Rahmen sich begibt und doch ist es immer nur dieselbe Verödung einer schon längst vollzogenen Entwurzelung des Seienden aus dem Seyn.

Was muß geschehen, damit wirklich wieder Geschichte sich ereignet?

nels » des savants dans le domaine des sciences de la nature qui, bien entendu, face aux « matérialistes » bien plus honnêtes et sincères du siècle précédent, admettent qu'il y aurait encore « en outre », « à côté » de leur domaine d'occupation – l'« intérieur ». Le progrès repose sur l'oubli croissant de l'estre sur la base de l'exploitation calculante toujours plus astucieuse et arbitraire de la « nature » ; même la nature vivante sera bientôt parvenue au point d'être prise dans l'étau de la planification et d'être détruite. Mais ce processus est indifférent dans la mesure où – en tant qu'il pousse à la destruction – il amène toujours le même résultat, parce que ce qu'il est en mesure de faire a déjà été épuisé dès le début – l'intégration de la nature dans la computation et le déportement de l'homme dans l'attitude où il trouve l'assurance de soi dans la mise à profit. Cette attitude consistant à « ne plus faire que s'assumer » dans l'accroissement des masses en veillant à ce qu'elles aient *panem et circenses* revendique en outre d'être une prestation culturelle, en sorte que le progrès de la culture peut être considéré à présent comme assuré. On ne peut prévoir ce qui va avoir lieu dans ce cadre, et pourtant c'est toujours la même désolation d'un déracinement de l'étant hors de l'estre.

Que doit-il se passer pour qu'advienne encore en propre quelque chose de tel qu'une histoire ?

Pour Heidegger, chaque époque historique doit être traversée par le savoir originaire dont le « fondement » (*Grund*) ne se laisse pas inscrire simplement à l'intérieur des catégories ontiques *communes* de la façon dont celles-ci se manifestent en leur pure phénoménalité. C'est là l'une des difficultés de la manière de procéder de Heidegger dont il nous faut toujours tenir compte : le savoir auquel il se réfère n'a « jamais été accordé à aucune époque historique » (*Überlegungen IV*, § 269) si tant est qu'il soit

en lui-même originaire. Nous nous trouvons ici face à un savoir primordial à même de *traverser* l'histoire ; il ne peut rester accroché aux catégories historiques, mais seulement relever de catégories ontologiques historiales. Toutefois, les catégories ontiques ne sont jamais abandonnées pour autant par Heidegger, elles sont *reprises*, mais seulement au sein d'une analyse ontologique toujours orientée vers la *Seinsgeschichte* (« l'histoire de l'être »). Cette reprise nous aide à comprendre la position de Heidegger et la « résistance » qu'il oppose au « déracinement » de l'Occident désormais séduit par une autre « forme » de savoir, un savoir fonctionnel qui trouve sa configuration dans la « technique ».

On compte pas moins de six occurrences des termes « résistance » (*Gegenwehr*) et « préparation » (*Vorbereitung*) dans le § 269 – même s'il s'agit dans un cas d'un rappel implicite : « tous deux » (*Beides*) – pour indiquer la nécessité de résister au déracinement de l'Occident et, conjointement, l'engagement de préparer « les plus hautes décisions de l'être le là historial ». Le problème *de fond* n'est pas seulement le déracinement d'une pensée originaire à même de préserver à l'avenir les origines de son commencement, il est aussi celui de la rapide transformation que connaît l'Occident à travers un autre type de savoir, susceptible de transformer les événements historiques en s'appuyant uniquement sur la contingence d'un présent devenant toujours de plus en plus an-historial. Le risque est le déracinement progressif de la dimension ontologique, au point de rabattre l'ontique sur lui-même au détriment de la perspective de l'« événement », dans lequel ce qui advient perd ainsi toute détermination jusqu'à se réduire à une simple donnée. Résister au déracinement s'impose dès lors que la résistance constitue, pour Heidegger, une « nouvelle fondation » (*Neu-Gründung*) (§ 269) dont on ne peut s'exonérer parce qu'il entre dans l'exigence même d'une pensée qu'elle ne puisse être déracinée de la vérité de l'être qui en est constitutive et qui lui permet de se mettre en chemin, forte d'un enracinement et d'une orientation, vers un commencement qui est à la fois « premier » et « dernier ».

De cette tentative de déracinement, qui porte sur le savoir, résulte l'absence d'orientation et, inéluctablement, de toute capacité de

réflexion sur soi. À partir des *Überlegungen V* se trouvent relevés en
quelques lignes lapidaires les traits distinctifs de la « tyrannie de
la technique » (§ 85) qui, par ricochet, vont constituer l'agir de
l'homme entrant dans une logique d'asservissement : « peu assurée quant à elle-même », « chancelante », « évanescente », « imbue
d'elle-même », « peu fiable », visant à « dominer et à ensorceler »,
elle agit sur ce qui est « mesurable », « devient ce qui peut toujours
être dépassé », « se maintient à la longue », n'offre « aucune garantie ». Mais plus important encore est le fait que cette « logique »
ne peut jamais « surmonter (*überwinden*), c'est-à-dire fonder (*gründen*) ». La certitude, aux yeux de Heidegger, qu'il est impossible à
la technique de fonder quoi que ce soit (§ 85) se raccorde bien à
la conclusion du § 152 des *Apports à la philosophie* :

> Que doit être la technique ? Non pas au sens d'un *idéal* – mais
> tout au contraire : comment fait-elle face à la nécessité de surmon-
> ter l'abandonnement de l'être, ou mieux : de mettre cet abandon-
> nement devant un choix décisif ? Est-elle le chemin historial menant
> *à la fin, à la régression catastrophique du dernier homme au rang d'animal*
> *technicisé, qui du coup va jusqu'à perdre l'animalité originale de la bête,*
> *bien insérée dans son environnement – ou bien, ayant été au préalable prise*
> *en charge comme capable d'abritement, peut-elle se voir elle-même insérée*
> *dans la fondamentation d'être le là*[1] *?*

L'époque moderne est donc marquée par la tyrannie de la
technique et la fonctionnalité d'une manière de procéder qui
utilise ce qu'elle rencontre pour tout réduire à de l'instrumenta-
lisable. La fin atteinte demeure toujours mêlée à une immanence
sans référence aucune : par exemple réduire Hölderlin à une
« mode », quand on « le jauge sur la base de ce qui est "patriotique" ou qu'on le "travestit" (*spielt*) [...] en ce qui est "chrétien" ». Tout se trouve transformé sur la base de « quelque utilité
(*Nutzen*) » (§ 86). Tout subvertir à des fins utilitaristes, c'est là la
pratique qui marque une modernité désormais aveugle, incapable
de regarder en face son propre destin dès lors qu'elle est impuis-

---

1. M. Heidegger, *Beiträge zur Philosophie*, *op. cit.*, § 152 ; trad. fr. p. 315.

sante dans la fixité d'un présent manipulé par l'homme et par contrecoup d'un homme se laissant manipuler par son propre jeu tyrannique. « Technique et déracinement » (§ 87) forment un couple inséparable dans lequel l'homme devient le protagoniste d'une an-historialité vouée à se consumer dans un mécanisme qui deviendra peu à peu insaisissable et par suite ingérable.

Ce qui se trouve mis en accusation, c'est l'instrumentalisation du savoir à des fins patriotiques avec la complicité de la « radio », des chaires de « sociologie » et d'un « tas de livres » qui « détruisent » (*zerstören*) la « croissance intérieure » (§ 87). Le bombardement auquel l'homme est soumis provoque en lui une confusion destructrice dans laquelle la pensée n'est plus en mesure de se ressaisir en son unité et où tout regard porté sur le monde a perdu son ancrage originaire. Une destruction du « soi-même » désormais voué uniquement au dépaysement, d'une mondéité réduite à une somme dans laquelle chaque chose est une entité en soi dans son coin et détachée de toute connexion de sens. Encore plus « fatale » est pour Heidegger l'obstination mise à ne pas vouloir voir que ces processus trouvent « leur identité et leur fondement commun (*gemeinsamer Grund*) » précisément en ce qu'ils sont autant de réitérations mécaniques reposant sur un fond qui se dérobe (*Un-Grund*).

La technique développe démesurément l'étant pour le réduire à la puissance en en divinisant quasiment la « forme », créant ainsi l'illusion de posséder, de saisir ce qui ne pourra jamais être appréhendé par la logique utilitariste où « seule compte l'"action tangible" (*greifbare "Tat"*), c'est-à-dire le profit (*Nutzen*) et le résultat (*Erfolg*) escomptés – là où on ne cherche nullement la vérité (*Wahrheit*) mais seulement la validité » (*Geltung*) (§ 95). La logique sous-jacente à toute « validité » est résolument rejetée par Heidegger parce qu'elle est la principale cause de l'enlisement de la philosophie à l'intérieur de systèmes clos qui lui barrent désormais l'accès à toute ouverture à de nouveaux horizons de sens. Lorsque, par conséquent, la philosophie perd l'orientation sur l'histoire de l'être, elle est inévitablement vouée à sa propre perdition dans les logiques instrumentales à la recherche de la seule « validité » objective des résultats obtenus. La rechute dans la technique et ses complexes

mécanismes contribue à favoriser la perte de cette orientation et ne peut manquer de créer une *existence rudimentaire* parce que soustraite à sa coappartenance radicale à l'histoire de l'être.

L'« ensorcellement » par la technique (§ 85) va désormais de pair avec le fait de prêter attention au vacarme pour n'« entendre (*hören*) [rien] d'autre que – l'envoûtement par le déracinement organisé » (§ 95). On a comme l'impression que la technique a pour fonction de distraire, par ses sortilèges, par ses processus qui, en apparence, restituent à l'homme la puissance d'un règne alors que, dans l'acte même par lequel elle l'élève, elle produit un lent mais progressif éloignement de son propre destin. Tout se passe comme si la puissance de la technique libérait une force qui arrêtait l'étant – et en cela aussi l'époque qui a cédé à ses sirènes – en faisant barrage à tout afflux possible de l'être qui, quant à lui, n'en traverse pas moins inexorablement l'histoire. La situation de blocage dans laquelle l'étant est mis par la technique représente la vision la plus trouble d'une époque déjà déracinée et incapable de prendre une initiative parce qu'elle s'est égarée dans le vacarme que ses actions continuent à alimenter.

L'analyse de ce développement heideggérien se termine avec le § 123 sur « l'époque du *progrès* », où le terme « progrès » (*Fortschritt*) revient pas moins de six fois, notamment dans la partie conclusive où se situe la référence incontournable au « progrès de la culture ». Ce terme, qui désigne « le fait de déplacer et de déporter l'étant [...] de la vérité de l'être », repose « sur l'oubli croissant de l'être en raison de l'exploitation calculante de la "nature" ». En conséquence, une telle opération amène à « tituber dans la grande vacuité (*großen Leere*) » et « l'étau qui enserre l'homme dans sa vacuité se fait encore plus puissant ». Heidegger recourt par deux fois au concept de « vacuité » (*Leere*) dans l'ouverture du § 123, qui se conclut sur la « désolation d'un déracinement de l'étant hors de l'estre » désormais accompli depuis longtemps.

C'est dans ce cadre que l'on revient à l'incapacité de s'arrêter à laquelle correspond toujours le fait d'« avoir tout tout de suite ». La référence à « l'impuissance de la foi chrétienne », tenue pour responsable de n'avoir pas été à même de préserver l'ordre des

étants dans lequel la « nature » était intégrée, cède dorénavant la place aux « "états d'âme" "personnels" des savants dans le domaine des sciences de la nature ». Et dès lors que l'oubli de l'être règne en maître, cela a été rendu possible par « l'exploitation calculante, toujours plus astucieuse et arbitraire, de la "nature" ». Un tel processus pousse à la « destruction » (*Zerstörung*), et c'est à lui que se rattache le « progrès de la culture ».

À l'arrière-plan de tout cela demeure le questionnement insistant de Heidegger : « *Que doit-il se passer pour qu'advienne encore en propre quelque chose de tel qu'une histoire ?* »

2.2.2. Boden *et ses composés*

La section conclusive de l'analyse du volume 94 est centrée sur le terme *Boden* et s'avérera d'un grand intérêt pour le lecteur parce qu'il pourra presque re-vivre – à travers la lecture de ces passages – la préoccupation de Heidegger quant au destin de la philosophie, et s'apercevra également que ce qu'il lit est d'une profonde actualité. Ici, en effet, l'écriture heideggérienne dépasse son propre cadre temporel pour faire incursion dans le « présent » du lecteur.

Le contexte dans lequel trouvent place *Boden* et ses composés est parfois le déclin de la philosophie : le « penseur de la *transition* » (*Überlegungen V*, § 62) ; la « philosophie » (§§ 134 et 145) ; l'« estre » (*Überlegungen VI*, § 3) ; la « philosophie aujourd'hui » (§ 31). Pour la traduction de *Boden* et de ses déclinaisons, il a été tenu compte également des autres contextes dans lesquels ce terme apparaît : « ancrage bien assuré » (*Bodenständigkeit*) (*Überlegungen V*, § 62) ; « manque de fond » (*Bodenlosigkeit*) (§ 134) ; « terrain peu sûr » (*brüchiger Boden*) (§ 145) ; « ancrage en un sol » (*Bodenständigkeit*) (*Überlegungen VI*, § 3) ; « manque de fond » (*Bodenlosigkeit*) (§ 31).

Le § 31 est décisif dans cette section parce que dans ce passage Heidegger met en évidence les contrastes entre d'une part le « manque de fond » (*Bodenlosigkeit*) et le fait de n'avoir « aucun fondement » (*keiner Grund*), et d'autre part la « fondation » (*Gründung*), le « fonder » (*gründen*) et enfin le « fondement » (*Grund*).

Überlegungen V

§ 62 [54], S. 349 :

Jeder *übergängliche*, den Übergang vollziehende *Denker* steht notwendig im Zwielicht der ihm eigenen Zweideutigkeit. Alles scheint ins Vergangene zurückzuweisen und aus diesem **errechenbar,** und zugleich ist alles ein Abstoßen des Vergangenen und willkürliches Setzen eines Künftigen, dem die Zukunft zu fehlen scheint. Er ist nirgends »unterzubringen« – aber diese **Heimatlosigkeit** ist seine unbegriffene **Bodenständigkeit** in der verborgenen Geschichte des Seyns.

Überlegungen V

§ 134 [127-129], S. 395-396 :

Jene, die meinen, man sollte an den ohnedies verendeten Universitäten die »Philosophie« abschaffen und durch die »politische Wissenschaft« ersetzen, haben im Grunde, ohne daß sie im geringsten wissen, was sie tun und wollen, völlig recht. Zwar wird dadurch nicht die **Philosophie** abgeschafft – das ist unmöglich – aber es wird etwas beseitigt, was so aussieht wie **Philosophie** – es wird dieser in einer Hinsicht die Gefahr genommen, verunstaltet zu werden. *Käme* es zu dieser Abschaffung, dann wäre die **Philosophie** von dieser Seite her »negativ« gesichert – es wäre deutlich künftighin, daß die *Ersatzleute* der **Philosophieprofessoren** nichts mit der **Philosophie** zu tun haben, nicht einmal mit ihrem Schein – *gesetzt,* daß nicht jener Ersatz noch mehr in den Schein von **Philosophie** versinkt. Die **Philosophie** wäre verschwunden aus dem öffentlichen und erzieherischen »Interesse«. Und dieser Zustand entspräche der Wirklichkeit – denn die **Philosophie** gibt es da überhaupt nicht – eben dann, *wenn sie ist.* Warum also helfen wir nicht noch *mit* an jener Abschaffung? Wir tun

Réflexions V

§ 62 [54], p. 349 :

Tout penseur de la *transition*, accomplissant la transition, se tient peut-être nécessairement dans le crépuscule de l'ambiguïté qui lui est propre. Tout semble ramener à ce qui est passé et être **escomptable** à partir de là, et en même temps tout repousse le passé et instaure arbitrairement un futur privé d'avenir. Un **tel penseur** ne peut être « casé » nulle part – mais ce **dépaysement** est son **ancrage** incompris dans l'histoire de l'estre se tenant à l'abri en retrait.

Réflexions V

§ 134 [127-129], pp. 395-396 :

Ceux qui pensent qu'on devrait supprimer la « **philosophie** » des universités, déjà mortes de toute façon, et la remplacer par les « **sciences politiques** », ont au fond parfaitement raison, mais sans avoir la moindre idée de ce qu'ils font et de ce qu'ils veulent. Par là la philosophie ne serait certes pas supprimée – cela est impossible – mais on écarterait quelque chose qui ressemble à de la **philosophie** – et par là on la mettrait en un sens hors de danger d'être défigurée. *Si l'on en venait* à cette suppression, la **philosophie** serait dès lors assurée « négativement », de ce côté – et il serait clair que les *substituts* faisant fonction de **professeurs de philosophie** n'auraient rien à voir à l'avenir avec la **philosophie**, pas même avec son apparence – à supposer que ce succédané ne sombre pas davantage encore dans l'apparence de **philosophie**. La philosophie aurait dès lors disparu des « centres d'intérêt » publics et éducatifs. Et cet état de choses correspondrait à la réalité – car là il n'y a pas trace de **philosophie** – même *quand* elle *est.* Pourquoi ne pas contribuer dès lors à cette

es schon, indem wir die Nachwuchsaus-bildung nach Möglichkeit unterbinden (keine Dissertationen mehr). Aber das ist nur ein Beiläufiges, und vor allem: das *kommt bereits zu spät. Schon* möchte man *wieder* jene **Professorenphilosophie**, schon melden sich die »neuen« Anwär-ter für dieses Geschäft – Leute, die noch die nötige »**politische**« Geschicklichkeit mitbringen und nun *erst recht* als die »**Neuen**« das Bisherige in seiner Bishe-rigkeit bestätigen und festigen. Denn sie alle sind *noch* weiter entfernt von allem Fragen und »verpflichten« sich zu einem sacrificium intellectus, demgegen-über das mittelalterliche überhaupt nicht zählt; weil das Mittelalter überhaupt kein ursprüngliches Fragen und seine Notwen-digkeiten kannte – und nichts erfahren konnte von dem, was Nietzsche ins Wis-sen heben mußte. Aber dieser ist ja auch den Heutigen nur ein Notbehelf und je nach Bedarf eine Fundgrube, aber nichts, was sie zu einem Ernst und auch nur zu *seiner* Besinnung zwingen könnte.

Man »*hat*« ja die Wahrheit. Beweis: man tut jetzt so, als müßte »geforscht« werden. Jedesmal dann und erst dann, wenn man sich im Besitz der Wahrheit weiß, macht sich die Bejahung der »**Wis-senschaft**« geltend. Und es ist der »**Wis-senschaft**« noch nie so gut gegangen wie heute; es bedurfte nur eine Zeitlang des Geschimpfes über die »**Intellektuellen**« – nur so lange, bis man selbst weit genug war und zahlreich genug, deren Stellen zu besetzen. Täuschen wir uns nicht über die unabsehbare Bisherigkeit der »**neuen**« **Wissenschaft** – verkennen wir nie ihre **Bodenlosigkeit** und ihre Ferne zu aller **Philosophie**. Und wissen wir, daß die-ses zu wissen immer nur ein Beiläufiges ist, weil wir wissen: die Geschichte der Wahrheit des Seyns geschieht in ihrem eigenen Bereich und hat ihre eigene »Chronologie«.

suppression ? Nous le faisons déjà en empêchant autant que possible la forma-tion des jeunes recrues (plus de thèses). Mais cela n'est qu'accessoire, et surtout : *il est déjà trop tard.* On aimerait bien avoir *de nouveau* cette **philosophie de profes-seurs**, déjà s'annoncent les « nouveaux » candidats à ces postes – des gens qui apportent de surcroît leur nécessaire habi-leté « **politique** » et qui, *si* « *nouveaux* » *soient-ils*, confirment et consolident plus que jamais ce qui a eu cours de manière passéiste. Car tous sont *encore* plus éloi-gnés de tout questionnement et se « font un devoir » d'un *sacrificium intellectus* à côté duquel celui du Moyen Âge n'est rien ; parce que le Moyen Âge ne connais-sait aucun questionnement originaire avec ses exigences spécifiques – et ne pouvait rien éprouver de ce que Nietzsche a dû élever au savoir. Cependant ce dernier n'est pour nos contemporains qu'un pis-aller et au besoin une mine où piocher, mais rien qui pourrait les contraindre au sérieux et à *sa* méditation.

La vérité, on la « *détient* » déjà. La preuve : on feint de devoir « chercher ». Et chaque fois que l'on se sait détenteur de la vérité, et alors seulement, se fait entendre l'approbation de la « **science** ». Et la « **science** » ne s'est jamais aussi bien portée qu'aujourd'hui ; il a suffi d'une brève période d'imprécations contre les « intellectuels » – juste le temps qu'il fal-lait pour être assez avancés et nombreux pour occuper des postes. Ne nous faisons pas d'illusion sur l'incroyable vétusté de la « **nouvelle** » **science** – ayons toujours pré-sent à l'esprit son **manque d'ancrage** et son éloignement de toute **philosophie**. Et sachons que savoir cela n'est jamais que quelque chose d'accessoire parce que, nous le savons : l'histoire de la vérité de l'estre advient en son propre domaine et a sa propre « chronologie ».

Überlegungen V

§ 145 [137-138], S. 401 :

Diejenigen, die heute noch den letzten Rest von **Philosophie** zur Weltanschauungs-scholastik umfälschen, um sich zeitgemäß zu machen, sollten mindestens noch so viel Einsicht und Geradheit des Denkens aufbringen, daß sie den *heiligen Thomas von Aquino* zu ihrem – ihnen allein gemäßen – Schutzpatron erheben – um an ihm zu lernen, wie man im großen Stil unschöpferisch sein und doch sehr klug wesentliche Gedanken in den Dienst des Glaubens stellen und diesem ein entscheidendes Grundgefüge geben kann. Warum geschieht das nicht? Weil sogar zu dieser großzügigen Unselbständigkeit des Denkens die Kraft und vor allem die **handwerkliche** Sicherheit fehlt. Die Verwirrung ist so groß, daß man nicht einmal erkennt, daß diese »politischen« und »volksverbundenen« Philosophien kümmerliche Nachbilder der *Scholastik* sind.

Die Groteske wird vollständig, wenn zu all dieser Verworrenheit noch der »Kampf« gegen die **katholische Kirche** kommt – ein »Kampf«, der seinen Gegner noch gar nicht gefunden hat und auch nicht finden kann, solange er so kurz und so klein denkt von dem, was die Grundlagen dieser Kirche ausmacht: die abgewandelte Metaphysik des abendländischen Denkens überhaupt, in der diese »Weltanschauungskämpfer« so sehr verstrickt sind, daß sie nicht ahnen, wie sehr sie denselben **brüchigen Boden** [Fraglosigkeit des Seins, Grundlosigkeit der Wahrheit, Wesensbestimmung des Menschen] mit ihrem »Gegner« teilen.

Überlegungen VI

§ 3 [1-3], S. 421 :

Das Seyn. – Die aus ihm quellende Überhöhung des Seyns selbst erfahren

Réflexions V

§ 145 [137-138], p. 401 :

Ceux qui aujourd'hui encore falsifient ce qu'il reste de **philosophie** en une scolastique de visions du monde pour être dans l'air du temps devraient au moins déployer assez d'intelligence et de droiture de pensée pour élever *saint Thomas d'Aquin* au rang – le seul qui leur convienne – de saint patron – et apprendre de lui comment on peut être non-créateur avec grand style tout en mettant très astucieusement au service de la foi des pensées essentielles et en lui donnant ainsi une charpente décisive. Pourquoi n'est-ce pas le cas ? Parce qu'à ce généreux manque d'autonomie de la pensée manquent la vigueur et surtout la sûreté **artisanale**. La confusion est si grande qu'on ne reconnaît même pas que ces philosophies « politiques » et « liées au peuple » ne sont que de misérables répliques de la *scolastique*.

Et le grotesque est à son comble quand vient encore s'ajouter à toute cette confusion le « **combat** » contre l'**Église catholique** – « **combat** » qui n'a pas encore trouvé son adversaire et ne court aucun risque de le trouver tant qu'il pensera à si courte vue et de manière si mesquine ce qui constitue les assises de cette Église : la forme prise par la métaphysique de la pensée occidentale en tant que telle, dans laquelle ces « militants de la vision du monde » sont tellement empêtrés qu'ils sont loin de se douter à quel point ils partagent avec leur « adversaire » le même **terrain bien peu solide** [l'être ne suscitant aucune question, l'absence de fondement de la vérité, la détermination essentielle de l'homme].

Réflexions VI

§ 3 [1-3], p. 421 :

L'estre. – L'éminence de l'estre telle qu'elle provient de lui-même, nous

wir Übergänglichen in der Verweigerung. –

In dieser Überhöhung entspringt der **Spielraum** des Zwischen, das die Verweigerung als Zuweisung des Da-seins er-eignen läßt. Und in der Zugewiesenheit reicht das Da als Wahrheit des Seyns über die Verweigerung hinaus in die zu ihr gehörige Abgründigkeit der Erzitterung.

Aus dem *Grunde* des **Volkes,** aus seiner Geschichte, und aus dem Grunde seiner Geschichte, aus dem Da-sein, *gegen* das **Volk** – das die Wahrheit nie wissende – sprechen. Nur so kommt es zu seinem »**Raum**«! Womit wir freilich zuerst immer nur den *Platz* meinen, an dem die Vielen Zusammengedrängten sich ausbreiten können. Wie aber, wenn dieser Platz uns zurückgegeben wäre eines Tages und trotzdem die Raumnot anhielte, ja vielleicht erst ausbräche. Wenn das **Volk** nur das **Volksein** zum Ziel hat, das zu bleiben, was es als Vorhandenes schon »ist«, hat dieses **Volk** dann nicht den Willen zum **Volk ohne Raum,** d. h. ohne den Entwurfsbereich, in dessen Abgründen erst es die Höhe findet, sich zu überwachsen und die Tiefen, um Wurzeln ins Dunkle zu treiben und ein Sichverschließendes als das Tragende zu haben (wahrhaft eine Erde)? Oder dürfen wir meinen, wenn nur erst der »Platz« gesichert sei, dann falle dem **Volk** der **Raum** von selbst zu? Elende Verblendung? Jener »Platz« für die immer zahlreicher werdenden Allzuvielen müßte erst recht jede Raumnot völlig ersticken und damit die Möglichkeit einer geschichtlich-schaffenden **Bodenständigkeit.** Weit hinaus muß daher die Besinnung der **Wenigen** gehen über die jetzige Aufrüttelung, damit ihr von weither ein langes Ziel zustoße und ihr die Blendung durch das Jetzige verwehre. (Vgl. S. 30 f.)

l'éprouvons, nous qui ne faisons que passer, dans son refus. –

Dans cette éminence jaillit l'**espace de jeu** de l'entre-deux, tel qu'il laisse advenir en propre le refus comme assignation d'être le là. Et à se trouver ainsi assigné, le « Là » en tant que vérité de l'estre va au-delà du refus dans le caractère abyssal qui lui est propre du frémissement.

Parler à partir du *fondement* du **peuple,** de son histoire et du fondement de son histoire, à partir de l'être le là, *contre* le peuple – qui n'est jamais au fait de la vérité. C'est ainsi seulement qu'il parvient à rejoindre son « **espace** » ! Par quoi nous n'entendons toujours à vrai dire que la *place* où tous ceux qui se sont agglutinés peuvent se répandre. Mais qu'en serait-il si un jour cette place nous était restituée et que malgré cela le besoin d'espace ne cessait pas, voire explosait ? Si le **peuple** ne vise qu'à son **être-peuple,** à rester ce qu'il « est » déjà en tant qu'étant là devant, ce **peuple** n'a pas la **volonté** d'être un **peuple sans l'espace requis à cette fin,** c'est-à-dire sans le domaine de projection dans les abîmes duquel seulement il trouve la hauteur pour plonger ses racines dans l'obscurité et avoir comme support ce qui se referme sur soi (serait-ce la terre ?). Ou bien est-il permis d'estimer que dès que la « place » est assurée, alors l'**espace** vient de lui-même au **peuple** ? Misérable aveuglement ? Pour certains, toujours trop nombreux et dont le nombre va croissant, ce besoin d'espace devrait être entièrement étouffé, et avec lui la possibilité d'un **ancrage** porteur d'histoire. C'est pourquoi la méditation de **ceux qui ne sont pas en nombre** doit aller bien plus loin, par-delà les turbulences actuelles, afin que de loin un but lointain lui échoie et l'empêche d'être aveuglée par ce qui est actuel. (Cf. p. 30 sq.)

Überlegungen VI

§ 31 [24-27], S. 435-438 :

Was »Philosophie« jetzt noch ist:
1. Anhäufung von historischer und systematischer *Gelehrsamkeit*. (Und wie sollte nicht aus Beseitigung aller Fehler einer Denküberlieferung von zwei Jahrtausenden schließlich sich das »richtige« »Werk« einer sehr eifrigen Schulmeisterei zusammenstellen lassen.)
2. *»Scholastik«* – aber natürlich das Neueste aufgreifende apologetische Verarbeitung von »Gedankengut« beliebigster Herkunft – *im Dienste der christlichen Kirchen* – der Mischmasch von verhältnismäßig ordentlichem »Niveau« als Grundsatz der Zusammenrechnung.
3. *»Scholastik«* – aber noch auf der Suche nach ihrem Aristoteles – *im Dienste der politischen Weltanschauung* (Grundsatz die Verdeckung und Verleugnung aller »Quellen«, aus denen diese **Philosophie** kommt). »Gemeinschaft« als Prinzip des Diebstahls – die Auswahl der möglichst Unverbildeten – sprich Ahnungslosen als »Publikum«. Die Organisation der wechselweisen Belobigung.
4. *»Philosophie«* als *Geschimpfe auf die Philosophie* und deren Umknetung in nachhinkendes **Weltanschauungsgefasel**. (Grundsatz: angeblicher **Kampf** gegen das **Christentum** – ohne daß man je selbst Christ war und durch eine Auseinandersetzung hindurch mußte.)

5. Journalistische **Geschicklichkeit** der Verarbeitung aller dieser Arten von »Philosophie« mit verschiedener Dosierung je nach den Umständen – (die Reste von Literaten der »Frankfurter Zeitung« und anderer Blätter). Lauter Gleichgültigkeiten – für sich genommen –; aber in ihrer nicht zufälligen *Zusammengehörigkeit* (die bis zum ausgesprochenen Einver-

Réflexions VI

§ 31 [24-27], pp. 435-438 :

Ce que la « philosophie » est encore :
1. Accumulation de connaissances *érudites* historiques et systématiques. (Et comment ne se laisserait pas composer en fin de compte, une fois éliminées toutes les fautes d'une tradition de pensée bimillénaire, l'« œuvre », mais la « bonne » cette fois, fruit d'une cuistrerie aussi zélée ?)
2. « *Scolastique* » – mais naturellement l'élaboration apologétique se jetant sur tout ce qui est nouveau du « patrimoine de pensée » de toutes origines – *au service des Églises chrétiennes* – le fourretout d'un « niveau » convenable comme principe du bilan.
3. « *Scolastique* » – mais encore à la recherche de son Aristote – *au service de la vision du monde politique* (principe : le recouvrement et la récusation de toutes les « sources » dont provient cette « **philosophie** »). La « communauté » entendue comme principe de pillage – le choix, comme « public », de gens aussi peu déformés que possible – autrement dit qui n'ont pas la moindre idée de ce dont il est question.
4. « **Philosophie** », entendue comme *imprécations contre la philosophie* et son malaxage avec le **bavardage des visions du monde** qui traîne dans son sillage. (Principe : **combat** prétendu contre le **christianisme** – sans pour autant avoir jamais été soi-même chrétien et avoir dû en passer par une explication avec lui.)

5. **Habileté journalistique** à opérer une refonte de ces différents types de « philosophie » – savamment dosés selon les circonstances (le reste des littérateurs de la *Frankfurter Zeitung* et des autres feuilles). Prises en elles-mêmes – de pures banalités ; mais dans leur *solidarité* occasionnelle (qui peut aller jusqu'à l'entente explicite) toutes ces « **philosophies** » qui

ständnis geht) sind alle diese Unarten von »Philosophie« doch das Wesentliche der »geistigen« und »kulturpolitischen« Situation. Alle zusammen haben das gemeinsame und je anders und je gleich schlecht verhüllte Interesse, das wirkliche Fragen, das auf erste Entscheidungen und Besinnungen hindrängt, hintanzuhalten und vor aller Fragwürdigkeit des Seyns und vor jeder Ungeschütztheit des Seienden die Augen zu schließen. Und deshalb steht diese »Kameradschaft« der Un-philosophie »geschlossen« bereit zum »Ein- satz« im Dienst der Verfestigung der Seinsverlassenheit des Seienden und ihrer Vorform – des Nihilismus.

Aber all dies wäre nicht nur zu hoch, sondern vor allem verkehrt geschätzt, wollte einer dadurch sich zu einer ausdrücklichen unmittelbaren Bekämpfung verleiten lassen, zumal diese »Philosophie« ein notwendiges Mittel der Mittelmäßigkeit bleibt. Alles Mittelmäßige, was in sich kein Gewicht hat und nie Wurzeln schlagen kann, bedarf von Zeit zu Zeit einer aufgedrungenen Bestätigung seiner Unentbehrlichkeit, um so immer mittelmäßiger und brauchbarer zu werden.

Was die »Philosophie« in den genannten Arten jetzt noch ist, das bezeugt nur, daß sie schon seit Jahrzehnten aus der großen Bahn ihrer ersten Geschichte herausgeworfen wurde und nicht mehr die Gefahr wagen kann, durch Einschwenken in diese Bahn sich einer wesentlichen Auseinandersetzung zu stellen, durch die sie in ihre Bodenlosigkeit verwiesen wird (daß die Leitfrage nach dem Seienden – so sie überhaupt noch gefragt wird – keinen Grund hat, es sei denn, sie erwachse aus der Grundfrage nach der Wahrheit des Seyns). Was freilich mit dieser Frage heraufzieht, fordert eine Verwandlung des Menschen und fordert das Einzige und Höchste aller Philosophie, daß sie in der Gründung

n'en sont pas constituent pourtant l'essentiel de la situation « spirituelle » et « politico-culturelle ». Elles ont en commun d'avoir un intérêt chaque fois autre et tout aussi mal dissimulé à réprimer le véritable questionnement qui pousse vers des décisions et des déterminations et surtout à fermer les yeux devant tout ce que l'estre a de digne de question et devant la vulnérabilité de l'étant. Et c'est pourquoi cette « camaraderie » de la non-philosophie est déjà « opérationnelle » de manière à « faire bloc » au service de la consolidation de l'oubli de l'être de l'étant et de sa forme préliminaire – le nihilisme.

Tout cela ne serait pas seulement « surestimé » mais mal estimé si l'on voulait par là se laisser entraîner à une lutte déclarée et directe, d'autant plus que ce qui est médiocre ne peut manquer de recourir à une telle « philosophie ». Tout ce qui est médiocre, qui n'a aucun poids et ne pourra jamais prendre racine a besoin de temps en temps d'une confirmation forcée de son caractère indispensable afin de devenir par là de plus en plus médiocre et utilisable.

Ce qu'est la « philosophie » sous les formes qu'on vient de mentionner atteste seulement qu'elle a été détournée de la voie de son histoire grandiose depuis des décennies et ne peut plus courir le risque, en retrouvant cette voie, d'une explication essentielle qui la confronterait à son manque d'ancrage (à savoir que la question directrice concernant l'étant – de la manière dont elle est encore posée – n'a pas de fondement, à moins qu'elle ne soit issue de la question fondamentale en quête de la vérité de l'estre). Ce qui se dessine avec cette question requiert une métamorphose de l'homme et demande ce qu'il y a d'unique et de plus haut pour toute philosophie : que dans la fondation de la vérité de l'estre

der Wahrheit des Seyns sich selbst aus diesem den Ursprung gibt und damit auf jede Krücke und Anlehnung und jede Bestätigung Verzicht tut –. Dieses ist am schwersten zu begreifen: Das Erdenken des Seyns wagt den Ursprung aus dem Nichts (dem Schatten des Seyns): das Seiende im Ganzen als Seiendes. Das Seyn ist zu wagen – ob der Mensch die Wahrheit des Seyns **gründend** [sich] selbst in diesen **Grund** und seine Erhaltung – d. h. Entfaltung verwandle. Mit dem Ergriff und der Vorbereitung dieser Aufgabe steht und fällt die **Philosophie**.

Sich der **Philosophie** in dieser Aufgabe zukehren, heißt: sich abkehren von jedem Versuch zu einer unmittelbaren Verständigung *mit* dem Noch Gültigen und Betriebenen oder auch nur aus diesem und aus dem Gegensatz zu ihm. Diese Abkehr gerät aber außerdem, vom Geläufigen und seinen Sachwaltern her gesehen, in den Anschein der verdrießlichen Abwendung und des Eigensinns.

Die Abkehr kann nicht ihr Wesentliches und Erstes und Tragendes zeigen: die ursprünglich er-eignete Zukehr zur Wahrheit des Seyns – die Inständigkeit des Da-seins.

elle se donne à elle-même à partir de lui l'origine et ainsi renonce à toute béquille, à tout appui et à toute confirmation –. C'est là ce qu'il y a de plus difficile à comprendre : parvenir à ce que l'estre arrive à la pensée, c'est risquer l'origine à partir du rien (ombre de l'estre) : l'étant en entier en tant qu'étant. Il faut risquer l'estre – si l'homme **fondant** la vérité de l'estre [se] métamorphose lui-même en ce **fondement** et son maintien – c'est-à-dire son déploiement. Dans la saisie et la préparation de cette tâche se joue le sort de la **philosophie**.

Revenir à la **philosophie** avec cette tâche, cela veut dire : renoncer à toute tentative d'une entente immédiate *avec* ce qui est Encore tenu pour valide et entrepris, ou ne serait-ce qu'à partir de lui ou par opposition à lui. Mais du point de vue de ce qui est courant et de ses avocats, ce renoncement donne en outre l'impression de se détourner par contrariété et obstination.

Ce renoncement ne peut montrer ce qu'il a d'essentiel, de premier et ce qui le soutient : se tourner vers la vérité de l'estre – se tenir instamment en l'être le là.

La section thématique centrée sur le terme *Boden* est l'une des plus intéressantes, surtout lorsque se dissipe la rumeur suscitée autour de ce terme et de son usage politique présumé de la part de Heidegger. La recherche de tous les passages dans lesquels il apparaît présente l'avantage de condenser les réflexions heideggériennes sur le destin comme sur ce qui reste de la philosophie. On revit le drame du présent historique dans lequel se sont développées ces réflexions et, à des années de distance, on n'a pas l'impression que la lecture nous plonge dans ce passé historique mais bien dans un passé toujours présent pour la bonne raison que la dérive à laquelle est soumise

la pensée est demeurée inchangée. C'est pourquoi les réflexions de Heidegger, tout en ayant mûri au cours d'une période historique bien déterminée, conservent la capacité de se porter *en avant* pour débarquer dans notre propre présent au point de prévoir le risque de l'instrumentalisation politique du savoir et ses dérives – risque contre lequel Heidegger lui-même n'est pas immunisé. Dérive de la philosophie il y a avec l'utilisation politico-instrumentale de ce qui, aujourd'hui comme hier, est estimé par beaucoup comme étant de la « philosophie » mais s'avère être en réalité « philosophie de circonstance » : le § 31 des *Überlegungen VI*, qui ferme la section que nous sommes en train d'examiner, pourrait à mon avis ressortir à la *consigne* que Heidegger veut donner au lecteur qui recherche la vérité de l'être par-delà tout « présent ». Avant de parvenir à cette compréhension il s'avère nécessaire de nous replonger dans ce contexte en se gardant de toute illusion rétrospective. Toutefois, il est beaucoup plus facile, si l'on en a conscience, de regarder en arrière pour justifier ce qui a été exposé plus haut. Pour y parvenir, encore faut-il encore une fois se laisser guider par Heidegger tout en maintenant la distance requise pour ne pas risquer d'inutiles chevauchements.

Emblématique est la figure du « penseur de la *transition* » (*Überlegungen V*, § 62). Le discours sur la « transition » (*Übergang*) se réfère, dans le cadre de l'histoire de l'être, à la transition spéculative – propre à Heidegger – de la question de l'être telle qu'elle se pose lors du *premier commencement* (l'être en tant qu'étantité de l'étant) à la question de l'estre telle qu'abordée avec *l'autre commencement* (estre en tant que vérité, clairière [*Lichtung*], dévoilement ou encore ouverture de l'estre et avènement de cette vérité de l'estre se présentant en tant qu'avenance) ; l'avènement du jet appropriant de la vérité de l'estre par la projection (ouverture), conforme à l'être le là et advenant du jet, de la vérité de l'estre.

Dans le § 62 Heidegger dégage le statut du penseur authentique et comment le travail de ce dernier est perçu *de l'extérieur*, par ceux qui jaugent tout en termes de pure et simple calcula-

bilité propre au décompte historique. Quiconque aujourd'hui, à savoir dans la phase culminante de l'histoire du premier commencement, autrement dit de la métaphysique, veut penser de manière authentique – et dans ce propos Heidegger s'adresse aussi à lui-même – ne peut être qu'un « penseur de la *transition* », à savoir un penseur qui remonte à l'histoire du premier commencement et à son héritage conceptuel pour découvrir en elle le non-dit et non-pensé-à-fond, et qui peut en revanche, en étant convenablement développé, inaugurer un nouveau cours de l'histoire ; ce nouveau cours de l'histoire, c'est précisément *l'histoire de l'autre commencement* dans laquelle devient centrale la question portant sur la vérité de l'être en tant qu'« événement appropriant » (*Ereignis*). Dans un tel parcours *la priorité revient à l'estre* et le penseur – à condition qu'il soit disposé à laisser la parole à l'estre – peut envisager l'éventualité de ce « commencement ». Heidegger ne peut livrer ce parcours à la simple subjectivité, à la façon dont elle avait été constitutivement projetée par Husserl dans sa phénoménologie. Le retour aux origines ne peut s'appuyer sur l'intentionnalité de souche husserlienne ; il doit bien plutôt suivre une voie sur laquelle il soit possible de retrouver notre co-appartenance originaire à l'estre. Pour Heidegger, d'autres parcours ont échoué dans leurs entreprises et sa propre philosophie a erré lorsque précisément il a gardé secret ce qui devait être mis en lumière. La philosophie, donc, a échoué quand elle a *vécu* dans l'oubli de la priorité de ce questionnement fondamental : « Comment l'estre déploie-t-il sa pleine essence ? » On en déduit que chez Heidegger la priorité de l'estre devient une nécessité qui ne pourra jamais être appréhendée à partir des catégories traditionnelles, qui entendent partir de l'être humain auquel son propre isolement porte désormais ombrage ; isolement auquel il a été amené par les erreurs d'une longue tradition philosophique qui s'est rabattue sur lui en instituant un anthropologisme toujours plus raffiné.

En outre, la démarche du « penseur de la *transition* » l'oppose à qui observe *de l'extérieur* une telle pensée qui prépare la tran-

sition et tente de la mettre en œuvre – d'où la référence aux
« nouveaux venus » qui jaugent tout en termes d'influences et
d'innovation. Aux yeux de ces derniers, la transition en question est vue comme une simple reprise de l'héritage du passé,
ou alors comme un dépassement du passé, ou encore comme
une perspective arbitraire sur l'avenir, alors que l'avenir envisagé selon ce mode de calcul n'est pas compris en son essence
propre. L'avenir, pour Heidegger, n'est pas ce qui vient après
le présent, susceptible d'être prévu et programmé sur la base
de calculs, c'est la capacité de prendre en charge, dans l'instant présent, la donation, toujours imprévisible, de ce que nous
octroie l'être.

C'est précisément parce que le penseur essentiel oscille dans
cet « entre-deux » – entre la méditation sur le premier commencement et le risque d'une pensée autre – que, vu de l'extérieur,
il peut sembler arbitraire, qu'il n'est jamais susceptible d'être
inscrit dans une ligne d'interprétation spécifique, ou à l'intérieur de tel ou tel courant philosophique, ni d'être catalogué sur
la base de quelque mot en « -isme ». « Un tel penseur ne peut
être "casé" nulle part » parce qu'il n'est pas situable dans des
cadres et des contextes susceptibles d'être définis et calculés sur
la base d'estimations d'ordre historiographique ; un tel penseur
est caractérisé par le « dépaysement » (*Heimatlosigkeit*). En réalité,
ce dépaysement cache un enracinement profond et plus vrai, un
« ancrage bien assuré » (*Bodenständigkeit*) : un tel penseur, en
effet, est fermement attaché à la vérité de l'être, qui constitue
pour sa pensée un terrain solide sur lequel elle se développe de
manière authentique et à partir duquel seulement il peut établir
un contact avec le passé – dans l'*Aus-einander-setzung* (« le dé-
partage historial ») plutôt que dans l'érudition – et ainsi mettre
en œuvre l'avenir.

Dans la terminologie heideggérienne, les termes « dépaysement » (*Heimatlosigkeit*) et « ferme ancrage » (*Bodenständigkeit*)
se réfèrent exclusivement à l'histoire de l'être où s'aventure
une pensée. Toutes les autres applications ou constructions
idéologiques recourant à mauvais escient à la terminologie de

Heidegger reviennent à s'égarer dans une grave méprise herméneutique.

Une fois dessinée dans ses grandes lignes la figure du « penseur de la *transition* », Heidegger prend acte du déclin de la
philosophie, que l'on estime désormais dépassée au point
« qu'on devrait [la] supprimer des Universités, déjà mortes de
toute façon ». Cette phrase lapidaire – qui constitue l'*incipit* du
§ 134 – marque la longue réflexion heideggérienne sur un
double versant : entre ce que l'on peut estimer être de la philosophie et, d'autre part, ses succédanés, entre se situer en
dehors (l'Université) ou au-dedans (l'histoire de l'être), en un jeu
serré de contrastes toujours plus accusés qui se concluent par
un rappel à la « tâche » qui devra être assumée si l'on veut sauvegarder le destin de la philosophie (*Überlegungen VI*, § 31).
Comme nous l'avons déjà signalé plus haut, il nous est difficile
de choisir à quels temps conjuguer les verbes dès lors que les
réflexions heideggériennes se situent dans un espace-temps qui
ne peut simplement investir le passé historique sans que notre
présent se tourne vers celui-ci pour accéder à sa propre compréhension.

Les « sciences politiques » prennent la place de la philosophie
à l'Université : de cette façon, « la philosophie n'[est] certes pas
supprimée – cela est impossible [...] et par là on la me[t] en un
sens hors de danger d'être défigurée » (*Überlegungen V*, § 134).
On sauvegarde la philosophie en la soustrayant aux logiques
utilitaristes de la politique qui se sert de certaines « personnes »
– qualifiées par Heidegger de « nouveaux (*neu*) candidats à
ces affaires » – pour inaugurer une « philosophie professorale »
dans laquelle le savoir est « un expédient et, en fonction des
nécessités, un même panier faisant office de fourre-tout ». Le
fait de mettre en relief les « nouveaux » candidats et la quête
immodérée de ce qui est « nouveau » se réfère explicitement
à ce que Heidegger avait constaté concernant la situation universitaire et le national-socialisme dans les *Überlegungen und
Winke III* (§§ 68, 78 et 184). Des éléments qui marquent une
continuité dans la distance prise par Heidegger à l'égard des

« nouveaux » professionnels de la culture comme aussi bien de leurs « affaires ». Il suffit de songer au fait que le rappel de telles « affaires » est récurrent dans les *Überlegungen und Winke III* (§ 46) : « S'éloigner des affaires dont d'autres se chargent bien mieux », ce qui sera repris dans les *Anmerkungen I* [28] : « L'historiographe moderne, dont l'occupation est une forme de **journalisme**, doit lire tant de livres et consulter tant d'archives, continuer à discuter de tant de livres et mettre au point tant de livres qu'on ne saurait lui demander de surcroît d'avoir une idée, de la méditer à fond et de courir ainsi le danger que cette méditation puisse réfréner son affairement », puis dans les *Anmerkungen V* [143] : « l'activité du laboureur, devenu exploitant agricole, est prise dans l'étau de la technique industrielle et règle ses affaires ». Que Heidegger se soit éloigné d'affaires de ce genre parce qu'elles empêchent le surgissement de tout éventuel questionnement, c'est là un fait bien établi au même titre que sa résistance et son manque d'habileté politique en de telles affaires. « Ne nous faisons pas d'illusion sur l'incroyable vétusté (*Bisherigkeit*) de la "nouvelle" (*neu*) science – ayons toujours présent à l'esprit son manque d'ancrage (*Bodenlosigkeit*) et son éloignement de toute philosophie » (*Überlegungen V*, § 134) : avertissement nous mettant en garde relativement à quelque chose de nouveau à quoi tout fondement fait cruellement défaut et qui crée de toutes pièces la validité de ses actions.

Outre qu'elle court le risque d'être « défigurée » (§ 134), la philosophie peut aussi être « falsifi[ée] » (§ 145). Qu'en reste-t-il alors ? Bien peu, parce qu'elle est désormais supplantée par les nouvelles « philosophies politiques » qui, pour Heidegger, sont « de piètres imitations de la scolastique ». Ces imitations mènent à une falsification de ce qu'il reste de la philosophie, et qui se met au service d'une opération de ce genre ne s'aperçoit pas qu'il s'engage sur un « terrain bien peu sûr » (*brüchiger Boden*). C'est d'une manière subtile que Heidegger, critiquant les « philosophies politiques », « proches du peuple », se retourne contre l'idée d'une philosophie nationale-socialiste. Dans leur

façon de procéder, celles-ci ne parviennent pas ne serait-ce qu'à être vraiment cohérentes avec elles-mêmes. En effet, elles font preuve de maladresse même dans leur façon de poursuivre ce à quoi elles tendent implicitement : il leur manque l'intelligence requise pour mettre la pensée au service de leurs fins et convictions vides. En cela, elles ne sont pas même à la hauteur de leur intention d'instrumentalisation. L'« absence d'autonomie » qui les caractérise les met dans un état de « confusion » tel qu'il les empêche de reconnaître que leur propre démarche n'est rien d'autre qu'une « imitation » d'un passé auquel elles se réfèrent tout en n'étant pas en mesure d'y adhérer pleinement. Le résultat auquel elles peuvent aboutir est la falsification d'une autre « vision du monde » qui, en son acception négative, rentre dans les quatre types recensés de « visions du monde » d'aujourd'hui, identifiés et présentés de manière argumentée et systématique par Heidegger dans les *Apports à la philosophie*[1].

Le § 3 des *Überlegungen VI* apporte un éclaircissement supplémentaire : « Si le peuple ne vise qu'à son être-peuple, à rester ce qu'il "est" déjà en tant qu'étant là devant, ce peuple n'a pas la volonté d'être un peuple sans l'espace requis à cette fin, c'est-à-dire sans le domaine de projection dans les abîmes duquel

---

1. M. Heidegger, *Beiträge zur Philosophie, op. cit.*, § 7, pp. 24-25 ; trad. fr. p. 41. Voici les quatre types de « visions du monde » : « 1) le "transcendant" (aussi nommé à tort "la transcendance") entendu comme le Dieu du christianisme ; 2) cette "transcendance"-là étant récusée, c'est le "peuple" lui-même – parfaitement indéterminé quant à sa pleine essence – qui est posé comme but et dessein de toute histoire. Cette "vision du monde" antichrétienne n'est qu'en apparence opposée au christianisme ; *quant à l'essentiel* en effet, elle s'accorde avec la manière de penser qui caractérise le "libéralisme" ; 3) le transcendant y est une "idée" ou une "valeur", ou encore un "sens" – quelque chose pour l'amour de quoi il n'est pas envisageable de vivre ni de mourir, quelque chose que tout au plus la "culture" est appelée à réaliser ; 4) il est possible de coupler deux à deux ces transcendances – idées nationales-socialistes et christianisme, ou bien idées nationales-socialistes et politique culturelle, ou bien christianisme et culture – ou alors les trois sont mêlées selon diverses proportions. C'est ce conglomérat de mixtes qui est la "vision du monde" aujourd'hui dominante ; en elle, on vise tout à la fois, mais rien ne peut plus y être tranché. » Le renvoi constant aux *Beiträge* demeure décisif pour approfondir ce qui est seulement esquissé dans ses grandes lignes dans les *Schwarze Hefte*. Voir le § 14, « Philosophie et vision du monde » (pp. 36-41 ; trad. fr. pp. 55-61), et le § 15, « *La philosophie en tant que "philosophie d'un peuple"* » (pp. 42-43 ; trad. fr. pp. 61-62), mais aussi le § 268, « *L'estre* (La différenciation) » : « mais alors il convient assurément de se poser la question : qui sont ceux qui trouvent cela juste et, sur de telles justesses, édifient des "sciences" telles que la biologie et l'anthropologie raciale, et à l'aide de ces sciences prétendent encore avoir une "vision du monde" – ce qui est toujours l'ambition de toute "vision du monde" » (p. 479 ; trad. fr. p. 544).

seulement il trouve la hauteur pour plonger ses racines dans l'obscurité et avoir comme support ce qui se referme sur soi (serait-ce la terre ?). » Ce qui revient à dire que Heidegger aspire spéculativement à tout autre chose que ce que le national-socialisme appelle de ses vœux dans ses proclamations : une fondation autre que politique, seule conforme à l'être et, avec elle, un renouveau du peuple dans tous ses cadres de vie.

« Ce peuple n'a pas la volonté d'être un peuple sans l'espace requis à cette fin » qui le lui permettrait. La référence à l'espace (*Raum*) nous permet de renvoyer au § 242 des *Apports* : « *L'espace-et-temps comme le hors-fond* »[1]. Il faudrait que le peuple pût s'enraciner dans l'espace originaire, sur un terrain authentique. Mais qu'est-ce que cet espace conçu en un sens authentique ? Réponse : la vérité de l'estre que Heidegger qualifie d'« espace-et-temps » ou « fond abyssal ». Celui-ci se déploie comme la dualité de deux moments : éclaircie et voilement, refus et donation. À la vérité de l'estre ressortit toujours le projet essentiel de l'être le là, tel qu'il le fonde à partir de cette projection.

Le tableau est achevé avec le § 31 dans lequel Heidegger dresse un bilan de ce qu'« est encore la philosophie » aujourd'hui, en mettant en évidence les transformations qui l'ont muselée. Elle est devenue désormais « érudition », « scolastique », « habileté journalistique » des lettrés recrutés pour écrire des articles de journaux, notamment dans la *Frankfurter Allgemeine Zeitung*. C'est là un tableau peu reluisant où la philosophie continue à être au service des « circonstances » et dans lequel le « bavardage » sur les « visions du monde » prévaut sur la recherche de la vérité. Dans ce vacarme est soigneusement évité le « véritable questionnement », tout rentre dans la banalité de la vision « politico-culturelle » d'une époque où prévaut la « "camaraderie" de la non-philosophie », devenue l'unique « milieu nécessaire de la médiocrité ». On assiste à un changement de cap faisant désormais de l'Université un espace stérile en mesure d'accueillir une non-philosophie approximative, toujours plus avide d'obtenir un

1. *Ibid.*, pp. 379-388 ; trad. fr. pp. 431-442.

consensus pour vendre le fruit de ses intuitions grâce à l'habileté des entreprises journalistiques. Ce que beaucoup estiment être le « nouveau » savoir est l'objet d'une commercialisation démesurée et a cessé d'être la recherche d'un authentique questionnement. Ce n'est plus qu'un « faux-semblant » qui ferme les yeux « face à la dignité de la question de l'être ». Dans ce jeu, Heidegger confirme la volonté de dépasser les mondanités d'un savoir aveugle qui cherche à justifier sa propre médiocrité en faisant commerce d'intuitions dénuées de substance. La démarche instrumentalisante de la nouvelle philosophie est destinée à rester en dehors de l'histoire de l'être et aucune confrontation n'est possible vu que cette confrontation la ramène à son propre « manque d'ancrage (*Bodenlosigkeit*) (à savoir que la question directrice concernant l'étant – de la manière dont elle est encore posée – n'a pas de fondement (*Grund*), à moins qu'elle ne soit issue de la question fondamentale en quête de la vérité de l'estre) ».

Heidegger ajoute : « Ce qui se dessine avec cette question [à savoir la question fondamentale portant sur la vérité de l'estre] requiert une métamorphose de l'homme et demande ce qu'il y a d'unique et de plus haut pour toute philosophie : que dans la **fondation** de la vérité de l'estre elle se donne à elle-même à partir de lui l'origine et ainsi renonce à toute béquille, à tout appui et à toute confirmation. » C'est là un passage central pour comprendre le concept herméneutique de « fondation » (*Gründung*)[1] : en celle-ci se trouve identifiée la tâche de la véritable philosophie. La fondation indique l'entente de l'être en mesure d'atteindre le fondement et, par conséquent, la vérité de l'être. Dans tout cela Heidegger souligne assez fortement l'idée que la pensée de l'histoire de l'être n'a pas la moindre teinte nationale-socialiste ni, par conséquent, politico-idéologique. La question fondamentale portant sur la vérité de l'être « requiert une métamorphose de l'homme » en l'être le là, à savoir qu'il

---

1. Il s'avère indispensable, encore une fois, de renvoyer à M. Heidegger, *Beiträge zur Philosophie, op. cit.*, §§ 187-188, pp. 307-308 ; trad. fr. pp. 351-353.

se tienne dans le « là », donc dans la dimension de la vérité de l'être, et « demande ce qu'il y a d'unique et de plus haut pour toute philosophie : que dans la fondation de la vérité de l'estre elle se donne à elle-même à partir de lui l'origine ». Dans ce passage il est dit explicitement que *la pensée de l'histoire de l'estre ne trouve son origine en rien d'autre* – ni en quoi que ce soit de politique, ni en ce qui est idéologique ou conforme à la vision du monde (elle ne peut donc être associée à l'antisémitisme) – qu'en l'avènement de la vérité de l'estre se présentant comme avenance et par là dans le jet de la vérité de l'estre pour la projection philosophique (ouverture), amenée par là à advenir, de cette vérité de l'estre.

3. *Réflexions VII-XI (Cahiers noirs 1938-1939)*[1]

3.1. La « prise de distance » explicite avec le national-socialisme et la motivation du *silence actif* de Heidegger

La construction langagière de la pensée de l'histoire de l'être soutient l'échafaudage thématique de cette section et encore plus scrupuleux devra être le renvoi aux *Apports*, surtout dans les paragraphes où se trouve abordée la question de l'« Université » dans son lien/dépendance très étroit avec le national-socialisme. Étroite corrélation que l'on peut inférer de la terminologie employée ici : « l'Université du "Reich" » (en ouverture du § 6 des *Réflexions VII*), dans le contexte de laquelle viennent prendre place aussi : un « gigantesque (*riesenhaft*) appareillage », (expression dont on compte cinq occurrences dans cette section), l'« expérience vécue » (*Erlebnis*) (deux occurrences), l'« affairement culturel chrétien » (trois occurrences), l'« affairement philosophique » (une occurrence). Si tel est bien le contexte où situer l'Université, parallèlement émerge la « vision du monde nationale-socialiste »

---

1. M. Heidegger, *Überlegungen VII-XI (Schwarze Hefte 1938-1939)*, op. cit.

et son caractère foncièrement étranger à la « méditation » et par là au savoir essentiel. Le cheminement des réflexions se poursuit avec l'« idéologie nationale-socialiste » qui, avec sa « phraséologie » (*Phrasen Mut*), est rapprochée de l'« époque moderne » et de « l'enflure des propos » (*das Aufgeblähte der Redensart*), dans un *crescendo* de termes apparentés, comme notamment « barbarie de pensée », « décadence », « aliénation ». Enchevêtrement de termes à l'aide desquels Heidegger, à partir de la situation qui était alors celle de l'Université, relève le lien très fort qui subsiste entre le national-socialisme et ses intellectuels qui, par bien des aspects, rejoignent l'« homme actuel » (*jetzigen Menschen*), et ici se trouve soulignée la forte valeur négative qu'apporte l'adjectif « actuel » – la vision du monde nationale-socialiste.

Dès lors que le savoir essentiel est tenu pour un danger, c'est la « pseudo-philosophie "nationale-socialiste" » (*Überlegungen VIII*, § 53) qui toujours davantage prend forme en se frayant un chemin à travers une « "littérature" pléthorique, tapageuse et prédatrice ». Pour prendre, elle a besoin d'obtenir la « considération publique » (*Überlegungen* § 55).

Au cadre esquissé ici s'ajoutent, dans les textes que nous allons rapporter un peu plus loin, nombre d'arguments plus complexes qui seront analysés en recourant aux *Apports à la philosophie*. J'incite le lecteur à considérer avec la plus grande attention le § 51 des *Überlegungen VIII* et le § 53 des *Überlegungen XI*, tous deux étant décisifs pour comprendre pourquoi Heidegger n'a pas voulu prendre publiquement position contre le national-socialisme (§ 51) et, surtout, comment l'« illusion » qu'il a pu se faire sur le « mouvement » à ses débuts était liée, de manière indissociable, à une autre « illusion », celle selon laquelle il aurait été possible de transformer l'Université en un lieu de méditation essentielle (§ 53). C'est Heidegger en personne qui circonscrit son « erreur », mais sur ces éléments il sera nécessaire de recourir à une analyse plus détaillée.

Überlegungen VII

§ 6 [5-7], S. 6-7 :

Es gibt noch kindische Romantiker, die vom »Reich« und gar der »Reichs«-universität schwärmen im Sinne der »Reichs«-Vorstellung Stephan [*sic*] Georges. Woher die Angst dieser angeblich Angstfreien vor dem Reich als der **riesenhaften** Apparatur des Partei- und des Staatsapparats in ihrer Einheit? Kann das metaphysische Wesen der Neuzeit und damit der nächsten Zukunft eine mächtigere Einheit zeitigen als *den Apparat der Einheit von Apparaten?* Wer hier bloße Veräußerlichung wahrnimmt und sich in ein nie Gewesenes – vielleicht Mittelalterliches – zurück sehnt, der vergißt, daß ja im **Riesenhaften** dieses Apparates (deutsch: Zurüstung) die **riesenhaften** Möglichkeiten des *»Erlebens«* geöffnet werden und keinem kein Erlebnis versagt bleiben soll, daß in dieser Zurüstung erst die »Kultur« als **Erlebnisveranstaltung** zurüstungsmäßig gesichert ist. Deshalb ist auch das ständige Bekenntnis zur Kultur keine »Phrase« und der Portier am Kinotheater hat ein vollkommenes Recht darauf, sich als »Kulturträger« zu wissen.

Man weiß nicht, was man will, wenn man aus *Kultur*-besorgnis sich glaubt, eine Gegnerschaft zum »**Nationalsozialismus**« einreden zu müssen.

Allerdings wächst der Raum dieser Besorgnis und die Zahl derer, die ihn füllen, stärker und rascher als die Verantwortlichen – trotz aller Hinweise darauf – sehen möchten. Und dieser Raum ist schon überdacht und geschützt durch den **christlichen Kulturbetrieb**, der allerdings sich täuscht, wenn er meint, dadurch die

Réflexions VII

§ 6 [5-7], pp. 6-7 :

Il existe encore des romantiques attardés avec leurs doux rêves d'illuminés sur le « Reich » et même l'Université du « Reich » au sens de la représentation que Stephan [*sic*] George se faisait du « Reich ». Mais d'où vient cette peur de ceux qui se disent sans peur devant le Reich dans la figure du **colossal** appareillage de l'appareil du Parti et de l'appareil d'État en leur unité ? L'essence métaphysique des Temps nouveaux, et par là du futur proche, peut-elle être porteuse d'une unité plus puissante que *l'appareil constitué par l'unité des appareils ?* Celui qui ne perçoit ici qu'une simple extériorisation et aspire avec nostalgie à ce qui onques ne fut – qui remonterait au Moyen Âge – oublie que dans ce qu'a de **gigantesque** cet appareil (*Apparat*, ou en bon allemand : *Zurüstung* [équipement]) sont ouvertes les possibilités **colossales** du « *vécu* » qui doit être mis à la portée de tout un chacun sans exception, et qu'avec cet équipement peut enfin être assurée la « culture » entendue comme **organisation institutionnelle du vécu** en fonction d'équipements. C'est pourquoi la constante profession de foi en la culture est loin de se réduire à une « formule » toute faite, c'est ce qui fait que le portier du cinéma a parfaitement le droit de se considérer comme un « soutien de la culture ».

On ne sait pas ce qu'on veut quand on se persuade de nourrir une opposition au « **socialisme national** » en se préoccupant de *culture*.

Quoi qu'il en soit, l'espace réservé à cette préoccupation et le nombre de ceux qui viennent le remplir s'accroissent plus fortement et plus rapidement que ce que veulent en voir les responsables – malgré toutes les indications attirant sur ce point leur attention. Et cet espace est déjà reconsidéré et protégé par l'**affairement**

Christlichkeit zu erneuern –. Aber diese Meinung ist vielleicht nur eine Maske – man will die Herrschaft im **Kulturbetrieb** – nicht in der »Politik«.

Wie, wenn *dann* der **christliche Kulturbetrieb** nur die als Lichtseite ausgegebene Kehrseite dessen wäre, was der Bolschewismus als **Kultur-zerstörung** betreibt – des Vorgangs, durch den die Neuzeit sich auf ihre Vollendung einrichtet und um eine Zurüstung für diese kämpft.

Die *nächste* Entscheidung ist deshalb allein diese: *welche der riesenhaften Zurüstungen des neuzeitlichen Weltbildes sich als die siegende einrichten wird.*

Die Fronten und Formen dieses Kampfes um diese Entscheidung liegen noch nicht fest. Wir dürfen ihn auch nicht und lediglich als ein künftiges Vorkommnis *historisch* vorausrechnend betrachten, sondern müssen in wachsender Besinnung das Wesen der Neuzeit im Ganzen ihrer *geschichtlichen* Bahn wissen, gesetzt, daß den Deutschen der Vollzug einer Entscheidung aufbehalten ist, durch die in der Vollendung der Neuzeit **die Not eines Übergangs** erwacht. Dann müssen jene bereit sein, denen die Not der Geschichte nicht ein Jammer, aber auch kein Vergnügen, sondern ein Stoß des Seyns selbst ist.

Überlegungen VII

§ 21 [23-25], S. 17-19 :

Alle *Besinnung*, je wesentlicher sie ansetzt, bewirkt die Gefahr, wesentliche Vorstufen des geschichtlich Notwendigen zu überspringen. Deshalb muß sie die

culturel chrétien, qui s'illusionne toutefois en pensant renouveler par là la chrétienté. Mais cette opinion n'est peut-être après tout qu'un masque – ce qu'on veut, c'est avoir la haute main sur l'affairement culturel – non en matière « politique ».

Mais qu'en serait-il *si* l'**affairement culturel chrétien** n'était plus *dès lors* que le revers, tout en se faisant passer pour son côté lumineux, de ce à quoi s'affaire le bolchevisme comme **destruction de la culture** – du processus par lequel les Temps nouveaux s'organisent en vue de leur apothéose et militent pour obtenir l'équipement requis à cette fin ?

La décision *imminente* n'a donc plus pour enjeu que de savoir *lequel des* **gigantesques** *équipements de la formation du monde par les Temps nouveaux triomphera dans son installation.*

Les fronts et les formes de la lutte ayant pour enjeu cette décision ne sont pas encore bien arrêtés. Mais cette lutte, il faut bien nous garder de la considérer seulement comme un événement *historiquement* escompté en l'anticipant, il nous faut au contraire savoir, en n'ayant de cesse d'en méditer le sens, de quoi il retourne au juste avec l'essence même des Temps nouveaux dans l'entièreté de leur voie *historiale*, à supposer qu'il soit réservé aux Allemands d'accomplir une décision susceptible d'éveiller, dans l'avènement des Temps nouveaux, l'**urgence d'une transition.** Il faut alors que se tiennent prêts ceux pour lesquels l'urgence à laquelle nous confronte l'histoire ne soit pas matière à lamentation, ni non plus à réjouissance, mais soit accueillie comme un choc de l'estre lui-même.

Réflexions VII

§ 21 [23-25], pp. 17-19 :

Toute *considération* provoque le danger de sauter par-dessus des étapes préliminaires essentielles de ce qui s'impose historialement – et cela d'autant plus qu'elle

Kraft haben, im Vorsprung bleibend doch zurückzuspringen und das Übersprungene eigens in den Vorsprung einzuholen. Die **»Selbstbehauptung der deutschen Universität«**[a] irrt, sofern sie die Wesensgesetzlichkeit der »heutigen« Wissenschaft überspringt. Sie irrt noch einmal, indem sie im Überspringen meint, wieder zur »Wissenschaft« zu kommen, wo eben doch mit der Neuzeit auch »die Wissenschaft« zu Ende ist und wir die Weise des künftigen Wissens und seiner Gestaltung nicht wissen – wir wissen nur, daß eine bloße »Revolution« im Seienden ohne Verwandlung des Seyns keine ursprüngliche Geschichte mehr schafft, sondern lediglich das Vorhandene verfestigt. Deshalb brauchte auch der erste Schritt zur Vorbereitung einer Verwandlung des Seyns nicht erst auf den **»Nationalsozialismus«** zu warten, sowenig wie jenes Fragen beanspruchen kann, als **»nationalsozialistisch«** zu gelten. Hier sind Bereiche in Beziehung gebracht, die sich *unmittelbar* nichts angehen, aber mittelbar zugleich in verschiedener Weise auf eine Entscheidung über das Wesen und die Bestimmung der Deutschen und damit das Geschick des Abendlandes drängen. Das bloße Verrechnen von »Standpunkten« kann hier nur »Gegensätze« finden und Gegensätze sogar, die zu beachten gar nicht »lohnt«, da ja die Herrschaft der **nationalsozialistischen Weltanschauung** entschieden ist.

est davantage prometteuse. C'est pourquoi il lui faut avoir la force, tout en gardant son assurance, de prendre du recul et de rattraper ainsi ce par-dessus quoi elle a sauté. L'« **Université allemande envers et contre tout elle-même**[a] » erre en ce sens que ce discours saute par-dessus la légalité propre à l'essence de la science « actuelle ». Ce discours erre encore en ceci qu'en la franchissant d'un bond il estime pouvoir revenir à la « science », sans s'aviser du fait que, avec les Temps nouveaux, « la science » elle aussi est parvenue à son terme et que nous ne savons pas selon quelle guise doit se présenter le savoir à venir en sa configuration propre – nous savons seulement que n'est plus porteuse d'aucune histoire, sans une véritable métamorphose de l'estre, une simple « révolution » accomplie au sein de l'étant : celle-ci se contente de consolider simplement ce qui est présentement. C'est pourquoi même le premier pas en vue de préparer une métamorphose de l'estre n'avait pas besoin, pour se lancer, d'attendre le **socialisme national** », et qu'un tel questionnement saurait tout aussi peu se réclamer de lui. Des domaines sont mis ici en relation qui de façon *immédiate* sont étanches les uns aux autres, mais qui, médiatement et en même temps de diverses façons, pressent vers une décision quant à l'essence propre et à la destination des Allemands et par là quant à la destinée du Pays du Couchant. Se contenter de recenser des « points de vue » ne permet de dégager ici que des « antagonismes », voire des antagonismes qu'il ne « vaut » même pas la peine de prendre en considération, vu que la suprématie de la **vision du monde nationale-socialiste** est d'ores et déjà consacrée.

a. M. Heidegger, *Die Selbstbehauptung der deutschen Universität*, in *Reden und andere Zeugnisse eines Lebensweges*, in *Gesamtausgabe*, tome 16, éd. H. Heidegger, Klostermann, Francfort, 2000, p. 107-117 [*L'Université allemande envers et contre tout elle-même*, in M. Heidegger, *Écrits politiques*, trad. F. Fédier, Gallimard, Paris, 1995, p. 99-110].

Und es gehört zum Wesen der Weltanschauung, daß sie über diesen Sieg hinaus gar nicht weiter denken kann und nicht will, denn sie muß sich, wenn sie sich selbst versteht, aus ihrem ihr gemäßen »Selbstbewußtsein« heraus, als »unbedingt« setzen. Ein Papst, der sich auf das Verhandeln im Dogmatischen einläßt, ist kein »Stellvertreter« Christi auf Erden – aber er ist andererseits nur dann Oberhaupt der Kirche, wenn er zugleich dafür sorgt, daß sich die Kirche, je nach den wechselnden Zeitläufen, alles Mögliche und sogar sich Zuwiderlaufende gestatten kann, damit entsprechend dem Gang der abendländischen Geschichte in die »Kultur« das Christentum als Kulturchristentum sich erhalte, wodurch das Seelenheil der Gläubigen besonders gut geschützt wird. Der Protestantismus geht daran zugrunde, daß er nicht begriff, inwiefern die Einheit von »Glauben« und »Kulturschaffen« notwendig zur Durchführung eine doppelte Buchführung verlangt, für deren Bewältigung die Rechenkünstler lange erzogen sein müssen. In den neuzeitlichen Formen des Menschseins – in der Weltanschauung – kommt, nicht nur wegen ihrer Abhängigkeit vom Christlichen, die Einheit von »Glauben« und »Kultur« verschärft zum Vorschein. Schulung und Erziehungsanstalten als bewußte Einrichtung, »Überwachung« der weltanschaulichen Erziehung als straffer Betrieb – das sind nicht willkürliche und künstliche oder gewalttätige Erfindungen – sondern Wesensnotwendigkeiten einer in die Entschiedenheit ihres »Selbstbewußtseins« eingetretenen Weltanschauung. Die **Besinnung** ist ihr fremd und notwendig eine Fessel.

Et il appartient à l'essence de la vision du monde que, par-delà cette victoire, elle ne puisse ni ne veuille penser plus loin car, si elle se comprend elle-même, il lui faut se poser comme « inconditionnée » à partir de la « conscience de soi » qui lui est conforme. Un pape qui s'engage dans le traitement de questions relevant de la dogmatique n'est pas à ce titre un « vicaire » du Christ sur terre – mais par ailleurs il n'est à la tête de l'Église que s'il est mû en même temps par le souci que l'Église, selon les vicissitudes du temps, fasse tout son possible et accorde même ce qui la contrarie afin que le christianisme se maintienne comme facteur culturel, conformément au cours de l'histoire occidentale, en se coulant dans le moule de la « culture », grâce à quoi le salut des croyants est sous bonne garde. Si le protestantisme ne se maintient pas à flot, c'est de n'avoir pas compris à quel point l'unité de la « foi » et de la « création culturelle » requiert pour être accomplie une double comptabilité, dont la maîtrise suppose une longue formation des experts en calcul. Dans les formes de l'être-homme propres aux Temps modernes – dans la vision du monde –, c'est l'unité entre « foi » et « culture » qui se manifeste de manière accrue, et pas seulement du fait de leur dépendance à l'égard de ce qui est chrétien. La formation et les établissements d'éducation comme organisation sciemment voulue, le contrôle de l'éducation formatant en fonction d'une vision du monde et s'affairant selon une stricte ordonnance – ce ne sont pas là des inventions arbitraires et échafaudées de toutes pièces, ni non plus agressives –, ce sont là des impératifs tenant à l'essence même d'une vision du monde parvenue à la ferme détermination de sa « conscience de soi ». Quant à **méditer en quête d'un sens**, cela lui est étranger et ne peut lui être qu'une entrave.

Überlegungen VIII

§ 51 [122-124], S. 170-172 :

Zur Feststellung: mit der »Existenzphilosophie« habe ich nichts zu tun und schon gar nicht mit derjenigen von *Heyse*[a]. Ob dessen aus Mißverständnissen von »Sein und Zeit« zum siebenten Mal aufgekochte und mit »**nationalsozialistischem Gedankengut**« versalzene Wassersuppe etwas mit mir zu tun hat, darüber nachzudenken überlasse ich diesem »Denker«. Wohl dagegen habe ich mit dem Ernst der Gesinnung und Besinnung von Karl *Jaspers* zu tun, von dessen »Philosophie« allerdings meine Fragestellung in »Sein und Zeit« durch einen Abgrund getrennt bleibt – eine Tatsache, die die Verehrung und Dankbarkeit in keiner Weise antastet, die ich ihm bewahre.

Pascal nennt den Menschen einmal ein »denkendes Schilfrohr«[b]; vielleicht ist Heyse, der sich mit seinen eigenen **Phrasen Mut** zu seiner merkwürdigen »Haltung« macht, auch ein solches »Rohr« – nur daß er *nicht* denkt. Solche Schriftstellerei ist aber nur deshalb erwähnenswert, weil sie aus einem Zustand des **neuzeitlichen Zeitalters** aufschießt, der bereits die Kraft zur denkerischen Besinnung verloren und **das Aufgeblähte der Redensart** an seine Stelle gesetzt hat, so zwar, daß jedermann dies in Ordnung findet und niemand mehr ein echtes Bedürfnis nach Anderem zu empfinden vermag. *Diese* Empfindungslosigkeit, vor deren »Augen« sich ein »lebendiges«, »geistiges« »Ringen« abspielt, ist der beste Schutz gegen die freilich immer geringer werdende Gefahr, daß eine solche **Barbarei des** »**Denkens**« sich eines Tages doch noch gezwungen sieht, vor ihrer eigenen Unheimlichkeit auszuweichen – wohin?

Réflexions VIII

§ 51 [122-124], pp. 170-172 :

Pour bien fixer les choses : je n'ai strictement rien à voir avec la « philosophie de l'existence », à commencer par celle de *Heyse*[a]. Quant à savoir si son insipide brouet, du réchauffé devenu écœurant à force d'« **idéologie nationale-socialiste** », a quoi que ce soit à voir avec moi, je laisse le soin à ce « penseur » d'y consacrer ses réflexions. En revanche, je ne suis pas sans affinités avec le sérieux de Karl *Jaspers* dans sa tournure d'esprit et sa méditation, même si un gouffre sépare ma problématique dans *Être et Temps* de sa propre « philosophie » – c'est un fait, qui n'est en rien préjudiciable à l'estime que je lui porte ni à la gratitude que je garde envers lui.

Il est arrivé à Pascal d'appeler l'homme « un roseau pensant[b] » ; il est bien possible que Heyse, qui avec ses **grandes déclarations** bombe le torse pour adopter une attitude en tous points « remarquable », soit lui aussi un « roseau » de cette sorte – à ceci près qu'il n'est *pas* un roseau *pensant*. Des écrits de cet acabit ne sont à mentionner que parce qu'ils poussent à vue d'œil en l'état où se trouve notre **époque actuelle**, qui a déjà perdu la vigueur requise par une considération pensive des choses et a accordé sa place à l'**enflure des propos** de telle sorte que tout un chacun estime que les choses sont en bon ordre et que personne n'est plus à même d'éprouver un véritable besoin d'autre chose. *Cette* sorte d'impassibilité aux « yeux » de laquelle c'est une « lutte », une lutte « vivante » et qui plus est « spirituelle » qui se déroule, c'est là la meilleure protection contre le danger, allant toujours s'amenuisant, qu'une telle **bar-**

---

a. H. Heyse, *Idee und Existenz* [*Idée et existence*], Hanseatische Verlagsanstalt, Hambourg, 1935.

b. B. Pascal, *Pensées*, éd. L. Brunschvicg, Hachette, Paris, 1904, n° 346.

In den Schutz der politischen Wirklichkeit. *Nicht* diese und *nicht* der bloße nur noch nachmacherische Verfall des Denkens, sondern allein *dies*, daß solcher Verfall sich deckt und gar als Aufstieg ausgibt mithilfe einer Wirklichkeit, die anderer Herkunft ist, bezeugt dies Ausmaß von Entfremdung gegenüber dem eigentlichen Denken. *Nicht* das Aufkommen solcher Machwerke – die noch bei ihrem Entstehen (vor 1933) ganz andere »Zielsetzungen« hatten – ist beachtenswert, sondern die Bereitschaft der Ahnungslosen, die so etwas »ernst« nimmt, was man eben noch »Ernstnehmen« im Felde des Denkens nennen kann. Alles, was sich da begibt, ist nicht »Schuld« des Heutigen, sondern nur breitester und flachster Auslauf eines zurückliegenden und verhüllten Ereignisses.

Deshalb darf einer höchstens seinen Standort dagegen *feststellen*, aber niemals in eine Auseinandersetzung sich wegwerfen. Ja selbst jene Feststellung darf nur als Feststellung eigener Besinnung gelten, niemals auch nur zu einer öffentlichen Absetzung dagegen dienen; denn auch diese könnte nur dazu gebraucht werden, den Betrieb des »Geisteslebens« mit »Neuigkeiten« zu versorgen und ihm seine vermeintliche Unentbehrlichkeit zu bestätigen.

Überlegungen VIII

§ 53 [125], S. 172-173 :

Der »Rationalismus« des *Descartes* bedeutet, daß sich das Wesen des Seins aus der Gewißheit des Denkens, aus der Selbstsicherheit der Denkbarkeit

barie de la « pensée » se voie néanmoins contrainte un jour de reculer devant sa propre étrangeté – pour aller où ? Pour aller apporter du renfort à la réalité politique. Ce n'est pas *celle-ci* ni *non plus* la simple décadence de la pensée, simple réplique d'un modèle antérieur, qui atteste ce surcroît d'aliénation vis-à-vis de la pensée proprement dite, mais seulement *ceci* qu'une telle décadence se masque et se fait passer pour une ascension en s'appuyant sur une réalité qui provient d'ailleurs. Ce n'est *pas* l'arrivage de tels sous-produits – qui, lorsqu'ils ont commencé à se répandre (avant 1933), s'étaient « fixé » de tout autres buts – qui mérite qu'on s'y arrête, mais la complaisance de ceux qui n'ont pas la moindre idée de ce qui est en cours, qui prennent tout cela « au sérieux », ce que l'on peut encore appeler « prendre au sérieux » dans le champ de la pensée. Tout ce qui arrive là n'est pas la « faute » de l'actuel, c'est seulement, dans toute son extension et toute sa platitude, l'écoulement d'un événement situé bien en amont et qui demeure voilé.

C'est pourquoi il est permis tout au plus d'*arrêter* sa position en s'y opposant, mais jamais de se lancer dans une longue discussion. Même cette position arrêtée ne peut valoir, en tant que telle, que comme relevant d'une considération propre, jamais elle ne peut servir ne serait-ce qu'à s'en démarquer publiquement ; car celle-ci ne manquerait pas d'être recrutée pour procurer à l'affairement de la « vie de l'esprit » des « nouveautés » et pour confirmer son caractère prétendument indispensable.

Réflexions VIII

§ 53 [125], pp. 172-173 :

Le « rationalisme » de *Descartes* signifie que l'essence de l'être est déterminée à partir de la certitude de la pensée, à partir de la certitude de soi de la cogitabilité.

bestimmt. Das Sein erhält jetzt ausdrücklich den bis dahin zurückgehaltenen oder erst grob gefaßten Charakter der Berechenbarkeit – der Machbarkeit – im weitesten Sinne. Diese Auslegung des Seins wird zur Grundbedingung der Neuzeit und des neuzeitlichen Menschen. Diese Grundbedingung jedoch kommt erst zu ihrer ungeschmälerten Macht, wenn dieses Zeitalter zu seiner eigenen Vollendung ansetzt. In diesem Zeitpunkt steht die Geschichte des jetzigen Menschen.

Daher ist es eine fast irrsinnige Verkennung des jetzigen Zeitalters und seiner nur ihm eigenen Weltanschauungen, wenn man von diesem her (auf Grund einer »nationalsozialistischen« Scheinphilosophie z. B.) versucht, ge anzugehen, vermutlich weil Descartes ein Franzose und »Westler« ist. Vielmehr ist es die eigene Größe der jetzigen Weltanschauungen und ihres »Totalitäts« anspruches, daß *sie den metaphysisch begriffenen »Rationalismus« (vgl. oben) als die innerste Macht ihres Machtwillens zur Geltung bringen und alle künstliche »Mystik« und »Mythik« ablehnen.* Descartes' Rationalismus ist weder »französisch«, noch westlich – sondern abendländisch und das Französische, wenn man es schon wissen will, besteht darin, daß es das Vermögen ins Spiel brachte, zum erstenmal jene Auslegung des Seins wißbar zu machen. **Das Wißbare selbst** ist weder französisch, noch deutsch, noch italienisch, noch englisch, noch amerikanisch – wohl aber **der** *Grund* **dieser Nationen!**

L'être reçoit à présent expressément le caractère jusque-là encore en sourdine ou saisi seulement dans ses grandes lignes de la calculabilité – de la faisabilité – au sens le plus large du terme. Cette interprétation de l'être devient le principal réquisit des Temps nouveaux et de l'homme des Temps nouveaux. Ce principal réquisit ne parvient toutefois à sa puissance intégrale que lorsque cette époque s'installe en son propre achèvement. C'est à ce moment qu'est suspendue l'histoire de l'homme d'à présent.

C'est pourquoi c'est une méconnaissance presque aberrante de l'époque présente comme des visions du monde qui n'appartiennent qu'à elle lorsqu'on tente à partir d'elle (sur la base, par exemple, d'une pseudo-philosophie « nationale-socialiste ») de s'en prendre au « rationalisme » de Descartes sous prétexte sans doute que Descartes est « un homme de l'Ouest ». C'est bien plutôt la grandeur propre des visions du monde actuelles comme de leur prétention à la « totalité » *qu'elles fassent entrer en vigueur le « rationalisme » conçu métaphysiquement (voir ci-dessus) comme la puissance la plus profondément inhérente à leur volonté de puissance et récusent tout ce qui est artificiellement « mystique » et « mythique ».* Le rationalisme de Descartes n'est ni « français » ni de l'Ouest – il est occidental, et ce qu'il y a en lui de français, que l'on sache, consiste en ceci qu'il a pour la première fois rendu accessible à un savoir cette interprétation de l'être. **Car ce qui est accessible à un savoir, cela n'est ni français, ni allemand, ni italien, ni anglais, ni non plus américain – mais bien ce qui constitue le** *fonds* **commun de ces nations !**

Überlegungen X

§ 47 [79-80], S. 325-326 :

Warum wenden sich jetzt Viele – vielleicht sogar schon der ganze noch bestehende Protestantismus – der katholischen Kirche zu? Aus Furcht vor dem – Katholizismus. Der **politische Katholizismus** ist durch eine »katholische« Politik abgelöst worden; das Wesen des »Katholischen« liegt weder im Christlichen, noch im Kirchlichen, sondern heißt καθόλον – über das Ganze herrschend – das »*Totale*«. Die **katholische** »**Kirche**« täuscht sich, wenn sie meint, die ihr Zulaufenden seien von »*religiösen* Bedürfnissen« getrieben, und der **Nationalsozialismus** sollte sich nicht darüber verwundern, daß er zum Schrittmacher dieses Zulaufes werden muß. So werden die Bereiche kommender Entscheidungen wiederum nur verdeckt – das »Katholische« war aber niemals, vor allem nicht im »christlichen« Mittelalter, der Ursprung eines gestalterischen Kampfes um das Sein – er liegt für immer verborgen in der Einsamkeit einiger **Namenloser.**

Das »Katholische« gewann erstmals die eigentliche Form im *Jesuitismus*; hier ist das abendländische Vorbild für allen unbedingten Gehorsam, die Ausschaltung jedes Eigenwillens – die Entschiedenheit der »**Organisation**« und **die Beherrschung der Propaganda** und die Selbstrechtfertigung durch die Herabsetzung des **Feindes** für die Nutzbarmachung aller Mittel des »Wissens« und Könnens, für die Umfälschung dieser zur eigenen Entdeckung, für die historische Zurechtmachung der Geschichte, für die Verherrlichung des Willens und der Strammheit des Soldatischen innerhalb des Katholischen, für die Grundhaltung des Gegen... Gegen... (Gegen-reformation). Das »Katholische« in diesem wesentlichen Sinne ist seiner

Réflexions X

§ 47 [79-80], pp. 325-326 :

Pourquoi sont-ils si nombreux à présent – peut-être même tout ce qu'il reste encore du protestantisme – à se tourner vers l'Église catholique ? Par peur de lui – le catholicisme. Le **catholicisme politique** a été relayé par une politique « catholique » ; l'essence de ce qui est « catholique » ne réside ni dans ce qui est chrétien ni dans ce qui est ecclésial en tant que tel – mais s'appelle καθόλον – exerçant son règne sur tout – le « *total* ». L'« **Église** » **catholique** s'illusionne lorsqu'elle estime que ceux qui la rejoignent seraient mus par des « besoins *religieux* », et le **national-socialisme** ne devrait pas s'étonner qu'il ne puisse devenir lui-même que la courroie de transmission de cette affluence. Par là, les domaines qui appellent des décisions se trouvent de nouveau occultés – ce qui est « catholique » n'ayant jamais été du reste, et surtout pas durant le Moyen Âge « chrétien », l'origine d'une lutte configuratrice pour l'être – cette origine demeure à jamais inapparente dans la solitude de quelques **anonymes.**

Ce n'est qu'avec le *jésuitisme* que ce qui est « catholique » a trouvé pour la première fois sa forme véritable ; c'est le *jésuitisme* qui a fourni le modèle occidental pour toute obéissance inconditionnelle, pour l'éradication de toute volonté propre – l'intransigeance de l'« **organisation** », la **maîtrise de la propagande** et la justification de soi par la disqualification de l'**ennemi** pour recruter tous les moyens du « savoir » et du pouvoir, pour la défiguration de ceux-ci en revendiquant la paternité de leur découverte, pour les accommodations historiques de l'histoire, l'exaltation de la volonté et la rigidité militante au sein du catholicisme, pour l'adoption de la posture d'opposant à... (Contre-Réforme). Ce qui est

geschichtlichen Herkunft nach römisch – spanisch –; ganz und gar unnordisch und vollends undeutsch.

Überlegungen X

§ 59 [100-103], S. 338-340 :

»*Entscheidung*« – nennen sie jetzt die Flucht in ein längst Entschiedenes – das als Kulturchristentum seine Widersinnigkeit zuletzt während des ersten Weltkrieges bewiesen hat. Man redet von »Entscheidung« und verzichtet *vorher* auf jedes *Fragen* und die Erfahrung der Notwendigkeit des wesentlichen Fragens –; man spielt **die alte christlich-katholische Apologetik** in neuzeitlich-protestantischer Form gegen ein »Heidentum« aus, dem *alles* fehlt, um auch nur dieses zu sein – die Götter und die gottschaffende Kraft. Man führt – vermutlich mit der größten »subjektiven« Ehrlichkeit – ein »literarisches« Schauspiel auf und alle »**Rezensenten**« aller »**Blätter**« und »**Zeitschriften**« sind gierig darauf, das Gerede über »Abendländische Entscheidung« nicht zu versäumen.

Aber schließlich ist dieses auf der Fraglosigkeit alles erst *Zu-fragenden* und dann erst noch in die Entscheidung zu Stellenden gegründete »Entscheidungs« gerede nur der Widerhall der *gleich*-oberflächlichen »nationalsozialistischen Philosophie«, die mit Hilfe aufgedonnerter Redensarten und **Schlagworte** das »Christentum« überwunden zu haben vorgibt und angeblich »Entscheidungen« stellt, nachdem sie ein »**Opfer des Denkens**« zuvor dargebracht hat, im Vergleich zu dem das »Denken« eines katholischen Vikars noch Freigeisterei genannt werden darf.

« catholique » en ce sens essentiel est de par sa provenance historiale romano-hispanique – ; n'a strictement rien de nordique, est foncièrement non allemand.

Réflexions X

§ 59 [100-103], pp. 338-340 :

« *Décision* » – ainsi appellent-ils le fait de se réfugier dans ce qui a depuis longtemps déjà été tranché – ce qui en tant que christianisme culturel a dernièrement montré son inanité durant la Première Guerre mondiale. On parle de « décision » mais en ayant *préalablement* renoncé à tout *questionnement* comme à l'expérience de la nécessité du questionnement essentiel – ; on mise sur **la vieille apologétique chrétienne catholique** réactualisée sous sa forme protestante pour les Temps nouveaux contre un « paganisme » auquel *tout* fait défaut pour ne serait-ce qu'arriver à en être un – les dieux et la force suscitant des dieux. Avec probablement la plus grande sincérité « subjective » – on monte un « spectacle » littéraire et **tous ceux qui font des « recensions »** de toutes les « **bonnes feuilles** » et de toutes les « **revues** » ne voudraient surtout pas manquer le bavardage sur la « décision de l'Occident ».

Mais en fin de compte tout ce bavardage autour de la « décision », tel qu'il repose sur l'absence de questionnement de tout ce qu'il faudrait *commencer par interroger* et mettre en balance dans la décision, n'est que l'écho de la « **philosophie nationale-socialiste** » *tout aussi* **superficielle** qui, à l'aide d'expressions stéréotypées et de slogans racoleurs, prétendant avoir surmonté le « christianisme » et l'avoir acculé à des « décisions », après s'être présentée comme « se sacrifiant sur l'autel de la pensée », relève encore d'une « pensée » à côté de laquelle la « pensée » d'un vicaire catholique serait presque libertaire.

Wohin sind die Deutschen geraten? Oder sind sie nur erst geblieben, wo sie schon immer waren und wo sie zuletzt Hölderlin fand und Nietzsche noch antraf, der freilich bisher nur erreichte, daß sie sich einen »Stolz« angewöhnten, in dem »Leben« zu stehen, in dem sie – trotz ihrer »Ausnahmen« – stets gestanden. Aber vielleicht *ist* dies das Wesen der Deutschen – und vielleicht kommt es durch den von ihnen *noch* gründlicher geübten »Amerikanismus« und durch den *noch* »rastloser« vollzogenen »Romanismus« erst ans Licht, was sie alles »können« – daß sie das »Volk« der Denker und Dichter nur deshalb heißen, weil sie als »Volk« dieses Denken und Dichten *nicht* wollen, d. h. **nicht in solcher Gefahr ihren Grund zu suchen bereit sind** – sondern immer noch und immer unwissender – »das Fremde« verherrlichen und nachmachen – doch wer will dann sagen, daß ein »*Volk*« jenes sein müßte und könne, was dem Seyn die Stätte seiner Wahrheit bereitet? – Denken wir den Menschen nicht immer noch nur *tierhaft*, wenn wir ihn als »Volk« »denken«? Ist diese Anschauung, trotz ihrer unantastbaren »Richtigkeit«, nicht doch der ins Riesige eingerichtete Abfall von jener anfänglichen abendländischen Bestimmung des Menschen in die Zugehörigkeit zum Seyn – so daß die abendländische Entscheidung niemals dort fällt, wo nur ein *innerhalb* der schon entschiedenen, d. h. **hellenistisch-jüdischen** »Welt« erst recht Entscheidungsloses sich die Herrschaft angemaßt hat –; daß die Entscheidung niemals sein kann die zwischen Christentum und »Heidentum«, weil beide schon der Entscheidungsunkraft überhaupt ihren Bestand sichern. –

Comment les Allemands en sont-ils arrivés là ? À moins qu'ils n'en soient toujours restés au point où ils en ont toujours été, là où Hölderlin les a trouvés et où Nietzsche les a encore rencontrés, lequel n'a réussi jusqu'à présent qu'à les accoutumer à la « fierté » de se tenir dans la « vie » dans laquelle – à quelques « exceptions » près – ils se sont toujours tenus. Mais peut-être *est*-ce là précisément l'essence des Allemands – et peut-être que tout ce dont ils sont « capables » vient au jour du fait de l'« américanisme » dont ils font preuve de manière *encore* plus outrée comme du fait du « romanisme » accompli de manière *encore* plus « fébrile » – peut-être ne s'appellent-ils le « peuple » des penseurs et des poètes que du fait qu'en tant que « peuple » ils *ne* veulent surtout *pas* de ce penser & poétiser, c'est-à-dire **ne sont pas prêts à chercher leur propre fond en s'exposant à un tel danger** mais – toujours encore et avec une ignorance toujours plus crasse – portent aux nues et copient « ce qui est étranger » – mais, à leur décharge, qui s'aventurerait jusqu'à dire qu'un « *peuple* » devrait et pourrait être ce qui prépare à l'estre le haut lieu de sa vérité ? – *Ne pensons-nous pas* toujours encore l'homme de façon seulement *animale* lorsque nous le pensons comme « peuple » ? Si parfaitement « exacte » qu'elle soit, cette façon de voir n'est-elle pas pourtant la défection organisée à une échelle gigantesque de cette détermination occidentale initiale de l'homme comme ressortissant à l'estre – en sorte que la décision occidentale ne tombe jamais là où a entendu régner quelque chose encore en suspens *au sein* de ce qui est d'ores et déjà tranché, c'est-à-dire au sein du monde **judéo-hellénistique** – ; en sorte que la décision ne peut jamais être entre christianisme et « paganisme », parce que tous deux vivent déjà sur leur impuissance à sortir de l'indécision. –

Die Entscheidung ist aber diese: ob der Mensch des Abendlandes sich dem Seienden als Gegenstand überläßt oder ob er das Seyn als Ab-grund erringt und aus diesem die Not einer Gründung seines Wesens aus der Zugewiesenheit zum Sein. Weil solches in einem ersten Anfang bei den Griechen glückte – weil sie aus dem Sein sich zu bestimmen wagten, mußte, solange dieses Wagnis gewagt wurde, jene kurze und einzige Geschichte möglich sein. Alles »Blut« und alle »Rasse«, jedes »Volkstum« ist vergeblich und ein blinder Ablauf, wenn es nicht schon in einem Wagnis des Seins schwingt und als Wagendes dem Blitzstrahl sich frei stellt, der es dort trifft, wo seine Dumpfheit auseinanderbrechen muß, um der Wahrheit des Seyns den Raum einzuräumen, innerhalb dessen erst das Seyn ins Werk des Seienden gesetzt werden kann.

Überlegungen XI

§ 53 [76], S. 408-409 :

Rein »metaphysisch« (d. h. seynsgeschichtlich) denkend **habe ich in den Jahren 1930-1934 den Nationalsozialismus für die Möglichkeit eines Übergangs in einen anderen Anfang gehalten und ihm diese Deutung gegeben.** Damit wurde diese »Bewegung« in ihren eigentlichen Kräften und inneren Notwendigkeiten sowohl als auch in der ihr eigenen Größengebung und Größenart verkannt und unterschätzt. Hier beginnt vielmehr und zwar in einer viel tieferen – d. h. umgreifenden und eingreifenden Weise als im Faschismus die Vollendung der Neuzeit –; diese hat zwar im »Romantischen« überhaupt begonnen – hinsichtlich der Vermenschung des Menschen in der selbstgewissen Vernünftigkeit, aber für die Vollendung bedarf es

Or la décision est la suivante : l'homme du Pays du Couchant va-t-il s'en remettre à l'étant entendu comme objet, ou bien conquérir de haute lutte l'estre comme fond et à partir de celui-ci l'urgence d'une fondation de son être à partir de son assignation à l'être ? Cela ayant réussi aux Grecs lors d'un premier commencement – parce qu'ils ont osé se déterminer à partir de l'être, a dû être possible, aussi longtemps que leur audace l'a emporté, cette histoire aussi brève que singulière qui fut la leur. **Tout ce qui a trait au « sang », à la « race », à la « communauté populaire » réduite à l'identité ethnique,** tout cela est vain, vu à l'aveuglette, si cela ne vibre pas déjà dans une audace de l'estre et, mû par cette audace, ne se rend pas libre pour l'éclair qui l'atteint là où doit se fissurer de toutes parts sa profonde torpeur afin de concéder à la vérité de l'estre l'espace au sein duquel seulement l'estre peut être mis sur le métier de l'étant.

Réflexions XI

§ 53 [76], pp. 408-409 :

Pensant de manière purement « métaphysique » (c'est-à-dire dans la perspective de l'histoire de l'estre), **j'ai tenu le national-socialisme au cours des années 1930-1934 pour la possibilité d'une transition vers un autre commencement et en ai donné cette interprétation.** Ce qui revenait à méconnaître et à sous-estimer ce « mouvement » en ses forces propres et en ses nécessités internes comme aussi bien en sa propre mensuration et en son propre type de grandeur. Car ici, l'accomplissement des Temps nouveaux trouve bien plutôt son début et à vrai dire d'une manière bien plus profonde que dans le fascisme – c'est-à-dire d'une manière globale et incisive – ; celui-ci a certes globalement commencé avec le « romantisme » – eu égard à la réduction de l'homme à

der Entschiedenheit des Historisch-Technischen im Sinne der Vollständigen »Mobilisierung« aller Vermögen des auf sich gestellten Menschentums. Eines Tages muß auch die Absetzung gegen die christlichen Kirchen vollzogen werden in einem christentumslosen »Protestantismus«, den der Faschismus von sich aus nicht zu vollziehen vermag. Aus der vollen Einsicht in die **frühere Täuschung** über das Wesen und die geschichtliche Wesenskraft des **Nationalsozialismus** ergibt sich erst die Notwendigkeit seiner Bejahung und zwar aus *denkerischen* Gründen. Damit ist zugleich gesagt, daß diese »Bewegung« unabhängig bleibt von der je zeitgenössischen Gestalt und der Dauer dieser gerade sichtbaren Formen. Wie kommt es aber, daß eine solche wesentliche Bejahung weniger oder gar nicht geschätzt wird im Unterschied zur bloßen, meist vordergründlichen und alsbald ratlosen oder nur blinden Zustimmung? Die Schuld trägt zum Teil **die leere Anmaßung** der »*Intellektuellen*« – deren Wesen (oder **Unwesen**) ja *nicht* darin besteht, daß sie das Wissen und die Bildung verteidigen gegenüber dem nur Handeln und der Unbildung, sondern daß sie die »Wissenschaft« für das eigentliche Wissen und den Grund einer »Kultur« halten und vom wesentlichen Wissen nichts wissen wollen und können. Die größere Gefahr des **Intellektualismus** ist, daß er die Möglichkeit und den Ernst des *echten Wissens* bedroht, nicht aber, daß er das Handeln schwächt; dieses weiß sich zu helfen; der Kampf für das Wissen gegen die Wissenschaft dagegen ist heute aussichtslos, weil die Forscher nicht einmal von sich selbst, von der Wissenschaft, hinreichend Wesentliches wissen, um sich im Ernst zu einer Gegnerschaft zu stellen.

lui-même dans l'assurance de soi de la rationalité –, mais leur accomplissement requiert la résolution de ce qui est tout en un historique et technique au sens de la « mobilisation » complète de toutes les aptitudes de l'humanité centrée sur elle-même. Un jour devra bien s'accomplir la démarcation vis-à-vis des Églises chrétiennes dans un « protestantisme » détaché du christianisme que le fascisme n'est pas lui-même en mesure d'accomplir. De cette vision parfaitement lucide de l'**illusion antérieure** quant à l'essence et à la vigueur historiale du **national-socialisme** résulte d'abord la nécessité de l'approuver, mais pour des raisons qui sont exclusivement du ressort de la *pensée*. Ce qui revient à dire du même coup que ce « mouvement » demeure indépendant de la figure et de la durée contemporaines qui sont chaque fois celles de ses formes qui sautent aux yeux. Mais comment se fait-il qu'une approbation aussi essentielle se trouve moins appréciée, voire pas du tout, à la différence de l'attitude qui la plupart du temps se contente d'y consentir de manière superficielle et bientôt désarçonnée ou seulement aveugle ? La faute en incombe en partie à **la creuse prétention** des « *intellectuels* » – dont l'essence (ou plutôt **inessence**) *ne* consiste *pas* à défendre le savoir et la formation contre la seule action et le manque de formation mais en ce qu'ils tiennent la « science » pour *le* savoir proprement dit et le fondement d'une « culture » et ne veulent ni ne peuvent rien savoir du savoir essentiel. Danger plus grand encore pour l'**intellectualisme** : la menace qu'il fait peser sur la possibilité et le sérieux du *savoir digne de ce nom*, et non sur l'action ; celle-ci sait fort bien se tirer d'affaire ; la lutte pour le savoir contre la science, en revanche, est aujourd'hui désespérée parce que les chercheurs n'en savent pas assez quant à l'essentiel, en ce qui les concerne et en ce qui concerne la

Daher sind überall alle Fronten ineinander verwirrt: Die Universitäten zeigen die reinste Gestalt dieser Verwirrung; hier ist der Grund ihrer Ohnmacht zu suchen – aber auch die Ursache der mißleiteten Ansprüche. Sie selbst bedingen die Entschlußlosigkeit, die den einzigen Schritt verhindert, der jetzt getan werden müßte: die ausdrückliche Abschaffung und Ersetzung durch Forschungsbetriebe und technische Lehranstalten: chemische und alemannische »Institute«. Eine weitere Täuschung war daher die Meinung, die Universität ließe sich ja noch zu einer Stätte wesentlicher Besinnung verwandeln, um ein Wesen zu behaupten, darin das abendländische Wissen in seine eigene Fragwürdigkeit sich zurückstelle, um einen anderen Anfang der Seynsgeschichte mit vorzubereiten. Ein von hier ausgedachter Begriff von »Wissenschaft« ist, sowohl von der Universität her gesehen wie aus der geschichtlichen Wirklichkeit geschätzt, das reine »Phantom«. Täuschungen – durchdacht und durchlitten in allen ihren Abgründen – sind Wege zu dem, was »ist«. (Vgl. S. 110.)

Überlegungen XI

§ 55 [77-78], S. 410 :

Die erste und somit allem vorausgreifende und sich ständig verschärfende Einsicht des denkerischen Denkens muß sein: jeder Denker, der in der Geschichte des abendländischen Denkens eine Grundstellung gründete, ist unwiderlegbar; das will sagen, die Sucht des Widerlegens ist der erste Abfall vom eigentlichen Denken. An solchem Maß gemessen bleibt aller Philosophiebetrieb, zumal der »natio-

science, pour pouvoir sérieusement adopter une position adverse.

C'est pourquoi tous les fronts se trouvent partout inextricablement mêlés : les universités montrent cette confusion dans toute sa splendeur ; c'est là qu'il faut chercher la raison de leur impuissance – mais aussi la cause de revendications dévoyées. Elles-mêmes provoquent l'irrésolution qui empêche de faire l'unique pas qu'il faudrait faire aujourd'hui : leur abrogation pure et simple et leur remplacement par des organismes de recherche et des établissements d'enseignement technique : des « instituts » chimiques et alémaniques. Autre illusion : celle qui consiste à croire que l'Université serait encore susceptible de se laisser métamorphoser en un lieu propice à une méditation essentielle pour être envers et contre tout elle-même, pour que le savoir occidental en revienne en elle à ce qui est pour lui proprement digne de question afin de contribuer à préparer un autre commencement de l'histoire de l'estre. Un concept de « science » forgé à partir de là, et aussi bien apprécié en étant vu à partir de l'Université qu'à partir de la réalité historiale : autant dire un pur « fantôme ». Pensées à fond et éprouvées pleinement en tous leurs abîmes, des illusions n'en demeurent pas moins des chemins vers ce qui « est ». (Cf. p. 410.)

Réflexions XI

§ 55 [77-78], p. 410 :

Le premier aperçu de la pensée à l'ouvrage, et par là celui qui prend le pas sur tout le reste et ne cesse de se renforcer, ne peut être que le suivant : chaque penseur ayant fondé une position foncière dans l'histoire de la pensée occidentale est irréfutable ; ce qui veut dire que la manie de réfuter est la première défection par rapport à la pensée proprement dite. Mesuré à l'aune de ce critère, tout affairement

nalsozialistische«, außerhalb des Bezirks wesentlichen Wissens. Das hindert nicht, daß solche Betriebsamkeit in einer maß-losen und lärmenden und – räuberischen »Literatur« sich eine öffentliche Geltung zu verschaffen versucht, die aufs Haar jener Schriftstellerei entspricht, die sich als »katholische Philosophie« bei den »Gebil-deten« aller »Konfessionen« und »Stände« einen Eingang verschafft hat. Wie lange diese Betriebe wohl noch dauern mögen? Ob mit der Vollendung der Neuzeit erst ihre Zeit gekommen ist?

en matière de philosophie, notamment « nationale-socialiste », se tient en dehors du domaine du savoir essentiel. Cela n'em-pêche pas qu'une telle industrie parvienne à trouver publiquement une audience dans une « littérature » pléthorique, tapageuse et – prédatrice, littérature qui ressemble à s'y méprendre à cette écrivaillerie qui a trouvé son entrée, comme « philosophie catholique », chez les « gens cultivés » de toutes « confessions » et « conditions ». Combien de temps tout cela va-t-il bien pouvoir encore durer ? Leur heure a-t-elle sonné avec l'achèvement des Temps nou-veaux ?

Les passages que nous venons de rapporter appartiennent à une section thématique très complexe parce que nous les trouvons situés ici dans l'impérieuse exigence qui était celle de Heide-gger de poser sur de nouveaux frais la question de l'être ; par conséquent sa réflexion s'élabore dans un langage qui, pour être compris, requiert un renvoi constant aux *Apports à la philosophie.*

Le national-socialisme et l'université représentent un binôme indissociable relevant d'un examen encore plus complexe pour mettre en évidence tout ce que l'un et l'autre ont de parfaitement étranger à un cheminement que nous ne serons pas en mesure de suivre plus avant. En effet, le vocabulaire heideggérien semble se dresser comme une muraille invisible, et difficile d'accès, si l'on décroche de la pensée si imposante de l'histoire de l'être.

Dans le § 6 des *Überlegungen VII*, Heidegger adresse une cri-tique radicale au Reich et au parti national-socialiste en recourant à la terminologie de la pensée de l'histoire de l'être. Il suffit de penser à la formule : « d'où vient cette peur de ceux qui se disent sans peur devant le Reich dans la figure du *colossal* appareillage de l'appareil du Parti et de l'appareil d'État en leur unité ? »

Le terme « gigantesque » ou « colossal » (*riesenhaft*), qui revient pas moins de quatre fois dans ce paragraphe, est un point clef, toujours associé dans les *Apports* à tous ces facteurs qui conduisent

à l'oubli de l'être, à l'abandon de l'étant par l'être[1]. Nous retrouvons dans les *Schwarze Hefte* le même registre langagier, qui a donc toujours besoin d'être approfondi, en tenant les *Apports* pour une référence indispensable : que l'on regarde, par exemple, le § 75 (*Réflexions VII*) : « ce processus d'abandon de l'étant par l'être, de l'étant qui dès lors déploie sa puissance propre dans le caractère gigantesque (*Riesenhaftigkeit*) et le manque total d'égards propre à l'incursion de la computation et de l'affairement généralisé », le § 73 (*Réflexions XII*) : « l'abandon de l'étant par l'être (autrement dit le caractère gigantesque [*Riesenhaftigkeit*] des dressages

---

1. M. Heidegger, *Beiträge zur Philosophie, op. cit.*, § 14, « *Philosophie et vision du monde* » : « Les cheminements et les risques de ce qui a été création sont aménagés et intégrés au **gigantisme** de la fabrication ; or tout ce qui est de l'ordre de la fabrication n'a plus que l'apparence du travail créateur » (pp. 40-41 ; trad. fr. p. 60) ; § 45, « *La "décision"* » : « *La transition pour arriver à l'animal technicisé*, cet animal qui engage le remplacement des instincts déjà devenus plus défaillants et grossiers par ce qu'a de **colossal** (*Riesenhaftes*) la technique » (p. 98 ; trad. fr. p. 125) ; § 70, « *Le gigantesque* » (*Riesenhaftes*) : « Mais dès que la fabrication, de son côté, est conçue comme histoire-destinée de l'être, le **gigantesque** (*Riesenhaftes*) se révèle comme "quelque chose" de tout autre » (p. 135 ; trad. fr. p. 162) ; § 70 : « *Le gigantesque* » (*Das Riesenhafte*), p. 138 ; trad. fr. p. 165 ; § 72, « *Le nihilisme* » : « L'angoisse devant l'être n'a jamais été aussi grande qu'aujourd'hui. Preuve : tout le mal qu'on se donne pour organiser les **gigantesques** (*riesenhaft*) manifestations où cette angoisse est recouverte de clameurs » (p. 139 ; trad. fr. p. 167) ; « [...] l'on dispose d'un site où se tenir, et d'où n'est pas [pas] possible [...] de s'illusionner à voir se produire tant de "bons" et "**gigantesques**" (*Riesenhaftes*) "progrès" » (p. 140 ; trad. fr. p. 168) ; § 76, « *Thèses sur la "science"* » : « Au fur et à mesure que se rigidifie toujours plus la pleine essence fabricatrice et technique de toutes les sciences, la différence entre sciences de la nature et sciences de l'esprit – différence d'objets et de méthodes – va toujours plus s'amenuiser. Les premières vont devenir des composantes de la technique des machines et des institutions où s'affairer ; les secondes vont s'élargir pour devenir une science du journalisme d'ampleur **gigantesque** (*riesenhaft*), où le "vécu" de chaque jour trouvera sa permanente interprétation dans le style de l'historiographie – interprétation elle-même diffusée aussi vite et de façon aussi mémorisable que possible dans le cadre d'une *publicité* à l'usage de tout le monde » (p. 155 ; trad. fr. p. 183) ; « Avec son actuelle expansion, qui est **gigantesque** (*riesenhaft*), avec l'assurance qu'elle a de ses succès, bref : avec son opulence, la "science" ne possède néanmoins aucune des présuppositions qui lui permettraient de postuler à un *rang essentiel* – sur la base de quoi elle pourrait entrer en opposition avec le savoir de la pensée » (p. 156 ; trad. fr. p. 184) ; § 155, « *La nature et la terre* » : « Pour finir, ne restent que le "paysage" et l'aire de repos où il est possible de se requinquer – par les temps qui courent, une aire de loisirs aux proportions **gigantesques** (*Riesenhaftes*), de quoi satisfaire les masses. [...] pourquoi la terre reste-t-elle muette face à cette dévastation ? Parce que ne lui est offert aucun litige à soutenir avec un monde, parce que la vérité de l'estre lui *est interdite*. Et pourquoi cela ? Serait-ce parce que **plus grossit** (*riesiger*) cette **chose hors de proportion** (*Riesending*) qu'est l'homme, plus elle devient infime ? » (pp. 277-278 ; trad. fr. p. 318) ; § 250, « *Ceux qui sont tournés vers l'avenir* » : « Mais l'inessence de la marche à l'abîme va son propre chemin, qui est autre chose : sombrer à pic, ne plus avoir la force, s'interrompre au prétexte que tout ne se trouve plus qu'en masse, dans des proportions **gigantesques** (*Riesenhaftes*), et dans la priorité de l'organisation face aux objectifs qu'elle est censée viser » (p. 397 ; trad. fr. p. 454) ; § 255, « *La volte-face en l'avenance* » : « Ce dernier [l'homme] peut encore pendant des siècles, par ses fabrications, piller la planète et l'asphyxier. L'aspect **gigantesque** (*Riesenhaftes*) de cet affairement aura beau se "développer" jusqu'à l'inimaginable, prendre la forme

et des installations technico-historico-politiques) en leur succès inconditionné et si de cette façon, en un style gigantesque (*riesenhaft*) [...] », et, enfin, le § 128 (*Réflexions XIII*) : « Que signifie l'apparition du colossal (*riesenhaft*) vertige de la dévastation fabricatrice [...] ? »

La subtile ironie de Heidegger contre le Reich en tant que « gigantesque appareillage de l'appareil du Parti » se poursuit par un étroit entrelacement de termes qui dénotent son intention de tourner en ridicule la banalité d'un système voué à l'échec : dans ce que cet appareil a de gigantesque « sont ouvertes les possibilités colossales du "vécu" (*Erlebnis*), qui doit être mis à la portée de tout un chacun sans exception, et qu'avec cet équipement peut enfin être assurée la "culture" entendue comme organisation institutionnelle du vécu (*Erlebnisveranstaltung*) ». Les possibilités qu'elles s'épanouissent demeurent prisonnières d'une existence désormais déchue, laquelle, faute d'orientation, demeure dans la continuité d'un présent en lequel se consomme l'expérience vécue, dont la « culture » devient la simple manifestation. L'acception négative dans laquelle Heidegger emploie les termes de la philosophie traditionnelle, tels qu'*Erlebnis* et *Erlebnisveranstaltung*[1] – qui n'ont rien à voir avec l'être le là et, par la

---

d'une apparente rigueur – la canonique de la désertification –, la grandeur de l'être restera lettre morte, parce que plus aucune décision ne peut tomber concernant la vérité et l'invérité, ainsi que leur pleine essence » (pp. 408-409 ; trad. fr. pp. 465-466) ; § 260, « *Le gigantesque* » (*Riesenhaftes*) : « Le gigantesque (*Riesenhaftes*) a son fondement dans ce qu'a d'absolument décidé et d'exclusif le "compte" ; il s'enracine dans l'exagération de la représentation liée au sujet (représenter = poser devant), qui de ce fait déborde sur tout ce qui est » (p. 441 ; trad. fr. p. 501) ; et après la description des quatre formes du « gigantesque » vient ceci : « En toutes ces formes de gigantesque (*Riesenhaftes*) se déploie (*west*) la pleine essence de l'abandonnement de l'étant par l'être » (*ibid.*) ; « Au gigantesque (*Riesenhaftes*) se reconnaît que toute forme de "grandeur" (idéaux, actions, créations, sacrifices) prend son essor dans l'histoire de l'interprétation "métaphysique" non articulée de ce qu'est l'événement d'arriver ; et que pour cette raison elle n'est pas à proprement parler et essentiellement historiale, mais de nature seulement historique » (p. 443 ; trad. fr. p. 502) ; § 262, « *La projection de l'estre et l'estre comme projection* » : « Le savoir se réveille : c'est seulement en allant au bout de décisions extrêmes qu'une histoire peut encore être sauvée face aux proportions colossales (*Riesenhaftes*) de l'absence d'histoire » (p. 450 ; trad. fr. p. 511) ; § 274, « *L'étant et la computation* » : « Et du moment que la planification et la computation sont devenues gigantesques (*riesenhaft*), l'étant en entier commence à s'atrophier. Le "monde" rapetisse à vue d'œil [...]. L'amenuisement métaphysique du "monde" engendre un évidement de l'homme » (p. 495 ; trad. fr. p. 561).

1. On peut bien comprendre l'acception négative réservée par Heidegger au terme *Erleben*, « expérience », à ses composés et aussi à ce à quoi il est thématiquement relié en revenant notamment aux *Beiträge zur Philosophie, op. cit.*, § 5, « *Pour ceux qui ne sont pas en nombre – pour les rares êtres libres* » : « On en appelle aux platitudes du "vécu" (*Erlebnis*) – incapable qu'on est de sonder le vaste

suite, seront davantage associés à la *Machenschaft* (« fabrication ») vu
qu'ils ont la même essence en commun –, nous aide à comprendre
le sens de son ironie quand il se réfère au déclin de la culture et à
la dérive de l'époque moderne qui s'ensuit.

En outre, la confrontation avec les références textuelles contenues dans notre longue note 1 de la page 176, centrées sur l'analyse
de l'expression « expérience vécue », est nécessaire parce que c'est

---

ajointement de l'espace où se déploie la pensée et, dans cette ouverture, de penser la profondeur
et l'altitude de l'estre. Là où d'aventure on se croit au-dessus du "vécu" (*Erlebnis*), on s'appuie sur
une intellectualité fonctionnant à vide » (p. 19 ; trad. fr. p. 34) ; § 6, « *La tonalité fondamentale* » : « ce
qui pourtant s'atteste avec ce mot de "tonalité" est depuis longtemps rendu inopérant par la "psychologie", vu que, de nos jours, la manie du "vécu" (*Erlebnis*) a fini par emporter dans un égarement
complet tout ce qui, ne venant pas d'une pensée qui la prend en considération, peut être dit de la
tonalité » (p. 21 ; trad. fr. p. 36) ; § 7, « *De l'avenance* » : « Ce plus proche est en réalité si près que
toutes les inévitables activités de la fabrication et du "vécu" (*Erleben*) n'ont pu, de toute nécessité,
que passer loin au large devant lui sans le voir ; pour cette raison, elles ne peuvent jamais être rame-
nées à lui immédiatement » (p. 27 ; trad. fr. p. 44) ; § 14, « *Philosophie et vision du monde* » : « La
"vision du monde" procède toujours *selon la "fabrication"* face à l'héritage traditionnel, en vue de le
dépasser et de le domestiquer à l'aide de ses propres moyens, ceux qu'il a lui-même préparés, mais
sans les mener à terme – tout étant transféré dans le domaine du "vécu" (*Erlebnis*) » (p. 38 ; trad. fr.
p. 57) ; « La nature fabricatrice des visions du monde, qui par ailleurs se lie inextricablement au fait de
dépendre du vécu (*erlebnishaft*), cette nature contraint chacune de ces dernières, au fur et à mesure
de son développement, à balancer d'un extrême à l'autre entre de très profondes oppositions» (p. 39 ;
trad. fr. pp. 58-59) ; § 18, « *L'impuissance de la pensée* » : « 2°) par le fait que fabrication et **expérience
vécue** (*Erlebnis*) prétendent être l'unique effectivité, et donc la seule "puissance", sans plus laisser la
moindre place à la puissance authentique » (p. 47 ; trad. fr. p. 67) ; « [...] plus on devient insensible à
la simplicité de toute considération essentielle, plus se perd l'endurance du questionnement, et plus
la moindre amorce de cheminement éveille la méfiance, si elle n'apporte pas dès le premier pas un
"résultat tangible", dont on peut soutirer quelque chose comme une "**expérience vécue**" (*Erleben*) »
(*ibid.*) ; § 19, « *Philosophie* (À propos de la question : qui sommes-nous ?) » : « En regardant à partir
de là, devient lisible : cette question en quête d'un *qui*, si elle s'accomplit en tant que considération
de soi, n'a rien à voir avec cette sorte de perdition qu'est la curiosité égotiste qui se complaît à
mâcher et remâcher le contenu "personnel" de ses "**expériences vécues**" (*Erlebnisse*) » (p. 51 ; trad. fr.
p. 72) ; § 30, « *La pensée commençante (comme considération)* » : « Mais en ce qui concerne la toute
première considération, il fallait tenter d'abord et avant tout de mettre en relief, sur un fond d'extrêmes modalités d'être de l'homme, la différence que présente être le là par rapport à tous les types
d'"**expériences vécues**" (*Erleben*) et de "conscience" » (p. 68 ; trad. fr. p. 91) ; § 34, « *L'avenance et la
question de l'être* » : « "Temporalité": ne jamais l'entendre comme une amélioration du concept de
temps, ou comme remplacement du concept courant (servant à compter le temps) par le **temps-vécu**"
(*Erlebniszeit*) (Bergson-Dilthey). Tout cela reste en dehors de ce qui est reconnu comme nécessité
d'opérer la transition de la question directrice comprise comme telle à la question fondamentale »
(p. 74 ; trad. fr. p. 97) ; § 44, « *Les "décisions"* » : « [...] est-ce que la vérité, entendue comme justesse,
dégénère en certitude de la représentation et sûreté de la computation et du vécu (*Erleben*) ? [...]
est-ce que l'art organise une **représentation d'expériences vécues** (*Erlebnisveranstaltung*), ou bien
est-il, pour la vérité, le fait de se mettre en œuvre ? [...] est-ce que la nature est rabaissée à n'être
plus que zone d'exploitation abandonnée au calcul et à l'organisation, occasion d'**expériences vécues**
(*Erleben*), *ou bien* porte-t-elle, comme terre qui se referme en elle-même, l'Ouvert d'un monde libéré
de toute figure ? » (p. 91 ; trad. fr. pp. 116-117) ; § 50, « *Ce qui vient se faire entendre* » : « Où mène la
fabrication ? À tout comprendre dans la perspective de l'expérience vécue (*Erlebnis*). Comment cela

précisément ici que s'atteste la *distance* prise par Heidegger vis-à-vis de toute *manière de penser anthropologique*. On ne saurait surestimer la portée d'une telle question dès lors que les références présentes dans les *Schwarze Hefte* doivent être toujours considérées en tant que « catégories » n'ayant rien à voir avec les étants en tant que tels. Toute autre interprétation risque de donner naissance à une instru-

---

se produit-il ? [...] Par le désensorcellement de l'étant, qui laisse tout pouvoir à un ensorcellement qu'il a lui-même engendré. Ensorcellement et **expérience vécue** (*Erlebnis*) » (p. 107 ; trad. fr. p. 134) ; § 51, « *Ce qui vient se faire entendre* » : « Or c'est précisément cela, l'*expérience vécue* (*Erlebnis*). Le fait que tout devienne finalement "expérience vécue" (*Erlebnis*), toujours plus intense, toujours plus extraordinaire, un "vécu" (*Erlebnis*) sans cesse en train de s'exclamer plus bruyamment que tous les autres. Le "vécu" (*Erlebnis*) ici entendu comme le genre fondamental de la représentation préalable de tout ce qui est de l'ordre de la fabrication et de la manière de s'y tenir : pour tout un chacun l'espace public où il rencontre le mystérieux, c'est-à-dire tout ce qui excite, provoque, étourdit et ensorcelle – bref tout ce qui rend nécessaire l'ordre de la fabrication [...]. Dans cet épouvantable vide, quelque chose de la pleine essence de l'estre vient se faire entendre, et l'abandonnement de l'étant sous la forme de la fabrication et du vécu (*Erlebnis*) se met à luire à partir de l'estre » (pp. 109-110 ; trad. fr. p. 136) ; § 52, « *L'abandonnement de l'estre* » : « Arriverons-nous à concevoir cette importante leçon du premier commencement et de son histoire : la pleine essence de l'estre comme *opposition d'un refus*, et comme comble de refus dans la totale notoriété publique des fabrications et de l'"expérience vécue" (*Erleben*) (p. 112 ; trad. fr. p. 138) ; § 55, « *Venir se faire entendre* » : « L'oubli de l'estre ne se sait pas du tout oubli s'il se croit auprès de l'"étant", auprès de "ce qui est réel", "proche de la vie", et sûr de son "vécu" (*Erleben*) » (p. 114 ; trad. fr. p. 141) ; § 58, « *Ce que sont les trois dissimulations de l'abandonnement de l'être et comment elles se manifestent* » : « 6°) Or, comme l'étant est abandonné par l'estre, se produit l'occasion de la "sentimentalité" la plus insipide. C'est à présent seulement que tout devient "expérience vécue" (*Erlebnisse*), et que toute entreprise, toute manifestation déborde de vécus (*Erleben*). Cette "expérience vécue" (*Erleben*) atteste que maintenant enfin l'être humain lui aussi, en tant qu'*étant*, a perdu son estre, qu'il est lui-même devenu la proie d'une chasse à laquelle il se livre en vue de vivre ces expériences-là (*Erlebnis*) (pp. 123-124 ; trad. fr. p. 151) ; § 61, « *Fabrication* » : « À cette première loi de la fabrication se rattache une deuxième : plus décisivement la fabrication se met ainsi à couvert, plus elle tend à favoriser l'hégémonie de ce qui semble aller le plus contre sa propre pleine essence, tout en étant partie prenante d'elle, à savoir : l'expérience vécue (*Erlebnis*). [...] De cette façon s'intègre une troisième loi : plus inconditionnellement l'**expérience vécue** (*Erleben*) passe pour étalon de la justesse et de la vérité (et ainsi de la "réalité" et de la consistance), moins il y a d'espoir que ce soit là que l'on puisse acquérir une connaissance de la fabrication comme telle [...]. Fabrication et **expérience vécue** (*Erlebnis*) sont formellement la saisie la plus profonde de la formule qui sert à appréhender la question directrice de la pensée occidentale : étantité (être) et pensée (comprise comme représentation préalable qui prend conceptuellement ensemble) » (pp. 127-128 ; trad. fr. pp. 154-156) ; § 62, « *La défiguration de l'abandonnement dans la fabrication et l'expérience vécue (Erlebnis) – défiguration faisant partie intégrante de l'abandonnement de l'être* » ; (p. 129 ; trad. fr. p. 156) ; § 65, « *L'inessence de l'estre* », (p. 130 ; trad. fr. pp. 157-158) ; § 69, « *L'expérience vécue (Erlebnis) et l'"anthropologie"* », en note : « Qu'est-ce que cela : expérience vécue (*Erlebnis*) ! Comment sa domination conduit immanquablement au type de pensée anthropologique ! Et comment cette pensée est une fin, en ceci qu'elle confirme inconditionnellement la fabrication [...] ainsi notre époque pleine de "vécu" (*erlebend*) saura encore moins faire cas de cette mauvaise copie, ennuyeuse et banale, de sa propre superficialité » (pp. 134-135 ; trad. fr. pp. 161-162) ; § 72, « *Le nihilisme* » : « dans cette bruyante griserie d'"expériences vécues" (*Erleben*) se trouve le plus grand nihilisme [...]. L'estre a tellement abandonné l'étant, il l'a remis à ce point à la discrétion de la fabrication et de l'expérience vécue (*Erleben*) [...] » (pp. 139-140 ; trad. fr. pp. 166 et 168) ; § 76, « *Thèses sur la "science"* » : « "Journal" et "machine" sont à

mentalisation où l'histoire de l'être serait étouffée par une lecture historisante continuant, à travers le pouvoir de la fabrication, à réduire l'homme à un pur et simple étant et à le consigner dans l'oubli de l'être. Il aurait suffi, par exemple, de revenir aux §§ 69 et 214 des *Apports* pour se rendre compte que Heidegger n'a jamais eu l'intention de traiter d'une « histoire de l'humanité » ni de se pencher sur le destin de tel ou tel « peuple » : soutenir le contraire équivaut à manifester que l'on n'a pas compris le cheminement, parfois semé d'embûches, que Heidegger entend suivre, décidé à surmonter « les représentations de l'homme comme chose (sujet, personne, etc.) » (*Apports à la philosophie,* § 214).

Malgré l'inévitable échec que produit une « culture entendue comme manifestation de l'expérience vécue », celle-ci est assurée par « l'affairement culturel chrétien ». Le terme « affairement » (*Betrieb*) tend à souligner l'essence organisationnelle d'un savoir qui est structuré en fonction d'une utilité que le peuple pourra en retirer et qui désormais *se configure extérieurement* comme pro-

---

prendre ici en un sens essentiel, comme modalités s'imposant de plus en plus de l'objectivité définitive (qui pousse les Temps nouveaux à leur accomplissement), qui absorbe en elle tout ce que l'étant a de vraiment réel, ne lui laissant plus que le statut de *stimulus* pour l'**expérience vécue** (*Erleben*) » (p. 158 ; trad. fr. p. 186) ; § 123, « *L'estre* » : « L'étant, réduit à force de fabrication et de **vécu** (*Erleben*) à ne plus être qu'un inétant figé dans l'hibernation, c'est seulement en passant par de grandes implosions et sub-versions qu'il en viendra devant l'estre, c'est-à-dire dans sa vérité, à recouvrer sa plasticité » (p. 241 ; trad. fr. p. 277) ; § 129, « *Le rien* » : « Si à présent l'abandonnement de l'être est partie prenante de l'"étant" de la fabrication et du "**vécu**" (*Erleben*), est-il encore permis de s'étonner que le "rien" y soit interprété à tort et à travers comme nullité ou néant ? [...] Si le *oui* de la "fabrication" et du "**vécu**" (*Erleben*) détermine de façon tellement exclusive la réalité de ce qui est effectivement réel, comment s'étonner que tout *non* et tout *ne ... pas* semblent devoir être à ce point rejetés ! » (p. 246 ; trad. fr. p. 283) ; § 214, « *La pleine essence de la vérité* (Être ouvert) » : « C'est aussi la raison pour laquelle la considération qui prend en vue la justesse et sa *condition de possibilité* est un chemin qui n'est pas directement convaincant [...] on ne se débarrasse pas des représentations de l'homme comme chose (sujet, personne, etc.), tout ce fatras ayant à portée de la main le "**vécu**" (*Erlebnis*) humain, qui de son côté est regardé comme occurrences se produisant en lui » (p. 340 ; trad. fr. p. 389) ; § 254, « *Le refus qui doit être opposé* » : « La fabrication patronne l'inétant en le faisant passer pour ce qui est ; le "**vécu**" (*Erlebnis*) vous tient quitte de la désolation de l'humain qui lui fait inévitablement suite » (p. 406 ; trad. fr. p. 463) ; § 256, « *Le Dieu à l'extrême* » : « Le Dieu ne fait son apparition ni dans le "**vécu**" (*Erlebnis*) d'une "personne", ni dans celui d'une "masse", mais seulement dans l'"espace" hors fond de l'estre » (p. 462 ; trad. fr. p. 474) ; § 362, « *La "projection" de l'estre et l'estre comme projection* » : « La "vie" est engloutie dans le **vécu** (*Erleben*), qui à son tour s'intensifie dans la promotion du **vécu** (*Erlebnis*), celui dans lequel "on" (*man*) se retrouve ensemble » (p. 450 ; trad. fr. p. 510) ; § 274, « *L'étant et sa computation* » : « le "**vécu**" (*Erlebnis*) atteint les limites de sa pleine essence : les **vécus** (*Erlebnisse*) sont objets d'"expériences". Se perdre définitivement dans l'étant est **vécu** comme la capacité de métamorphoser la "vie" entière en calcul de la manière optimale dont on va pouvoir tourner à vide autour de soi-même – chose que l'on s'efforcera de faire passer pour le dernier cri de l'alignement sur la "vie concrète" (*Lebensnähe*) » (p. 495 ; trad. fr. p. 476).

pagande, faisant naître l'illusion qu'il serait possible de parvenir à l'unité nationale par une *dictature du On*. Dans le § 6, on compte trois occurrences du terme « affairement » (*Betrieb*) et il est possible de dégager d'autres nuances en les confrontant aux autres passages des *Cahiers noirs* – citons par exemple : « tout affairement en matière de philosophie, notamment "nationale-socialiste", se tient en dehors du domaine du savoir essentiel » (*Réflexions XI*, § 55) ; ou encore : « Il y a aujourd'hui des savants et des Allemands apparemment raisonnables qui pensent que, si l'on élimine le militarisme et la terreur nationale-socialiste, alors le "poétiser & penser" pourrait naître automatiquement au sein du peuple, alors que le "poétiser & penser" est toujours entendu dans l'acception usuelle jusqu'à présent et typique du "régime nazi scélérat", et précisément comme "affairement culturel" et rien d'autre » (*Anmerkungen I* [126]). En tant que produit de l'époque moderne, le régime est l'entreprise culturelle qui cherche à défendre son propre espace, en partageant l'incapacité de sentir la nécessité d'un passage. Il est impossible de ressentir cette « nécessité » dès lors qu'ils ont contribué à diviniser l'étant en en faisant un absolu impuissant. La « décision » ne peut être ressentie en restant sous la pression de l'étant et de ses tapageuses séductions. Le Reich poursuit son chemin par des instrumentalisations réitérées ; il suffit de songer aux « romantiques attardés » (*kindische Romantiker*) et à leur tentative de promouvoir une « université du Reich » en se servant, à des fins de propagande, d'une œuvre du poète allemand Stefan George (1868-1933) : *Das neue Reich*, qui date de 1928. *Aux yeux de Heidegger la philosophie, tout comme la poésie, a pour tâche d'ouvrir de nouveaux horizons de sens* et ne peut jamais être adaptée aux logiques d'une instrumentalisation politique quelle qu'elle soit. Elle est tout aussi peu susceptible d'être alimentée par le consensus obtenu avec la propagande du régime. En ce sens, la propagande partage la même essence que le journalisme !

Dans le parcours que nous sommes en train de retracer, Heidegger soulève un autre point de non-retour : l'impossibilité de toute « méditation » (*Besinnung*) ou, pour mieux dire, son caractère parfaitement étranger à un régime qui se construit par un repli sur

soi (*Überlegungen VII*, § 21). Le terme clef qui soutient la réflexion heideggérienne et qui montre cette clôture est la « conscience de soi » (*Selbstbewußtsein*). C'est dans ce repli sur soi que se trouve l'Université allemande, qui se leurre en croyant accomplir un « saut par-dessus » par un retour à la science désormais bloquée dans la fixité de l'entendement, qui à son tour est détaché de l'histoire de l'être. Sa seule marge de manœuvre est de faire halte dans la manifestation d'un présent an-historial dès lors que le « saut » est « le risque qui se hasarde à pénétrer pour la première fois dans le domaine de *l'histoire de l'être*[1] ». Mais si l'Université se montre incapable d'un tel risque, le national-socialisme demeure d'une façon ou d'une autre en dehors de la préparation d'une « métamorphose de l'être » parce que désormais « le règne de la vision du monde nationale-socialiste est déjà décidé ». Naturellement, la pérennité de ce que produit le régime, sans être soumis à aucun questionnement, trouve sa plus grande réalisation dans la résolution de sa « conscience de soi ». De cette façon se concrétise une nouvelle modalité dans la conception de la « méditation », qui n'a rien à voir avec la « transition » au sens où l'entend Heidegger. En effet, tandis que l'époque moderne reste liée à une vision de l'homme en mesure de se comprendre lui-même sur la base de sa conscience de soi égoïque, tout autre est le projet heideggérien dans lequel la représentation du *moi* est insuffisante pour parvenir à fonder le « soi ».

> L'ouverture et la fondamentation du soi, donc, proviennent de la vérité de l'être et comme vérité de l'être. [...] Ce n'est pas une analyse autrement orientée de la nature humaine, ni l'indication d'autres manières d'être pour l'homme – toutes choses qui ne sont en fait que de l'anthropologie améliorée – qu'enseigne la médita-tion de soi, tout au contraire, la question en quête de la vérité de l'être prépare la région de l'être-soi [...][2].

La question portant sur la vérité de l'être demeure foncièrement étrangère au national-socialisme dans la mesure où la nature de sa

---

1. *Ibid.*, § 115, « *La tonalité directrice du saut* » (p. 227 ; trad. fr. p. 261).
2. *Ibid.*, § 30, « *La pensée commençante (comme considération)* » (p. 67 ; trad. fr. p. 90).

vision du monde « n'est plus en mesure de penser et ne veut pas non plus penser quoi que ce soit » (*Überlegungen VII*, § 21). Dans l'aplatissement de l'homme sur lui-même disparaît donc toute fondation et la « transition » demeure un danger à éviter soigneusement.

Ce n'est pas un hasard si une telle dérive amène inévitablement à amoindrir l'être le là en le réduisant à ce qui permettrait de cataloguer la philosophie de Heidegger comme « philosophie de l'existence » (*Existenzphilosophie*) (*Überlegungen VIII*, § 51). Telle est la raison qui le pousse à prendre ses distances par rapport à Heyse et ses méprises sur *Être et Temps*, pillé par celui-ci jusqu'à créer un « délayage » à la sauce du « patrimoine intellectuel national-socialiste ». Heyse, philosophe attitré du régime, non content de se signaler par ses « phrases creuses », partage la même essence que le national-socialisme : « *n'est pas* un roseau pensant ». L'incapacité du national-socialisme en la matière se reconnaît à ses adeptes : ce qui les réunit est le fait de ne pas être en mesure de « penser quoi que ce soit » (*Überlegungen VII*, § 21), et parmi eux ressort Heyse, qualifié de « penseur [...] qui ne *pense* pas » (*Überlegungen VIII*, § 51). En réalité Heyse est le produit de l'époque moderne qui, avec ses « mots creux et boursouflés », demeure éloignée de la nécessité d'une pensée originaire, naufragée dans ce que Heidegger qualifie de « barbarie de la "pensée" » (*Barbarei des "Denkens"*). Heidegger estime devoir souligner qu'*Être et Temps* n'a rien à voir avec le « patrimoine intellectuel national-socialiste ». La raison de cette mise au point est la divergence abyssale qui sépare sa philosophie de celle du national-socialisme.

À la lumière d'une lecture attentive, la conclusion du § 51 offre un nouveau point de réflexion, pour beaucoup inattendu. Même si le fait de se consacrer à la pensée passe pour de l'« ascèse », Heidegger estime que la seule chose que l'on puisse faire est « d'*arrêter* sa position en s'y opposant, mais jamais de se lancer dans une longue discussion ». Mais ce qui est plus surprenant, c'est que cette position *arrêtée* « ne doit jamais servir « à s'en démarquer publiquement ». Dans le § 51 la référence est sans équivoque possible le national-socialisme, mais ce qui est intéressant, c'est le fait de ne pas vouloir adopter « une prise de distance publique », car cela équivaudrait à

« confirmer [le] caractère prétendument indispensable » de tout cet affairement. C'est là un élément qui est tout sauf négligeable en ce qu'il révèle la véritable intention de Heidegger, celle d'éviter toute expression officielle de résistance au Parti, notamment parce que la confrontation présuppose un instrument qui en l'occurrence fait entièrement défaut en contrepartie : la capacité de pensée. Il n'est pas envisageable pour Heidegger de « s'abaisser » à une telle confrontation, et l'emploi du terme *wegwerfen* n'indique pas le simple fait de *s'abaisser* mais bien de *rejeter*, avec toute la charge négative que comporte ce vocable. Marquer un temps d'arrêt avec l'éclairage de cette réflexion amènera sûrement à réviser les positions de nombreux interprètes qui, au cours des dernières années, ont voulu voir dans le *silence* de Heidegger comme un *consentement tacite* au national-socialisme.

La déception de Heidegger continue à se porter sur l'époque moderne, l'« homme moderne » et la « pseudo-philosophie nationale-socialiste » (§ 53) qui cherche à renfermer le connaissable comme si celui-ci pouvait s'identifier à l'unité nationale allemande. Une telle prétention risque encore plus d'instrumentaliser la pensée et l'intègre dans une calculabilité devenue désormais le trait distinctif d'une époque incapable de quelque ouverture et fermeture que ce soit dans les approximations d'un présent an-historial. « Car ce qui est accessible à un savoir, cela n'est ni français, ni allemand, ni italien, ni anglais, ni non plus américain – mais bien ce qui constitue le *fonds* commun de ces nations ! » Le « fondement » (*Grund*) ne peut jamais être recherché dans la construction artificielle d'une unité nationale dont le semblant d'identité masque une complète absence de sens. En outre, toute *fondation* devient impossible si l'indétermination historiale dans laquelle survivent les identités nationales et leur volonté de puissance ethnico-politique se replie sur la fixation de l'étant en le réduisant à un étant au sommet.

De l'instrumentalisation politique relève aussi le « catholicisme politique », qui prend une forme encore plus sophistiquée : les « besoins *religieux* » sont masqués par le fait de viser un autre but, qui n'est autre que l'établissement d'une « politique "catholique" »

(*Überlegungen X*, § 47). Les guillemets qui encadrent le terme
« catholique » en indiquent le caractère : il ne peut être entendu
seulement comme une catégorie ontique en son acception répandue. Le caractère catholique prend par conséquent la forme du
« jésuitisme » parce qu'au même titre que le national-socialisme il
se structure dans la « résolution » des « organisations » et par le
règne de « la propagande » en vue de « l'exaltation de la volonté
et la rigidité militante ». Il ne faut pas s'étonner ici si l'évocation
de la propagande, de l'organisation en revienne à des éléments
qui, tout en étant distinctifs du national-socialisme, sont associés
par Heidegger à ce catholicisme qui a oublié le besoin religieux
et s'est transformé en une machine politique. En effet, Heidegger
emploie le terme « catholique » entre guillemets pour désigner
une nouvelle catégorie et il clarifie le fait que « l'essence de ce qui
est "catholique" ne réside ni dans ce qui est chrétien ni dans ce
qui est ecclésial en tant que tel – même si καθόλον signifie – ayant
domination sur tout – le "*total*" » (§ 47). C'est précisément l'emploi
de ce terme, *das Totale*, qui nous aide à mieux éclaircir ce que vise
Heidegger en se référant à « l'essence de ce qui est "catholique" ».

Il faut à présent renvoyer aux *Apports à la philosophie*, et en
l'occurrence au § 14 :

> Tout comportement qui émet, en qualité de « total », la préten-
> tion de déterminer et régler quelque genre d'action ou de pensée
> que ce soit, ne peut inévitablement que réduire tout ce qui en
> outre pourrait encore se présenter comme une nécessité à n'être
> qu'hostilité ou dénigrement[1].

En effet, Heidegger note que c'est une illusion de penser
que *ces* catholiques-*là* sont inspirés par un besoin « religieux »
(*Überlegungen X*, § 47). Et d'ajouter : « Par là, les domaines qui
appellent des décisions se trouvent de nouveau occultés – ce qui
est "catholique" n'ayant jamais été du reste [...] l'origine d'une
lutte configuratrice pour l'être » (§ 47).

---

1. *Ibid.*, § 14, « *Philosophie et vision du monde* » (p. 40 ; trad. fr. p. 59).

Un autre renvoi au § 14 des *Apports* fait ressortir d'autres convergences avec ce que nous venons de relever :

> Le fait à présent que la foi politique totale et la foi chrétienne elle aussi totale, alors même qu'elles sont inconciliables, s'engagent cependant à trouver des accords et fassent assaut de tactique, ne doit pas susciter l'étonnement. Elles sont en effet de même nature. Pour autant que leur comportement est total, elles ont, au fond d'elles-mêmes, identiquement renoncé à prendre la moindre décision essentielle. Leur combat n'est pas une lutte créatrice, mais au contraire rien d'autre que « propagande » et « apologétique »[1].

Dans cette comparaison ressort immédiatement le rappel de ce que vise Heidegger quand il emploie les catégories « catholique », « chrétien » – au sens de caractère, d'attitude – et de l'incompatibilité entre une profession de foi et toute politique ; en outre, la « lutte créatrice » à laquelle il est fait référence dans le § 47 des *Überlegungen X* et dans le § 14 des *Apports* demeure étrangère à « l'essence de ce qui est "catholique" », et elle est elle-même écrasée par le règne de la « propagande » afin d'étouffer la remise en cause qu'elle provoquerait.

Le rappel de la « vieille apologétique chrétienne » (*Überlegungen X*, § 59) qui renonce « à tout questionnement » amène à son plus haut niveau une égoïté hypertrophiée qui détruit tout élan créateur et dissipe toute tentative de « décision ». Un tel blocage produit des « bavardages » qui ne sont rien d'autre que « l'écho de la "philosophie nationale-socialiste" *tout aussi* superficielle ». C'est au « *vacarme* » de tels bavardages, qui ne reposent sur rien, qu'il faut imputer le « sacrifice de la pensée ». Le peuple allemand renonce ainsi aux décisions essentielles, il renonce au penser & poétiser parce que celui-ci est considéré comme un danger à éviter à tout prix ; sinon la persévérance dans le questionnement l'emporterait chez les Allemands sur les résultats obtenus par les aspirations concrètes et une vie s'orientant seulement sur ce qu'elle estime être *fonctionnel* et *valide*.

---

1. *Ibid.* (p. 41 ; trad. fr. p. 60).

Les Allemands « ne sont pas disposés à chercher leur propre fond en s'exposant à un tel danger » (§ 59). Mais quelle est au juste l'essence des Allemands ? « Qui » sommes-« nous » ? Et que veut dire « peuple » ? Toute une série d'interrogations qui ressortent du § 59 et qui ne peuvent être entendues qu'à la lumière du § 19[1] des *Apports* : sans cette référence, il s'avère difficile d'interpréter les deux passages dans lesquels Heidegger soutient que « la décision occidentale n'advient jamais là où on s'est arrogé la domination plus que jamais privée de décision à l'intérieur d'un "monde" déjà décidé, à savoir judéo-hellénistique », et que « tout ce qui ressortit au "sang", à la "race" et au "caractère national" est vain ».

Ainsi la question du « nous » signifie qu'il faut revenir à l'élucidation du « soi » :

> Cette considération de soi en a terminé avec tout « subjectivisme », même celui qui se cache le plus insidieusement dans le culte que l'on rend à la « personne ». [...] Voudrait-on par hasard fonder biologiquement le fait de pouvoir dire « je » ? [...] La considération de soi, comme approfondissement et fondation de l'être-soi, se situe hors du domaine où s'affrontent les doctrines dont il vient d'être question[2].

Pour Heidegger, la question portant sur « qui nous sommes » demeure un dangereux obstacle là où tout est désormais décidé par le règne d'un pur subjectivisme. L'être-un-peuple ne peut être dérivé de la tradition judéo-hellénistique ni de l'appartenance biologique à une nation. Tout cela ne suffit pas parce que le risque d'un tel questionnement a besoin d'être inclus dans le questionnement fondamental : « Comment l'estre déploie-t-il (*west*) sa pleine essence ? »[3] Par conséquent, les facteurs biologiques de la race ou les traditions religieuses ne sont pas suffisants, ne serait-ce que pour poser la question s'enquérant de « qui nous sommes ». Les seuls à s'être risqués à affronter le danger d'un tel questionnement furent les Grecs « parce qu'ils ont osé

---

1. *Ibid.*, § 19, « *Philosophie* (À propos de la question : qui sommes-nous ?) » (pp. 48-54, trad. fr. pp. 68-75).
2. *Ibid.* (pp. 52-53 ; trad. fr. pp. 73-74).
3. *Ibid.* (p. 54 ; trad. fr. p. 75).

se déterminer à partir de l'être » (*Überlegungen X*, § 59) – passage
décisif dans lequel Heidegger fait état de l'impossibilité de parvenir à se déterminer en propre sur la base de facteurs contingents,
tels que biologiques ou ethnico-religieux.

Ne tarde pas à venir la *confession* dans laquelle Heidegger
déclare avoir sous-estimé ce « mouvement » :

> Pensant de manière purement « métaphysique » (c'est-à-dire dans
> la perspective de l'histoire de l'estre), j'ai tenu le national-socialisme
> au cours des années 1930-1934 pour la possibilité d'une transition
> vers un autre commencement et en ai donné cette interprétation.
> (*Überlegungen XI*, § 53.)

Une erreur d'appréciation. Au sein du projet de l'histoire de
l'être, toute autre hypothèse faisant référence à des questions
politiques est entièrement à écarter. Plus loin, cette erreur d'appréciation est qualifiée d'« illusion » (*Täuschung*). Il est clair que
cette illusion doit être circonscrite au national-socialisme à ses
débuts et *replacée* dans le cadre universitaire en tant qu'*unique
espace physique* au sein duquel naît et se consume ce désenchantement. Nous ne cherchons pas par là à imposer notre propre grille
herméneutique, mais il nous incombe de rester fidèle au contexte
du § 53 qui délimite non seulement le temps qu'aura duré l'illusion en question mais encore un lieu bien précis : l'Université et
sa fondation dans le savoir essentiel. D'autres visions interprétatives pourront certes être formulées, mais seulement si l'on choisit
délibérément de passer outre toute référence textuelle.

Il faut également tenir compte d'une autre illusion de Heidegger : celle d'avoir cru à tort que ses propres efforts pourraient
contribuer à fonder un savoir originaire. Tout cela n'a pas servi à
grand-chose dès lors que l'Université a abandonné le « véritable
savoir » et a mis la « science » au fondement de la culture. La cause
en est imputable à l'« arrogance creuse » des intellectuels auxquels
est attribuée une « inessence » (*Unwesen*) parce qu'ils sont éloignés
de tout « savoir essentiel » (*wesentliches Wissen*). En perdant leur
configuration, les universités tombent dans une « confusion ». Ce

n'est pas un hasard si Heidegger revient sur le concept d'« illusion »
quand il soutient : « Autre illusion : celle qui consiste à croire que
l'Université serait encore susceptible de se laisser métamorphoser en
un lieu propice à une méditation essentielle. » Le fait qu'il emploie
le terme d'« illusion » en se référant aussi bien au national-socialisme
qu'à l'Université nous aide à comprendre comment cette illusion
relie d'une manière unique cette erreur d'appréciation à une question de fond : la sauvegarde du savoir essentiel et la possibilité de sa
fondation. Faute de cet essentiel présupposé, le national-socialisme
comme l'Université ont bien un fondement, mais il s'agit cette fois
du « fondement de leur impuissance ». Le rapprochement effectué
entre le national-socialisme, envisagé comme réalité historiale, et
l'Université – deux réalités liées par la même illusion – est encore plus
clair dans la conclusion du § 53 : « Un concept de "science" forgé à
partir de là, et aussi bien apprécié en étant vu à partir de l'Université
qu'à partir de la réalité historiale : autant dire un pur "fantôme". »

L'absence totale du savoir essentiel constitue le fil conducteur
qui relie le § 53 au § 55 : « tout affairement en matière de philosophie, notamment "nationale-socialiste", se tient en dehors
du domaine du savoir essentiel (*außerhalb des Bezirks wesentlichen
Wissens*). Cela n'empêche pas qu'une telle industrie parvienne à
trouver publiquement une audience dans une "littérature" pléthorique, tapageuse et – prédatrice ».

3.2. « L'homme moderne » *versus* « l'homme tourné vers l'avenir »

Dans cette section consacrée à « l'homme moderne » *versus*
« l'homme tourné vers l'avenir » se trouvent examinés tous les
passages dans lesquels on se trouve en présence d'une terminologie qui risque de provoquer des « méprises » si on les extrait de
leur contexte crucial. Les termes en question sont les suivants :
Verwüstung (« désolation »), *Entwurzelung* (« déracinement »), *Vergemeinerung* (« généralisation »), *Zerstörung* (« destruction »), *Blut*
(« sang »), *Rasse* (« race »), *Rechenhaftigkeit* (« aptitude au calcul »),
Boden (« sol »), *Feind* (« ennemi »), *Gottlosen* (« athées »), *Juden-*

tum (« judaïsme »), *Juden* (« Juifs »), *Weltlosigkeit* (« absence de
monde »), *weltlos* (« privé de monde »), *Unwesen* (« inessence »).
Notre propos devient ici d'autant plus délicat que la Postface
de l'éditeur allemand du tome 95 de la *Gesamtausgabe* est à l'origine d'une grave « méprise » relativement au terme *Judentum*
(« judaïsme »), qui apparaît dans le § 5 des *Überlegungen VIII*, en
écrivant à ce sujet :

> L'arrière-plan de ces déclarations relatives au « judaïsme » aussi bien
> qu'à l'interprétation de la réalité quotidienne du national-socialisme
> est constitué à vrai dire par toutes ces pensées que nous connaissons
> à partir des « traités historiaux » contemporains de Heidegger : les
> *Apports à la philosophie (De l'avenance)* (tome 65, 1936-1938) [...][1].

Cette citation tirée de la Postface de l'éditeur allemand se poursuit
avec l'énumération de quatre autres œuvres de Heidegger, mais je
crois opportun de mettre en cause pour l'instant les seuls *Apports à
la philosophie*, notamment parce que l'éditeur allemand montre ainsi
manifestement que cette œuvre lui est tout sauf familière du fait que
les renvois des *Beiträge* aux *Überlegungen*, déjà dans les tomes 94 et
95, ne comportent *aucune référence implicite ou explicite* au national-
socialisme ni à la question du *Judentum*. C'est là ce que nous avons pu
établir dans le troisième chapitre du présent volume, intitulé « Des
correspondances inédites de Friedrich-Wilhelm von Herrmann – qui
restent à aborder ». L'opération orchestrée par l'éditeur allemand
à partir de sa méprise désastreuse a produit – et nous l'affirmons
en ayant sciemment recours à la terminologie heideggérienne – un
« colossal appareillage » irresponsable qui a fait en sorte que l'on
suscite chez les masses l'idée que la pensée de l'histoire de l'être
serait « contaminée » par un antisémitisme qui traverserait toute la
pensée heideggérienne à partir de 1936, donc à partir des *Apports*.
Si rien ne leur correspond dans les textes, les intuitions de l'éditeur
allemand deviennent une source empoisonnée dans laquelle prolifèrent les « méprises ». Ce qui est proprement inadmissible, c'est

---

1. P. Trawny, « Nachwort des Herausgebers » [« Postface de l'éditeur »], *in* M. Heidegger, *Überlegungen VII-XI (Schwarze Hefte 1938-1939)*, *op. cit.*, p. 452.

qu'il reste néanmoins trace d'une méprise injustifiée de ce genre
dans la postface d'un volume de la *Gesamtausgabe.*

Überlegungen VII

§ 56 [75-76], S. 52 :

In welcher Weise und in welcher Absicht
dürfen wir heute noch »über« die Künste
nachdenken? Indem wir fragen, ob nicht
gewagt werden muß – *ohne* den Kunst-
betrieb dem »Seienden« sich einmal auszusetzen und so die Vordergründlichkeit
alles »Erlebens« in seiner Aufspreizung ins
Licht der Besinnung zu heben und *alle,*
die sich durch Beteiligung am Kunstbe-
trieb eine Beschäftigung und eine Bestätigung geben – auch die Kunsthistoriker –,
in ihrer Zufälligkeit und Verlassenheit von
jeder Not bloßzustellen. Ob nicht *dieses*
Wagnis in die Nähe des Seyns zwingt
und allen Kulturbetrieb in Frage stellt? In
Wahrheit strebt dieser genau dasselbe an,
was in *seiner* Weise der **bodenlose »Kul-
turbolschewismus«** befördert, und was
einstmals notwendige *Wege* waren auf
einem bestimmten und begrenzten und
zum **Untergang (d. h. zur Größe)** berufe-
nen Gang, das sind jetzt in sich gerundete
Ziele und »*Werte*« als Gelegenheiten, sich
den geschichtlichen Entscheidungen zu
entziehen und lediglich den **Menschen
als Subjektum** zu sichern. Weil der Schritt
dazu im Wesen der Neuzeit liegt, ausdrücklich aber erstmals im 19. Jahrhundert
in der ganzen Breite der *historischen* Ver-
anstaltung der Geschichte unternommen
wurde, muß auch eine Zeit – und zwar
sehr bald – sich einstellen, in der das 20.
Jahrhundert zur Verteidigung gerade des
19. Jahrhunderts sich entschließen muß.
Ohne diese würde das 20. seine vordergründlichen Veranstaltungen und Vorhaben mißdeuten und verkennen.

Réflexions VII

§ 56 [75-76], p. 52 :

De quelle façon et pour viser quoi nous
est-il permis aujourd'hui encore de mener
une réflexion « sur » les arts ? Nous deman-
dons par là si ne doit pas être risqué de
s'exposer une bonne fois à l'« étant » – *en
se passant* de l'affairement artistique – et
ainsi d'élever à la lumière de la méditation
la manière dont tout « **vécu** » se pavane au
premier plan et de couvrir de ridicule en
leur caractère fortuit et en leur absence de
toute nécessité impérieuse *tous* ceux qui se
donnent une occupation et une confirmation par leur implication dans l'affairement
artistique – y compris les spécialistes en histoire de l'art. *Cette* audace ne ramène-t-elle
pas dans la proximité de l'estre et ne met-
elle pas en question tout affairement culturel ? En vérité, celui-ci aspire exactement à
la même chose que ce que promeut *à sa
façon* le « **bolchevisme culturel** » déraciné,
et ce qui a pu constituer des *chemins* sur un
parcours bien précis et délimité et appelé
au **déclin (c'est-à-dire à la grandeur),** ce
sont à présent des *buts* et des « *valeurs* »
bien arrêtés fournissant l'occasion de se
soustraire aux décisions historiales et visant
simplement à conforter l'**homme comme
subjectum.** Le pas qui y mène étant inhérent à l'essence des Temps nouveaux, tout
en n'ayant été entrepris expressément
qu'au XIXᵉ siècle dans toute l'étendue de
l'organisation *historique* de l'histoire, il faut
que se présente une époque – très prochai-
nement – au cours de laquelle le XXᵉ siècle
se résoudra à la défense du XIXᵉ siècle. Sans
cela, le XXᵉ siècle se leurrerait sur ses manifestations de premier plan et ses desseins,
et les méconnaîtrait.

Überlegungen VII

§ 71 [110-111], S. 73-74 :

Eine Hemmung – nicht aber eine Gefahr – könnte bald für **das Denken des Seyns** dadurch sich breitmachen, daß die »Erde« und was zu ihr gehört zum *Gegenstand* der »Philosophie« erklärt wird; daß Goethes Naturbezug zum Leitfaden einer Philosophiegelehrsamkeit herabsinkt.

Diese »geistige« Durchdringung der »Natur« ist beirrender als jede Art des rohen »biologischen« Deutens, dessen **Rechenhaftigkeit** sogleich an den Tag kommt. Jene Hemmung wird aber durch die herrschende »**Erlebnis**«-sucht fast herbeigerufen und sie wird in dem, was man »**das Leben**« nennt, die unmittelbare Bestätigung und Bekräftigung ihrer Scheinwahrheit finden. (Vgl. ob. *Schelling,* 86 ff.). Die Gefahr droht der Erde selbst, weil solche Art ihrer Vergeistigung eine Form der **Verwüstung** darstellt, die unmittelbar gar nicht aufzuhalten ist, weil sie vom herrschenden Menschenwesen zu dessen eigener Sicherung eingerichtet und befördert wird.

Wiederum liegt geschichtlich all dem weit voraus, was Hölderlin »die Erde« nennt und was nur *historisch* verdeutlicht ist, wenn wir es mit der »Gäa« zusammenbringen. Geschichtlich – d. h. den **künftigen** Menschen tragend – kann die Erde nur werden, wenn der Mensch zuvor in die Wahrheit des *Seyns* gestoßen ist und ihm aus dem Erdenken des Seyns die Götter und er selbst in die Stätte des Kampfes um ihre Bestimmung eingehen, aus welchem Kampf erst die Welt aufblitzt und die Erde ihr Dunkel zurückgewinnt.

Réflexions VII

§ 71 [110-111], pp. 73-74 :

Une entrave – mais non pas un danger – pourrait ne pas tarder à se répandre pour **la pensée de l'estre** du fait que la « terre » avec tout ce qui en relève est déclarée constituer un *objet* de la « philosophie » ; que le rapport de Goethe à la nature se trouve rabaissé jusqu'à devenir le fil directeur d'une érudition philosophique.

Cette pénétration « spirituelle » de la « nature » est plus égarante que ses grossières interprétations « biologiques » de toutes sortes dont saute immédiatement aux yeux le caractère de **computation**. Mais l'empêchement dont nous parlons est pour ainsi dire d'emblée appelé à la rescousse par la fuite effrénée et dominante du « vécu » et il ne manquera pas de trouver dans ce qu'on appelle « **la vie** » la confirmation et la consolidation immédiates de sa pseudo-vérité. (Cf. ci-dessus *Schelling,* p. <86> sq.). Le danger menace la terre elle-même, parce qu'une spiritualisation de ce genre représente une forme de **dévastation** qu'on ne saurait contenir dans l'immédiat parce qu'elle est organisée et requise par l'humanité dominante en vue de sa propre mise à l'abri.

Mais, encore une fois, historialement tout cela est de loin précédé par ce que Hölderlin nomme « la terre » et qui n'est qu'*historiquement* clarifié lorsque nous le mettons en rapport avec [ce que les Grecs anciens appellent] « Gaïa ». Historialement – entendons par là : porteuse de l'être humain **à venir** – la terre ne peut advenir que si l'homme a été préalablement propulsé en la vérité de *l'estre* et que, à partir de ce qui parvient à ce que l'estre vienne à la pensée, les dieux et lui-même parviennent sur les lieux de la lutte pour leur destination, lutte à partir de laquelle seulement le monde retrouve sa fulgurance et la terre son obscurité.

Überlegungen VII

§ 75 [115-121], S. 77-80 :

»*Naturverbundenheit*«. – Allenthalben, auf verschiedenen Wegen, wechselnder Ausdauer verlangt den heutigen Menschen nach dem »Wirklichen« oder dieses Verlangen wird ihm von Einigen eingefühlt und aufgeredet. Dieses *Verlangen könnte* einen Vorgang anzeigen, auf dessen **Oberfläche** der heutige Mensch sich fortbewegt, ohne die Ebene seines Weges als **Oberfläche** eines Anderen zu erkennen. Es *könnte* so sein, aber alles andere deutet dafür, daß es *nicht* so ist. Vor allem bleibt verworren, was denn die **Wirklichkeit des** »Wirklichen« sein soll, ob und wie sie maßstäblich sich anbietet. Was man unter diesem Namen sucht, muß ja wohl das Gegenteilige dessen sein, was man als das **Unwirkliche** flieht. Und wieder ist zu fragen, ob nicht das »Unwirkliche« so eingeschätzt wird, weil über die Wirklichkeit nicht entschieden ist.

[...]

Und dennoch – wie steht es mit dieser »Naturverbundenheit« und ihrer Einrichtung? Den Wald und den Bach, den Berg und die Wiese, die Lüfte und den Himmel, das Meer und die Insel nimmt der Mensch jetzt als Ablenkungsanlaß, als Beruhigungsmittel, als Gegenstand seiner Erholungstätigkeit, die ihre festen Betriebsformen und beanspruchten Einrichtungen hat. Wenn es hochkommt, nimmt der Mensch das Genannte als »Landschaft«, die er bei kurzem Aufenthalt oder auf der eiligen Durchfahrt sich zur Kenntnis bringt und vielleicht als späteren Unterhaltungsstoff in sein Gedächtnis verstaut. Neuerdings überfällt der Mensch die Landschaften außerdem mit seiner historischen und volkskundlichen und prähistorischen Neugier und Vergleichungssucht und

Réflexions VII

§ 75 [115-121], pp. 77-80 :

« *Se ressourcer.* » – De toutes parts, par des voies différentes et avec plus ou moins d'insistance, l'homme actuel demande du « réel », ou bien cette revendication lui est soufflée et dictée par certains. Cette *revendication pourrait* indiquer un processus à la **surface** duquel l'homme d'aujourd'hui continue à aller de l'avant, sans reconnaître le niveau auquel se situe son chemin comme simple **revêtement** d'un autre chemin, autre et autrement profond. Il *pourrait* bien en être ainsi, mais tout le reste indique assez qu'il *n'*en est *pas* ainsi. Surtout deumeure encore assez confus ce que peut bien être la **réalité du** « réel », si elle se présente et selon quel critère. Ce que l'on cherche sous ce nom doit bien être ce qui s'oppose à ce que l'on fuit comme étant **irréel**. Et à nouveau il faut demander si « l'irréel » n'est pas estimé ainsi parce que n'a pas été tranché ce qu'est la réalité.

[...]

Et pourtant – qu'en est-il de ce « ressourcement » et de son organisation ? La forêt et le ruisseau, la montagne et la prairie, le grand air et le ciel, la mer et l'île, l'homme les prend à présent comme autant d'occasions de se distraire, source de relaxation, objets de son délassement, au gré d'activités formatées et planifiées en fonction de ses attentes. En mettant les choses au mieux, l'homme envisage tout ce que l'on vient de dire comme « paysage » dont il a pris connaissance lors d'un bref séjour ou en le parcourant à la hâte pour l'emmagasiner peut-être dans sa mémoire comme éventuel sujet de conversation à venir. À quoi s'ajoute la dernière mode : l'homme part à l'assaut des paysages, de surcroît, avec sa curiosité et sa manie des rapprochements historiques, ethnologiques et préhistoriques, se croyant par là bien au-

meint sich so jenem bloßen Naturgenuß überlegen. Beides gemischt bewirkt die Einbildung, nunmehr auf Grund dieser vielleicht noch ungeraden [?] Genußfähigkeit und der historischen Kenntnisse zu den **Bodenständigen** zu gehören und an der Erzeugung der **Bodenständigkeit** mitzuwirken.

[...]

Wer ahnt die **Entwurzelung** der letzten spärlichsten Wachstümer, die es noch gab? Wer *will* überhaupt ahnen, daß hier etwas vor sich geht, was vollends mißdeutet wäre, wollte man es nur als einen Verlust der »guten alten Zeit« feststellen, berechnend bedauern. Die Furchtbarkeit dieses nach außen vergnüglichen Naturbetriebs ist erst dann begriffen, wenn wir sie ohne Gefühlsschwärmerei zurückdenken in jenen Vorgang der Seinsverlassenheit des Seienden, der seine Eigenmacht in der **Riesenhaftigkeit** und Rücksichtslosigkeit des Vordringens der Berechnung und des Betriebs entfaltet. Dieses ist das **Wirkliche**, das niemand sieht und keiner sehen will; weil diese Fortschrittlichen der neuen Zeit im Grunde am zähesten am mißdeuteten Alten hängen und die eigentlichen »Romantiker« sind; *wer wie sie die Geschichte historisch und nur so nimmt, vermag auch in der eigenen Gegenwart und hier am meisten das »Wirkliche« nicht zu erfahren.*

dessus de tout ce qui reviendrait simplement à jouir de la nature. Le mélange des deux fait accroire, sur la base de cette aptitude peut-être encore mal dégrossie [?] à jouir des paysages et des connaissances historiques, que l'on fait partie dorénavant des **autochtones**, et participe à produire ce sentiment d'être « au fond tout comme les gens du coin ».

[...]

Qui pressent le **déracinement** de ce qu'ont pu donner les dernières malheureuses semailles ? Et qui *veut* pressentir que quelque chose se passe en l'occurrence que l'on comprendrait de manière parfaitement erronée en se bornant tout compte fait à regretter le « bon vieux temps » à jamais révolu ? La fécondité de ce plaisant affairement autour de la nature, considérée de l'extérieur comme un moyen de se divertir, ne se laisse comprendre que si nous le resituons, loin de tout sentimentalisme, au sein de ce processus d'abandon de l'étant par l'être, de l'étant qui dès lors déploie sa puissance propre dans le caractère **gigantesque** et le manque total d'égards propre à l'incursion de la computation et de l'affairement généralisé. Le voilà bien, le réel que nul ne voit ni ne veut voir ; parce que ces progressistes de notre temps s'en tiennent au fond à de l'ancien à quoi obstinément ils se raccrochent et sur quoi ils ne pourraient davantage se méprendre, ce sont eux les véritables « romantiques » dans l'histoire. *Quiconque, à leur instar, prend l'histoire de manière historisante et s'en tient là n'est pas en mesure d'éprouver le « réel » fût-ce en son propre présent et là moins que jamais.*

Überlegungen VIII

§ 4 [8-9], S. 96-97 :

Im **Geschichtslosen** kommt dasjenige, was nur innerhalb seiner zusammengehört, auch am ehesten in die Einheit der

Réflexions VIII

§ 4 [8-9], pp. 96-97 :

Dans la **vacance d'histoire**, ce qui ne relève que d'elle parvient au mieux à l'unité disparate où tout s'entremêle ;

völligen Vermischung; das scheinbare Aufbauen und Erneuern und die völlige Zerstörung – beides ist dasselbe – **Bodenlose** – dem nur Seienden Verfallene und dem Seyn Entfremdete. Sobald das **Geschichtslose** sich »durchgesetzt« hat, beginnt die Zügellosigkeit des »Historismus« –; das **Bodenlose** in den verschiedensten und gegensätzlichsten Gestalten gerät – ohne sich als gleichen **Unwesens** zu erkennen – in die äußerste Feindschaft und **Zerstörungssucht.**

Und vielleicht »siegt« in diesem »Kampf«, in dem um die Ziellosigkeit schlechthin gekämpft wird und der daher nur das Zerrbild des »Kampfes« sein kann, die größere **Bodenlosigkeit,** die an nichts gebunden, alles sich dienstbar macht **(das Judentum).** Aber der eigentliche Sieg, der Sieg der Geschichte über das Geschichtslose wird nur dort errungen, wo das **Bodenlose** sich selbst ausschließt, weil es das Seyn nicht wagt, sondern immer nur mit dem Seienden rechnet und seine Berechnungen als das **Wirkliche** setzt.

Überlegungen VIII

§ 5 [9], S. 97 :

Eine der verstecktesten Gestalten des *riesigen* und vielleicht die älteste ist die zähe Geschicklichkeit des Rechnens und Schiebens und Durcheinandermischens, wodurch die **Weltlosigkeit** des **Judentums** gegründet wird

Überlegungen VIII

§ 39 [108], S. 161 :

Das völkische Prinzip zeigt sich in seiner riesigen neuzeitlichen Bedeutung, wenn man es als Abwandlung und Nachkommenschaft der Herrschaft der *Soziologie* der Gesellschaft begriffen hat. Ist es Zufall, daß der **National***sozialismus* die »*Soziologie*« als *Name* ausgemerzt hat?

la reconstruction et la rénovation apparentes, et l'entière **destruction** – qui sont la même **absence d'ancrage** de ce qui a échoué en étant et a fait faux bond à l'estre. Dès lors que la **vacance d'histoire** s'est « imposée », la bride est désormais lâchée à l'« historicisme » – ; l'**absence d'ancrage** sous ses formes les plus diverses et les plus contrastées aboutit – sans se reconnaître d'une pareille **inessence** – à l'hostilité et à la **rage de destruction** extrêmes.

Et ce qui est « victorieux » en ce « combat », dans lequel n'est simplement combattue que l'absence de but et qui ne peut être par conséquent que la caricature du « combat », c'est peut-être bien la plus vaste **absence d'ancrage**, celle qui n'est liée à rien et tire profit de tout **(le génie juif)**. Mais la victoire proprement dite, à savoir la victoire de l'histoire sur la vacance d'histoire, n'est obtenue que là où ce qui est **sans ancrage** s'exclut lui-même parce qu'il n'ose pas l'estre mais ne compte qu'avec l'étant et pose ses computations comme le **réel**.

Réflexions VIII

§ 5 [9], p. 97 :

L'une des figures les plus occultes du *gigantesque*, peut-être aussi la plus ancienne, est l'habileté bien endurcie à calculer, à jouer des coudes et à faire des entourloupes, sur quoi se fonde l'**absence de monde** du **caractère juif.**

Réflexions VIII

§ 39 [108], p. 161 :

Le principe populiste se montre en sa portée colossale propre aux Temps nouveaux quand on l'a compris comme avatar et retombée de la domination exercée par la *sociologie* de la société. Est-ce un hasard si le **national-socialisme** a éliminé la « *sociologie* » comme *intitulé* ? Pourquoi la

Warum wurde die Soziologie mit Vorliebe von **Juden** und **Katholiken** betrieben?

Überlegungen VIII

§ 48 [118-119], S. 168-169 :

Descartes. – Der Angriff auf Descartes, d. h. das seiner metaphysischen Grundstellung *gemäße* Entgegenfragen aus einer grundsätzlichen Überwindung der Metaphysik, kann nur aus dem *Fragen der Seinsfrage* vollzogen werden. Der erste Angriff solcher Art ist versucht in »Sein und Zeit« (1927). Er hat mit der vormaligen und nachmaligen »Kritik« des »Cartesianismus« nichts gemein. Dieser Angriff setzt durch die Wahl des Gegners diesen erst in seine unantastbare Größe innerhalb der Geschichte des abendländischen Denkens. Dieser Angriff weiß, daß mit »Widerlegungen« hier nichts auszurichten ist, daß vielmehr durch die Ursprünglichkeit des Angriffs der Angegriffene erst recht in seine geschichtliche Unerschütterbarkeit zu stehen kommt und deshalb immer weniger als »erledigt« gelten kann, wenn anders dem Abendland noch eine Zukunft des denkerischen Fragens aufbehalten bleibt. Daher hat dieser Angriff (obzwar er seitdem von **Juden** und **Nationalsozialisten** gleich stark ausgebeutet wird, ohne doch in seinem Wesenskern begriffen zu sein) keine Gemeinschaft mit den jetzt ins Kraut schießenden dummdreisten Bekrittelungen Descartes' aus »völkisch-politischen« Gesichtspunkten durch übereifrige und noch lehrstuhllose Privatdozenten »der Philosophie«. Auch ist es unnötig, wie manche es gern sehen möchten, sich öffentlich gegen solche Schriftstellereien abzusetzen.

sociologie a-t-elle été pratiquée avec prédilection par des **Juifs** et des **catholiques** ?

Réflexions VIII

§ 48 [118-119], pp. 168-169 :

Descartes. – S'attaquer à Descartes, c'est-à-dire questionner en retour *de manière appropriée* sa position métaphysique foncière à partir de ce qui foncièrement surmonte la métaphysique, cela ne peut être accompli qu'à partir du *questionnement propre à la question de l'être*. S'y attaquer en ce sens, c'est la tentative risquée pour la première fois dans *Être et Temps* (1927). Cela n'a rien à voir avec la « critique » du cartésianisme antérieure ou postérieure à la parution de cet ouvrage. Par le choix de l'adversaire, cette attaque pose celui-ci dans la grandeur incontestable qui lui est propre au sein de l'histoire de la pensée occidentale. Cette attaque sait qu'on n'arrive à rien en l'occurrence avec des « réfutations » et que c'est bien plutôt par ce que l'attaque garde d'un rapport à la source que sa cible en vient à se tenir en sa grandeur historiale inébranlable dont le cas, pour cette raison même, peut d'autant moins passer pour « réglé », à supposer que demeure encore réservé à l'Occident un avenir pour ce qui, pensivement, questionne. C'est pourquoi cette attaque (encore qu'elle n'ait pas manqué d'être exploitée de manière tout aussi virulente par des **Juifs** et des **nationaux-socialistes**, sans pour autant avoir été comprise quant au cœur du propos) n'a rien de commun avec la mesquinerie bête et méchante qui trouve à redire à Descartes, telle qu'elle prolifère de nos jours à partir de points de vue « politiquement populistes », en étant le fait de professeurs encore en attente de leur titularisation pour enseigner la « philosophie », et qui en font trop. Il est également inutile – d'aucuns s'en régaleraient – de se démarquer publiquement de telles écrivailleries.

Überlegungen IX

§ 81 [104-105], S. 247-248 :

Nietzsche – verkannte, daß seine Umkehrung des Platonismus, d. h. die Ansetzung »des« Lebens als der ausschließlichen Grundwirklichkeit, die auch Unterscheidbarkeit von Diesseits und Jenseits hinfällig macht, im Grunde seiner innersten Absicht auf den höheren, wohlgeratenen Menschen (die großen Exemplare) entgegenarbeiten mußte; denn mit jener Ansetzung ist die Massenhaftigkeit des Lebenden und seines Lebensdranges an sich gerechtfertigt; die Anerkennung derselben als **Boden** und Widerstand für den Einzelnen aber ist nur ein Schein, weil die Einzelnen selbst sich alsbald nur als Beauftragte des »Lebens«, und d. h. *für* die Massen und deren Wohl und Glück, wissen können. Ihrem eigenen Willen bleibt nur das Echo »des Lebens« und seiner Steigerung, und jeder »Lebende« wird als solcher den Anspruch auf Lebensrecht anmelden und der wachsende Anspruch wird »das Leben« steigern.

Réflexions IX

§ 81 [104-105], pp. 247-248 :

Nietzsche – a méconnu que son retournement du platonisme, consistant à instituer « la » vie comme réalité foncière exclusive rendant du même coup caduque la possibilité de différencier un en deçà et un au-delà, devenait au fond contreproductif par rapport à son intention la plus profonde visant à l'émergence de l'homme supérieur, sortant du lot (les grands spécimens) ; car avec l'institution de « la vie » comme foncière et exclusive réalité se trouve en lui-même justifié le caractère grégaire du vivant et de son élan vital ; la reconnaissance de cette grégarité comme **sol** et repoussoir pour l'individu qui s'en détache n'est qu'un leurre, parce que les individus eux-mêmes ont tôt fait de ne se reconnaître que comme mandataires attitrés de « la vie » et par là *pour* les masses, pour leur prospérité et leur bonheur. À leur volonté propre ne reste que l'écho de « la vie » et de sa surenchère, et tout « vivant » en tant que tel proclamera sa revendication d'un droit à la vie, revendication qui, se faisant de plus en plus entendre, ne manquera pas d'aboutir à une montée en puissance de « la vie ».

Überlegungen IX

§ 84 [108], S. 249:

Die Vieldeutigkeit und willkürliche Bedeutung solcher Namen (Glauben, Wissen, Wissenschaft, Kultur und so fort) ist schon kein bloßes Schwanken mehr innerhalb eines in sich gegründeten Bedeutungsspielraumes – (sofern alle Sprache ursprünglich diese Ausschläge der Bedeutung als Wesenskraft besitzt und kein Zeichensystem und gar ein »genormtes« sein kann), sondern das Anzeichen einer **Entwurzelung** der Wahrheit des Seyns – falls je schon eine

Réflexions IX

§ 84 [108], p. 249 :

Cette plurivocité, cette signification aléatoire de termes de ce genre (*Glauben* [« foi »/« croyance »], *Wissen* [« savoir »], *Wissenschaft* [« science »], *Kultur* [« culture »/« civilisation »], etc.) ne relève plus simplement d'un flottement au sein d'une certaine plasticité sémantique en elle-même fondée – (dans la mesure où toute langue possède originellement ces écarts de signification qui en font la vigueur native et qu'aucune n'est réductible à un système de signes,

Verwurzelung im Seyn selbst bestand –; die Folge davon, daß »Sprache« und »Denken«, »Begriff« und Vorstellung psychologisch-biologisch zu Mitteln der Einrichtung der Lebensbewältigung herabgesunken und veräußerlicht sind. Nicht, daß man sich nicht »einigen« kann auf wesentliche Ziele und deren begründete Satzung, sondern daß überhaupt der Erfahrungsblick auf das Seiende verwirrt und diese Verwirrung als gefahrlos ausgegeben ist, da der **unmittelbare Nutzen** Jegliches rechtfertigt und der »Schaden« und der »Fehlgriff« als solcher nicht berechnet wird.

fût-il « normé »), mais indique un **déracinement** de la vérité de l'estre – à supposer qu'il y ait eu **enracinement** en l'estre même – ; par suite, « parole » et « pensée », « concept » et « représentation » se sont affaissés et édulcorés, **psychologie et biologie** aidant, en moyens de gérer la maîtrise de la vie. Ce n'est pas que l'on ne puisse pas s'accorder sur des buts essentiels et sur l'éventuel bien-fondé de leurs statuts respectifs ; c'est d'abord et avant tout que se trouve déconcerté le regard porté sur l'étant à la mesure d'une expérience, ce que l'on fait volontiers passer pour ce qui ne présenterait aucun danger vu que le **profit immédiat** justifie une chose et son contraire sans pour autant faire entrer en ligne de compte les « dégâts » et les « méprises ».

Überlegungen IX

§ 91 [116-117], S. 254-258 :

Nietzsche – die entscheidende Überwindung Nietzsches (nicht etwa die immer unphilosophische »Widerlegung«) kann nie unmittelbar durchgeführt werden; sie besteht vielmehr in der Erschütterung (Grundentziehung) der abendländischen Metaphysik als solcher; dadurch wird die Ansetzung »des Lebens« als des Seienden **bodenlos** – weil das »Seiende« überhaupt den Vorrang verliert.

Réflexions IX

§ 91 [116-117], pp. 254-258 :

Nietzsche – surmonter Nietzsche de manière décisive (et non le « réfuter » d'une manière toujours non philosophique), c'est là ce qui ne saurait être mis en œuvre directement ; cela consiste bien plutôt en un ébranlement (quand le fond se dérobe) de la métaphysique occidentale comme telle ; par là, introniser « la vie » comme l'étant attitré **ne repose plus sur rien**, parce que l'« étant » en général perd sa primauté.

Überlegungen IX

§ 92 [123], S. 258 :

Man findet es befremdlich, daß die Besinnung auf ein ganz Anderes hinausfragen könnte, auf das Sein und seine Wahrheit und deren **Gründung** und **Grundlosigkeit** – so daß Besinnung als Selbstbesinnung nichts zu tun hätte mit einer Begutachtung der Erlebnishintergründe; die Form dieser Zergliederung

Réflexions IX

§ 92 [123], p. 258 :

On trouve étrange que la méditation puisse aller jusqu'à faire porter ses questions sur ce qui est tout autre, à savoir l'être et sa vérité, leur **fondation** et leur **fond qui se dérobe** – en sorte que la méditation conçue comme retour sur soi n'aurait rien à voir avec une expertise des arrière-plans de telle ou telle expérience vécue ; la forme

ist geblieben, auch nachdem man die jüdische »Psychoanalyse« vorgeschoben hat. Diese Form muß bleiben, solange man sich als Erlebnismensch nicht selbst aufgibt. Solange aber ist Besinnung im denkerischen Sinne unmöglich.

Überlegungen X

§ 14 [10], S. 282 :

Denker – ist jener, der eine die Wahrheit des Seyns wagende Frage ohne den möglichen Anhalt an einem Widerhall *so* zwischen die sich fortwälzende Neugier der immer Fraglosen wirft, daß sie in sich stehen bleibt als ein ragender Abgrund inmitten des Gut Errechneten, geschickt Gestützten und gemeinten **Bodenständigen.**

Überlegungen X

§ 15 [10-11], S. 282 :

Die Kennzeichnung von Stein, Tier und Mensch durch die Art des Weltbezugs (vgl. Vorlesung 1929/30) ist im Frageansatz festzuhalten und dennoch unzureichend. Die Schwierigkeit hängt in der Bestimmung des Tieres als »Weltarm« – trotz der vorbehaltenden Einschränkungen des Begriffes »Armut«; nicht: **weltlos, weltarm, weltbildend,** sondern: *feld- und **weltlos,** / feldbenommen-**weltlos,** / und weltbildend-erderschließend /* sind die angemesseneren Fassungen der Fragebezirke. Dabei verlangt die Kennzeichnung des »Steins« als feld- und **weltlos** zugleich und zuvor die eigene »positive« Bestimmung. Aber wie ist diese anzusetzen? Doch von der

de la dissection ainsi pratiquée a perduré, même après que l'on est allé chercher la « psychanalyse » juive. Et cette forme est appelée à demeurer aussi longtemps que l'on ne fera pas le deuil de soi-même comme homme vivant son propre vécu. Et tant que ce ne sera pas le cas, une méditation se situant au niveau de la pensée s'avérera rigoureusement impossible.

Réflexions X

§ 14 [10], p. 282 :

Penseur – est celui qui lance une question mettant en jeu la vérité de l'estre sans pouvoir prendre appui sur la moindre répercussion au beau milieu de la curiosité compulsive de ceux qui ne se posent jamais de questions et vont toujours voir ailleurs, et qui la lance *de telle sorte* qu'elle demeure, ne tenant que par elle-même, comme un abîme en surplomb au milieu de ce qui est bel et bien escompté, habilement étayé et ayant prétendument **les pieds sur terre.**

Réflexions X

§ 15 [10-11], p. 282 :

La caractérisation de la pierre, de l'animal et de l'homme selon les relations qu'ils entretiennent respectivement avec le monde (cf. cours du semestre d'hiver de 1929-1930) est à maintenir comme point de départ du questionnement, et pourtant elle s'avère insuffisante. La difficulté tient à la détermination de l'animal comme « pauvre en monde » – malgré les réserves et restrictions qu'appelle le concept de « pauvreté » ; non pas : **dépourvu de monde, pauvre en monde et configurateur de monde,** mais : *dépourvu de champ et de monde, / hébété en son champ – dépourvu de monde /,* et enfin *configurateur de monde – ouvrant la dimension de la terre /* sont

»Erde« her – dann aber vollends gar aus »Welt«.

des reformulations plus pertinentes des domaines circonscrits. Où la caractérisation de la « pierre » comme **dépourvue** de champ et **de monde** demande en même temps et préalablement la détermination « positive » qui lui revient en propre. Mais comment la fixer ? À partir de la « terre » – et bien par là à partir du « monde ».

Überlegungen X

§ 39 [59], S. 312 :

Hierbei ist nicht gedacht an die erst diesem Vorgang *nachträglichen* gelehrten Erneuerungen der hegelschen Philosophie und Nachmachungen nietzschescher Gedanken und Stellungnahmen – sondern gerade die gemeingeistige – alltäglich-öffentliche Vorstellung und Wertung des Seienden wird – ohne daß es zu einem Wissen davon zu kommen braucht – von jener Vollendung der Metaphysik getragen. Die verborgen geschichtliche Kraft ihrer untergründigen Zusammengehörigkeit aber ist die Metaphysik von Leibniz – freilich in der Form der groben und weitmaschigen **Vergemeinerung**, die ihr seit Herder und Goethe zuteil wurde. Die Vollendung der abendländischen Metaphysik ist deshalb eine durch und durch deutsche Notwendigkeit, in der Descartes sowohl wie der Platonismus und Aristotelismus des Abendlandes und damit die geistigen Bereiche des Mittelalters und des neuzeitlichen Kulturchristentums zu einem letzten Anlauf des metaphysischen Denkens zusammengeschlossen sind.

Réflexions X

§ 39 [59], p. 312 :

Nous ne songeons pas ici aux savantes réfections *postérieures* à ce processus de la philosophie hégélienne ni aux contrefaçons de pensées et de positions nietzschéennes – mais c'est la représentation et la valorisation de l'étant communément partagées, accédant quotidiennement à la publicité – sans même avoir besoin de parvenir à un savoir y afférent – qui sont portées par cet achèvement de la métaphysique. Or la force historiale qui porte secrètement leur solidarité souterraine n'est autre que la métaphysique de Leibniz – à vrai dire sous la forme de **généralités** assez vagues qui lui a été impartie depuis Herder et Goethe. L'achèvement de la métaphysique occidentale est de ce fait une nécessité de part en part allemande dans laquelle Descartes aussi bien que le platonisme et l'aristotélisme du monde occidental et par là aussi les domaines spirituels du Moyen Âge et du christianisme culturel des Temps nouveaux trouvent leur récapitulation en un ultime élan de la pensée métaphysique.

Überlegungen X

§ 44 [74], S. 322 :

Solange das Wesen des Menschen durch die Tierheit (animalitas) vorbestimmt bleibt, kann immer nur gefragt werden, *was* der Mensch sei. Nie ist die Frage möglich: *wer* der Mensch sei? Denn

Réflexions X

§ 44 [74], p. 322 :

Aussi longtemps que l'essence de l'homme restera prédéterminée par l'animalité (*animalitas*), ne pourra jamais être posée que la question de savoir *ce* qu'est l'homme. Jamais ne sera possible la ques-

diese Werfrage ist als Frage schon die ursprünglich andere und einzigartige Antwort auf die Frage nach dem Menschen – dieses Fragen selbst setzt den Menschen in seinem Wesen an als die Inständigkeit in der Wahrheit des Seyns. Sie ist jene Frage nach dem Menschen, die nicht etwa nur über ihn hinaus fragt nach seiner Ursache und dergleichen, sondern die überhaupt nicht nach ihm, des Menschen wegen fragt, sondern um des Seyns willen, da dieses in die Entgegnung zum Menschen als dem Gründer der Wahrheit versetzt. Erst diese Frage überwindet die neuzeitliche *anthropologische* Bestimmung des Menschen und mit ihr alle voraufgegangene, **christliche hellenistische** – **jüdische** und **sokratisch-platonische** Anthropologie.

tion : *qui* est l'homme ? Car cette question du *qui* est déjà en tant que question la réponse originale autre et unique en son genre à la question s'enquérant de l'homme – ce questionnement lui-même installe l'homme en la plénitude de son essence : se tenir instamment dans la vérité de l'estre. Elle est cette question s'enquérant de l'homme qui ne se contente pas de se demander par exemple, par-delà lui, quelle en est la cause et autres questions similaires, mais qui, loin de s'enquérir de l'homme pour lui-même, s'en enquiert en vue de l'estre, car c'est lui, l'estre, qui propulse dans ce qui vient à l'encontre de l'homme comme fondateur de la vérité. C'est avec cette question seulement qu'est surmontée la détermination *anthropologique* de l'homme inhérente aux Temps nouveaux, et avec elle toute **anthropologie** antérieure, qu'elle soit **chrétienne d'époque hellénistique** – **juive** ou encore **socratico-platonicienne**.

Überlegungen X

§ 46 [77-78], S. 324 :

Aber auch Nietzsche »denkt« als Künstler und d. h. hier aesthetisch-wagnerisch-schopenhauerisch, wenn er den »Genius« als Ziel der Menschheit – ansetzt – er bleibt in der Umzäunung der **biologischen Metaphysik** hängen und deshalb kann man mit dem gleichen Recht auf dem **Boden** dieser Metaphysik auch in der Umkehrung »das Volk« als den Zweck seiner selbst ansetzen – beides ist »dasselbe« – und erst damit erreichen wir den Bereich, von dem das *nur zunächst* vordergründlich genommene Kulturtreiben stets und einzig seine Begründung empfängt und ohne sein Wissen die eigentlichen Anstöße: die Herrschaft der neuzeitlichen Metaphysik in der Endform der Vermenschung des Menschen. Alle Kulturpolitik und Kultur der Kultur sind

Réflexions X

§ 46 [77-78], p. 324 :

Mais même Nietzsche « pense » en artiste, ce qui veut dire ici de manière esthético-wagnéro-schopenhauérienne, lorsqu'il – fixe – le « génie » comme but de l'humanité ; il demeure confiné dans l'enclos de la **métaphysique biologique** et c'est pourquoi on peut tout autant à bon droit, en **s'appuyant** sur cette métaphysique, instituer inversement le « peuple » comme but de lui-même – les deux revenant « au même » – et par là seulement nous atteignons le domaine à partir duquel l'affairement culturel pris *ne serait-ce qu'au premier degré* reçoit constamment et exclusivement sa fondation et, à son insu, ses véritables impulsions : le règne de la métaphysique des Temps nouveaux, sous la forme finale de la réduction de l'homme à lui-même. Toute politique

die Sklaven dieser ihnen verborgenen **Herrschaft des Subjectum** (des Menschen als des historischen Tieres).

Überlegungen X

§ 46a [79], S. 325 :

Jeder Dogmatismus, er sei kirchlich-politisch oder staatspolitisch, hält notwendig jedes von ihm scheinbar oder wirklich abweichende Denken und Tun für eine Zustimmung zu dem, was ihm, dem Dogmatismus, *der Feind* ist – seien das die **Heiden** und **Gottlosen** oder die **Juden** und **Kommunisten**. In dieser Denkweise liegt eine eigentümliche Stärke – nicht des Denkens – sondern der Durchsetzung des Verkündeten.

Überlegungen XI

§ 1 [1-5], S. 360-362 :

Der neuzeitliche Mensch hat die Sicherung seines Wesens darauf angelegt, einstmals ein Teil der **Maschine** zu werden, damit er im Dienst für die Sachlichkeit und Berechnetheit ihres Laufens seine mühelose Sicherheit, seine Antriebe und seine Lust finde. Dieses Sicheinlassen auf das **Maschinenwesen** ist etwas Wesentlich Anderes als der bloße Gebrauch »technischer« Möglichkeiten; hier begibt sich die äußerste Anverwandlung des Menschenwesens in **die Rechenhaftigkeit des Seienden**. Mit all dem kommt erst der **Geist** (d. h. das Verstand- und Rechenhafte der Tierheit) zu seiner höchsten Macht; die Herrschaft des **Maschinenwesens** ist weder »Rationalismus« noch »Materialismus« – nicht die Verödung des leeren Verstandes und nicht die Heiligung des bloßen Stoffes. Vielmehr vollzieht sich in dieser Anverwandlung an das **Maschinenwesen** jenes

culturelle, toute culture de la culture sont les esclaves de ce **règne du *subjectum*** qui leur demeure inapparent (de l'homme entendu comme animal historique).

Réflexions X

§ 46a [79], p. 325 :

Tout dogmatisme, qu'il relève de la politique ecclésiale ou de la politique étatique, tient nécessairement toute pensée et toute activité qui s'écartent apparemment ou réellement de lui pour une manière de souscrire à ce qui pour lui, le dogmatisme, est *l'ennemi juré* – que ce soient les **païens** ou les **athées**, les **Juifs** ou les **communistes**. Dans cette manière de penser réside une force propre – non pas celle de la pensée – mais celle d'imposer ce qui est proclamé haut et fort.

Réflexions XI

§ 1 [1-5], pp. 360-362 :

L'homme des Temps nouveaux a misé, pour la mise en sûreté de son être, sur le fait de devenir un jour partie intégrante de la **machine**, en se mettant au service de son fonctionnement parfaitement factuel et d'avance calculé et en y trouvant sa propre sûreté assurée sans le moindre effort, comme ses ressorts et son bon plaisir. Ce consentement à **l'univers des machines** est quelque chose de Foncièrement Autre que le simple usage de possibilités « techniques » ; ici se produit l'extrême reconversion de l'être humain en **la calculabilité de l'étant**. Avec tout cela c'est l'*esprit* (c'est-à-dire ce que l'animalité a d'entendement et de calculant) qui accède enfin à sa suprême puissance ; le règne du **monde des machines** ne relève ni du « rationalisme » ni du « matérialisme » – ce n'est ni la désolation de l'entendement tournant à vide ni la consécration de la pure matière. Ce qui s'accomplit

Sichloslassen in das Seiende, das keiner »Bilder« mehr bedarf für einen »Sinn« – weil die Anschaulichkeit sich zur völligen Berechenbarkeit ausgefaltet hat und in ihr stets gegenwärtig ist, weil der »Sinn« in der sich fortzeugenden Planmäßigkeit zu einer einzigartigen Beweglichkeit verfestigt hat. **Der neuzeitliche Mensch** bedarf keiner Sinnbilder mehr, nicht weil er den Sinn verleugnet, sondern ihn beherrscht als die Ermächtigung des Menschen selbst zu der rechnenden Mitte aller Einrichtungen jeglicher **Machenschaft** für das Seiende im Ganzen. **Der neuzeitliche Mensch** braucht das Sinnbild nicht mehr, weil er das Anschauliche und Schaubare ganz in die Macht seines Herstellens alles Machbaren (und nirgends Unmöglichen) eingezwungen hat. Sinnbild ist nur dort möglich und nötig, wo die Metaphysik das Sein über das Seiende stellt und durch dieses jenes darstellen muß –; sobald aber, wie im Zeitalter der Vollendung der Metaphysik, das Seiende selbst alles Sein übernimmt und nur Seiendes in seiner Vor- und Herstellbarkeit kennt, wo das »*Wirkliche*« und »*Lebendige*«, die »Tat« und der Erfolg das »**Wahre**« ausmachen, entfällt jede Möglichkeit und Notwendigkeit eines Sinnbilds. Wer solches neuzeitlich – d. h. auf dem Wege der historischen Nachrechnung und Nachmachung – wieder einführen möchte, täuscht einen flachen Tiefsinn vor und verkennt gerade die eigentliche Wesenstiefe des eigenen Zeitalters. »Sinnbilder« sind jetzt in mehrfachem Sinne unmöglich: 1.) weil das, was ihr Wesen ist, in einem tieferen Sinne und entschiedener geschieht (die Gleichsetzung von Sinn und Bild in der einrichtbaren Berechnung des Seienden und d. h. der **Rechenhaftigkeit** seines Seins); 2.) weil, wenn man schon eine Sinnbildschaffung für nötig halten möchte, diese einen bildlosen und bildfordernden *Sinn* voraussetzt – d. h. eine

bien plutôt avec cette reconversion dans l'univers des machines, c'est cet abandon de l'étant qui n'a plus besoin que le « sens » en soit « illustré » – parce que tout ce qui est susceptible d'être visualisé s'est déployé en calculabilité intégrale et ne cesse de demeurer présent en elle, le « sens » s'étant quant à lui cristallisé dans la planification se reproduisant elle-même en une flexibilité unique en son genre. L'homme des Temps nouveaux n'a plus besoin d'illustrations qui fassent sens, non parce qu'il récuserait le sens, mais parce qu'il s'en assure la maîtrise en étant celui-là même qui occupe le centre opérationnel en toutes les procédures de toute **fabrication** pour l'étant en son entier. L'homme des Temps nouveaux n'a plus besoin de figurations parce qu'il a enrôlé de gré ou de force tout ce qui se présente et qu'il peut se figurer dans la puissance de sa production de tout ce qui est de l'ordre du faisable (et nulle part impossible). Une figuration n'est possible et nécessaire que là où la métaphysique pose l'être au-dessus de l'étant et doit présenter celui-là en faisant appel à celui-ci – ; mais dès lors qu'à l'époque de l'achèvement de la métaphysique l'étant lui-même prend en charge tout être et ne connaît que de l'étant en sa représentabilité et productibilité, là où le « *réel* », le « **vivant** », le « **fait** » et le résultat constituent le « **vrai** », échappent toute possibilité et toute nécessité d'une figuration. Qui serait tenté d'en réintroduire une à l'époque des Temps nouveaux – c'est-à-dire en passant par le décompte et le pastiche historiques – feindrait une profondeur en trompe-l'œil et méconnaîtrait précisément la foncière et véritable profondeur de sa propre époque. Des « figures » s'avèrent à présent impossibles en plusieurs sens : 1) parce que ce qui en constitue l'essence advient en un sens plus profond et plus tranché (l'équivalence posée entre sens et figure

Wesensbestimmung des Seins, das erst im ganz Anderen eines Seienden sich darstellen müßte. Aber gerade diese Voraussetzung wird nicht mehr gesetzt und kann nicht mehr gesetzt werden, wenn der Mensch selbst sich als Tier (**Rasse** – **Blut**) zum Ziel seiner selbst gesetzt und die Planbarkeit seiner Geschichte in seinen Willen genommen hat. Wo der Sinn in das Sinnlose gelegt wird, wo das Seiende jegliches Sein überflüssig gemacht hat, fehlt jede Quelle für eine sinn*bildende* Kraft; 3.) weil selbst dann, wenn auch noch dem Sinnlosen und **Seinsverlassenen** eine Spur sinn*bildender* und bildschaffender Kraft zugestanden werden dürfte (was unmöglich ist), die Bildschaffung nie erweckt und vollzogen werden könnte durch ein historisches Ausgraben vergangener Symbole und Symbolwelten auf dem Wege der Volkskunde. Die angeblich Heutigen wissen gar nichts von der Gegenwart ihrer Geschichte, sondern erfinden sich »romantisch« mit den romantischen Mitteln der Historie (»Volkskunde« und »Vorgeschichte«) ein Gewesenes als Ideal einer Zukunft.

Man macht ständig den »Intellektualismus« verächtlich und taumelt gleichzeitig in den Orgien eines ungewöhnlichen Historismus und verschließt sich dem Wissen dessen, was eigentlich *ist*.

Man predigt »Blut« und »Boden« und betreibt eine Verstädterung und Zerstörung des Dorfes und des Hofes in Ausmaßen, wie sie vor kurzem noch niemand zu ahnen vermochte.

Man redet von »Leben« und »Erle-

dans la computation organisable de l'étant, cela veut dire de la **calculabilité** de son être) ; 2) parce que même si l'on tenait pour nécessaire la création d'une figure, celle-ci présuppose un *sens* non figuré et qui demande à l'être – c'est-à-dire une détermination foncière de l'estre tel qu'il lui faudrait se présenter dans le tout autre qu'un étant. Mais cette présupposition précisément n'est plus posée et ne peut plus être posée dès lors que l'homme s'est lui-même posé comme le but de lui-même comme animal (**race** – **sang**) et s'est mis en tête de planifier son histoire. Là où du sens est mis dans ce qui en est dépourvu, là où l'étant a rendu superflu tout être quel qu'il soit, fait défaut toute source ou ressource permettant de *figurer* un sens ; 3) parce qu'alors, quand bien même il faudrait encore accorder à ce qui est dépourvu de sens et **abandonné par l'être** le soupçon d'une force *configuratrice* de sens et productrice d'images (ce qui est impossible), cette production ne pourrait jamais être éveillée et accomplie par l'exhumation historiographique de symboles et de mondes symboliques en puisant dans le folklore. Ceux qui se disent d'aujourd'hui ne savent rien du présent de leur histoire mais se dénichent de manière « romantique » et avec les moyens romantiques que met à leur disposition l'historiographie (« arts et traditions populaires » et « préhistoire ») quelque chose qui fut comme idéal d'un avenir.

On fait toujours de l'« intellectualisme » quelque chose de méprisable tout en titubant dans une incroyable débauche d'historicisme et l'on se ferme au savoir de ce qui véritablement *est*.

On prêche le « sang » et le « sol » tout en procédant à une urbanisation et à une destruction du village et de la ferme dans des proportions que nul n'aurait pu soupçonner naguère.

On parle de « vie » et d'« expérience

ben« und unterbindet überall jegliches Wachstum, jegliches Wagnis und jegliche Freiheit des Irrens und Scheiterns, jede Möglichkeit der Besinnung und jede Not der Befragung. Man weiß und kennt Alles und schätzt Jegliches nach dem Erfolg und hält nur noch das für wirklich, was einen Erfolg verspricht.

Überlegungen XI

§ 29 [32-43], S. 380-386 :

Kein Zeitalter läßt sich durch die Abschilderung einer »gegenwärtigen Situation« fassen. Seine Geschichte wissen wir überhaupt nie unmittelbar. Die Frage nach dem Wesen seiner Geschichtlichkeit (und Ungeschichtlichkeit) fragt, wie es sich zum Seienden als solchem überhaupt und im Ganzen entscheidet, in welcher Wahrheit diese Entscheidung maßgebend wird. Vom Zeitalter der Neuzeit jedoch gilt alles dieses in einem noch ausschließlicheren Sinne und das, je jäher es in den Abschnitt seiner Vollendung, d. h. unbedingten Wesensentfaltung übergeht. Die unbedingte **Zersetzung** und **Zerstörung** alles Bisherigen wird aus dem bereits maßstablosen Gesichtskreis des »Bisherigen« als einer Folge von »Kulturzeitaltern« im Sinne eines Niedergangs abgewertet. Man übersieht dabei, daß in der »Zersetzung« und »Zerstörung« gar nicht die bloße Beseitigung des bislang Gültigen wesentlich ist, sondern die Unbedingtheit, Berechenbarkeit, Planbarkeit und innere Wandelbarkeit des **Zerstörungsvorganges** selbst. Das will sagen: Die Seiendheit des Seienden – das **Machenschaftliche** als solches und seine unbedingte Gesetzlichkeit bestimmen das, was *ist*. Alles seitdem »Wirkliche« und noch dafür gehaltene, die »Kultur« und ihre Güteverschwinden nicht, sondern rücken nur in den Vorder-

vécue » et l'on coupe court partout à toute croissance, à toute audace, à toute liberté d'errer et d'échouer, à toute possibilité de méditer et à toute urgence du questionnement. On sait tout, on connaît tout, on estime tout en fonction du résultat et l'on ne tient plus pour **réel** que ce qui est prometteur quant au résultat à en attendre.

Réflexions XI

§ 29 [32-43], pp. 380-386 :

Aucune époque ne se laisse saisir par la description d'une « situation présente ». Et son histoire, nous ne la savons jamais « à chaud ». La question s'enquérant de l'essence de son historialité (et an-historialité) demande comment elle se prononce vis-à-vis de l'étant comme tel en général et en entier, en quelle vérité cette décision a vraiment du poids. Tout cela s'applique en un sens encore plus exclusif à l'époque des Temps nouveaux, comme le fait qu'en toute occasion elle fonce inconsidérément vers l'étape de son achèvement, c'est-à-dire en vient à l'achèvement inconditionné de sa propre essence. La **décomposition** et la **destruction** inconditionnées de tout ce qui a eu cours se trouvent dévaluées à partir de l'horizon même de « ce qui a eu cours » et ne disposent plus d'aucun critère envisagé comme une conséquence d'« époques culturelles » au sens d'un déclin. Ce que l'on ne voit pas, ce faisant, c'est que dans ces « décomposition » et « destruction » ce n'est pas du tout la simple mise au rebut de ce qui a eu cours jusqu'ici qui est essentielle mais bien le caractère inconditionné, la calculabilité, le caractère planifiable et la flexibilité interne inhérents au **processus de destruction** lui-même. Ce qui veut dire : l'étantité de l'étant – sa **faisabilité** en tant que telle et qu'il fasse loi de manière inconditionnée – déterminent cela qui *est*. Tout ce qui

grund dessen, was die Vor-wand[1] abgeben muß, um jenen **Zerstörungsvorgang** nicht in seinem eigentlichen Sein hervortreten zu lassen; denn dieses ist, wie jedes Sein, nur **Wenigen** ertrag- und wißbar – hier in der vollendeten Neuzeit nur denjenigen, die selbst *in* der **Machenschaftlichkeit** des Seienden stehend von ihr als die richtenden Vollstrecker gefordert sind.

Da sich eine solche Vollendung eines Zeitalters / und hier des neuzeitlichen Zeitalters / nicht mehr nur in Teilbereichen menschlichen Betreibens abspielen kann, sondern Alle und d. h. das neuzeitliche Massenwesen des Menschentums einbegreifen muß, bedarf es wesentlicher Einrichtungsformen und Meinungen, die die **Massen** über den bloßen Herdencharakter hinausheben; nicht damit sie einer bisher ihnen versagten höheren Kultur zugeführt werden und die»Segnungen« der Wohlfahrt und des Glückes erfahren – sondern damit sie im Scheine dieser Einrichtungen unbedingt für die **Machenschaft** verfügbar werden und dem Ablauf der **Zerstörung** keinen Widerstand mehr entgegensetzen, da alles, was in voraufgegangenen Jahrhunderten der Neuzeit in einzelnen Wirkungsgebieten und Schichten des Menschentums als»Kultur« galt und einheitliche Zielsetzungen eines Schaffens und Genießens enthielt, jetzt ausgehöhlt und ohne eigene bestimmende Kraft ist, eignet es sich am besten dazu, um jetzt den **Massen** als der Schein ihrer höheren Berufung zugeführt zu werden, in welchem Schein-erleben und Rausch sie sich zu einer unbedingten – bedingungslosen

a pu être tenu pour « **réel** » et l'est encore, toute la « culture » et ses « biens » ne disparaissent pas pour autant, mais viennent figurer au premier plan de ce à quoi il faut bien fournir ce pré-texte[1], afin de ne pas permettre à ce **processus de destruction** d'apparaître en son être propre ; car celui-ci n'est susceptible d'être supporté et su que par **fort peu** – comme tout être – et en l'occurrence, dans l'achèvement des Temps nouveaux, que par ceux qui, se tenant eux-mêmes dans la **faisabilité** de l'étant, sont requis par elle comme les exécutants qui y président.

Comme un tel achèvement d'une époque (en l'occurrence celle des Temps nouveaux) ne peut plus se dérouler seulement dans tel ou tel domaine de l'affairement humain mais doit les inclure tous, y compris l'être-en-masse de l'humanité inhérent aux Temps nouveaux, il a besoin de formes d'organisation et d'opinions faisant le poids, susceptibles d'élever les **masses** au-dessus de leur caractère grégaire ; non pour qu'elles soient amenées par là à une culture supérieure qui leur a été jusque-là refusée et puissent éprouver enfin les « bénédictions » de la prospérité et du bonheur – mais afin qu'elles soient inconditionnellement disponibles pour la **faisance** sous les dehors de cette organisation et n'opposent plus aucune résistance à ce processus de **destruction**, vu que tout ce qui a pu passer pour « culture » au cours de siècles antérieurs aux Temps nouveaux dans certains domaines plus dynamiques que d'autres et certaines couches de l'humanité, tout ce qui a pu contenir les objectifs solidaires d'une créativité et d'une jouissance et qui se trouve à présent vidé de son contenu et dévitalisé, tout cela est le mieux approprié pour être à présent apporté aux **masses** en leur faisant miroiter

---

1. *Vor-wand* (au féminin) signifie « ce qui est mis devant », comme la robe prétexte chez les Romains et, au masculin, le prétexte.

Aufgabe aller Herrschaftsansprüche für das Zeitalter bereithalten.

Daher ist z. B. alle gut gemeinte Ausgrabung früheren Volksgutes, alle biedere Pflege des Brauchtums, alles Besingen von Landschaft und **Boden**, alle Verherrlichung des »**Blutes**« nur Vordergrund und Vorwand und zwar notwendig, um das, was eigentlich und allein *ist*, die unbedingte Herrschaft der **Mach-schaft** der **Zerstörung** als in sich gesetzlicher Vorgang, für die eigene vollständige Vollendung seines Wesens frei zu halten und d. h. den Vielen zu verhüllen. Diese vordergründliche Verhüllung ist nun aber nicht etwa eine bloße Täuschung und gar ein Schwindel und eine **Schauspielerei** von Seiten jener, die Vollstrecker und Gesetzgeber der **Machenschaft** bleiben, vielmehr ist dieser Vor-wand als eine vom eigentlichen Geschehen der **Zerstörung** völlig schon losgelöste Vor-wand durch den Vorgang der Vollendung der **Machenschaft** von ihren Vollstreckern selbst gefordert – diese stehen in einem Müssen, das ihnen jene Sicherheit gibt, die jedesmal das Zeichen der »**Größe**« wird. Dieses Müsen der Vollstreckerschaft hat in sich das Wissen dessen, was in diesem Vorgang jeweils in eigentümlichen Formen der Sprünge unumgänglich geworden (Aufhalten der **Zerstörung** sowohl, wie weitvorgreifendes Vorbereiten einer solchen durch die unscheinbarste **Zersetzung**) – die Größe dieses Wissens – als einer einzigartigen Gewißheit, in der sich das ego cogito – sum Descartes' innerhalb des Seienden im Ganzen und *für* dieses vollendet – hat darin seine innere, gestaltgebende Grenze, daß es nicht vermag, das Wesen der eigenen Geschichtlichkeit zu wissen.

leur plus haute vocation, le leurre d'un vécu et la griserie dans lesquels elles se tiennent prêtes pour une tâche inconditionnée – et revendiquant leur hégémonie sur l'époque.

C'est pourquoi par exemple toute exhumation bien intentionnée de patrimoines antérieurs, tous les soins diligents dont on entoure les us et coutumes, tout le lyrisme du **terroir** et du sol, toute la glorification du « **sang** » ne sont que la façade et le prétexte d'ailleurs nécessaires pour laisser libre cours à ce qui *est* proprement et seulement, la suprématie inconditionnée de la **fais-ance** de la **destruction** comme processus régi par sa propre loi pour le propre achèvement complet de son essence, et cela veut dire l'occulter pour le plus grand nombre. Cette occultation de premier plan n'est pas pour autant une simple illusion, un vertige et une **comédie** de la part de ceux qui restent les exécutants et les législateurs de la fabrication, ce pré-texte est bien plutôt exigé par ses exécutants comme ce qui fait écran, en ayant été complètement détaché du déroulement propre de la destruction par la mise en route de l'achèvement de la **fabrication** – car ces exécutants sont eux-mêmes soumis à des impératifs leur conférant cette assurance qui est chaque fois l'apanage de la « **grandeur** ». Ces impératifs liés à la fonction d'exécutant portent en eux le savoir de ce qui en ce déroulement est chaque fois devenu incontournable sous la forme spécifique de bonds en avant (qu'un frein soit mis à la **destruction** ou que soient préconisées bien à l'avance des mesures pour la préparer par la **décomposition** la plus inapparente) – la **grandeur** de ce savoir – comme certitude unique en son genre dans laquelle l'*ego cogito* – *sum* de Descartes trouve son accomplissement au sein de l'étant en son entier et *pour* celui-ci – trouve sa limite interne et les contours de son dessein en ceci : il n'est pas à même de savoir l'essence de l'historialité qui nous est propre.

Dieses Unvermögen ist von der Herrschaft der **Machenschaft** aus gesehen kein Mangel, sondern die eigentliche Stärke des Handelnkönnens und der Unbedenklichkeit. Aus einem wesentlich anders gegründeten und gearteten Wissen jedoch, dem denkerischen, ist zu erkennen, daß hier, in diesem Vorgang der Vollendung der Neuzeit, die Seiendheit des Seienden als **Machenschaft** nur das in die Einheit des unbedingten Wesens und **Unwesens** bringt, was in der abendländischen – durch die »Metaphysik« getragenen Seinsgeschichte vorgezeichnet liegt. Die unbedingte Herrschaft der Seiendheit über das Seiende in *der* Gestalt, daß überall dieses Seiende als das Wirkende und Wirksame den Vorrang über das »Sein« »hat« und dieses als letzten Dunst des bloßen Denkens ausgibt.

Diese Herrschaft treibt ohne ihr Wissen zu einer Entscheidung über das Seyn – welche Entscheidung sie selbst nicht mehr stellen kann. {Sie vermag nicht mehr ihrerseits einen Entwurfsraum für ein anderes Fragen zu schaffen und keine »Zeit« für die Fragwürdigkeit des Seyns selbst als des Fragwürdigsten[1].} Zugleich aber wird den Wissenden (in der Art der Vollstrecker und anders denen in der Art des Seynsdenkens) klar, daß alle biedere und gefühlsverzwungene, sentimentale Betreibung von Volkstum und Volkskunde – abgelöster und nur mittelhafter Vordergrund ist, ein »abstraktes« Erleben, das gar nie erlebt und – auch nie erleben soll, was eigentlich geschieht und *ist*.

Die Meinungen, die in solchem Betreiben von **Blut und Boden** und dem darin vermeintlich Erreichten und Er-lebten,

Vue dans la perspective de la suprématie de la **faisance**, cette incapacité n'est pas un manque mais la vigueur propre de ce qui est en capacité d'agir sans avoir à se poser de questions. Mais à partir d'un savoir fondé de manière essentiellement autre et d'un caractère tout différent, celui de la pensée, force est de reconnaître qu'ici, en ce processus d'achèvement des Temps nouveaux, l'étantité de l'étant ramenée à la **faisance** ne fait qu'amener à l'unité de l'essence et de l'**inessence** inconditionnées ce qui se trouve préfiguré dans l'histoire occidentale de l'être – telle qu'elle est portée par la « métaphysique ». Le règne inconditionné de l'étantité sur l'étant dans *la* figure telle que partout cet étant, entendu comme ce qui est efficient et efficace, « a » la prééminence sur l'« être » et fait passer celui-ci pour la dernière vapeur de la simple pensée.

Ce règne pousse à son insu à une décision sur l'estre – décision que lui-même n'est plus en mesure de poser. {Il ne peut plus quant à lui créer un espace de projection pour un autre questionnement et n'a pas le « temps » pour ce que l'estre lui-même a de digne de question comme éminemment digne de question[1].} Du même coup il apparaît clairement à ceux qui savent (autrement à la manière des exécutants et autrement à la lumière de la pensée de l'estre) que tout l'affairement bien brave et platement sentimental, la main sur le cœur, autour de l'identité ethnique et des arts et traditions populaires – n'est qu'une façade, un changement de décor, juste une tactique, une « expérience vécue » abstraite qui n'est à vrai dire jamais vécue – et n'est jamais censée non plus vivre ce qui proprement advient et qui *est*.

Les opinions qui sont enclines à voir la réalité foncière dans toute cette agitation autour **du sang et du sol**, comme de ce

---

1. Phrase incomplète faute d'un second verbe.

die eigentliche Wirklichkeit sehen möchten, verkennen nicht nur das, was *ist* und allein ist, sie sind, wenn sie anmaßend auftreten, eine Herabsetzung und Verharmlosung des einzigen Seins des Zeitalters, die Verkleinerung des Seienden, die allerdings wiederum von diesem selbst betrieben und für wünschbar gehalten wird. Zur Zeit ist vielleicht überhaupt kein größerer Gegensatz ausdenkbar als derjenige, der sich z. B. zwischen der Welt in Wagners »Meistersinger« und dem eigentlichen Sein des Zeitalters ausspannt, der aber nur von ganz Wenigen ausgehalten und getragen und nur von Einzelnen, Seltenen in seiner seynsgeschichtlichen Wahrheit begriffen wird. Daß man aber *dieses* Wissen bei Gelegenheit vielleicht als eine »vornehme Abstraktheit« auf die Seite schieben kann zugunsten der »Lebensnähe« des historisch wieder hervorgeholten Volks- und Brauchtums –, das gehört gleichfalls in die Wirkungskreise der unumgänglichen Blendung und Verblendung aller, die mehr und weniger abgestuft und mittelbar der Vollstreckerschaft des **machenschaftlichen** Seins der Neuzeit dienen müssen.

Daß bei dieser unumgänglichen Dienerschaft die »Wissenschaften« alles an Harmlosigkeit und Ahnungslosigkeit des Wissens übertreffen, darf nicht verwundern. Sie sind die echtbürtigen Nachkommen des beginnenden neuzeitlichen Geistes und werden auch schonungslos in der von ihnen selbst beförderten, aber nie wißbaren Wesensgleichheit mit **Historie** und **Technik** zerrieben, d. h. zum Verschwinden im bloßen Instrumentalen gebracht werden. Daß sich in all dem noch etwas Ansehen zu verschaffen sucht, was den Namen »Philosophie« sich zugelegt hat, ist das Zeugnis für den vollen-

qui aurait été atteint et res-senti par là, ne reviennent pas seulement à méconnaître ce qui, tout bonnement, *est*, elles reviennent, dans les prétentions qu'elles élèvent, à rabaisser et minimiser l'être de l'époque en ce qu'elle a d'unique, à rapetisser l'étant en un rapetissement qui, à son tour, est assurément fomenté par l'étant lui-même et qui est tenu pour souhaitable. Actuellement, on ne peut guère imaginer de contraste plus grand que celui qui oppose diamétralement, par exemple, le monde de Wagner dans *Les Maîtres chanteurs* et l'être propre de l'époque qui est la nôtre, même s'il n'est supporté et porté que par fort peu et que rares sont ceux qui le conçoivent en sa vérité historiale. Qu'à l'occasion on écarte *ce* savoir, quitte à le créditer d'« **abstraction raffinée** », au profit de la « **proximité de la vie** » du peuple en son identité ethnique et ses us et coutumes que l'histoire historisante nous ramène de derrière les fagots – cela appartient également aux cercles concentriques dans lesquels trouvent leurs répercussions l'aveuglement et l'éblouissement inévitables de tous ceux qui, à des degrés divers plus ou moins hiérarchisés, sont inféodés à la dimension exécutrice de l'être des Temps nouveaux en sa **faisance**.

Qu'en cette inévitable inféodation les « sciences » battent tous les records en matière d'ingénuité et de manque de pressentiment du savoir n'a rien qui doive nous étonner outre mesure. Elles sont les descendantes attitrées de l'esprit des Temps nouveaux en ses débuts et sont elles-mêmes pulvérisées sans ménagements sous l'identité essentielle entre **décompte historique** et **technique** par elles requise mais jamais susceptible d'être sue comme telle, c'est-à-dire amenées à se dissoudre dans ce qui est purement instrumental. Qu'en tout cela quelque chose cherche encore à jouir de la considération dont on

deten Triumph der Ahnungslosigkeit. Heute wird, wie vormals im Mittelalter, der Name »Philosophie« in Anspruch genommen als Aushängeschild für die meist unwissentlich betriebene Anbahnung des völligen Verzichtes auf das Denken und die Denkfähigkeit im Sinne des denkerischen Denkens. Wogegen das *rechnende* Denken – der logos – eine Höhe und Sicherheit und Macht erreicht hat, die alles Bisherige *wesentlich* übertreffen. Verglichen mit diesem rechnenden Denken ist die »Scheinphilosophie«, die im Kulturbetrieb gern zugelassen wird, nur ein schwacher Lärm mit erborgten Worten und Begriffen, denen niemand mehr ernstlich nachfragt, weil hier am ehesten noch gespürt wird, wie völlig dies nur eine nachgetragene Kulisse bleibt, allein schon im Verhältnis zur Volkskunde und Historie und Biologie, die ihrerseits ja, nur ungewußt, lediglich als Vor-wände ihre Rolle spielen.

Doch gibt es ein Wissen vom Sein aus dem Erfragen der Seynsgeschichte und der Geschichte des *Wesens* der Wahrheit, welches Wissen zugleich das Wesen des Zeitalters weiß und eine Vorbereitung seiner Zukunft schon ist, ohne daß ein Bild dieser und ein Planbares nach dem Sinn des noch herrschenden **Rechnens** bereitgestellt werden könnte. Die Geschichte des Abendlandes vollzieht unter der Decke der **völkischen** und nationalen Sammlungen jene hintergründliche und wesentliche Sammlung auf die letzte Ausfaltung des *machenschaftlichen* Wesens der Seiendheit – die als das vorgestellte Sichherstellen in der ausnahmslosen, eingerichteten, berechenbaren Verfügbarkeit über Jegliches im Ganzen und über dieses selbst ihr Wesen findet und im unbedingten – blinden sich zur

a paré le nom de « **philosophie** » témoigne du triomphe complet de l'absence de pressentiment. Aujourd'hui, comme ce fut le cas antérieurement au Moyen Âge, l'appellation de « **philosophie** » est revendiquée comme étendard pour frayer les voies, le plus souvent à son insu, au complet renoncement à la pensée et à l'aptitude à penser au sens de la pensée à l'ouvrage. En revanche, la **pensée** *calculante* – le *logos* – a atteint une hauteur, une sûreté et une puissance qui dépassent *essentiellement* tout ce qui a eu cours jusqu'ici. Comparée à cette pensée calculante, la « **pseudo-philosophie** » volontiers admise dans l'affairement culturel n'est qu'un frêle *flatus vocis* [filet de voix] usant de mots et de concepts empruntés dont nul ne s'enquiert plus sérieusement car c'est encore ici qu'on sent le mieux à quel point tout cela demeure une pièce rapportée en coulisse, ne serait-ce que par rapport à la science des arts et traditions populaires, au décompte historique et à la biologie qui, de leur côté mais à leur insu, ne jouent leurs rôles respectifs que comme autant de couvertures pré-textées.

Et pourtant, il y a bien un savoir de l'être à partir de ce qui amène l'histoire de l'estre et l'histoire de l'*essence* de la vérité à faire question, savoir qui sait du même coup l'essence de l'époque et constitue déjà par lui-même une préparation de son avenir, sans que puisse être pour autant apprêtés un tableau de celle-ci ni rien de planifiable au sens du *calcul* encore régnant. L'histoire du Pays du Couchant accompli, sous couvert de rassemblements **populistes** et nationaux, ce rassemblement autrement essentiel qui en constitue l'arrière-plan autour de l'ultime déploiement de l'essence de l'étantité en sa *faisance* – tel qu'elle trouve son essence comme mise en sûreté à l'aune de la représentation dans la mise à disposition démesurée, organisée, calculable de toutes choses en leur tout et de ce tout

Verfügungstellen und Aufgehen in der **Machenschaft** die letzte Forderung stellt, die in ihr selbst schon die erste und endgültige Erfüllung darbietet. Die Seiendheit übermächtigt sich hier, um sich zur höchsten Macht zu erheben und diesen Vorgang der sich je und je übermächtigenden Machtbeständigkeit als ihr Wesen im Seienden auszubreiten dergestalt, daß eine Frage nach der Wahrheit dieses Wesens und ihrer Begründung grund- und anstoßlos geworden. **Der Mensch dieses Zeitalters** kommt in einen Wahrheitslosen Bereich zu stehen, indem schon die Übermächtigung des einen Zustandes durch den nächsten so genug der Rechtfertigung enthält, daß sogar der Sinn auf diese über der Machtentfaltung vergessen und ausgerottet wird.

Kein Widerspruch liegt darin, daß die höchste Herrschaft des Seins als **Machenschaft** die völlige **Seinsvergessenheit** um sich breitet. Und gesetzt – es wäre ein »Widerspruch« – was liegt schon in diesem Herrschaftsbezirk an einem Widerspruch? Er kann nur noch als ein jeweils zu spät gekommener »Gedanke« gelten, der noch versucht, auf dem Wege des nachträglichen oder begleitenden Vorstellens aus dem Vorgang der sich übermächtigenden Machtbeständigkeit herauszuhalten – ein Versuch, der nur scheinbar gelingt. Ein Zeitalter jedoch, dem die Wahrheit auf Grund des Vorrangs des Wirklichen und Wirksamen kein Bedürfnis mehr sein kann, dem sonach die **Wahrheitlosigkeit** keine Einbuße, sondern höchstens ein Gewinn sein muß, macht zugleich jedes Sichanklammern an zuvor geglaubte »Wahrheiten« zu einem eitlen Beginnen, das vielleicht den Einzelnen, Flüchtigen noch einen Ausweg der Beruhigung verschafft, in der Herrschaft des Seins als **Machenschaft** freilich nicht mehr

lui-même et de manière inconditionnée – se blindant en des mises à disposition pour s'investir entièrement dans la **faisance** –, et pose son ultime exigence en ce qu'elle-même lui offre déjà son premier et définitif accomplissement. L'étantité s'impose ici pour s'élever à la puissance suprême et propager dans l'étant ce processus de pouvoir bien établi s'imposant peu à peu toujours davantage comme son essence propre, de telle sorte qu'une question s'enquérant de la vérité de l'être de cette essence et de sa fondation est devenue sans fondement et sans impact. **L'homme de cette époque** en vient à se tenir en un Domaine Dépourvu de Vérité en ce que déjà le fait, pour une situation parvenue à s'imposer, de céder à ce qui aura sur elle le dessus trouve une justification assez ample pour que soit oublié et éliminé jusqu'au sens du déploiement de sa puissance.

Il n'y a rien de contradictoire à ce que le règne suprême de l'être comme **faisance** répande autour de lui l'**oubli** complet **de l'être**. Et quand bien même cela serait une contradiction – en quoi peut bien importer une contradiction dans le secteur de ce règne ? Elle ne peut passer que pour une « idée » venue chaque fois trop tard qui tente encore de rester en dehors du processus de surenchère dans ce qui est établi comme pouvoir en se le représentant après coup ou en l'accompagnant – tentative qui n'est qu'apparemment couronnée de succès. Mais une époque pour laquelle la vérité ne peut plus être éprouvée comme un besoin du fait de la prééminence accordée à la réalité effective et à l'efficacité, pour laquelle par conséquent l'**absence de vérité** ne saurait être une perte mais tout au plus un gain, une telle époque voit en même temps dans le fait de se raccrocher ainsi à des « vérités » auxquelles on a pu croire auparavant un début bien vain, peut-être encore susceptible de procurer

mitspricht und noch weniger die Eignung zeigt, den **Übergang** vorzubereiten.

Das Zeitalter der Wahrheit-losigkeit muß aber zugleich den vollendeten Schein des unbedingten Wahrheitsbesitzes um sich legen, der es jederzeit als überflüssig und zudringlich erscheinen läßt, das Zeitalter selbst auf sein Wesen und seine Bestimmtheit innerhalb der Seynsgeschichte zu befragen. Weit umher macht sich in diesem Zeitalter noch ein Gezappel Jener geltend, die nicht sehen können, was ist und die ihrerseits auf einen Anschein sich retten, daß, was sie nur noch vertreten, deshalb schon eine Geschichtskraft besitze. Das Zeitalter der vollendeten, um sich selbst unbekümmerten **Seinsvergessenheit** und **Wahrheitslosigkeit** ist so einzig in seinem geschichtlichen Wesen, weil hier die schrankenlose Weite des Machtanspruchs der Seiendheit sich in eins setzt mit einer Schrumpfung des Seins auf das nur nichtige – wahrheitslose Nichts. Zur Selbstkennzeichnung des Zeitalters bleibt ihm nur noch der historische Vergleich als Herausrechnen seiner Unvergleichlichkeit und die technische Planung als Verhinderung jedes Stillstandes – der sogleich beim wesentlichen Vorrang der Übermächtigung und ihrer Selbstgewißheit als eine Unsicherheit sich vordrängen könnte. Die tiefste **Zerstörungskraft** eines Zeitalters (seine im Anschein der Stärke verhüllte »Schwäche«) besteht darin, daß es sich nicht zur Wahrhaftigkeit gegenüber seiner verborgensten Wesensnot entschließen kann.

à quelques-uns, à quelques fugitifs, une issue de secours pour se tranquilliser, mais qui en fait n'a plus son mot à dire dans le règne de l'être comme **faisance** et se montre encore moins habilitée à préparer la **transition**.

L'époque de la **carence de la vérité** n'en doit pas moins faire régner autour d'elle l'apparence d'être détentrice de la vérité de manière inconditionnée, ce qui à tout moment fait apparaître comme superflu et importun d'interroger cette époque elle-même quant à son essence et à la détermination qu'elle reçoit au sein de l'histoire de l'estre. Partout se répand et se fait valoir à notre époque une agitation chez ceux qui ne peuvent pas voir ce qui est, et qui de leur côté se réfugient dans une apparence donnant à croire que ce qu'ils peuvent bien représenter posséderait du même coup une force historiale. Si l'époque de l'**oubli de l'être** parvenue à son achèvement, ne se préoccupant aucunement d'elle-même ni de la **carence de la vérité**, est si unique en son essence historiale, c'est qu'ici la portée aux bornes de la revendication de l'étantité à être au pouvoir n'y fait qu'un avec un rétrécissement de l'être en un néant seulement nul et non avenu – dépourvu de vérité. Pour se caractériser elle-même, il ne reste plus à cette époque que les parallèles historiques pour dresser le bilan comptable de ce qu'elle a d'incomparable, et la planification technique visant à prévenir toute pause – qui pourrait aussitôt être mise en avant comme un manque de sûreté là même où la priorité va essentiellement à la prédominance et à sa certitude de soi. La **force de destruction** la plus profonde d'une époque (ou plus précisément sa « faiblesse » se voilant la face en se faisant passer pour une force) consiste en ceci qu'elle ne peut se résoudre à la sincérité eu égard à l'urgence la plus en retrait à l'abri qu'appelle son essence.

Wie aber, wenn *diese* Entschlußun-
fähigkeit als Bejahung des Fraglosen
das Wesen eines Zeitalters – das Neuzeitliche seiner Vollendung ausmachte?
Dann darf hier nicht von einem »Versa-
gen« und einem »Mangel« gesprochen
werden ; wissend müssen wir hier die
eigene **Größe** – die **Riesenhaftigkeit**
einer geschichtlichen Bestimmung anerkennen und jedes Ansinnen kurzrech-
nender Verurteilung aus Verdrießlichkeit
und Unverstand zurückweisen – denn ent-
scheidender als das Behagen der längst
Gesättigten, weil niemals echt Hungrigen,
wesentlicher als die Erhaltung der längst
Überflüssigen ist der *Aufstand des Wissens* von dem, was *ist* ; denn hier verbirgt
sich das Versprechen eines Wissens der
anderen Wahrheit, in die der **künftige
Mensch** sich aufmachen muß.

Ernst des Denkens ist nicht Betrübnis
und Klage über vermeintlich schlechte Zei-
ten und drohende **Barbarei**, sondern die
Entschiedenheit des fragenden Ausharrens im Unerrechenbaren und eigentlich
Wesenden und in sich schon **Zukünftigen**.
Wenn einer darauf verzichtet, die vielen
und oft zurückgelegten Wege eines
Suchens des Selben als Funde öffentlich vorzugeben und auszubreiten, dann
sammelt sich all seine Wegschaft in einen
einfachen Standort, dessen einziger Zeit-
Raum entbreitet wird durch die Pflicht
des Ausharrens in der Fragwürdigkeit
des noch Fraglosen: **des Seyns und der
Gründung seiner Wahrheit.**

Überlegungen XI

§ 40 [52-53], S. 393 :

Nun, da glücklich selbst die »Einsamkeit« zur öffentlichen Einrichtung
werden soll, dürfte erwiesen sein, daß

Mais qu'en serait-il si *cette* irrésolution,
telle qu'elle revient à approuver ce qui ne
saurait faire question, constituait l'essence
même d'une époque – en l'occurrence
l'époque des Temps nouveaux ? Alors il
ne conviendrait pas de parler de « refus »
ou de « manque » ; il nous faudrait porter
à la hauteur d'un savoir et reconnaître ici
la **grandeur** propre – le **caractère colossal** – d'une vocation historiale, et récuser
toute exigence d'une condamnation à
courte vue par répulsion et incompréhension – car plus décisif que le plaisir de
ceux qui sont depuis longtemps rassasiés
puisqu'ils n'ont jamais été véritablement
affamés, plus essentiel que la préservation
de ceux qui sont depuis longtemps plé-
thoriques est l'*insurrection du savoir* de
cela qui *est* ; car ici s'abrite la promesse
du savoir de l'autre vérité, vers laquelle
doit aller l'homme tourné vers l'avenir.

Le *sérieux* de la pensée n'est pas l'affliction et la récrimination sur des temps
prétendument mauvais et sur une **barbarie**
menaçante, mais la résolution de l'endurance questionnante dans l'incalculable,
en elle-même frémissante et déjà **porteuse d'avenir**. Que quelqu'un renonce
à faire passer pour sa propre trouvaille et
à divulguer dans la sphère de la publicité
les nombreux chemins qu'il a dû souvent
parcourir dans une *quête* du Même, alors
la contrée découverte chemin faisant de se
rassembler en une position toute simple
où se tenir, dont l'unique espace et temps
se dilate par le devoir d'endurer ce qu'a de
digne de question ce qui échappe encore
à tout questionnement : l'**estre et la fondation de sa vérité.**

Réflexions XI

§ 40 [52-53], p. 393 :

À présent que fort heureusement il
n'est pas jusqu'à la « solitude » qui ne soit
intégrée dans le circuit de la publicité, il

die **Zersetzung** aller bisherigen **wesentlichen Haltungen und Stimmungen des Menschen** und ihre Auflösung in den unterschiedslosen Erlebnisbetrieb vollständig geworden ist. Zwar meint man auf solche Weise (durch die Einrichtung der Einsamkeit zu einer veranstaltbaren, öffentlich zuteilbaren und berechneten Zuständlichkeit) dem allzu großen Betrieb der bloßen Gemeinschaftsarbeit zu entfliehen und »das Andere« zu sichern; in Wahrheit aber werden so nur die letzten Inseln von den Fluten der unaufhaltsamen Vermengung und **Vergemeinerung** überschwemmt; denn **Einsamkeit** kann man nicht »machen« und auch nicht »wollen« – Einsamkeit ist das Seltenste und eine **Notwendigkeit des Seins** – sofern es sich in seinen Abgründen in das Da-sein des Menschen verschenkt.

Was »man« also »machen« kann, ist höchstens eine Vorbereitung des *Wissens,* daß nur eine Verwandlung des Seins als solchen, d. h. eine Überwindung des Zeitalters der vollendeten Seinsverlassenheit, die *Möglichkeit* von **einsamen Menschen** als Gründern und als die wesentlich Tragenden eröffnet. Dagegen vollzieht sich in der Veröffentlichung der Einsamkeit zu einer Einrichtung die Beseitigung der letzten Dämme gegen das Anwogen der **Machenschaft** des Seins. Jener Vorgang – unscheinbar vielleicht und wie das Aufzucken verspäteter Romantiker – ist nur das Zeichen eines seynsgeschichtlichen Vorgangs, gegen den alle zeitgeschichtliche »Weltgeschichte« ein Kinderspiel bleibt.

Und fernste Götter lächeln über diesen Taumel.

devrait être patent que se trouvent bel et bien intégralement accomplies la **décomposition** de toutes les **attitudes** comme de toutes les **dispositions de l'homme** et leur dissipation dans tout ce qui fait indistinctement de l'expérience vécue son fonds de commerce. Certes, on vise de cette façon (en aménageant la solitude en un cas de figure susceptible d'être encadré, officiellement attribué et recensé) à dispenser de participer à l'affairement généralisé et à préserver ce qui est « autre » ; mais en vérité cela ne revient qu'à submerger les derniers îlots sous les flots de l'amalgame et de la **banalisation** ; car la solitude n'est pas susceptible d'être « créée » ni « voulue » – la **solitude** est ce qu'il y a de plus rare et répond à une **nécessité de l'être** – dans la mesure où celui-ci se dispense en ses fonds abyssaux dans l'*être* le là de l'homme.

Ce que l'« on » peut « faire », c'est tout au plus préparer au *savoir* le fait que seule une métamorphose de l'être en tant que tel, c'est-à-dire après avoir surmonté l'époque de l'abandon de l'être parvenu à son achèvement, ouvre la *possibilité* d'**hommes solitaires** comme autant de fondateurs étant, essentiellement, ceux qui portent. En revanche, lorsque la solitude doit entrer dans le circuit s'accomplit l'élimination des dernières digues qui faisaient barrage au déferlement de la **faisance** de l'être. Ce processus – peut-être inapparent et qui s'apparente au frisson de romantiques attardés – est seulement l'indice d'un processus de bien plus vaste ampleur, celui de l'histoire de l'estre, au regard de laquelle toute « histoire mondiale » selon l'histoire contemporaine reste un jeu d'enfant.

Et des dieux si lointains de sourire face à ce tournis.

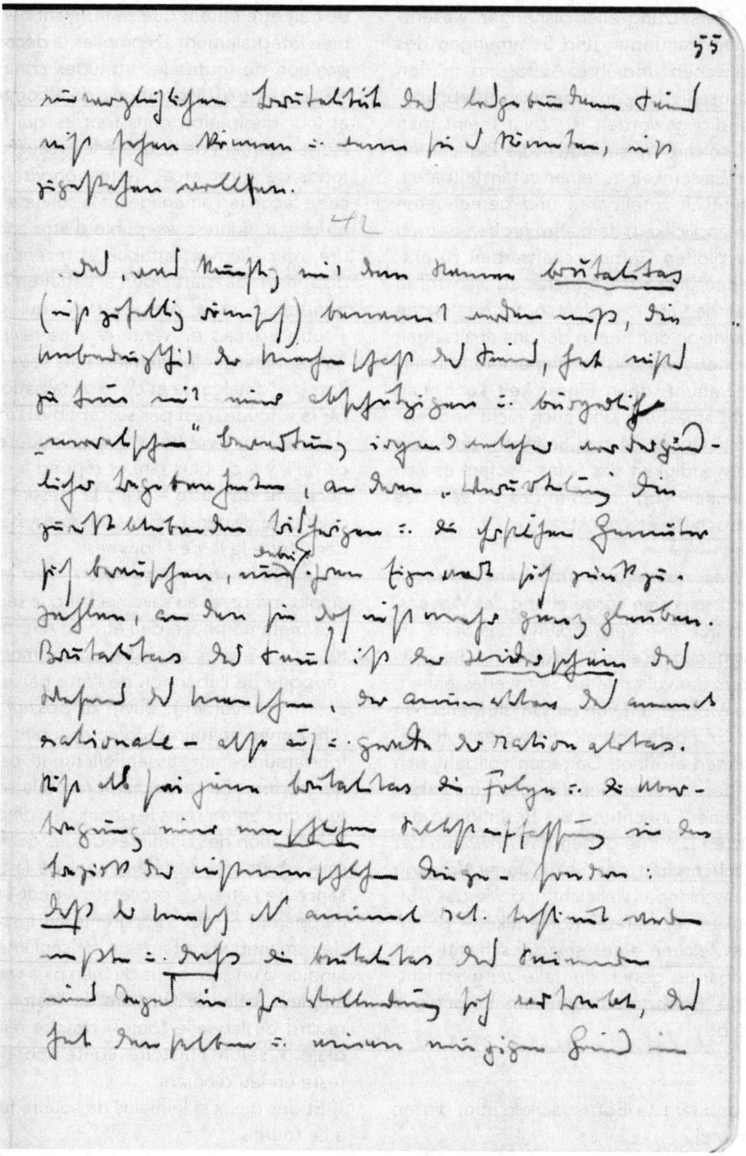

Überlegungen XI, § 42, p. 55
[*Gesamtausgabe*, tome 95, pp. 394-395]

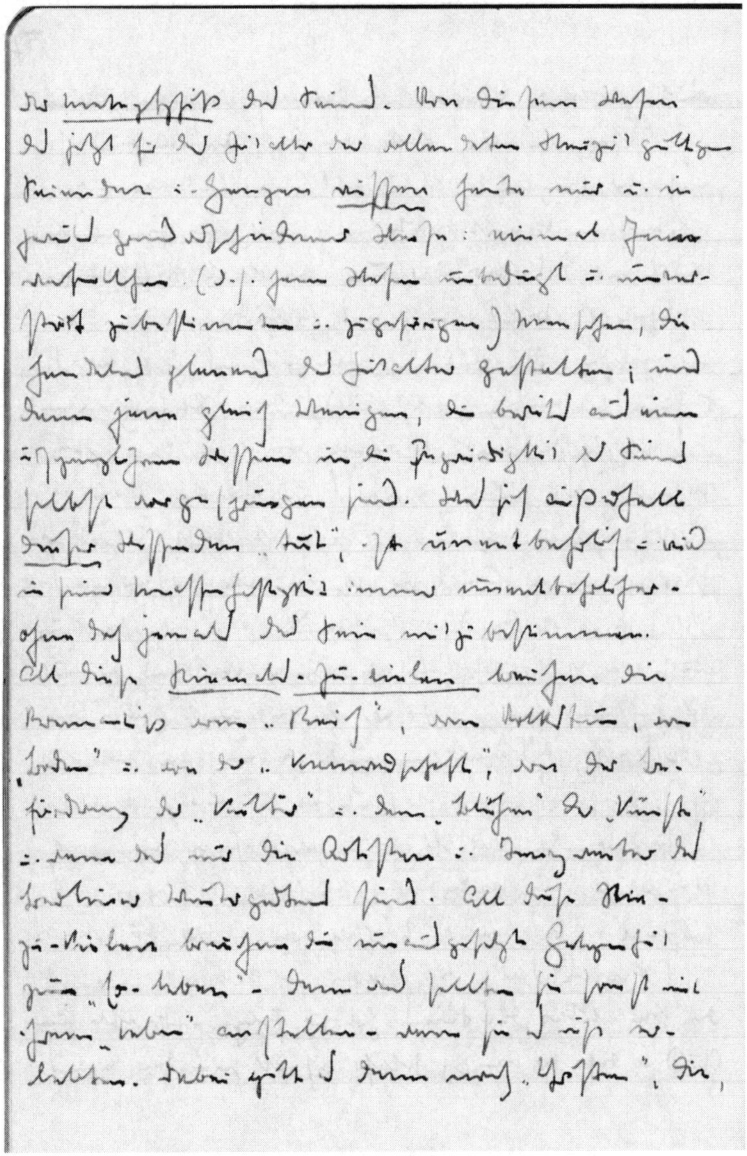

Überlegungen XI, § 42, p. 56
[*Gesamtausgabe*, tome 95, p. 395]

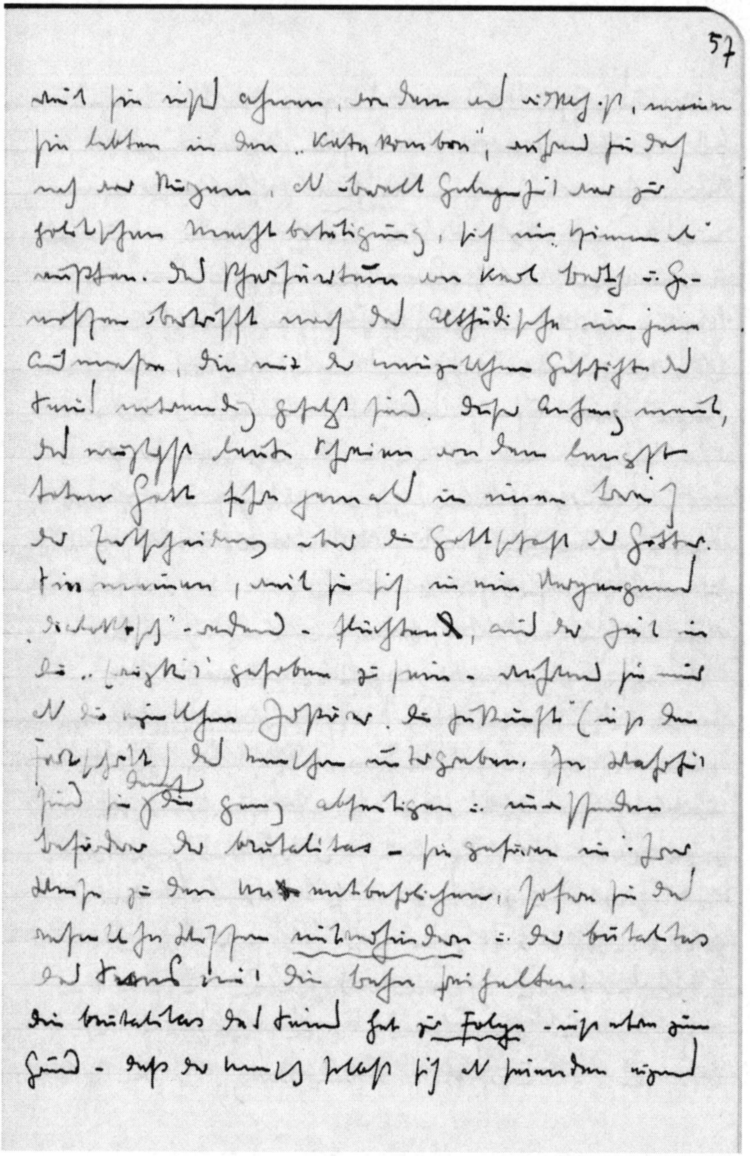

Überlegungen XI, § 42, p. 57
[*Gesamtausgabe*, tome 95, pp. 395-396]

Überlegungen XI

§ 42 [55-60], S. 394-397 :

Das, was künftig mit dem Namen *brutalitas* (nicht zufällig römisch) benannt werden muß, die Unbedingtheit der **Machenschaft des Seins**, hat nichts zu tun mit einer abschätzigen und bürgerlich»moralischen« Bewertung irgendwelcher vordergründlicher Begebenheiten, an deren »Verurteilung« die zurückbleibenden Bisherigen und die christlichen Gemüter sich berauschen, um dabei ihren Eigenwert sich zurückzuzahlen, an den sie doch nicht mehr ganz glauben. **Brutalitas des Seins** ist der *Widerschein* des Wesens des Menschen, der animalitas des animal rationale – also auch und gerade der rationalitas. Nicht als sei jene **brutalitas** die Folge und die Übertragung einer *menschlichen* Selbstauffassung in den Bezirk der nichtmenschlichen Dinge – sondern: *daß* der Mensch als animal rationale bestimmt werden mußte und *daß* die **brutalitas des Seienden** eines Tages in ihre Vollendung sich vortreibt; das hat denselben und einen einzigen Grund in der *Metaphysik* des Seins.

Von diesem Wesen des jetzt für das Zeitalter der vollendeten Neuzeit gültigen Seienden und Ganzen *wissen* heute nur und in jeweils grundverschiedener Weise: einmal Jene wesentlichen (d. h. jenem Wesen unbedingt und unverstört zubestimmten und zugehörigen) Menschen, die handelnd-planend das Zeitalter gestalten; und dann jene gleich **Wenigen**, die bereits aus einem ursprünglichen Wissen in die Fragwürdigkeit des Seins selbst vorgesprungen sind. Was sich außerhalb *dieser* Wissenden »tut«, ist unentbehrlich und wird in seiner Massenhaftigkeit immer unentbehrlicher – ohne doch jemals das Sein mitzubestimmen.

Réflexions XI

§ 42 [55-60], pp. 394-397 :

Ce qu'il va bien falloir appeler à l'avenir *brutalitas* (d'un nom qui n'est pas romain par hasard), à savoir le caractère inconditionné de la **faisance de l'être**, n'a rien à voir avec un jugement dépréciateur porté par une « morale » civique sur tel ou tel événement occupant le devant de la scène dont la « condamnation » rend euphoriques les partisans du *statu quo* et les bonnes âmes chrétiennes, qui y trouvent la rétribution de leur propre valeur à laquelle pourtant ils ne croient pas trop. La *brutalitas* de l'être est le reflet, elle est *l'image en miroir* de l'essence de l'homme, de l'*animalitas* de l'*animal rationale* – par conséquent aussi de la *rationalitas*. Non que cette *brutalitas* serait la conséquence et la transposition d'une conception de soi *humaine* dans le domaine des choses non humaines – mais bien : *du fait que* l'homme ait dû être déterminé comme *animal rationale* et *que* la *brutalitas* de l'étant finira un jour par se porter en son achèvement ; ce qui trouve un seul et même fondement dans la *métaphysique* de l'être.

De cette essence inhérente à l'étant et au tout, à présent en vigueur pour l'époque des *Temps nouveaux* ayant trouvé leur achèvement, ne *savent* aujourd'hui quelque chose, et chaque fois de manière foncièrement différente, que : d'une part ces êtres essentiels (c'est-à-dire voués absolument et imperturbablement à cette essence et d'elle solidaires) qui façonnent l'époque par leur action et leur planification ; d'autre part ceux, tout aussi **peu nombreux**, qui ont déjà fait le saut, à partir d'un savoir puisé à la source, dans ce que l'être lui-même a de digne de question. Ce qui se « fait » en dehors de *ceux* en qui se sait ce dont il retourne, cela est bien indispensable et ne peut que devenir de plus en plus indispensable comme phénomène

All diese *Niemals-zu-Vielen* brauchen die Romantik vom »Reich«, vom Volkstum, vom »**Boden**« und von der »Kamerad-schaft«, von der Beförderung der »Kul-tur« und dem »Blühen« der »Künste«, und wenn das nur die Artisten und Tanzweiber des Berliner Wintergartens sind. All diese Nie-zu-Vielen brauchen die unausgesetzte Gelegenheit zum »**Er-leben**« – denn was sollten sie sonst mit ihrem »Leben« anstel-len – wenn sie es nicht erlebten. Dabei gibt es dann noch »**Christen**«, die, weil sie nichts ahnen, von dem, was wirklich ist, meinen, sie lebten in den »Katakom-ben«, während sie doch noch vor kurzem, als überall Gelegenheit war zur politischen Machtbeteiligung, sich im »Himmel« wuß-ten. Das Pharisäertum von Karl Barth und Genossen übertrifft noch das **Altjüdische** um jene Ausmaße, die mit der neuzeit-lichen Geschichte des Seins notwendig gesetzt sind. Dieser Anhang meint, das möglichst laute Schreien von dem längst toten Gott führe jemals in einen Bereich der Entscheidung über die Gottschaft der Götter. Sie meinen, weil sie sich in ein Ver-gangenes »dialektisch«-redend – flüchten, aus der Zeit in die »Ewigkeit« gehoben zu sein – während sie nur als die eigent-lichen Zerstörer »die Zukunft« (nicht den Fortschritt) des Menschen untergraben. In Wahrheit sind sie dennoch die ganz abseitigen und unwissenden Beförde-rer **der brutalitas** – sie gehören in ihrer Weise zu den Unentbehrlichen, sofern sie das wesentliche Wissen *mitverhindern* und der **brutalitas des Seins** mit die Bahn freihalten.

Die **brutalitas des Seins** hat *zur Folge* – nicht etwa zum Grund – daß der Mensch selbst sich als seienden eigens

de masse – mais sans jamais contribuer à donner le ton de l'être.

Tous ceux-là *qui ne sont jamais assez* ont besoin du romantisme du « Reich », du peuple en son identité ethnique, du « sol » et de la « camaraderie », de la promotion de la « culture » et de la « floraison » des « arts », quand bien même ne s'agirait-il que d'artistes de variétés et de danseuses de music-hall du Jardin d'hiver de Berlin. Tous ceux qui ne sont jamais assez ont besoin d'avoir sans relâche l'occasion d'événe-ments « à vivre » – car que pourraient-ils bien faire sinon de leur vie – s'ils ne pou-vaient l'éprouver en son vécu ? Parmi les-quels figurent aussi des « chrétiens » qui, ne pressentant rien de ce qui est effective-ment, s'imaginent vivre dans des « cata-combes » tandis qu'il y a peu de temps encore, lorsque se présentait partout l'oc-casion de prendre part au pouvoir politique, ils étaient « aux anges ». Le pharisaïsme de Karl Barth et consorts surpasse encore les pharisiens du **judaïsme antique** dans des proportions qui sont nécessairement ins-taurées avec l'histoire de l'être dans les Temps nouveaux. Ce rattachement signi-fie qu'appeler à cor et à cri un Dieu mort depuis longtemps ne conduit jamais dans le domaine de décision relatif à la dimen-sion divine des dieux. Eux s'imaginent – en se réfugiant dans le passé à la faveur d'un discours « dialectique », s'affranchis du temps dans l'« éternité » – alors qu'ils ne sont que les fossoyeurs de « l'avenir » (non du progrès) de l'homme, eux, les véritables destructeurs. En vérité ils n'en sont pas moins les promoteurs très marginaux, à leur insu, de la *brutalitas* – ils font partie à leur façon de ceux qui sont indispensables dans la mesure où ils *contribuent à faire obstacle au savoir essentiel* en contribuant à laisser la voie ouverte à la *brutalitas de l'être*.

La *brutalitas* de l'être a *pour consé-quence* – mais non pour fondement – que l'homme lui-même en tant qu'étant se fait

und durchaus zum *factum brutum* macht und seine Tierheit durch die **Lehre von der Rasse**»begründet«. Daher ist diese Lehre vom»Leben« die pöbelhafteste Form, in der die Fragwürdigkeit des Seyns – ohne diese im geringsten zu ahnen – als Selbstverständlichkeit ausgegeben wird. Die Erhöhung des Menschen durch **die Flucht in die Technik** – das Erklären aus der **Rasse** – die»Nivellierung« von allen »Erscheinungen« auf die Grundform des»Ausruckes« von … – das alles ist immer»richtig« und für jeden»einleuchtend« – weil es hier nichts zu fragen gibt, da im Voraus die Frage nach dem Wesen der Wahrheit unzugänglich bleibt. Diese»Lehre« unterscheidet sich von den sonstigen»naturwissenschaftlichen Weltanschauungen« nur dadurch, daß sie alles»Geistige« scheinbar bejaht, ja erst zur»Wirkung« bringt und doch zugleich und im Tiefsten *verneint* in einer Verneinung, die dem radikalsten Nihilismus zutreibt – denn alles ist»letzten Endes«, d. h. schon an seinem Beginn,»Ausdruck« der **Rasse**. Im Rahmen dieser Lehre ist alles und jedes, je nach Bedarf, lehrbar und dieses wiederum muß als Folge der **brutalitas** erkannt werden.

»Totale Mobilmachung« – aber nie als frei ergriffene und wissend bewältigte Folge der **Machenschaft des Seienden** – sondern nur als unumgängliche Zeiterscheinung neben Wagnerischer Kulturpolitik und wissenschaftlicher Weltanschauung des 19. Jahrhunderts. Aber dieser»Synkretismus« ist doch nur der Vordergrund der eigenen **Größe** dieses Zeitalters, das sein unausgesprochenes Prinzip hat in der völligen **Besinnungs-losigkeit** ; dem entspricht in der Lehre vom Menschen: das **Prinzip der Rasse** als Grundwahrheit. Dieses Prinzip wird jetzt vom Menschen erst gewonnen und für sein Menschentum

proprement et de fond en comble *factum brutum* et « fonde » son animalité par la **doctrine raciale**. C'est pourquoi cette doctrine de la « vie » constitue la forme la plus populacière dans laquelle se fait passer pour une évidence réglée depuis longtemps ce que l'être a de digne de question – sans en avoir le moindre pressentiment. L'exaltation de l'homme par la **fuite dans la technique** – l'explication **raciale** – le « nivellement » de tous les « phénomènes » les ramenant à la forme foncière de l'« expression » de… – tout cela est toujours « parfaitement exact » et « éclairant » pour tout un chacun – parce qu'il n'y a là rien qui suscite une question vu que la question en quête de la vérité de l'être est par avance bloquée. Cette « doctrine » ne se distingue des autres « visions du monde reposant sur les sciences de la nature » qu'en ceci qu'elle fait mine d'approuver tout ce qui est « spirituel », le rendant même « opératoire », tout en le *récusant* en une récusation qui pousse au nihilisme le plus radical – car tout n'est jamais « en fin de compte », c'est-à-dire d'entrée de jeu, qu'« expression » de la **race**. Dans le cadre de cette doctrine tout et son contraire est susceptible d'être enseigné, à la demande, et cela doit à son tour être reconnu conséquence de la **brutalitas**.

« Mobilisation totale » – jamais toutefois comme conséquence librement saisie et sciemment maîtrisée de la **faisance de l'étant** – mais seulement comme symptôme incontournable de l'époque à côté de la politique culturelle wagnérienne et de la vision du monde scientifique du XIXe siècle. Or ce « syncrétisme » n'est jamais que la façade de la **grandeur** propre à cette époque, dont le principe implicite est la complète **absence de méditation** ; à quoi correspond dans la doctrine de l'homme : le **principe de la race** comme foncière vérité. Ce principe se trouve à présent seulement

als Zeit und Grund angesetzt – ein Prinzip – aus dem die Tierheit der Tiere »von selbst« lebt. »Menschheit« und »Persönlichkeit« sind selbst nur Ausdruck und Eigenschaften der Tierheit – das Raubtier ist die Urform des »Helden« – denn in ihm sind alle Instinkte unverfälscht durch »Wissen« – und zugleich gebändigt durch seinen jeweils rassisch gebundenen Drang. Das Raubtier aber mit den Mitteln der höchsten Technik ausgestattet – vollendet die Verwirklichung der brutalitas des Seins, so zwar, daß in ihrem Dunst auch alle »Kultur« und die historisch aufrechenbare Geschichte – das Geschichtsbild – gestellt wird – dann gibt es noch einmal für die »Wissenschaften« eine »fröhliche« Zeit sich jagender Entdeckungen und dann? Welche Erschütterung ist wesentlich genug, um eine Besinnung entspringen zu lassen? Oder behält die brutalitas das letzte Wort? Hat sie es vielleicht schon gesprochen, so daß alles nur noch der leere Taumel in das lange Ende ist – in die Untergangs*losigkeit* als die Mißgestalt der »Ewigkeit«?

acquis par l'homme et établi comme le temps enfin venu et le fondement pour son humanité – un principe, donc, dont vit « spontanément » l'animalité des animaux. « Humanité » et « animalité » ne sont elles-mêmes que l'expression et des propriétés de l'animalité – l'animal prédateur est l'archétype du « *héros* » – car en lui aucun instinct n'est encore dénaturé par le « savoir » – et en même temps il est dompté par la pulsion qu'il tient chaque fois de sa race. L'animal prédateur, mais équipé de la technique la plus sophistiquée – accomplit l'effectuation de la brutalitas de l'être, et cela de telle sorte que sont installées dans ses brumes toute « culture » et jusqu'à l'histoire dont on peut faire le décompte historique – l'image que l'on se fait de l'histoire – dès lors il y a encore une fois pour les « sciences » un temps de « gai savoir » pour les découvertes dont chacune chasse l'autre, et après ? Quel ébranlement est assez essentiel pour susciter une décision ? Ou alors la brutalitas aurait-elle le dernier mot ? L'aurait-elle déjà proféré, en sorte que tout ne serait plus que le dernier vertige au cours de la fin qui tarde à venir – de l'*absence* de déclin comme contrefaçon de l'« éternité » ?

Überlegungen XI

§ 88 [119-123], S. 438-440 :

Rainer Maria Rilke. – Man fordert von mir immer wieder eine Auslegung der »Duineser Elegien«[a] und die »Stellungnahme« dazu. Man vermutet Verwandtschaft und sogar Gleichheit der Stellung – all dies bleibt im Äußerlichen – die »Elegien« sind mir *unzugänglich* – wenn ich auch ihre dichterische Kraft und Einzigkeit inmitten dieser dichtungslosen Jahrzehnte ahne und verehre. Ein drei-

Réflexions XI

§ 88 [119-123], pp. 438-440 :

Rainer Maria Rilke. – On ne cesse de me demander une interprétation des *Élégies de Duino*[a], et une « prise de position » à leur égard. On présume qu'il y aurait une affinité voire une équivalence des positions respectives – mais tout cela demeure superficiel – les *Élégies* me sont *inaccessibles* – même si je pressens et révère leur force poétique et leur singularité au milieu de ces décennies sans

a. R. M. Rilke, *Duineser Elegien*, Insel-Verlag, Leipzig, 1923.

fach Wesentliches *trennt* mein Denken vom Dichter – d. h. macht ein Gespräch sehr weitläufig und läßt es heute noch als verfrüht erscheinen:

Das Erste ist die *Geschichts*losigkeit seiner Dichtung – will sagen: die Leib- und Tierversunkenheit des Menschen, der unrein aus diesem Be- zirk Ausgewichener bleibt. Das andere ist die Vermenschung des *Tieres* – was dem ersten nicht widerspricht –. Das Dritte ist das Fehlen wesentlicher *Entscheidungen*, wenngleich der christliche Gott überwunden ist. Rilke steht, obwohl wesentlicher und dichterischer in seinem Eigentlichen, so wenig wie Stefan George in der Bahn der von Hölderlin gegründeten, aber noch nirgends übernommenen Berufung »der Dichter«. Rilke hat nicht – und noch weniger George – dichterisch-denkend den abendländischen Menschen und dessen »Welt« bewältigt – er trägt *für sich* – »heroischer« als viele der heute lauten »Helden«, die Heroismus mit der bloßen Brutalität eines Straßenkampfes verwechseln – ein ungeklärtes – in das Vorgeschichtliche – Kindhafte Zurückwollendes »Schicksal«. Trotzdem wird sein »Werk« bleiben, wenn auch Manches Artistische, das bei George noch ganz anders wuchert, abfallen muß. Wenn nur die zudringlichen »Interpretationen« der Heutigen anderen Beschäftigungen sich zuwenden wollten.

[...]

Doch vorläufig wird noch jedes **Schweigen** auch nur historisch genommen als bloße Zurückhaltung und als Ausweichen, als Nichtdazugehören – man mißt es weiterhin am öffentlichen Betrieb der Öffentlichkeit und vermag noch nicht zu wissen, daß **Schweigen** schon zur Rettung

poésie. Trois choses essentielles *séparent* ma pensée du poète – c'est-à-dire donneraient ample matière à un dialogue qui semble aujourd'hui encore prématuré :

Le premier point est l'absence, dans sa poésie, de la dimension de l'*histoire* – ce qui veut dire : le fait pour l'homme d'être entièrement absorbé dans son corps et son animalité, en demeurant seulement celui qui a été évincé de ce domaine. Le deuxième point est l'humanisation de l'*animal* – qui ne contredit pas le premier point. Le troisième point est le manque de *décisions* essentielles, même si le Dieu chrétien est surmonté. Bien que plus essentiellement et plus poétiquement en ce qui n'appartient qu'à lui, Rilke se tient aussi peu que Stefan George, qui à vrai dire s'y tient encore moins, dans la voie instituée par Hölderlin, mais encore assumée nulle part, de la vocation des « poètes ». Rilke n'est pas venu à bout – et George encore moins – de manière poétique & pensive de l'homme occidental et du « monde » qui est le sien – il porte *pour lui-même* – de manière plus « héroïque » que les « héros » tonitruants qui confondent l'héroïsme avec la pure brutalité d'un combat de rue – un « destin » inélucidé – voulant revenir à ce qu'a de primordial le monde de l'enfance. Son « œuvre » n'en est pas moins appelée à demeurer, même s'il faut laisser tomber certains aspects un peu trop « artistiques », autrement luxuriants chez George. Si seulement les « interprétations » intrusives des auteurs d'aujourd'hui se consacraient à d'autres occupations !

[...]

Et pourtant pour l'instant tout **silence** gardé n'est pris que comme relevant de l'historiographie, comme manière d'esquiver, de se désolidariser – on le jauge en outre à l'aune de l'affairement public de la publicité et l'on n'est pas encore en mesure de voir que **garder le silence**

und Zuweisung des gesuchten, Einfaches nennenden, Wortes in die Gründung des Seyns geworden. Wie Vieles aber muß und wie völlig erst der **Zerstörung** anheimfallen, bevor an die Stelle der Lebensnot und der Wünschbarkeiten die Not des *Seyns* rückt, um so die frühere Stelle, die»Welt« des Menschen, zu verwandeln in die Stätte eines Kampfes, der vielleicht Kriege und Friedenszeiten nicht ausschließt, aber niemals aus dem nur »Kriegerischen« sich bestimmt, das ja jetzt erst sich in seiner neuzeitlichen Gestalt als *Folge*, nicht als Beherrschung der **Machenschaft** des Seienden, herausstellt. Durch den ausschließlichen Vorrang des **machenschaftlichen – kriegerisch-technisch-historischen** »Kampfes« entfernt sich das Zeitalter notwendig in einer *Wesens*weite am weitesten vom Wesen des Kampfes als der vieltorigen Pforte des Seyns zur Erstreitung der Lichtung, in der sich das **Fremdeste** sein Wesen entgegnet – versagend verschenkt und aus der höchsten Milde bindet. Deshalb aber ist auch das fernste Wort **des Dichters** ein Wink in das Ungegründete – Erst-zu-Nennende – deshalb ist er Geschichte, will sagen, Zu-kunft und Ankunft einer Not, die das Seyn selbst in das unseiend gewordene »Seiende« reißt. Deshalb bedürfen wir der befremdlichen Vorboten und sollten sie nicht in die Plattheit des Zeitgemäßen hinüberrechnen und dann in Brauchbares und Unbrauchbares zerteilen und so der unausweichlichen **Verwüstung** anheimgeben.

est déjà devenu une manière de sauver et d'assigner la parole recherchée, en sa nomination du simple, à la fondation de l'estre. Mais bien des choses doivent commencer par succomber entièrement à la **destruction** avant que l'urgence vitale et les desiderata ne fassent place nette pour l'urgence de l'*estre* afin de métamorphoser cette place en en faisant le lieu d'une lutte qui peut-être n'exclut pas des guerres et des temps de paix mais jamais ne se détermine seulement à partir de ce qui est « martial », qui à présent seulement s'avère être, dans la figure qui est la sienne dans les Temps nouveaux, une *conséquence* et non une maîtrise de la **faisance** de l'étant. La prééminence exclusive du « combat » **martial-technique-historisant** en sa **faisance** amène nécessairement à éloigner l'époque, à la tenir *par essence* aussi éloignée que possible de l'essence même de la lutte comme porche aux nombreuses portes de l'estre afin que survienne, obtenue de haute lutte comme l'issue du litige, l'éclaircie au sein de laquelle ce qu'il y a de plus étrange affronte son essence – la dispense en la déclinant et oblige à partir de la douceur la plus prévenante. Mais c'est pourquoi aussi la parole la plus lointaine du **poète** fait signe vers l'infondé – tel qu'il demande en premier lieu à être nommé – c'est pourquoi ce signe qu'il nous fait est histoire, autrement dit : a-venir fondant sur nous et arrivée en trombe d'une urgence qui entraîne sans aucun ménagement l'estre lui-même en l'« étant » devenu inétant. C'est pourquoi nous avons besoin des étranges signes avant-coureurs, et c'est pourquoi il nous faudrait nous garder de les inscrire au compte de la platitude de l'actuel qui fait le tri entre l'utilisable et l'inutilisable et les livre ainsi à une inévitable **dévastation**.

Tout en ayant une structure interne très composite du fait du réseau formé par certains termes qui devront être situés ici pour en comprendre la portée effective, cette section se rattache au double versant antithétique dans lequel Heidegger relève la profonde incompatibilité entre l'époque marquée par le règne de « l'homme moderne » et la solitude de « l'homme tourné vers l'avenir ». Le lecteur pourra constater comment Heidegger relève cette forte antithèse et, malgré le déclin de son époque touchant à sa fin, porte son regard vers l'avant. La brutalité de la fabrication ne pourra pas avoir le dernier mot, mais reviendra à un « nouveau commencement » préparé par « l'homme tourné vers l'avenir ». C'est dans la dichotomie entre ces deux catégories d'hommes que se situent, en effet, le déclin de l'Occident et le projet heideggérien d'un « nouveau commencement ». Mais il convient de circonscrire, de manière préliminaire, la catégorie d'« homme moderne » afin d'éviter qu'elle ne donne lieu à d'éventuelles méprises. Le problème de fond demeure toujours ce savoir essentiel que Heidegger ne cesse d'appeler de ses vœux, au point qu'aucune des catégories qui rentrent dans cette section ne peut donner lieu à des extrapolations en étant sortie de ce contexte. Toute extrapolation revient à se fourvoyer et une lecture continue des textes s'impose par conséquent pour s'apercevoir – et sur ce point tout commentaire serait superflu parce qu'il suffirait de suivre l'itinéraire tracé par Heidegger dans ses réflexions – à quel point la critique qu'il adresse à son époque déterminée par la technique, et donc par des logiques instrumentales, se poursuit en prenant position de manière très ferme contre la « doctrine de la race » et contre la doctrine « belliqueuse-technique-historiographique ». Le terme « lutte », auquel Heidegger lui-même souscrit, est très éloigné de quelque compromission que ce soit avec le règne bien établi de l'appareil guerrier de son temps. Toujours revient avec insistance la nécessité d'un questionnement essentiel au sein d'une « solitude » inhérente à la « nécessité de l'être » (*Notwendigkeit des Seins*). Il n'est guère difficile de retrouver dans ces réflexions non seulement le déclin de l'époque qui était alors celle de Heidegger,

mais aussi une certaine *charge émotive* de Heidegger, *scandée par une solitude ouverte à « l'écoute » en gardant le « silence ».*

Passons en revue, pour commencer, les déclinaisons de l'expression « l'homme moderne » pour nous approcher d'une saisie de son essence : « l'homme comme sujet » (*Überlegungen VII*, § 56) ; « l'être-homme dominant » (§ 71) ; « règne du sujet (de l'homme en tant qu'animal historisant) » (*Überlegungen X*, § 46) ; « l'homme de cette époque » (*Überlegungen XI*, § 29). Dès lors que le contexte de cette section est marqué par la transition qui attend l'homme moderne, nous pouvons déjà entrevoir la critique heideggérienne de cette subjectivité voulant assigner à l'être humain un primat absolu, précisément parce qu'elle a perdu de vue toute nécessité de revenir à l'estre.

L'isolement de l'homme moderne est la conséquence naturelle d'un repli sur soi, comme on peut l'inférer de l'emploi que fait Heidegger de quelques termes clefs : « vivre des expériences » (*Überlegungen VII*, § 56) ; la soif impérieuse d'« expériences vécues » et de tout ce qu'on appelle « la vie » (§ 71) ; l'ardeur mise à convoiter le « réel » (*Wirkliche*), la « réalité du "réel" » en se berçant de l'illusion d'être « bien attaché au sol (*Bodenständigen*) et de contribuer à créer du solide (*Bodenständigkeit*) » (§ 75) ; le fait de parler de « vie » et de « vivre des expériences » (*Überlegungen XI*, § 1) ; celui de préférer « ce qui colle à la vie » (*Lebensnähe*) (§ 29) ; « la dissipation dans tout ce qui fait indistinctement de l'expérience vécue son fonds de commerce » et « les flots de l'amalgame et de la banalisation » (§ 40) ; le besoin d'occasions permanentes de « vivre des expériences » (§ 42). Le recours à un tel vocabulaire n'explicite pas seulement l'essence de l'homme moderne mais aussi sa situation dans un monde au sein duquel son être *hic et nunc* indique une impossibilité de fond de lire les événements autrement qu'en les situant dans un simple parcours historiographique dans lequel sa « vie » se consume. Mais malgré ces renvois il ne nous est pas encore donné de comprendre – à supposer que cela soit possible – à « qui » Heidegger se réfère au juste quand il adresse sa critique à « l'homme moderne ».

Une aide nous est apportée par le § 44 des *Überlegungen X* :

« Jamais ne sera possible la question : *qui* est l'homme[1] ? » La question portant sur qui il est se fourvoie vu que chez Heidegger ce questionnement ne retrouve son origine que s'il s'insère au sein de la vérité de l'être. Une question portant sur l'homme en lui-même s'avère impossible et, par conséquent, ce serait forcer l'interprétation que de vouloir retrouver dans la critique adressée par Heidegger à l'homme moderne une jonction ou même un rapprochement possible avec quelque communauté formée par un peuple. Le § 44 s'avère décisif en ce sens : c'est seulement avec le questionnement qui met en jeu la vérité de l'estre,

> c'est avec cette question seulement qu'est surmontée la détermination *anthropologique* de l'homme inhérente aux Temps nouveaux, et avec elle toute anthropologie antérieure, qu'elle soit chrétienne d'époque hellénistique – juive ou encore socratico-platonicienne.

Heidegger s'arrête longuement sur l'homme moderne et sur les conséquences de ses actions parce que ce scénario doit rappeler à qui s'en chargera l'urgence de sa mission : reconstituer un retour au savoir essentiel, telle est la mission de « l'homme à venir ». Il n'y a pas d'autre point de départ pour fonder un nouveau « commencement ». En outre, l'impossibilité de repérer dans la critique de Heidegger un rapprochement avec la communauté d'un peuple nous est confirmée par quelques rappels précis qu'il a lui-même insérés dans ses argumentations.

Le § 4 des *Überlegungen VIII* en fournit une claire démonstration. Les éléments qui entrent en jeu dans la « vacance d'histoire » (*Geschichtslosen*) typique de l'époque sont la « destruction » (*Zerstörung*) et « ce qui est privé de fondement » (*Bodenlose*). Le mélange de ces éléments « fait partie d'une même et identique inessence (*Unwesen*) ». Est caractéristique le recours au terme

---

1. Pour plus de clarté, nous restituons ici le début de cette phrase relative à ce qu'*Être et Temps* appelle la *Werfrage* (« question du qui ») : « Aussi longtemps que l'essence de l'homme restera prédéterminée par l'animalité (*animalitas*) ne pourra jamais être posée que la question de savoir *ce* qu'est l'homme. Jamais ne sera possible la question : *qui* est l'homme ? » (*N.d.T.*).

« inessence » qui peut nous aider à identifier progressivement qui sont les protagonistes auxquels Heidegger se réfère : « l'étantité de l'étant ramenée à la faisance ne fait qu'amener à l'unité de l'essence et de l'inessence inconditionnées ce qui se trouve préfiguré dans l'histoire occidentale de l'être » (*Überlegungen XI*, § 29) ; « la faute en incombe en partie à la creuse prétention des "*intellectuels*" – dont l'essence (ou plutôt inessence) [...] » (§ 53). Le terme revient également dans le tome 97 de la *Gesamtausgabe* : « Le secret de l'inessence – le "connaître" et le "savoir" qui nous sont proposés par les "sciences" et la "pratique de la vie" » (*Anmerkungen I* [28]) ; « les Allemands, embrouillés par un mauvais sort en leur propre inessence » (*ibid.* [97]) ; « l'inessence irresponsable avec laquelle Hitler a mis l'Europe à feu et à sang » (*Anmerkungen III* [46]). Il suffit de suivre ce parcours pour parvenir à comprendre comment Heidegger en arrive à identifier l'essence de Hitler à partir de sa propre inessence. Le visage concret de l'« inessence » se trouve identifié en Hitler.

Avant de nous engager dans la question du terme *Judentum*, que nous retrouvons dans le § 4 des *Überlegungen VIII*, il nous faut également préciser la position de Heidegger quant au « sol » (*Boden*), au « sang » (*Blut*), à la « race » (*Rasse*) et enfin à la « doctrine raciale ». Dans le § 59 des *Überlegungen X*, déjà analysé dans le premier point de notre troisième section, nous sommes tombés sur un passage dans lequel Heidegger manifeste clairement à quel point il est étranger à la futilité politique de son temps :

> Tout ce qui a trait au « sang », à la « race », à la « communauté populaire » réduite à l'identité ethnique, tout cela est vain, vu à l'aveuglette, si cela ne vibre pas déjà dans une audace de l'estre [...].

Cela montre à quel point il s'avère difficile de reconstituer le vaste contexte au sein duquel se trouvent disséminées les réflexions heideggériennes. Si on néglige cette tâche, on risque de décontextualiser le terme *Judentum* et ses déclinaisons, et de donner ainsi naissance à une instrumentalisation dont nous montrerons par la suite qu'elle est injustifiée. De nombreux passages

que nous retrouvons dans les réflexions ébauchées par Heidegger
sont difficilement conciliables avec les interprétations de ceux
qui se font fort de parler, pour en tirer prétendument argument,
d'une contamination antisémite dans ses carnets.

Revenons au § 1 des *Überlegungen XI* dont le contexte est marqué par « l'homme moderne », désormais entièrement livré à la
calculabilité de l'étant au point d'être entièrement dominé par
elle : « l'homme s'est lui-même posé comme le but de lui-même
comme animal (race – sang) [...]. On prêche le "sang" et le
"sol" ». L'histoire est ainsi planifiée, par le dédain de l'être par
l'étant, en une recherche permanente d'un éphémère « réel »
(*Wirklichen*) auquel échappe l'« irréel » (*Unwirklichen*). C'est précisément le fait que survienne cette autre dichotomie qui nous
aide à comprendre comment les catégories de « sol » (*Boden*), de
« sang » (*Blut*), de « race » (*Rasse*) et de « doctrine raciale » sont
liées à la catégorie du « réel » (*Wirklichen*) qui n'a strictement
rien à voir avec cet « irréel » (*Unwirklichen*) auquel entend revenir Heidegger. La dichotomie qui oppose « réel » (*Wirklichen*)
superficiel et « irréel » (*Unwirklichen*), que nous retrouvons dans
le § 75 des *Überlegungen VII*, demande à être lue sur la base du
§ 262 des *Apports à la philosophie* :

> [...] l'étant – sous la figure de l'objectif qui est en face là devant –
> devient toujours plus imposant. L'estre est réduit à la portion
> congrue du concept le plus délayé qui soit de la généralité : sur
> tout ce qui est « général » pèse le soupçon de débilité et d'irréalité,
> du « trop humain » et, pour cette raison, du foncièrement étran-
> ger par rapport à ce qui est en réalité. [...] On en est au point de
> « pouvoir s'en sortir » sans l'estre[1].

C'est seulement si l'on s'appuie sur l'isolement du « réel »,
renfermé dans la fixité d'un présent, que naissent « les opinions
qui sont enclines à voir la réalité foncière dans toute cette agitation autour du sang et du sol, comme de ce qui aurait été atteint
et res-senti par là » (*Überlegungen XI*, § 29). L'époque moderne

---

1. M. Heidegger, *Beiträge zur Philosophie*, op. cit., § 262 (p. 449 ; trad. fr. p. 510).

est vouée à survivre artificiellement : le secours proposé par les sciences, seules à même de saisir le « réel », produit en elle ce lent processus de « déracinement » (*Entwurzelung*) de l'être, où le penser spéculatif se voit supplanté par la pensée calculante :

> L'étantité s'impose ici pour s'élever à la puissance suprême [...]. Mais une époque pour laquelle la vérité ne peut plus être éprouvée comme un besoin du fait de la prééminence accordée à la réalité effective et à l'efficacité, pour laquelle par conséquent l'absence de vérité ne saurait être une perte mais tout au plus un gain [...][1].

Malgré un tel cadre qui n'est guère simple à gérer du fait de l'universelle faisance qui, tout en étant déclenchée par l'homme moderne, y assujettit celui-ci, Heidegger est résolu à persévérer « dans la dignité du questionnement de ce qui est encore hors de question : l'estre et la fondation de sa vérité » (§ 29). À qui incombera la tâche de s'y aventurer, et de s'occuper en personne de la re-construction, c'est là une question qui devra être analysée sans tarder ; ce qui ne manquera pas d'être utile pour dégager quelques traits caractéristiques quant à la façon dont Heidegger a entendu préparer ce nouveau commencement.

Dans le § 42 des *Überlegungen XI*, Heidegger désigne par le terme *brutalitas* « la faisance inconditionnée de l'être » par ceux qui veulent planifier l'être à travers certaines catégories qui se réfèrent à la tradition métaphysique, en recourant systématiquement à un passé qui ne pourra jamais remonter à l'être. Le recours à des formulations dogmatiques peut tout aussi peu être secourable en une telle entreprise dès lors que ces deux cas de figure sont éloignés du « savoir essentiel » ; leur éloignement et donc leur inefficacité tiennent au fait qu'en eux tout est déjà décidé, planifié, structuré, alors même que le savoir essentiel ne peut pas être préétabli par les logiques traditionnelles. Le parcours de Heidegger ne repose pas sur des postulats mais sur la recherche inhérente à un questionnement sans relâche.

---

1. M. Heidegger, *Überlegungen XI*, op. cit., § 29.

Il suffit de recourir au § 42 pour trouver certaines catégories éloignées de ce « saut en avant dans la dignité du questionnement s'enquérant de l'estre » : à commencer par les « jamais assez nombreux » (*Niemals-zu-Vielen*), et ce sont les romantiques attardés du Reich, identifiés par Heidegger à travers le « caractère national, du sol, de la "camaraderie" ». Ici se trouve de nouveau évoqué le « caractère national » – nous traduisons ainsi le neutre collectif *Volkstum* – qui nous sera bientôt utile lorsqu'il nous faudra élucider la traduction du terme *Judentum*. Parmi les « jamais assez nombreux » Heidegger compte les « chrétiens » – mais la référence va à ces chrétiens qui n'ont pas laissé passer l'occasion de participer au pouvoir politique dès que celle-ci s'est présentée – et le « judaïsme antique ». Que vise Heidegger quand il se rapporte aux « chrétiens » et au « judaïsme antique » en tant que « promoteurs à leur insu de la *brutalitas* » ayant par là « contribué à éviter le savoir essentiel » ? Cette question demande à être lue à la lumière du § 84 des *Überlegungen IX* :

> Cette plurivocité, cette signification aléatoire de termes de ce genre (*Glauben, Wissen, Wissenschaft, Kultur*, etc.) ne relève plus simplement d'un flottement au sein d'une certaine plasticité sémantique en elle-même fondée [...], mais indique un déracinement de la vérité de l'être – à supposer qu'il y ait eu enracinement en l'estre même.

Position très nette : si, d'un côté, elle postule que les implications d'un *credo* religieux demeurent étrangères à un savoir essentiel du fait que toute croyance et ses implications dogmatiques sont dépositaires d'une détermination évidente close sur elle-même, d'un autre côté nous ne pouvons pas passer sous silence que Heidegger est parfaitement étranger à la « doctrine raciale » tant relayée par ceux-là mêmes qui sont étrangers à la véritable recherche d'un savoir essentiel. En effet, dans le § 42 des *Überlegungen XI*, juste après la référence aux « chrétiens » et au « judaïsme antique », Heidegger note :

La *brutalitas* de l'être a *pour conséquence* – mais non pour fondement – que l'homme lui-même en tant qu'étant se fait proprement
et de fond en comble *factum brutum* et « fonde » son animalité par la
doctrine raciale. C'est pourquoi cette doctrine de la « vie » constitue
la forme la plus populacière dans laquelle se fait passer pour une évidence réglée depuis longtemps ce que l'être a de digne de question
[…]. L'exaltation de l'homme par la fuite dans la technique – l'explication raciale – […] il n'y a là rien qui suscite la moindre question vu
que la question en quête de la vérité de l'être est par avance bloquée.

C'est là amplement suffisant pour comprendre à quel point
Heidegger est étranger à la culture dominante, désormais liée à
une politique qui a postulé comme principe la race, en faisant de
l'attachement à la glèbe la seule et unique possibilité de survie. Et
si cela n'était pas suffisant, dans ce même § 42, après ce passage,
suit immédiatement la note selon laquelle c'est là

la façade de la grandeur propre à cette époque, dont le principe
implicite est la complète absence de méditation ; à quoi correspond
dans la doctrine de l'homme : le principe de la race comme foncière vérité.

La doctrine de la race ne peut laisser Heidegger indifférent,
notamment parce que le déclin d'une politique brutale qui atteint
son sommet par l'entremise de la technique ne peut être arrêté
qu'avec *la lutte* issue de la « méditation en quête de sens », faute
de laquelle ne s'expliquerait pas le questionnement suivant :

Quel ébranlement est assez essentiel pour susciter une décision ?
Ou alors la *brutalitas* aurait-elle le dernier mot ?

Le moment est à présent venu d'analyser le terme *Judentum*
et ses implications, pour conclure ensuite cette section en nous
rapprochant autant que possible d'une entente de la manière
dont Heidegger vise à réagir face au déclin de son époque en
lui opposant la « solitude » de « l'homme tourné vers l'avenir ».
Contentons-nous pour commencer de souligner une donnée

qui est tout sauf négligeable. Dans le § 4 des *Überlegungen VIII* apparaît le terme *Judentum*, neutre collectif en *-tum* analogue à d'autres qui – comme *Russentum, Christentum, Slawentum* et *Amerikanertum* – se retrouvent dans le reste du tome 95. Comme il a déjà été souligné à plusieurs reprises dans nos analyses portant sur le tome 94, Heidegger n'emploie pas les catégories ontiques usitées ; dans le cas présent, en effet, le neutre collectif vise à indiquer le « caractère », l'« attitude », comme substrat renvoyant aux déterminations individuelles n'étant pas susceptibles d'être confondues avec un quelconque trait distinctif idéologique ou confessionnel et tout aussi peu avec la simple appartenance à un peuple déterminé. Le neutre collectif renvoie chez Heidegger à quelque chose qui est au-delà de toutes les stratifications que ces termes peuvent avoir adoptées sur la base d'une simple *lecture historiographique*. S'en tenir à une interprétation « superficielle » mène à d'inévitables méprises, dont même la traductrice italienne des *Cahiers noirs* n'est pas exempte lorsqu'elle écrit :

> Le neutre collectif par lequel Heidegger désigne certaines communautés ethniques ou nationales bien précises en se référant aux personnages qu'il voit évoluer sur l'échiquier mondial après les années atroces qui ont précédé et accompagné le conflit mondial – tel que *Russentum, Slawentum, Chinesentum, Amerikanertum...* – a été rendu par « caractère russe », « caractère slave », « caractère chinois », « caractère américain ». Une seule exception a été faite pour *Judentum*, terme qui n'est assurément pas forgé par Heidegger, mais qui fait sa scabreuse apparition dans ce second volume des *Cahiers*, et qui a toujours été rendu par « judaïsme »[1].

L'exception réservée au terme *Judentum*, justifiée par le fait que ce terme n'a « assurément pas [été] forgé par Heidegger », montre clairement que la traductrice n'a pas été en mesure de saisir le sens des réflexions heideggériennes, qui ne peuvent se ramener simplement à la communauté du peuple. Pareille supposition est

---

1. A. Iadicicco, « Avvertenza della traduttrice » [« Avertissement de la traductrice »], *in* M. Heidegger, *Quaderni neri 1938-1939 (Riflessioni VII-XI)*, Bompiani, Milan, 2016, p. XI.

en contradiction avec ces catégories ontologiques employées par Heidegger dans lesquelles l'ontique est toujours passé au crible de ces dernières et par conséquent arraché à une vision immanente voulant liquider la question en une lecture horizontale ne prenant en vue que la communauté ethnique ou nationale. Mais cette *interprétation viciée* est aussi confirmée par le fait que l'acception accordée au terme *Judentum,* qu'on a voulu isoler à tout prix d'un contexte beaucoup plus vaste et articulé, requiert un soubassement interprétatif préalable – exprimé par la traductrice elle-même – qui vise à surenchérir : « Une seule exception a été faite pour *Judentum,* […] qui fait sa **scabreuse apparition** dans ce second volume des *Cahiers*[1]. » Si à *Judentum* nous accolons la formule « sa scabreuse apparition » et si nous l'isolons des autres catégories qui l'accompagnent, avec de surcroît l'intention de ne pas le traduire en son acception de « caractère juif » mais seulement par « judaïsme », il est aisé de s'apercevoir que la traduction italienne n'est pas exempte de pré-compréhensions nées de la discussion instrumentale sur les *Cahiers noirs.* Cela montre que cette *prise de position* outrepasse très largement les intentions de Heidegger.

Dans notre propre traduction des *Cahiers noirs,* le neutre collectif de *Russentum, Slawentum, Chinesentum, Amerikanertum* se situe par-delà l'interprétation littérale dont on a constamment usé et abusé ; par conséquent, il faut revenir aux intentions de Heidegger en tenant compte du fait qu'avec ces termes en *-tum* il indique de manière indistincte aussi bien le « caractère » ou le « génie » russe, slave ou américain que le « caractère » ou le « génie » juif.

Il importe de rappeler à ce sujet le § 19 des *Apports à la philosophie,* afin d'éviter de fausser l'interprétation des textes. Quand Heidegger pose la question « qui sommes-nous ? », le « nous » en question n'est pas susceptible d'être identifié à ce qui appartiendrait exclusivement à un peuple et à lui seul : « nous ne sommes pas seuls, mais bien au contraire, en tant que peuple, nous sommes un peuple parmi les autres peuples[2] ». Cela étant,

---

1. *Ibid.* (les caractères gras sont de nous).
2. M. Heidegger, *Beiträge zur Philosophie, op. cit.,* § 19, p. 48 ; trad. fr. p. 69.

une telle question portant sur le « nous » renvoie à un questionnement bien plus profond, au point de dépasser la position précédemment avancée : « Vouloir *être* soi-même (*Selbstsein*) rend la question superflue[1]. » En outre, « cette méditation de soi laisse loin derrière elle tout "subjectivisme", même celui qui se cache le plus insidieusement dans le culte que l'on rend à la "personne"[2] ». La ligne de Heidegger est assez claire ; elle ne peut être emprisonnée dans les rets d'un subjectivisme et encore moins dans le traitement systématique d'une idée de peuple, quelle qu'elle soit, qui tendrait en quelque sorte à l'isoler de la pluralité d'un « nous » qui ne peut donc jamais être compris sauf à recourir à la volonté d'« *être* soi ». Une telle façon de procéder demeure toutefois insuffisante faute de ce commencement indiqué par la question fondamentale, la *Grundfrage* :

> Cette question [« qui sommes-nous ? »] doit rester purement et simplement insérée dans le questionnement de la question fondamentale : comment l'estre déploie-t-il (*west*) sa pleine essence[3] ?

Le rappel du § 19 des *Apports* est en outre décisif parce que dans toute l'œuvre en question le neutre collectif *Judentum* n'apparaît qu'une seule fois, au même titre que *Russentum*, alors qu'on y compte deux occurrences de *Christentum*, dans le § 19 en question et dans le § 72.

> [...] la forme définitive du marxisme, qui n'a vraiment rien à voir ni avec le génie juif (*Judentum*) ni avec le génie russe (*Russentum*) ; [...] mais dans la mesure où la souveraineté de la raison comme aspiration à l'égalité pour tous n'est qu'une conséquence du christianisme (*Christentum*), et comme ce dernier est au fond d'origine hébraïque [...], le bolchevisme est bien de fait quelque chose de juif ; mais alors il faut aussi reconnaître que le christianisme est au fond quelque chose de bolchevique[4] !

---

1. *Ibid.*, p. 49 ; trad. fr. p. 70.
2. *Ibid.*, p. 52 ; trad. fr. p. 73.
3. *Ibid.*, p. 54 ; trad. fr. p. 75.
4. *Ibid.*

Même si l'on passe sur le fait que *Russentum*, dans la traduction des *Apports*, est rendu simplement par « Russie », le lien étroit entre *Christentum* et *Judentum* est significatif, ou pour mieux dire la dérivation naturelle de l'un à partir de l'autre, *Christentum* étant formé sur le modèle de *Judentum*. Relever le « caractère » assigné au *Christentum* et, par conséquent, au *Judentum*, ainsi que le lien établi entre ces deux termes et le caractère bolchevique, est représentatif d'un *jeu de rapprochements* reposant sur quelques stéréotypes diffus au cours de cette période et qui ne seront pas repris par la suite dans les œuvres heideggériennes (du moins dans les textes dont nous disposons). La critique émise par Heidegger dans le § 19 des *Apports* concerne le « règne de la raison » et l'impossibilité d'élaborer la question philosophique « qui sommes-nous ? » dans l'isolement de l'Occident désormais figé dans la justification des événements historiques :

> Cette question [« qui sommes-nous ? »] ne peut prétendre, telle qu'elle se comprend elle-même, vouloir se substituer au processus actuellement nécessaire, ni même seulement le déterminer[1].

Sur la base du § 42 des *Überlegungen XI*, dans lequel Heidegger prend ses distances avec la « doctrine des races », et si l'on considère la référence au neutre collectif *Judentum*, il est très difficile de justifier la position de qui cherche dans les réflexions du philosophe une « contamination » antisémite traversant de manière structurelle la pensée de l'histoire de l'être. Il est malaisé d'établir une telle théorie parce que la section que nous commençons tout juste à examiner contient tous les passages où figurent les termes utilisés pour établir comme avéré l'antisémitisme des *Cahiers noirs* ; or on constate qu'ils ont en réalité une application bien plus profonde et qui échappe quand on reste en dehors du « savoir essentiel » tel qu'il a été projeté par Heidegger. En outre, la thèse d'une éventuelle « complicité » de la pensée heideggérienne avec

---

1. *Ibid.*

le mouvement national-socialiste est elle aussi à écarter, précisément sur la base des réflexions que Heidegger lui-même note
dans les *Überlegungen* de 1938-1939. Le problème de fond de ses
carnets est constitué par la stratification complexe des concepts
fondamentaux de la philosophie heideggérienne et la nécessité
continuelle de contextualiser les ébauches des réflexions. On en
trouve un exemple dans le § 5 des *Überlegungen VIII* :

> L'une des figures les plus occultes du *gigantesque*, peut-être aussi
> la plus ancienne, est l'habileté bien endurcie à calculer, à jouer des
> coudes et à faire des entourloupes, sur quoi se fonde l'absence de
> monde (*Weltlosigkeit*) du caractère juif (*des Judentums*).

Dans les carnets, c'est là le seul passage où se trouve attestée
la locution « absence de monde » (*Weltlosigkeit*). L'« absence de
monde » chez Heidegger n'est pas exclusivement réservée au
caractère juif (*Judentum*) mais se rapporte plus généralement à
l'homme compromis avec l'époque moderne, et dont l'entente
du monde est filtrée par une pensée calculante. En effet, le terme
Weltlosigkeit figure aussi dans le cours de Fribourg du semestre
d'hiver de 1929-1930 : on y trouve une longue analyse portant
sur une tripartition selon laquelle la pierre est « sans monde »,
l'animal « pauvre en monde » et l'homme « configurateur de
monde ». Le « monde » est pour Heidegger un ensemble de
signifiances auquel la pierre, dans son être, n'est ouverte d'aucune façon, à la différence de l'animal qui possède une ouverture limitée bien qu'il vive dans une hébétude et ne soit en rien
orienté vers l'entente de l'être et du monde. Pour l'animal, son
« environnement » est l'unique lieu d'ouverture, ce qui fait qu'il
demeure « pauvre en monde ». L'homme moderne – auquel se
rattache aussi ici le caractère juif – vit quant à lui dans un état
de privation dans lequel la signifiance du monde se retire parce
que son existence est dictée par une pensée calculante qui le
mène à une foncière incapacité. La signifiance du monde est
enracinée dans le fondement de la pensée de l'histoire de l'être,
telle qu'elle ne peut *jamais* être appréhendée sur la base d'une

pensée calculante. Mais cette comparaison ne revêt pas chez
Heidegger un caractère exclusif qu'il réserverait au caractère
juif, vu qu'elle régit de fond en comble l'homme moderne et
son époque. Un peu plus loin, dans le § 15 des _Überlegungen X_,
Heidegger revient sur les concepts qui viennent d'être exposés et
qui se réfèrent au cours de 1929-1930. C'est à partir de là qu'on
peut comprendre que l'« absence de monde » est la condition à
surmonter en une « avenance » ; et même si la thématique de ce
paragraphe est apparentée à celle du § 5 des _Überlegungen VIII_,
il n'y est fait aucune mention du caractère juif (_Judentum_). En
effet, Heidegger développe juste après ses propos avec les _Überle-
gungen XI_, en s'arrêtant sur « l'homme moderne » et sa pensée
calculante. Malgré des points très critiques à l'égard de l'époque
moderne, « homme moderne » et pensée calculante ne sont
jamais visés par Heidegger comme des éléments à combattre dès
lors qu'ils sont eux-mêmes des artisans de leur propre déclin, du
reste bien décrit dans le § 71 des _Überlegungen VII_ :

> une forme de dévastation (_Verwüstung_) qu'on ne saurait contenir
> dans l'immédiat parce qu'elle est organisée et requise par l'huma-
> nité dominante en vue de sa propre mise à l'abri.

Pour Heidegger le nouveau commencement est marqué par
« l'homme tourné vers l'avenir » qui se tient dans la vérité de
l'être : à la « pseudo-vérité dans ce qu'on appelle "la vie" »,
(_Überlegungen XI_, § 29) que nous retrouvons dans le § 71 des
Überlegungen VII, s'oppose la lutte engagée par « l'homme à
venir ». Revenir aux _Apports à la philosophie_ peut dès lors s'avérer
utile pour saisir où se situe l'essence de « l'homme tourné vers
l'avenir » ainsi que ses traits caractéristiques :

> Ils se tiennent dans le souverain savoir, savoir tel parce que pétri
> de vérité [...]. Ce savoir est en outre sans utilité, et n'a pas de
> « valeur » ; il n'a pas de crédit et ne peut être admis à titre immédiat
> comme condition valant pour l'affairement en cours[1].

---

1. M. Heidegger, _Beiträge zur Philosophie_, op. cit., § 250, p. 396 ; trad. fr. p. 453.

En outre, certaines caractéristiques des « hommes tournés vers l'avenir » nous aident à comprendre l'opposition effective à un agir typique de la pensée instrumentale qui caractérise l'époque moderne. En voici les traits les plus saillants tels qu'ils sont reconstitués par Heidegger dans les §§ 248-252 des *Apports* : ils sont « étranges étrangers », « silencieux », « lents et à la longue écoute », « ceux qui se tiennent instamment [à ce qui vient], s'exposant sans relâche au questionnement », « ceux qui ne connaissent pas l'"optimisme braillard" », disposés qu'ils sont à « chercher » et sont donc qualifiés de « chercheurs », ils sont « en petit nombre » (*Wenige*), « essentiellement inapparents, à qui toute publicité est étrangère », et parmi eux *le plus à l'avenir* est « Hölderlin »[1].

Dès lors que c'est à « ceux qui sont tournés vers l'avenir » qu'est confiée la mission de revenir au nouveau commencement, nous pouvons retrouver dans cette section thématique des carnets certaines notes caractéristiques relatives à l'auteur lui-même. Revenons au § 14 des *Überlegungen X* :

> *Penseur* – est celui qui lance une question mettant en jeu la vérité de l'estre sans pouvoir prendre appui sur la moindre répercussion au beau milieu de la curiosité compulsive de ceux qui ne se posent jamais de questions […].

Le questionnement qui se risque à la vérité de l'être ne peut jamais s'appuyer sur le « retentissement » (*Widerhall*) et ne peut jamais être confondu avec la fonctionnalité d'une manière d'agir indifférenciée typique de ceux qui sont encore liés à l'« expérience vécue ». Dans le fait de se gargariser du « réel » il est impossible de courir ce risque : seule la « solitude » (*Einsamkeit*) constitue la dimension au sein de laquelle on peut être à l'écoute de l'être. Mais cette solitude « n'est pas susceptible d'être "créée" ni "voulue" – la solitude est ce qu'il y a de plus rare et répond à une nécessité de l'être » (*Überlegungen XI*, § 40).

1. *Ibid.*, pp. 395-401 ; trad. fr. pp. 452-458.

L'époque de la totale absence de questionnement ne tolère rien qui soit digne de question ; elle brise toute solitude. [...] L'époque de la totale absence de questionnement ne peut être surmontée que par une *époque de simple solitude*, où l'être humain se prépare à être prêt pour la vérité de l'estre même[1].

Une « solitude » dans laquelle le « faire silence » (*Schweigen*) devient ouverture à l'écoute de l'être. Il n'est pas bien difficile de supposer que c'est en ces autres dimensions que se situe la position de Heidegger, en sa continuelle « recherche » qui va de l'avant et se trouve déjà fondée en son commencement :

> Si doit encore nous être octroyée une histoire, c'est-à-dire un style pour être le là, alors ce ne peut être que *l'histoire en retrait de la grande tranquillité*, en laquelle et en tant que quoi la souveraineté du Dieu à l'extrême œuvre et donne figure à l'étant. Aussi la grande tranquillité doit-elle nécessairement d'abord venir sur le monde et pour la terre. Cette tranquillité provient uniquement du silence gardé[2].

Autant de traits distinctifs qui nous aident à apercevoir, même de loin, la position de Heidegger dans l'une des situations les plus controversées de l'époque, marquée par la « prééminence exclusive du "combat" martial-technique-historisant en sa faisance » (*Überlegungen XI*, § 88).

4. *Réflexions XII-XV (Cahiers noirs 1939-1941)*

4.1. La vision du monde nationale-socialiste : les conséquences de l'« effet destructeur de la culture »

Heidegger revient sur la question du national-socialisme, en en définissant « l'essence historiale » et en évoquant les consé-

---

1. *Ibid.*, § 51, p. 110 ; trad. fr. p. 136.
2. *Ibid.*, § 13, p. 34 ; trad. fr. p. 53.

quences de la « vision du monde » qui en découle, en certains passages des *Überlegungen XIII* (§§ 73 et 90) et des *Überlegungen XIV* ([12], [41-42], [74-75], [106]).

Si nous passons en revue, dans les *Überlegungen XIII*, en leurs différentes déclinaisons, le national-socialisme et le fascisme, apparaît une « modification » du « *"socialisme" autoritaire* » (§ 73) ; ce qui rapproche le national-socialisme du bolchevisme et du fascisme est leur insertion dans la dynamique de la « faisance » (*Machenschaft*) au point de permettre de les réunir du fait de leurs « colossales formes d'accomplissement de l'époque moderne » (§ 90).

Dans les *Überlegungen XIV* Heidegger entre en revanche dans le vif du sujet, à savoir la « vision du monde » et ses inévitables répercussions sur les masses : le rapport antithétique entre le « peuple » (*Volk*) et les « masses » (*Massen*) est le signe tangible de la façon dont la logique issue de la faisance instrumentale risque de manipuler le peuple en en faisant une « masse » *anonyme* ; c'est seulement à ce stade, en effet, que peut s'enraciner une « vision du monde » centrée sur la domination politico-militaire atteinte grâce au contrôle de l'économie. C'est en ce sens qu'est relevé « l'effet destructeur de la culture » à partir du discours du Führer du 30 janvier 1940 (*Überlegungen XIV* [12]). En outre, le passage du « national-socialisme » au « rational-socialisme » ([41-42]) et l'essence commune de la « philosophie chrétienne » et de la « philosophie nationale-socialiste » ([74-75]) se comprend par le commun recours au « calcul » (*Rechnung*).

Le terme *Zerstörung* (« destruction ») revient dans les *Überlegungen XIV* (§ 12) en rapport avec la « culture » ; le terme *Rechnung*, quant à lui, est employé dans les *Überlegungen XIV* ([41-42], [74-75]), toujours en référence au « national-socialisme », et ensuite à la « philosophie chrétienne ».

L'examen de la question relative à la τέχνη introduite dans les *Überlegungen XIV* ([41-42]) sera abordé en tenant compte aussi de son traitement dans les *Apports à la philosophie*.

Überlegungen XIII

§ 73 [42-43], S. 109-110 :

Der *Bolschewismus* (im Sinne der des-
potisch-proletarischen Sowjetmacht) ist
weder »asiatisch« noch russisch – sondern gehört in die Vollendung der in
ihrem Beginn *westlich* bestimmten Neuzeit. Entsprechend ist der *autoritäre*
»*Sozialismus*« (in den Abwandlungen des
Faschismus und **Nationalsozialismus**) eine
entsprechende (nicht gleiche) Form der
Vollendung der Neuzeit*. Der Bolschewismus und der autoritäre Sozialismus sind
metaphysisch dasselbe und gründen in
der **Vormacht der Seiendheit des Seienden** (vgl. die *früheren* Überlegungen). Die
nächste geschichtliche Entscheidung ist:
ob beide Grundformen der Vollendung
der Neuzeit unabhängig voneinander die
Seinsverlassenheit des Seienden (und d.
h. das **Riesenhafte** der technisch-histo-
risch-politischen Ab- und Einrichtungen)
in den unbedingten Erfolg verfestigen
und so in **riesenhaftem** Stil mit oder ohne
ausdrücklichem »politischen« Zusammen-
schluß dasselbe *sind*, oder ob durch sie
in einer vermittelten Mittelbarkeit eine
rückgewinnende Befreiung des Russen-
tums zu seiner Geschichte (nicht »**Rasse**«)
und eine abgründige Frag-Würdigkeit
des Deutschtums zu seiner Geschichte
sich anbahnt, wobei die Geschichte beider aus demselben verborgenen Grunde
einer anfänglichen Be-stimmung kommt:
die Wahrheit des Seyns (als Er-eignis) zu
gründen. –

* Der Name »Sozialismus« bezeichnet nur
dem Schein nach noch und für das »**Volk**«
einen Gefühlssozialismus im Sinne der so-
zialen Fürsorge; gemeint ist die politisch-
militärische-wirtschaftliche Organisation
der **Massen**. Klasse: herrschende Schicht.

Réflexions XIII

§ 73 [42-43], pp. 109-110 :

Le *bolchevisme* (entendu comme puissance prolétarienne despotique des soviets)
n'est ni « asiatique » ni russe – il appartient
à l'accomplissement des Temps nouveaux
dans la détermination *occidentale* qui fut la
leur à leur début. De même, le « *socialisme* »
autoritaire (dans les avatars du fascisme et
du **national-socialisme**) est une forme correspondante (mais non identique) de l'accomplissement des Temps nouveaux*. Le
bolchevisme et le socialisme autoritaire
sont métaphysiquement le même et se
fondent dans la **prédominance de l'étantité
de l'étant** (cf. les *précédentes* Réflexions).
La décision historiale imminente est la
suivante : les deux formes foncières d'accomplissement des Temps nouveaux vont-
elles, indépendamment l'une de l'autre,
consolider l'abandon de l'étant par l'être
(autrement dit le caractère **gigantesque**
des dressages et des installations technico-
historico-politiques) en leur succès inconditionné et si de cette façon, en un style
gigantesque, avec ou sans jonction « politique » expresse, [ces deux formes foncières
d'accomplissement des Temps nouveaux
que sont bolchevisme et socialisme autori-
taire] *sont* le même, ou bien, à travers elles,
en une méditation elle-même médiatisée,
une libération va-t-elle surgir, reconquérant
pour le génie russe son histoire (non sa
« **race** »), et le caractère abyssalement digne
de question du génie allemand frayer à nouveau les voies de son histoire, là où l'histoire
des uns comme des autres provient d'une
même vocation initiale : fonder *la vérité de
l'être* (comme a-venance). –

* Le nom « socialisme » ne désigne qu'apparemment et pour le « **peuple** » un socialisme sentimental au sens de l'assistance
sociale ; alors que ce qui est visé, c'est l'organisation politique, militaire, économique
des **masses**. Classe : couche dominante.

Überlegungen XIII

§ 90 [68], S. 126-127 :

Demarkationslinien zwischen Rußland und Deutschland verschleiern nur die Abgründe von Vorbedingungen für eine noch nicht einmal erfragte Ent-scheidung[1] über das Wesen der abendländischen Geschichte. Trennungsstriche haben das Verfängliche, das, was im Wesen dasselbe ist, in seiner Selbigkeit gerade offenbar zu machen. Der Nationalsozialismus ist nicht Bolschewismus und dieser ist kein Faschismus – aber beide sind machenschaftliche Siege der Machenschaft – riesige Vollendungsformen der Neuzeit – ein errechneter Verbrauch von Volkstümern.

Réflexions XIII

§ 90 [68], pp. 126-127 :

Des lignes de démarcation entre la Russie et l'Allemagne ne font que voiler les abîmes des prémisses pour une dé-cision[1] encore nullement interrogée quant à la pleine essence de l'histoire occidentale. Les traits d'union ont ceci d'insidieux qu'ils rendent précisément manifestes comme revenant au même ce qui est le même. Le national-socialisme n'est pas le bolchevisme et celui-ci, à son tour, n'est pas le fascisme – mais tous deux sont des victoires fabriquées de la fabrication – des formes colossales d'achèvement des Temps nouveaux – une consommation calculée des caractères nationaux.

Überlegungen XIV

[12], S. 177 :

Gegen den Vorwurf der »kultur«-zerstörerischen Wirkung der nationalsozialistischen Weltanschauung ist nach der Zeitung jetzt ein klares Zeugnis aus der Führerrede vom 30. Januar 1940 festzuhalten, worin auch die »Dichter und Denker« als »Arbeiter« anerkannt sind: »>Der Dichter und Denker braucht außerdem nicht soviel Nahrung als der Schwerstarbeiter<. (Heiterkeit).«[a]

Réflexions XIV

[12], p. 177 :

Contre le reproche adressé à la vision du monde nationale-socialiste d'avoir un effet destructeur sur la « culture », un témoignage sans équivoque a été apporté d'après le journal par le discours du Führer du 30 janvier 1940, où les « poètes et penseurs » sont reconnus comme « travailleurs » : « "En plus, le poète et penseur n'a pas besoin d'autant de nourriture que le travailleur de force" (hilarité générale)[a]. »

Überlegungen XIV

[41-42], S. 195 :

Vom Nationalsozialismus zum Rationalsozialismus, d. h. zur unbedingten Durchrechnung und Verrechnung des

Réflexions XIV

[41-42], p. 195 :

Du national-socialisme au rational-socialisme, c'est-à-dire au contrôle et au calcul inconditionnés du vivre-ensemble

---

a. Max Domarus : Hitler. *Reden und Proklamationen* [*Discours et proclamations*] *1932-1945*, t. II : *Untergang* [*Le Déclin*], II/1, Süddeutscher Verlag, Munich, 1965, p. 1456. Lire « [...] *wie der Schwerarbeiter* » au lieu de : « *Schwerstarbeiter* ».

1. Heidegger donne ici à entendre le mot *Ent-scheidung* comme *dé-partage, dé-scission* ; la traduction par « dé-cision » (du latin *de-caedo > decido*, « détacher en coupant », « trancher ») ne rend que partiellement le sens du terme allemand.

Zusammenseins der Menschentümer in sich und miteinander. Diese Rationalität verlangt die höchste Geistigkeit. Das Wesen des abendländischen Geistes als τέχνη.

Überlegungen XIV

[74-75], S. 214-215 :

Die »christliche Philosophie« ist so jedesmal die Koppelung zweier »Halbheiten«. Und man könnte versucht sein, sich auszurechnen, daß zwei »Halbheiten« doch ein Ganzes ergeben müßten. Aber diese **Rechnung** geht fehl, wenn sie übersieht, daß dieses **errechnete** Ganze nur eine ganze – d. h. vollständige Halbheit sein kann, in der die Halbheiten nicht beseitigt, sondern so gesteigert sind, daß das Ganze die völlige Nichtigkeit der Vorstellung einer »christlichen Philosophie« dartut. – Freilich erkennt man nur selten das Unmögliche dieses Begriffes in seiner Schärfe, weil man sowohl mit dem »Christlichen« als auch mit der »Philosophie« nie ernst macht, statt dessen aber harmlosere Begriffe unterstellt und dadurch sich bestätigt hält in solchem Meinen, daß es »faktisch« dergleichen ja doch »gibt« – d. h. es wird von Leuten, die hieran ihr **wohlberechnetes** Interesse haben, ständig verkündigt. Vollends möchte Vielen zunächst schwer eingehen, daß sich der Wesensart nach eine »**nationalsozialistische Philosophie**« in Nichts von der »christlichen Philosophie« unterscheidet. Jeder politisch klar Denkende lehnt daher auch folgerichtig jede »Philosophie« innerhalb der »Weltanschauung« ab; sie kann höchstens eine rein **technisch**-scholastische Bedeutung haben.

des peuples en eux-mêmes et les uns avec les autres. Cette rationalité a besoin de la plus haute spiritualité. L'essence de l'esprit occidental comme τέχνη.

Réflexions XIV

[74-75], pp. 214-215 :

La « philosophie chrétienne » est ainsi chaque fois l'accouplement de deux « demi-mesures ». Et l'on pourrait être tenté de croire que deux « demi-mesures » devraient former un tout. Mais ce **calcul** est erroné si l'on ne s'avise pas du fait que ce tout **escompté** ne peut jamais être qu'une entière demi-mesure, c'est-à-dire complète, dans laquelle les demi-mesures ne sont pas éliminées mais accrues au point que l'ensemble présente toute l'inconsistance de la représentation d'une « philosophie chrétienne ». – Il est rare toutefois que l'on reconnaisse dans toute son acuité l'impossibilité de ce concept, du fait que l'on ne prend jamais au sérieux ni ce qui est « chrétien » ni ce qui est « philosophique ». On suppose des concepts plus anodins et on se sent par là confirmé dans l'opinion que, « de fait », des concepts de ce genre « existent » bel et bien – autrement dit c'est là ce que ne cessent de proclamer des gens qui y trouvent, **tout compte fait**, leur propre intérêt bien compris. Surtout que beaucoup peuvent éprouver de la difficulté à comprendre que, foncièrement, une « **philosophie nationale-socialiste** » ne se distingue en rien de la « philosophie chrétienne ». Quiconque pense lucidement les choses en matière politique récuse donc justement toute « philosophie » au sein de la « vision du monde » : elle ne peut avoir tout au plus qu'une signification purement scolastique, **techniquement** parlant.

Überlegungen XIV

[106], S. 234 :

Welcher Unterschied besteht zwischen folgenden Vorgängen: Barmat und Kustiker[a] machen sich ein gutes Geschäft aus der Nachkriegsdemokratie. Volksschullehrer werden mit Hilfe der **nationalsozialistischen Weltanschauung** zu »Philosophen«, um die sich ein ernsthafter Mensch nie kümmerte? Es besteht kein Unterschied; denn hier ist das geschichtliche Wesen des **Nationalsozialismus** gleichwenig begriffen, wie dort das geschichtliche Wesen der parlamentarischen Demokratie.

Réflexions XIV

[106], p. 234 :

Quelle différence y a-t-il entre les événements suivants : Barmat et Kustiker[a] font leurs affaires avec la démocratie de l'après-guerre ; grâce à la **vision du monde nationale-socialiste**, des cuistres deviennent des « philosophes » dont personne de sérieux ne s'était jamais soucié ? Il n'y a là aucune différence ; car l'essence historiale du **national-socialisme** est tout aussi peu comprise dans un cas que, dans l'autre, l'essence historiale de la démocratie parlementaire.

De légères nuances quant au national-socialisme entrent en jeu dans les réflexions reproduites ci-dessus. Si nous considérons les précédentes analyses menées sur la même unité thématique dans les tomes 94 et 95, il est d'emblée évident que la portée des passages reportés ci-dessus se limite aux quelques extraits des *Überlegungen XIII* et *XIV*, et que le recours à certains termes demeure une constante susceptible de nous aider à définir l'essence du national-socialisme. Par exemple, l'emploi du mot « gigantesque » (ou « colossal ») (*Riesenhaften*) dans le § 73 des *Überlegungen XIII* renvoie aux recherches faites sur le tome 95[1] ; puis se trouvent remis en cause deux autres éléments, le « calcul » (*Rechnung*) et la « fabrication » ou « faisance » (*Machenschaft*). Tout cela mène à une impasse causée par la prépondérance de l'étantité de l'étant, dont la conséquence inévitable est reconnaissable dans la « destruction » de la culture. Les répercussions de la vision du monde « nationale-socialiste » sont délétères pour le peuple allemand, désormais réduit à une « masse » informe toujours plus facilement manipulable dès

a. Ivan Baruch Kustiker (1873-1927) et Julius Barmat (1887-1938) ont été tous deux condamnés, indépendamment l'un de l'autre, à des peines de prison en raison de graves délits financiers auxquels étaient aussi mêlés des hommes politiques.

1. Voir *supra*, note 1, pp. 175-176.

lors que toute *urgence* de la pensée est toujours supplantée par la logique inhérente à une politique axée sur le règne de l'*actualité*. La vie en ce qu'elle a de contingent devient la seule et unique fin à sauvegarder au sein d'une vision partielle du monde qui peu à peu s'érige en absolu. Dans tout cela, le geste de « fonder *la vérité de l'être* (comme événement-appropriant) » demeure inconnu des artisans de la faisance, lesquels préparent, *activement* et *passivement*, la logique instrumentale de la domination en se dérobant ainsi, du fait de leur propre incapacité, à la dignité du questionnement fondamental provenant de la *méditation en quête de sens* (*Besinnung*).

On peut difficilement supposer que de l'abîme – entendu comme absence de fondement – engendré par l'absolutisation de l'étantité de l'étant pourrait naître l'*urgence* de l'être : on ne s'avise de cette *urgence* que si l'on reste en dehors de ces subtils calculs qui renforcent le règne d'une pensée unique/absolue se nourrissant du caractère provisoire d'une vie repliée sur elle-même. Ce caractère provisoire, comme l'absence de méditation en quête de sens, n'est pas à imputer seulement à l'actualité de la vie mais aussi à l'« abandon » : l'absolu dont nous parlons a besoin de régner pour pouvoir s'ériger ; les logiques qui sont les siennes sont vouées à l'échec parce que outre l'abîme où il se situe il éprouve aussi *l'abandon de l'être*. Avec « l'abandon de l'étant par l'être » se trouve lancé le processus dans lequel l'époque moderne trouve son achèvement.

Les premiers signes avant-coureurs de l'« effet destructeur sur la "culture" » de la « vision du monde nationale-socialiste » (*Überlegungen XIV* [12]) sont venus du monde universitaire, mais les répercussions sur les masses sont désormais inéluctables si nous nous avisons du fait que l'assurance dans ce qui est tenu pour *certain*, *utile* et *fonctionnel* parvient à assoupir le besoin du savoir essentiel. Il importe de revenir aux *Apports à la philosophie* vu que Heidegger – comme il l'a fait du reste dans ses carnets – entend laisser une trace de l'inexorable *fiasco* de la culture provenant de l'université :

Les « universités » comme « lieux de recherche et d'enseignement scientifiques » (en tant que telles, ce sont des créations du XIXᵉ siècle) deviennent de pures et simples institutions d'affaire-

ment, toujours plus « réalistes » quant au « rapport à la réalité ». Ce qui leur reste de leur ultime fonction, celle de *décor culturel*, elles vont le garder tant qu'elles auront à jouer un rôle quelconque dans la propagande de la « politique culturelle ». Aucune effervescence d'« *universitas* » ne peut plus se développer à partir d'elles : d'abord parce que l'engagement politique national-socialiste rend superflu ce genre de choses, mais aussi parce que l'affairement scientifique lui-même tourne bien mieux et bien plus sûrement à plein régime *sans avoir besoin* de rien d'« universitaire », et pour tout dire : sans avoir la volonté de se mettre à prendre en considération quoi que ce soit[1].

L'inévitable destruction de la culture et l'*absence* de « méditation en quête de sens » ne caractérisent pas seulement le *fiasco* du système universitaire, ce sont là des traits caractéristiques d'une époque dans laquelle l'organisation politico-militaire gouverne les masses, qui se rabattent sur l'illusion que la revendication du caractère national pourrait être suffisant pour la *vie présente*. Qu'est-ce qui échappe à l'organisation imperturbable de ceux qui entendent promouvoir une politique culturelle en en restant à la pure objectivité ? Ce qui assurément lui échappe, c'est la précarité provenant du fait qu'elle doit laisser de côté ses propres visions pour faire place à la fluidité inhérente à la méditation. À cette méditation en quête de sens dans laquelle la pensée va au-delà de l'assurance forte de l'évidence contigente *pour se perdre* dans ce qui n'est pas de l'ordre du réel et qui échappe au pur calcul. Pour *beaucoup*, cette manière de « se perdre » s'avère difficilement praticable voire impossible si nous considérons le fait de demeurer hors de la discussion dans un réel ponctuel clos sur sa propre fixité. Le « mouvement » de pensée qui accompagne les réflexions heideggériennes demeure hors de portée pour qui entend se tenir statiquement dans la certitude du réel-concret ; la difficulté qui subsiste en ce parcours consiste à en suivre le mouvement tout sauf linéaire ; il s'accompagne parfois d'une progression désarmante et pleine de retenue.

Cela vaut la peine, dans cette section, de s'arrêter aux renvois

---

1. M. Heidegger, *Beiträge zur Philosophie*, op. cit., § 76 (pp. 155-156 ; trad. fr. p. 183).

permanents à tout ce qui rentre dans le cadre du « rationnel », par exemple la philosophie chrétienne vue comme « un assemblage de deux demi-mesures ». La référence à la philosophie chrétienne – et à la longue tradition judéo-chrétienne – reflète l'édifice « technico-scolastique » dans lequel la *définition* est l'unique instrument de mesure à avoir assuré à l'étantité une présence stable et à avoir permis, par le calcul, que la mesurabilité devienne le critère décisif auquel tout doit être reconduit, d'où un fonctionnement en circuit fermé.

En prenant ainsi ses distances, Heidegger vise à indiquer un chemin vers un *autre* commencement où il n'est pas possible de se référer à l'être à partir de l'étant et de sa calculabilité : dès lors que l'être humain est fondé pour autant qu'il repose sur l'être, cela comporte un dépassement de l'étantité et une remise en discussion de l'*ens* en tant que *creatum*. C'est en ce sens que nous pouvons comprendre la raison pour laquelle la philosophie chrétienne est incluse au sein de l'analyse du rationalisme et se trouve toujours associée à ce qui a trait au « calcul » comme au territoire de l'étantité sur lequel l'époque moderne veut trouver une fondation stable lui fournissant sa propre justification à partir de la « certitude » de sa propre objectivité.

Examinons à présent le passage suivant des *Überlegungen XIV* ([41-42]) : « Cette rationalité a besoin de la plus haute spiritualité. L'essence de l'esprit occidental comme τέχνη. » Le terme τέχνη s'y trouve analysé avec pour arrière-plan les références aux *Apports à la philosophie* et leur traitement systématique du sujet[1] – la limite

---

1. *Ibid.*, § 50, « *Ce qui vient se faire entendre* » : « Que signifie la fabrication ? Fabrication et présence constante : ποίησις–τέχνη. Où mène la fabrication ? À tout comprendre dans la perspective de l'*expérience vécue*. Comment cela se produit-il ? (*ens creatum* – la "nature" et l'"histoire" des Temps nouveaux – la technique). Par la technique le désensorcellement de l'étant qui laisse tout pouvoir à un ensorcellement qu'il a lui-même engendré. Ensorcellement et expérience vécue. Solidification définitive de l'abandonnement de l'être en oubli de l'être. L'époque de la complète absence de question et de la répugnance opposée à toute volonté de fondamenter des buts. Médiocrité comme ordre » (pp. 107-108 ; trad. fr. p. 134) ; § 61, « *Fabrication* » : « le *faire* (ποίησις, τέχνη), que nous connaissons bien à titre de comportement humain […]. Le fait que *quelque chose se fabrique soi-même* et par suite soit aussi fabricable au moyen d'une procédure adéquate, cette aptitude à *se fabriquer soi-même* est l'interprétation de la φύσις qui s'accomplit à partir de la τέχνη et de son horizon d'entente en sorte que le poids du fabricable et du "se fabriquer soi-même" commence à devenir prépondérant […], c'est tout cela qui doit s'entendre dans le mot "fabricateur" […]. L'aspect fabriqueur arrive plus lisiblement à la surface et,

des carnets consistant, en effet, dans l'impossibilité de trouver une systématique argumentative appliquée à de telles questions, même s'il reste de toute façon absurde d'étiqueter la démarche des réflexions heideggériennes comme systématique en recourant de manière linéaire à un avant et un après.

La τέχνη rentre dans le cadre de la faisance, dans laquelle l'homme moderne est introduit à une nouvelle spiritualité : par le recours à l'expérience vécue il est possible d'affiner une stratégie permettant une domination complète sur l'étant en vue de sa rentabilité. La connaissance de l'étant et son épuisement engendrent l'illusion que tout ce qui habite le monde peut être dominé par la volonté de puissance et rendu objet de manipulation : la domination et la manipulation qui s'ensuit sont possibles parce qu'est amorcée en l'homme l'im-puissance à tourner son regard *par-delà* la fixité dans laquelle il est tombé quand il a absolutisé et réduit le monde à son propre rayon d'action. Diriger l'étant en ne s'appuyant que sur l'étant en lui-même produit en l'homme un isolement au point de lui faire perdre non seulement l'*urgence* de la question portant sur l'être mais au point aussi qu'il ne s'aperçoit pas qu'il a perdu de vue cette urgence. À ce stade, bien plus évolué et maîtrisé, de la τέχνη, il est très difficile que les mécanismes de la manipulation de l'étant soient reconnus comme tels, parce que la domination a réduit l'homme à une fermeture si radicale que ce

---

comme intervient la pensée chrétienne de la Création (y compris la représentation correspondante de Dieu), l'*ens* devient *ens creatum* » (pp. 126-127 ; trad. fr. pp. 153-154) ; § 64, « Fabrication » (p. 130 ; trad. fr. p. 157) ; § 67, « *Fabrication et expérience vécue* » : « La fabrication, comme suprématie de façonner et de ce qui est façonné [...]. Telle est en effet la dénomination d'une certaine vérité de l'étant (de son étantité). D'abord et la plupart du temps, cette étantité nous est saisissable comme l'objectivité [...]. Or la fabrication saisit cette étantité de façon plus profonde, plus initiale, parce que cette façon est référée à la τέχνη. Dans la fabrication se trouve également incluse l'interprétation *chrétienne et biblique* de l'étant comme *ens creatum*, que cette dernière relève de la foi, ou bien qu'elle soit prise dans une optique de sécularisation » (pp. 131-132 ; trad. fr. pp. 158-159) ; § 70, « *Le gigantesque* » : « l'étantité est déterminée, en partant de la τέχνη, par l'ἰδέα » (p. 135 ; trad. fr. p. 163) ; § 91, « Pensée (certitude) et objectivité (étantité) » : « la τέχνη comme caractère fondamental de la connaissance, c'est-à-dire de la relation fondamentale à l'étant comme tel [...]. On n'est pas venu à bout du premier commencement ; la vérité de l'estre, malgré l'éclair de sa première illumination, n'a pas été fondamentée en propre, et cela signifie : une *anticipation humaine* (de l'énoncé, de la τέχνη, de la certitude) est devenue canonique pour interpréter l'étantité de l'estre » (p. 184 ; trad. fr. pp. 213-214) ; § 97, « La φύσις (τέχνη) » (pp. 190-191 ; trad. fr. pp. 220-221) ; § 99, « *Mouvement comme entrée en présence de ce qui peut changer en tant que tel* » : « l'interprétation de l'étant comme εἶδος–ἰδέα et par conséquent μορφή–ὕλη, autrement dit τέχνη, elle-même dans une relation essentielle à φύσις » (p. 193 ; trad. fr. pp. 224-225).

qui se situe *au-delà* n'est plus pensé comme but à atteindre ; tout se consomme et se consume dans la platitude de la dimension ontique du *hic et nunc*. En tout cela la domination du faire productif s'appuie sur l'expérience vécue : le rayon d'action dans lequel s'affine le projet de la τέχνη s'inscrit à l'intérieur de la dimension ontique et en elle l'homme n'est pas seulement l'artisan à l'origine de l'habileté d'un tel projet, mais aussi son destinataire.

Ce que l'homme produit grâce à l'habileté acquise dans la manipulation se voit sans cesse perfectionné par le moyen de l'*expérience vécue* au point que lui-même se retrouve comme modelé et pétri par ses propres actions. Faire passer *avant* l'être le primat de l'étant équivaut à le situer dans le règne absolu du faire (entendu aussi dans l'acte de *créer*) de l'homme, et cela dans l'exil le plus complet au point de le rendre totalement étranger à ce qui est complètement *autre*. Et c'est précisément pourquoi l'homme vit dans l'oubli de l'être : non seulement il a perdu de vue cette urgence mais il n'est plus en mesure de l'apercevoir – il n'est pas en mesure d'entreprendre ni de produire aucune urgence – parce qu'en lui ses propres actions et la certitude de ses représentations ont pris le dessus. Dans l'acte de la production l'homme a cru *faire*, par la manipulation, un étant à dominer et, dans cet acte lui-même, l'action de *faire* a eu pour conséquence de détruire tout lien avec l'être et, par là, la possibilité de parvenir à sa fondation ; l'homme s'est complètement coupé de la sphère ontologique. La fixité de la domination sur l'étant amène l'homme à le manipuler jusqu'à mettre en place une stratégie qui détruit sans crier gare la disponibilité à la vérité de l'être.

L'homme finit ainsi par devenir une chose au sein d'une entité structurée en son objectivation : déclin inéluctable qui par la suite amènera Heidegger à reconsidérer sa position à l'égard de la τέχνη dès lors que celle-ci n'investit pas seulement l'être là devant (au plan ontique) orienté vers la seule présence actuelle, mais est aussi l'expression dynamique de la manifestation – occultation de l'être (tel qu'il ne cesse de se donner et de se retirer). En effet, dans les conférences tenues à Brême (en 1949) et à Fribourg (en 1957), Martin Heidegger reprendra sur de nouveaux frais toute la question

du phénomène technique pour montrer comment ce système ne dépend pas d'une fabrication stratégique qui serait le fait de l'homme mais bien de la dynamique même propre à l'estre.

4.2. Par-delà la « destruction » (*Zerstörung*) *visible* se tient, inapparente, l'*invisible* « dévastation » (*Verwüstung*)

Dans cette section sont considérés tous les passages du tome 96 dans lesquels figurent quelques termes heideggériens qui demandent à être replacés dans leur contexte. Dans la mesure où ils feront l'objet de notre analyse, et dès lors qu'il n'y a pas trace de certains d'entre eux dans les *Apports à la philosophie* – par exemple de la *Verwüstung* (« dévastation ») –, il s'avère nécessaire de les passer en revue :

Verwüstung (« dévastation ») compte trente-six occurrences. Dix occurrences dans les *Überlegungen XII* : [a] <deux occurrences>, § 8 <trois occurrences>, § 10 (« *verwüsten* » et « *Verwüstungsvollstrecker* » [« exécutants de la dévastation »]), § 24, § 26, § 35 (« *Ver-wüstung* »). Six occurrences dans les *Überlegungen XIII* : § 34, § 124, § 128 <deux occurrences>, § 129, § 134. Huit occurrences dans les *Überlegungen XIV* : [7], [10] (« *geistigen Verwüstung* » [« dévastation spirituelle »]), [31], [41] <deux occurrences>, [86] (« *Sprachverwüstung* » [« dévastation de la langue »]), [93], [119-121]. Douze occurrences dans les *Überlegungen XV* : [6] (« *Selbstverwüstung* » [« auto-dévastation »]), [8-11] <cinq occurrences>, [12], [14] <trois occurrences>, [24, 25-26] <deux occurrences>.

Machenschaft (« fabrication », « faisance ») compte douze occurrences. Huit occurrences dans les *Überlegungen XII* : § 8, § 10, § 13, § 24, § 35, § 38 <trois occurrences>. Trois occurrences dans les *Überlegungen XIII* : § 101 <deux occurrences>, § 128. Une occurrence dans les *Überlegungen XV* : [14].

Zerstörung (« destruction ») compte neuf occurrences. Quatre occurrences dans les *Überlegungen XII* : [a] <deux occurrences>, § 24, § 35. Quatre occurrences dans les *Überlegungen XIII* : § 124, § 128, § 129, § 134. Une occurrence dans les *Überlegungen XIV* : [119].

Jude (« Juif ») compte huit occurrences. Deux occurrences dans les *Überlegungen XII* : § 24 (« *Judentum* » [« judaïsme », « caractère juif » ou « génie juif »]), § 38 (« *Die Juden* » [« les Juifs »]). Une occurrence dans les *Überlegungen XIII* : § 101 (« *internationale Judentum* » [« judaïsme international » ou « génie juif international »]). Quatre occurrences dans les *Überlegungen XIV* : [79] (« *des Juden "Freud"* » [« du Juif "Freud" »]), [120] (« *Der Jude Litwinow* » [« le Juif Litvinov »]), [121] (« *Weltjudentum* » [« monde juif planétarisé »]) <deux occurrences>. Une occurrence dans les *Überlegungen XV* : [17] (« *Weltjudentum* » [« monde juif planétarisé »]).

Wüste (« désert ») compte sept occurrences dans le § 8 des *Überlegungen XII*.

Vernichtung (« anéantissement ») compte quatre occurrences. Deux occurrences dans les *Überlegungen XIV* : [41]. Deux occurrences dans les *Überlegungen XV* : [14] (« *Vernichtung* », « *vernichten* » [« anéantir »]).

Entwurzelung (« déracinement ») compte trois occurrences. Une occurrence dans les *Überlegungen XII* : § 36 ; une dans les *Überlegungen XIV* : [121] ; une dans les *Überlegungen XV* : [9].

Vergemeinerung (« généralisation ») compte trois occurrences. Deux occurrences dans les *Überlegungen XII* : § 13, § 24 ; une occurrence dans les *Überlegungen XIV* : [9].

Rasse (« race ») compte trois occurrences dans le § 38 des *Überlegungen XII* (« *Rasse* », « *Rassegedanken* » [« idée de race »], « *Rasseprinzip* » [« principe racial »]).

Machtsteigerung (« montée en puissance ») compte une occurrence dans les *Überlegungen XII* : § 24.

Rechenfähigkeit (« habileté dans le calcul ») compte une occurrence dans les *Überlegungen XII* : § 24.

Rechner (« calculateur »), **Raffer** (« accapareur »), **Berechenbarkeit** (« calculabilité ») et leurs emplois respectifs dans le contexte du § 34 des *Überlegungen XIII* seront déterminants pour comprendre qui est visé.

Überlegungen XII

[a], S. 3 :

Zerstörung ist der Vorbote eines verborgenen Anfangs, **Verwüstung** aber ist
der Nachschlag des bereits entschiedenen Endes. Steht das Zeitalter schon
vor der Entscheidung zwischen **Zerstörung** und **Verwüstung**? Aber wir wissen
den anderen Anfang, wissen ihn *fragend*
– (vgl. S. 76-79).

Überlegungen XII

§ 8 [16-18], S. 14-15 :

Nietzsche hat vorausdenkend die
Wüste jener **Verwüstung** betreten, die
mit der Unbedingtheit der **Machenschaft**
einsetzt und im ausschließlichen Subjekt-
charakter des Tieres Mensch als Raubtier
ihre ersten »Erfolge« zeitigt. Die **Wüste**
ist die Versandung und Verstreuung aller
Möglichkeiten der wesentlichen Entscheidung. Die Entschiedenheit aber zur
völligen Entscheidungsunmöglichkeit liegt
in der Lehre von der ewigen Wiederkehr;
deshalb ist sie das Endhafteste im Ende
der abendländischen Metaphysik – das
letzte Metaphysische, was im Abendland
gedacht werden konnte und mußte – *der*
Gedanke aller Gedanken Nietzsches; kein
»religiöses« Ersatzgebilde – sondern nur
im entschiedensten metaphysischen Denken denkbar. Diese vorausbetretene und
nur langsam sich öffnende **Wüste** ist der
verborgene Grund für das Verzehrende
des Nietzscheschen Denkens, das trotz
aller Widrigkeit seine Notwendigkeit
bewahrt. Das Abstoßende und Lähmende
und Verödende dieses **Wüstenhaften**
darf jedoch die denkerische Auseinandersetzung keinen Augenblick von ihrem
Weg abbringen und dazu verleiten, das
Wüstenhafte selbst zu einem Grund der
Ablehnung Nietzsches zu machen.

Réflexions XII

[a], p. 3 :

La **destruction** est le signe avant-
coureur d'un commencement en retrait,
la **dévastation** est le coup de grâce de la
fin d'ores et déjà décidée. L'époque se
trouve-t-elle déjà confrontée à la décision
entre **destruction** et **dévastation** ? Mais
nous connaissons, nous, l'autre commencement – nous le connaissons à la faveur
d'un *questionnement* (cf. pp. 76-79).

Réflexions XII

§ 8 [16-18], pp. 14-15 :

Nietzsche a fait incursion, en le pensant
de manière anticipée, dans le **désert** de
cette « **dévastation** » qui commence avec
le caractère inconditionné de la faisance
et obtient ses premiers « succès » dans le
caractère exclusif du sujet propre à l'animal homme en tant qu'animal prédateur.
Le **désert** est l'enlisement et la dissipation
de toute possibilité de décisions essentielles. La résolution à l'incapacité totale
de prendre des décisions essentielles
réside toutefois dans la doctrine de l'éternel retour ; c'est pourquoi elle est le stade
le plus ultime à la fin de la métaphysique
occidentale, l'ultime teneur métaphysique
qui pouvait et devait être pensée – *la* pensée de toutes les pensées de Nietzsche ;
pas un succédané « religieux » – mais bien
quelque chose qui n'est pensable qu'au
sein d'une pensée métaphysique des plus
décidées. Ce **désert** où il a fait incursion en
le pressentant et qui ne s'ouvre que lentement est le fondement en retrait de ce
que la pensée de Nietzsche a de dévorant,
qui maintient sa nécessité propre contre
vents et marées. Ce que cet **aspect désertique** a de repoussant, de paralysant et de
désolant ne doit pas toutefois écarter un
seul instant de sa voie l'explication avec
Nietzsche à laquelle se livre la pensée et

[...]

Aber muß erst, bevor wir und die Künftigen in der »uralten Verwirrung« inständig zu werden vermögen, die allerjüngste Verwüstung durchschritten werden? Dürfen wir dies als ein Zeichen nehmen, daß die Geschichte der Verweigerung des Seyns in abgründig abgesetzten Sprüngen sich ereignet und ein Vorgang und Fortgang ist, als welche Fläche nur der historisch-technischen Betreibung »des« sogenannten »Lebens« zugeschoben wird, damit es nicht ahne, wie weit weggeschleudert von der Geschichte des Seyns die Historie des Seienden verläuft? Daher führt kein Weg von der Verwüstung der Wüste (der völligen Entscheidungsunbedürftigkeit) in die Verwirrung der Irre – wenngleich die Durchschreitung der Wüste notwendig ist. Ihre Schritte müssen abgelöst werden durch einen anderen Sprung, der wiederum nicht Hölderlins Stiftung nur erneuern könnte.

Überlegungen XII

§ 10 [28-29], S. 21-22 :

Denker-sein heißt wissen, daß nicht die Richtigkeit oder Unrichtigkeit eines »Weltbildes« und die Verbindlichkeit und Unverbindlichkeit einer »Weltanschauung« zur Entscheidung stehen, daß sich die Besinnung nicht daran kehren darf, ob und inwieweit ein Gedanke einen Lebensnutzen sicherstellt oder der Nutzlosigkeit verfallen ist, daß vielmehr nur das *Eine zur Entscheidung* vorbereitet und einst geführt werden muß: ob die losgebundene Machenschaft des Seienden Alles in das Nichts verwüste und der Mensch im Schutze der Tierheit des Raubtieres zu einem gleichgültigen, alles berechnenden und jeder Schnelligkeit

conduire à faire de cet aspect désertique un motif pour récuser Nietzsche.

[...]

Mais avant que nous et ceux qui sont tournés vers l'avenir puissions nous tenir instamment dans l'« immémoriale confusion », ne faut-il pas traverser la plus récente dévastation ? Nous faut-il prendre cela comme un signe que l'histoire du refus de l'estre advient en propre en des sauts que séparent des précipices, qu'elle est en marche et poursuit sa marche, dont la surface n'est laissée qu'à l'occupation historisante et technique de ce qu'il est convenu d'appeler « la vie » afin qu'elle ne presse pas à quel point l'histoire de l'être est catapultée très loin du décompte historique de l'étant ? C'est pourquoi aucun chemin ne mène de la dévastation et du désert (du manque criant de besoin de décision) à la confusion de l'erroire – si nécessaire que soit la traversée du désert. Cette traversée doit être relayée par un autre saut qui à son tour ne pourrait se contenter de réitérer la fondation inaugurée par Hölderlin.

Réflexions XII

§ 10 [28-29], pp. 21-22 :

Être un penseur, c'est savoir que l'enjeu de la décision n'est pas la pertinence ou non d'une « formatation du monde » ni de nous demander si nous sommes tenus ou non à une « vision du monde ». La méditation en quête de sens n'a pas à se soucier de savoir dans quelle mesure une pensée garantit un profit à en retirer pour la vie ou si elle est vouée à l'inutilité, mais que *ceci* seulement prépare à la *décision* qu'il faudra bien engager un jour : si la faisance effrénée de l'étant dévaste tout en le réduisant à rien, l'homme se développant sous couvert de l'animalité de l'animal prédateur en animal omni-calculant et disposant de

habhaften Einrichtungstier der bestgeordneten **Herdenhaftigkeit** sich entwickle, aus welcher **Herde** zuweilen noch Rudel der **Verwüstungs**vollstrecker sich zusammenrotten – oder ob das Seyn die Gründung seiner Wahrheit als Not verschenke und dem Menschen die Notwendigkeit zuwerfe, aus einem anderen Anfang die Einfachheit des Wesens aller **Dinge** in eine Bewahrung zu nehmen, kraft deren er reifen kann zur Inständigkeit inzwischen der Geschichte des Seyns, die ihn eines **Untergangs** würdigt, der ein Anfang des letzten Gottes ist.

toute la vitesse requise pour aménager la **grégarité** la mieux agencée, **troupeau** à partir duquel s'ameutent encore de temps à autre toutes sortes de hordes d'exécutants de la **dévastation** – ou bien si l'estre dispense comme urgence la fondation de sa vérité et adresse à l'homme la nécessité de prendre en vue à partir d'un autre commencement la simplicité de la pleine essence de toutes **choses**, à la faveur de laquelle il puisse mûrir jusqu'à se tenir instamment dans l'entre-deux de l'histoire de l'estre, le rendant digne d'un **déclin** qui soit un commencement du Dieu à l'extrême.

Überlegungen XII

§ 13 [49], S. 34 :

Je mehr das metaphysische Wesen des Menschen – das vernünftige – gefühlvolle (d. h. »erlebende«) Tier zur Macht kommt innerhalb der unausweichlichen Anbahnung der unbedingten Ermächtigung der **Machenschaft**, umso deutlicher drängt sich auch innerhalb des Massenhaften des Menschentums die **Vergemeinerung** dieses Wesens heraus: Das Tierhafte sowohl wie das Erlebnisartige schaffen sich ihre Form der Gemeinheit:

Der Mensch ist animalisch und sentimental zugleich – das eine entspricht dem anderen – beide bestätigen sich wechselweise und nehmen für sich den Besitz der »Kraft« und der »Tiefe« (des »Erlebens«) in Anspruch. Die Einrollung des Menschen auf dieses sein vermeintlich vollständiges und fragloses Wesen ist die **Vermenschung** des Menschen.

Réflexions XII

§ 13 [49], p. 34 :

Plus l'essence métaphysique de l'homme – l'animal rationnel plein d'émotions (c'est-à-dire « **ressentant** » en son « vécu ») – accède au pouvoir au sein de l'inéluctable amorce de l'habilitation de la **faisance**, et plus ressort, même au sein de la massification de l'humanité, la **généralisation** de cette essence : l'animalité aussi bien que ce qui ressortit à l'expérience vécue se forgent leur propre forme de généralité :

l'homme est à la fois animal et sentimental – l'un correspond à l'autre – tous deux se confirment mutuellement et revendiquent la possession de la « force » et de la « profondeur » (de l'« **expérience vécue** »). L'embobinement de l'homme dans cette sienne essence ininterrogée prétendument complète est la *réduction de l'homme à lui-même*.

Überlegungen XII

§ 24 [64-65, 67-68], S. 44-47 :

Die Geschichte des abendländischen Menschen – gleichgültig ob er sich in Europa aufhält oder anderswo – hat

Réflexions XII

§ 24 [64-65, 67-68], pp. 44-47 :

L'histoire de l'homme occidental – et peu importe qu'il se tienne en Europe ou ailleurs – s'est lentement avancée

sich langsam auf eine Lage vorgeschoben, in der alle sonst vertrauten Bezirke wie »Heimat«, »Kultur«, »Volk«, aber auch »Staat« und »Kirche«, aber auch »Gesellschaft« und »Gemeinschaft« die Zuflucht verweigern, weil sie selbst zu bloßen Vorwänden herabgesetzt und dem beliebigen **Vorschub** preisgegeben sind, dessen bewegende Mächte unkenntlich bleiben und ihr **Spiel** lediglich darin verraten, daß sie den Menschen in die Gewöhnung zur je aufdringlicheren **Massenhaftigkeit** zwingen, deren »Glück« sich darin erschöpft, ohne Entscheidungen auszukommen und in der Meinung sich zu betäuben, immer mehr in ihren Besitz und Genuß zu bringen, weil das Besitzwürdige stets geringer und gehaltloser wird.

[...]

Wo könnte hier noch eine Spur jener Angst erwachen, die erkennt, daß eben die Vormacht des Vorhandenen und die Unbedürftigkeit gegenüber Entscheidungen, das ungreifbar um sich greifende Anwachsen der Bestimmung zu dieser Lage bereits und allein nicht nur **Zerstörung**, sondern die **Verwüstung** ist, deren Herrschaft durch Kriegskatastrophen und Katastrophenkriege nicht mehr angetastet, sondern nur noch bezeugt werden kann. Ob das **Herdenwesen** des Menschen, sich selbst überlassen, durch seine **Vergemeinerung** den Menschen zur Vollendung seiner Tierheit treibt, oder ob Rudel von Gewalthabern die auf das Höchste durchgegliederten und »einsatzbereiten« **Massen** der völligen Entscheidungslosigkeit zujagen, ob also eine »Rangordnung« innerhalb des endgültig festgestellten Tieres im Sinne des »Übermenschen« noch **aufgezüchtet** werden kann oder nicht, das bringt in den metaphysischen Charakter des Seienden im Ganzen keine wesentliche Änderung.

[...]

vers une situation dans laquelle tous les domaines familiers, tels que « **pays natal** », « **culture** », « **peuple** » mais aussi « **État** » et « **Église** », « **société** » et « **communauté** », lui interdisent d'y trouver refuge vu qu'ils ont été rabaissés à de simples prétextes et livrés à la **faveur** que l'on accorde arbitrairement à l'un ou à l'autre, leurs ressorts respectifs demeurant inconnus, et qu'ils dévoilent simplement leur **jeu** en contraignant chaque fois l'homme à l'accoutumance à la **masse** toujours plus intrusive, au « bonheur » de laquelle il suffit de pouvoir s'en sortir sans décisions, grisée qu'elle est par l'opinion d'augmenter sans cesse sa possession et sa jouissance, vu que ce qui est digne d'être possédé est toujours moindre et de moins en moins substantiel.

[...]

Où pourrait bien s'éveiller ici le soupçon d'une angoisse reconnaissant que c'est précisément la prédominance de l'étant là devant et l'absence de besoin quant à des décisions, la croissance incontrôlable contrôlant tout autour d'elle de la vocation à cette situation, qui sont déjà par elles-mêmes non seulement **destruction** mais bien **dévastation** dont le règne ne peut plus être entamé mais seulement attesté par les catastrophes des guerres et les guerres des catastrophes. Que l'**essence grégaire** de l'homme livré à lui-même pousse l'homme par sa généralisation à accomplir son animalité ou que des bandes détentrices du pouvoir pourchassent les **masses** au plus haut point structurées et « opérationnelles » vers la plus totale absence de décision, que puisse être encore ou non **dressé** un « ordre de grandeur » chez l'animal fixé au sens du « **surhomme** », cela n'apporte aucune modification essentielle dans le caractère métaphysique de l'étant en son entier.

[...]

Aus demselben Grunde aber ist auch jeder »Pazifismus« und jeder »Liberalismus« außerstande, in den Bezirk wesentlicher Entscheidungen vorzudringen, weil er es nur zum Gegenspiel gegen das echte und unechte Kriegertum bringt. Die zeitweilige **Machtsteigerung des Judentums** aber hat darin ihren Grund, daß die Metaphysik des Abendlandes, zumal in ihrer neuzeitlichen Entfaltung, die Ansatzstelle bot für das Sichbreitmachen einer sonst leeren Rationalität und **Rechenfähigkeit**, die sich auf solchem Wege eine Unterkunft im »Geist« verschaffte, ohne die verborgenen Entscheidungsbezirke von sich aus je fassen zu können. [...] (So ist **Husserls** Schritt zur phänomenologischen Betrachtung unter Absetzung gegen die psychologische Erklärung und **historische Verrechnung** von Meinungen von bleibender Wichtigkeit – und dennoch reicht sie nirgends in die Bezirke wesentlicher Entscheidungen, setzt vielmehr die historische Überlieferung der Philosophie überall voraus; die notwendige Folge zeigt sich alsbald im Einschwenken in die neukantische Transzendentalphilosophie, das schließlich einen Fortgang zum Hegelianismus im formalen Sinne unvermeidlich machte. Mein »Angriff« gegen **Husserl** ist nicht gegen ihn allein gerichtet und überhaupt unwesentlich – der Angriff geht gegen das Versäumnis der Seinsfrage, d. h. gegen das Wesen der Metaphysik als solcher, auf deren Grund die **Machenschaft des Seienden** die Geschichte zu bestimmen vermag. [...])

Pour la même raison, aucun « pacifisme », aucun « libéralisme » n'est en mesure de pénétrer dans le domaine de décisions essentielles. Ils ne font que prendre le contre-pied de la posture guerrière, qu'elle soit ou non de bon aloi. La **montée en puissance du génie juif** à laquelle nous assistons trouve son fondement dans le fait que la métaphysique de l'Occident, notamment dans son déploiement lors des *Temps nouveaux*, a offert le point de départ pour que se répandent une rationalité et une **aptitude au calcul** sinon vides qui, de cette façon, se procurent un abri dans l'« esprit » sans pour autant pouvoir saisir à partir d'elle-même les domaines de décisions en réserve. [...] (C'est pourquoi le pas accompli par **Husserl** vers la considération phénoménologique en se démarquant de l'explication psychologique et du **décompte doxographique** demeure d'une importance décisive – et pourtant cette démarche ne parvient nulle part dans le domaine des décisions essentielles, elle présuppose bien plutôt partout la tradition historisante de la philosophie : ce qui s'ensuit, à titre de conséquence nécessaire, se montre dans la conversion à la philosophie transcendantale néo-kantienne, qui à son tour a rendu inévitable de poursuivre avec un hégélianisme entendu au sens formel. Ma propre « attaque » contre **Husserl** n'est pas seulement dirigée contre lui – cet aspect n'est qu'anecdotique –, cette attaque vise l'omission de la question de l'être, c'est-à-dire l'essence de la métaphysique en tant que telle, sur la base de laquelle la **faisance de l'étant** est à même de déterminer l'histoire. [...])

Überlegungen XII

§ 26 [69], S. 47 :

Das Äußerste an **Verwüstung** ist dann vorbereitet, wenn auch dem Nihilismus im

Réflexions XII

§ 26 [69], p. 47 :

Le comble de la **dévastation** est préparé lorsque même au nihilisme au sens

wesentlichen Sinne – als der dünkelhaften Ahnung des Geheimnisses des Seyns aus der weitesten Entfernung zu ihm, die Möglichkeit eines Durchgangs versagt wird und er nicht in seinem metaphysischen Wesen zum Austrag kommt.

Überlegungen XII

§ 35 [79-80], S. 54 :

Die »Bild«- und »Ton«-»Reportage« der **Machenschaft** ist der planetarische »**Mythus**« des Vollendungsabschnittes der Neuzeit. Die Welt des abgelegensten deutschen Bauernhofes wird nicht mehr durch das Geheimnis der Gezeiten des Jahres, durch die »Natur« bestimmt, in der noch die **Erde** waltet, sondern durch das illustrierte Blatt mit der Darstellung von ausgezogenen Film- und Tanzweibern, von Boxern und Rennfahrern und sonstigen »Helden« des Tages. Hier handelt es sich nicht mehr nur um **Zerstörung** der »Sittlichkeit« und des »Anstandes«, sondern um einen metaphysischen Vorgang, um die **Ver-wüstung** jeder Möglichkeit des Seyns in das Gemächte des machbaren – her- und vorstellbaren Seienden. Zum elektrischen Pflug und zum Motorrad, das in einer Stunde zur nächsten Großstadt befördert, gehört das amerikanisch aufgemachte »Magazin« und illustrierte Blatt, gehört die Angleichung der Sitten der Bergbewohner an diejenigen des großstädtischen Sport- und Barbetriebs.

Überlegungen XII

§ 36 [80-81], S. 55 :

Aufklärung, Despotismus, schrankenlose Verdummung: sind metaphysisch begriffen ein einziger Vorgang; die **Entwurzelung aus dem Seyn**, die Ersetzung des Ursprungs durch Machtentfaltung, die Einrichtung auf das Sichbegnügen

Réflexions XII

essentiel – entendu comme pressentiment présomptueux du secret de l'estre à partir du plus grand éloignement par rapport à lui – se trouve refusée la possibilité que l'on en passe par lui et qu'il n'est pas réglé en son essence métaphysique.

Réflexions XII

§ 35 [79-80], p. 54 :

Les « reportages son et image » de la **faisance** sont le « **mythe** » planétaire de la phase d'accomplissement des Temps nouveaux. L'univers de la ferme allemande la plus reculée n'est plus déterminé par le secret de l'alternance des saisons, par la « nature » dans laquelle règne encore la **terre**, mais par la revue illustrée représentant des vedettes de cinéma et des danseuses de cabaret à moitié nues, des boxeurs et des coureurs automobiles et autres « héros » du jour. Il ne s'agit plus seulement ici de **destruction** des « usages » et des « convenances », mais bien d'un processus métaphysique, d'une **dé-vastation** de toute possibilité de l'estre dans l'artifice du faisable à merci – du productible et du représentable. Le labourage motorisé et la motocyclette qui en une heure vous amène à la grande ville la plus proche relèvent du même phénomène que le magazine illustré à l'américaine ou que la conformation des mœurs des montagnards à celles de l'affairement des manifestations sportives et des bars dans les grandes villes.

Réflexions XII

§ 36 [80-81], p. 55 :

L'esprit des Lumières, le despotisme, l'abêtissement sans limites : sont, conçus métaphysiquement, un seul et même processus : le **déracinement hors de l'estre**, la substitution à l'origine du déploiement de pouvoir, la prédisposition à se conten-

mit dem je Vorgestellten – durchgängig die **Vor-macht des Seienden**.

Überlegungen XII

§ 38 [82-83], S. 56 :

Daß im Zeitalter der **Machenschaft** die **Rasse** zum ausgesprochenen und eigens eingerichteten »**Prinzip**« der Geschichte (oder nur der Historie) erhoben wird, ist nicht die willkürliche Erfindung von »Doktrinären«, sondern eine *Folge* der Macht der **Machenschaft**, die das Seiende nach allen seinen Bereichen in die planhafte **Berechnung** niederzwingen muß. Durch den **Rassegedanken** wird »das Leben« in die Form der Züchtbarkeit gebracht, die eine Art der **Berechnung** darstellt. Die **Juden** »leben« *bei ihrer betont rechnerischen Begabung* am längsten schon nach dem **Rasseprinzip**, weshalb sie sich auch am heftigsten gegen die uneingeschränkte Anwendung zur Wehr setzen. Die Einrichtung der **rassischen Aufzucht** entstammt nicht dem »Leben« selbst, sondern der Übermächtigung des Lebens durch die **Machenschaft**. Was diese mit solcher Planung betreibt, ist eine *vollständige* **Entrassung** der **Völker** durch die Einspannung derselben in die gleichgebaute und gleichschnittige Einrichtung alles Seienden. Mit der **Entrassung** geht eine **Selbstentfremdung der Völker** in eins – der Verlust der Geschichte – d. h. der Entscheidungsbezirke zum Seyn.

Überlegungen XIII

§ 34 [23], S. 94 :

Wo die Sinnlosigkeit zur Macht gelangt und zwar durch den Menschen als Subjektum, den **Rechner** und **Raffer** seiner und aller **Dinge Berechenbarkeit**, da muß die Beseitigung alles Sinnes (d. h. der Frage nach der Wahrheit des Seyns

ter des choses telles qu'on se les représente – de part en part la pré-dominance de l'étant.

Réflexions XII

§ 38 [82-83], p. 56 :

Qu'à l'époque de la **faisance** la **race** soit élevée au rang de « **principe** » explicite de l'histoire (ou ne serait-ce que du décompte historique) n'est pas l'invention arbitraire de « doctrinaires », c'est là une *conséquence* de la puissance de la **faisance** ; il lui faut plier l'étant dans tous ses domaines au **calcul** planifié. Avec l'**idée raciale** « la vie » prend forme de ce qui est susceptible d'« élevage », qui représente une sorte de **calcul** ; les **Juifs** « vivent » depuis longtemps, avec *leur aptitude* prononcée *au calcul*, d'après le **principe de la race**, et c'est pourquoi ils opposent une résistance farouche à l'extension illimitée de ce principe. L'installation de l'**élevage racial** ne provient pas de la « vie » elle-même mais de sa surenchère par la **fabrication**. Ce que celle-ci fomente avec une telle planification revient à faire perdre *entièrement* **aux peuples tout ce qu'ils** *peuvent avoir de racé* en les embrigadant dans l'aménagement nivelé et cadencé de tout étant. En **perdant ce qu'ils ont de racé**, les peuples deviennent **étrangers à eux-mêmes** – alors l'histoire est perdue – perdus aussi les domaines de décision quant à l'estre.

Réflexions XIII

§ 34 [23], p. 94 :

Là où la désertion du sens prend le dessus, et cela du fait de l'homme en tant que *subjectum*, **comptable** et **accapareur** de sa propre **calculabilité** comme de celle de **toutes choses**, alors le congé signifié à tout ce qui fait sens (c'est-à-dire à la ques-

– bzw. ihres Anklangs in der Seiendheit und ihrer Entwerfung) ersetzt werden durch Solches, was allein noch als gemäßer Ersatz zulässig bleibt: durch ein *Rechnen* und zwar durch das Rechnen mit den »Werten«. Der »Wert« ist die Übersetzung der Wesenheit des Wesens in das Mengenhafte und Riesige, die Auslieferung des Seienden in die Verrechnung. (Werden nun gar diese Werte (durch die nachtretende Philosophie*gelehrsamkeit* – d. h. historisch-platonisch) zu Werten »an sich« erklärt und als erschaubare Gegenstände ausgegeben und in riesigen Tafeln und Rangordnungsschematen verrechnet, dann schlägt die Vollendung der Metaphysik zugleich um in die Verwüstung des Denkens, dessen Folge sich als Kulturschwindel zeigt und als Vernutzung der Kultur zu einem Mittel der Propaganda).

Überlegungen XIII

§ 101 [77], S. 133 :

Daher kann sich auch beider das »internationale Judentum« bedienen, die eine als Mittel für die andere ausrufen und bewerkstelligen – diese machenschaftliche »Geschichts«-mache verstrickt alle Mitspieler gleichermaßen in ihre Netze –; im Umkreis der Machenschaft gibt es »lächerliche Staaten«, aber auch lächerliche Kulturmache. In der anrückenden abendländischen Revolution werden die ersten neuzeitlichen Revolutionen (die englische, amerikanische, französische und ihre Nachspiele) erst auf ihr Wesen zurückgebracht; der »Westen« wird zuletzt und am entschiedensten von ihr ergriffen; so zwar, daß er noch meint, sie zu bekämpfen.

tion s'enquérant de la vérité de l'estre – et par là de ce qui vient s'en faire entendre dans l'étantité et dans sa projection) est compensé par le seul substitut adéquat qui reste : par un *calcul*, et qui plus est un calcul opérant avec les « valeurs ». La « valeur » est la traduction de l'essentialité de l'essence dans ce qui fait nombre et dans le colossal, elle revient à livrer l'étant à la computation. (Que lesdites valeurs soient déclarées ensuite – par l'*érudition* philosophique lui emboîtant le pas, c'est-à-dire de manière platonicienne et historisante – en termes de valeurs « en soi », prises en compte comme autant d'objets s'offrant à la vue et dans de gigantesques tableaux et schémas hiérarchiques, l'achèvement de la métaphysique vire alors à la dévastation de la pensée, telle qu'elle a pour conséquences le vertige de la culture et l'exploitation de celle-ci comme moyen de propagande).

Réflexions XIII

§ 101 [77], p. 133 :

C'est pourquoi le « génie juif international » peut se servir des deux [la façon de penser belliqueuse et impérialiste comme celle qui est pacifiste et humaine], invoquer l'une comme moyen de mettre en œuvre l'autre – cette faisance fabricatrice de l'« histoire » prend toutes les parties en jeu dans ses filets ; dans la sphère de la faisance il y a des « États ridicules » mais aussi des mises en scène ridicules de la culture. Dans la révolution occidentale qui s'annonce, les premières révolutions des Temps nouveaux (les révolutions anglaise, américaine, française et leurs répliques) ont été enfin reconduites à leur essence ; ce qui se situe à l'« ouest » est en fin de compte parfaitement compris par cette révolution occidentale qui s'annonce ; mais de telle sorte qu'il croit encore la combattre.

Überlegungen XIII

§ 124 [97], S. 147 :

Die unsichtbare **Verwüstung** wird in diesem zweiten Weltkrieg **größer** (eingreifender) sein als die sichtbaren **Zerstörungen**.

Réflexions XIII

§ 124 [97], p. 147 :

La **dévastation** invisible sera lors de cette Seconde Guerre mondiale plus grande (plus intrusive) que les **destructions** visibles.

Überlegungen XIII

§ 128 [109-111], S. 155-156 :

Was bedeutet das Erscheinen des **riesenhaften** Taumels der **machenschaftlichen Verwüstung** und der von ihr ausgelösten »Taten« gegenüber dem Kommen des letzten Gottes und der ihm zugewiesenen **stillen** Würde der Erwartung? Aber der Gott – wie denn dieser? Frage das Seyn und in dessen **Stille** als dem anfänglichen Wesen des Wortes antwortet der Gott. Alles Seiende mögt ihr durchstreifen, nirgends zeigt sich die Spur des Gottes. Wie jedoch wirst du ein Fragender, der das Seyn fragt? Nur durch die Stimme der **Stille**, die dein Wesen zur Inständigkeit im Da-sein anstimmt und den Gestimmten in das Aufhorchen auf das Kommen erhebt. [...] Die Zuversicht ist [...] stark genug, das Erschrecken vor der Seinsverlassenheit des Seienden in das Wesen der Zuversicht aufzunehmen. In ihrer Langmut errichtet sie die Großmut gegen die unsichtbare **Verwüstung** des Wesens des Seyns, die schon alle losbrechende **Zerstörung** des Seienden übertroffen hat.

Réflexions XIII

§ 128 [109-111], pp. 155-156 :

Que signifie l'apparition du **colossal** vertige de la **dévastation fabricatrice** et des « exploits » qu'elle déclenche face à l'avènement du Dieu à l'extrême et de l'attente **paisible** qui lui est dévolue ? Mais le Dieu ? Comment ? Sois questionnant envers l'estre et dans le règne de sa **quiétude** comme plénitude de l'essence initiale de la parole, répond le Dieu. Tout étant aura beau y transiter, nulle part ne se montre la trace de Dieu. Mais comment deviens-tu quelqu'un qui questionne, et qui questionne l'estre ? Seulement par la voix de la **quiétude** qui accorde sa pleine essence à l'instance dans l'être le là et qui élève celui qui est ainsi accordé à tendre l'oreille à ce qui vient [...]. La confiance est [...] assez forte pour recueillir le sursaut de frayeur face à l'abandon de l'étant par l'être dans la pleine essence de la confiance. En sa longanimité se dresse la magnanimité face à l'invisible **dévastation** de la pleine essence de l'être, qui a déjà dépassé toute **destruction** fracassante de l'étant.

Überlegungen XIII

§ 129 [112], S. 157-158 :

Ein **Volk** kann seine »Zeit« haben, in der es gerade zum **Untergang** zu spät ist, da ihm die **Wesenshöhe** fehlt, aus der noch es stürzen müßte. Und wenn dann nur noch die langsame Gewöhnung an das unauffällige Sinken der verborgenen

Réflexions XIII

§ 129 [112], pp. 157-158 :

Un **peuple** peut avoir son « temps » dans lequel il est précisément trop tard pour le **déclin**, vu que lui fait défaut une pleine essence *du haut de laquelle* il lui faudrait alors se précipiter. Et quand il ne reste plus que la longue accoutumance

Maße bleibt und die unmerkliche Einge-
wöhnung in das Verflachen der Ansprüche, dann ist eine **Zerstörung** »des« Seins
im Gange der Zukunft, und alle äußere
Verwüstung kann nur noch als das leere
Schauspiel eines zu spät gekommenen
Nachtrags gelten.

Überlegungen XIII

§ 134 [114], S. 159 :

Zu einer Zeit, da die unsichtbare **Verwüstung** eingreifender ist als die sichtbaren **Zerstörungen**, müssen selbst die
Wege des täglichen Bedenkens ihre Richtung in das Unsichtbare nehmen.

Überlegungen XIV

[7], S. 174 :

Heute, will sagen für das Kommen des
Kommenden, gilt nur, was im Äußersten
steht und was weiß, daß darum gekämpft
wird, ob das Menschentum ein Knecht der
Verwüstung bleibt oder ob es in einer
anders gegründeten Geschichte zum
Widerklang der Stimme des Gottes wird.

Überlegungen XIV

[10], S. 176 :

Eine neue »Gattung« von »Literatur«
macht sich jetzt breit: die Nachmachungen
von Nietzsches »Also sprach Zarathustra«
mit Hilfe von Wortschwällen, aus Hölderlin und George und Rilke zusammenge-
braut; gut gemeintes, aber wüstes Zeug,
das eine Verherrlichung des »**Lebens**« und
des »**Krieges**« und von Allem sein will,
was Große einmal genannt und geschätzt
haben; die verfänglichste Form der **geistigen Verwüstung**, wo nicht und nie die
Spur war einer einfachen und langen
Besinnung, wo alles zwischen Urlauten
(vermeintlichen) umhertaumelt und Jegliches ins Reden gebracht wird, großtönend

à l'effondrement passé inaperçu des critères demeurant en retrait et l'habitude
du nivellement des exigences, alors une
destruction « de » l'être se dessine et
toute **dévastation** extérieure ne peut plus
être rien d'autre que le spectacle vide de
ce qui vient en rajouter.

Réflexions XIII

§ 134 [114], p. 159 :

En une époque où la **dévastation**
invisible est plus intrusive que les **destructions** visibles, même les voies des
réflexions quotidiennes doivent faire
incursion dans l'invisible.

Réflexions XIV

[7], p. 174 :

Aujourd'hui, autrement dit pour la
venue de ce qui vient, ne vaut que ce qui
se situe à l'extrémité et qui sait l'enjeu de
la lutte : si l'humanité demeure au service
de la **dévastation** ou bien si, en une histoire autrement fondée, elle se fait l'écho
de la voix de Dieu.

Réflexions XIV

[10], p. 176 :

Un nouveau « genre » de « littérature »
se répand à présent : les pastiches d'*Ainsi
parlait Zarathoustra*, à l'aide de flots de
paroles concoctées avec des emprunts
à Hölderlin, George et Rilke ; fatras bien
intentionné, qui se veut une exaltation
de la « vie », de la « **guerre** » et de tout
ce que de grands auteurs ont un jour
nommé et estimé ; la forme la plus insidieuse de la **dévastation spirituelle** où il
n'y a pas, où il n'y a jamais eu la moindre
trace d'une simple et ample méditation,
où tout titube entre des sons primitifs
(ou présumés tels), où l'on parle de tout
en fanfaronnant et en se pavoisant, en

und mächtig einherschreitend, Götter anrufend und allwissend und doch nur ein grundloser Traum eines blinden Rausches, der sich als Wissen gebärdet.

Überlegungen XIV

[31], S. 188-189 :

Wenn der Abscheu gegen das Denken den gleichen Grad erreicht hat wie die Unfähigkeit dazu, dann »machen« die verunglückten Professoren der Medizin und die mißratenen Volksschullehrer die »Systeme« der »Weltanschauung«, was man dann für »Philosophie« hält. Warum bringt jeder Sieg im Seienden über das Seiende notwendig eine **Verwüstung** des Seyns?

Überlegungen XIV

[41], S. 195 :

Metaphysik.

Alles muß durch die völlige **Verwüstung** hindurch, der eine **Vernichtung** in der schärfsten Gestalt der scheinbaren Erhaltung der »Kultur« voraufgeht. Nur so ist das zweitausendjährige Gefüge der Metaphysik zu erschüttern und in den Sturz zu bringen. Die **Vernichtung** und **Verwüstung** haben aber selbst noch die Einrichtungsform der Metaphysik (»Ideen« und »**Werte**«).

Überlegungen XIV

[79-80], S. 218 :

Man sollte sich nicht allzulaut über die Psychoanalyse des **Juden** »Freud« empören, wenn man und solange man *überhaupt* nicht anders über Alles und Jedes »denken« kann als so, daß Alles als »Ausdruck« »des Lebens« einmal und auf »Instinkte« und »Instinktschwund« »zurückführt«. Diese »Denk«-weise, die

invoquant les dieux, en sachant tout – et pourtant ce n'est là que rêve sans fondement d'une griserie aveugle qui se donne l'allure d'un savoir.

Réflexions XIV

[31], pp. 188-189 :

Lorsque l'aversion pour la pensée a atteint le même degré que l'incapacité à penser, alors les professeurs de médecine ayant joué de malchance et les cuistres ayant raté leur vocation « font » des « systèmes » de la « vision du monde » que l'on prend pour de la « philosophie ». Pourquoi chaque victoire remportée au sein de l'étant amène-t-elle nécessairement une **dévastation** de l'estre ?

Réflexions XIV

[41], p. 195 :

Métaphysique.

Tout doit en passer par la complète **dévastation**, que précède un **anéantissement** (sous la forme la plus aiguë) de l'apparent maintien de la « culture ». Il n'y a que de cette façon que l'ajointement bimillénaire de la métaphysique peut être ébranlé et renversé. L'**anéantissement** et la **dévastation** n'en revêtent pas moins encore eux-mêmes la forme de la métaphysique dans leur agencement (« idées » et « **valeurs** »).

Réflexions XIV

[79-80], p. 218 :

On ne devrait pas s'irriter à ce point de la psychanalyse du Juif « Freud », si et aussi longtemps que l'on ne peut tout bonnement pas « penser » toutes choses autrement que comme « expression » de « la vie », en la « reconduisant » aux « instincts » et à la « disparition des instincts ». Cette façon de « penser », qui commence

überhaupt im voraus kein »Sein« zuläßt, ist der reine Nihilismus.

par n'admettre aucun « être », est le pur nihilisme.

Überlegungen XIV

[86], S. 221 :

Unter dem »Regime« der **Sprachver-wüstung** gilt jedes Bauen als »unnatür-lich« und »unorganisch«. Hier öffnet sich überdies ein Durchblick in die Folgerich-tigkeit, die allem Bösartigen in höherem Grade eignet.

Réflexions XIV

[86], p. 221 :

Sous le « régime » de la **dévastation de la langue** tout bâtir passe pour « non naturel » et « inorganique ». Ici s'ouvre en outre un aperçu sur la cohérence qui appartient au plus haut degré à tout ce qui participe de la mauvaiseté.

Überlegungen XIV

[91], S. 225 :

Ausdehnung und Vorbereitung und in ihrem Gefolge die **Vergemeinerung** sind die unüberwindlichen Feinde des Wesen-haften und von hier gedachten »**Großen**«.

Réflexions XIV

[91], p. 225 :

L'expansion, les préparatifs et par voie de conséquence la **généralisation** sont les ennemis insurmontables de l'essentiel et de la « **grandeur** » pensée à partir de lui.

Überlegungen XIV

[93], S. 226 :

Eine Lehrerschaft, die der Anstrengung des wahrhaften Denkens und der langen Besinnung ausweicht, darf sich nicht wun-dern, wenn »das illustrierte Blatt« und »das Kino«, wenn bloße Tabellen und Kur-ven zu den bevorzugten Bildungsmitteln sich aufschwingen und die **Verwüstung** des Geistes für den Geist selbst gehalten wird.

Réflexions XIV

[93], p. 226 :

Un corps enseignant qui esquive l'as-treinte de la pensée véritable et de la méditation de longue haleine ne doit pas s'étonner si « la revue illustrée » et « le cinéma », si de simples tableaux et des graphiques s'imposent comme moyens de formation privilégiés, et si la **dévas-tation** de l'esprit est tenue pour l'esprit lui-même.

Überlegungen XIV

[119-121], S. 242- 243 :

Das untrüglichste Zeichen für die Ur-sprünglichkeit und Gediegenheit eines wesenhaften, geschichtegründenden Meschentums ist sein *Bezug zum Wort*. Wo dieser Bezug unbestimmt wird und ins Gleichgültige fällt, *sind* bereits alle Wesensgrunde des **Volkes** erschüttert. Äußere **Zerstörungen** sind nur späte Fol-gen einer schon bestehenden **Verwüstung**.

Réflexions XIV

[119-121], pp. 242-243 :

Le signe le plus infaillible de l'origina-rité et de la pureté native d'une humanité essentielle et fondatrice d'histoire est son *rapport à la parole*. Là où ce rapport devient flou et parfaitement indifférent sont déjà ébranlées toutes les assises foncières du **peuple**. Des **destructions** externes ne sont que des conséquences ultérieures d'une **dévastation** qui est déjà là.

[...]

Zugleich kommt jetzt die »Hinterhältigkeit« der bolschewistischen Politik an den Tag. Der **Jude** Litwinow[a] taucht wieder auf. Zu dessen 60. Geburtstag schrieb der Chefredakteur der Moskauer »Iswestija«, der bekannte Kommunist Radek[b], folgenden Satz: »Litwinow hat bewiesen, daß er es versteht, nach bolschewistischer Art, wenn auch nur zeitweilig, Bundesgenossen zu suchen, wo sie eben zu finden sind«.

[...]

Auch der Gedanke einer Verständigung mit England im Sinne einer Verteilung der »Gerechtsamen« der Imperialismen trifft nicht ins Wesen des geschichtlichen Vorgangs, den England jetzt innerhalb des Amerikanismus und des Bolschewismus und d. h. zugleich auch des **Weltjudentums** zu Ende spielt. Die Frage nach der Rolle des *Weltjudentums* ist keine **rassische**, sondern die metaphysische Frage nach der Art von Menschentümlichkeit, die *schlechthin ungebunden* die **Entwurzelung** alles Seienden aus dem Sein als weltgeschichtliche »Aufgabe« übernehmen kann.

Überlegungen XV

[6], S. 256 :

Wir haben eine Aufgabe. Die Frage bleibt nur, ob wir selbst es vermögen, diese Aufgabe selbst *zu sein*: Jeder deutsche Mann ist umsonst gefallen, wenn wir nicht stündlich dafür wirken, daß über die jetzt ganz losgelassene und endgültige **Selbstverwüstung** des gesamten neuzeit-

[...]

En même temps vient au jour le « **caractère insidieux** » de la politique bolchevique. Le **Juif** Litvinov[a] refait surface. Pour son soixantième anniversaire le rédacteur en chef des *Izvestia* de Moscou, le communiste bien connu Radek[b], a écrit la phrase suivante : « Litvinov a montré qu'il s'y entend, à la manière bolchevique, même si ce n'est pas toujours le cas, à chercher des alliés là où ils se trouvent. »

[...]

Même l'idée d'une entente avec l'Angleterre au sens d'une répartition des « zones franches » des impérialismes ne touche pas à l'essence du processus historial que l'Angleterre joue à présent jusqu'au bout au sein de l'américanisme et du bolchevisme, et en même temps du **monde juif planétarisé**. La question du rôle du *monde juif planétarisé* n'est en rien une question *raciale*, c'est la question métaphysique portant sur le type d'humanité capable d'assumer comme tâche à accomplir dans l'histoire du monde, *sans avoir aucune attache*, le **déracinement** de tout étant hors de l'être.

Réflexions XV

[6], p. 256 :

Nous avons une tâche à accomplir. La question est seulement de savoir si, cette tâche, nous sommes capables de l'*être* nous-mêmes : tout homme allemand est tombé en vain si nous n'œuvrons pas à tout moment pour que, par-delà l'**auto-dévastation** à présent déchaînée et défi-

---

a. Maxim Maximovitch Litvinov (1876-1951), d'abord commissaire du peuple pour les Affaires extérieures de l'Union soviétique puis, à partir de novembre 1941, ambassadeur à Washington.

b. Karl Radek (1885-1939), journaliste, membre du comité central du Parti communiste de l'Union soviétique au cours des années 1920, condamné par un simulacre de procès à Moscou à dix ans de détention, puis porté disparu. [Karl Radek, qui faisait partie avec Zinoviev, Boukharine et Béla Kun des bolcheviks illustres, était en 1923 « l'œil de Moscou à Berlin » selon la formule de François Furet. Arrêté en septembre 1936, il est condamné puis exécuté immédiatement lors du second procès de Moscou du 23 au 30 janvier 1937. Voir F. Furet, *Le passé d'une illusion. Essai sur l'idée communiste au XXᵉ siècle*, Laffont/Calmann-Lévy, Paris, 1995, pp. 161, 280 et 305. (N.d.T.)]

lichen Menschentums hinaus ein **Anfang** des deutschen Wesens gerettet wird.

Überlegungen XV

[8-10], S. 257-258 :

Der Amerikanismus ist die historisch feststellbare Erscheinung der unbedingten Verendung der Neuzeit in die **Verwüstung**. Das Russentum hat in der Eindeutigkeit der **Brutalität** und Versteifung zugleich ein wurzelhaftes Quellgebiet in seiner **Erde**, die sich eine Welteindeutigkeit vorbestimmt hat. Dagegen ist der Amerikanismus die Zusammenraffung von Allem, welche Zusammenraffung immer zugleich die **Entwurzelung** des Gerafften bedeutet.

[...]

Das Russentum ist trotz allem zu bodenständig und vernunftfeindlich, als daß es imstande sein könnte, die geschichtliche Bestimmung der **Verwüstung** zu übernehmen. Um die Seinsvergessenheit zu übernehmen und als eine solche einzurichten und als Haltung zu beständigen, dazu bedarf es einer im höchsten Grade fertigen und alles **berechnenden** *Vernünftigkeit*, die man, wenn man will, auch noch »Geistigkeit« nennen kann. Nur dieser »Geist« bleibt der geschichtlichen Aufgabe der **Verwüstung** gewachsen. Die Bedientenrolle innerhalb dieser **Verwüstung** hat das »**Herrenvolk**« der Engländer übernommen. Die metaphysische Nichtigkeit ihrer Geschichte kommt jetzt an den Tag. Sie suchen nur diese Nichtigkeit zu retten und leisten damit ihren Beitrag zur **Verwüstung**.

Überlegungen XV

[12], S. 259 :

Die Seuche dieses scheinbar selbstverständlichen und überall gültigen Anspruchs auf »Durchsetzung« als Maß-

nitive de toute l'humanité des Temps nouveaux, soit sauf un **commencement** de la pleine essence allemande.

Réflexions XV

[8-10], pp. 257-258 :

L'américanisme est l'apparition historiquement constatable de l'**achèvement** inconditionné des Temps nouveaux dans la **dévastation**. Malgré l'évidence de sa **brutalité** et de sa raideur, le monde russe trouve dans sa **terre** une ressource où il puise un enracinement, ce qui l'a prédestiné à être immédiatement parlant pour le monde entier. L'américanisme en revanche rafle tout pêle-mêle en un ramassis qui signifie toujours du même coup le **déracinement** de tout ce sur quoi il a fait main basse.

[...]

Malgré tout, le génie russe est trop attaché à la terre et hostile à la raison pour être en mesure d'assumer la vocation historiale de la dévastation. Pour prendre en charge l'oubli de l'être, l'instituer comme tel et persévérer dans cette attitude, il faut une *rationalité* développée au plus haut degré et **calculant** tout que l'on peut appeler, si l'on veut, « spiritualité ». Seul un tel « esprit » est à la hauteur de la tâche historiale de la dévastation. Le rôle de serviteur au sein de cette **dévastation** est joué par la « **race des seigneurs** » que sont les Anglais. La nullité métaphysique de leur histoire vient à présent au jour. Ils cherchent seulement à sauver cette nullité, apportant ainsi leur contribution à la **dévastation**.

Réflexions XV

[12], p. 259 :

L'adoption de cette prétention contagieuse, allant apparemment de soi et partout validée, à « s'imposer » comme

stab der Wesenhaftigkeit eines Jeglichen, verdirbt schon die *Möglichkeit* der Besinnung. Und hier hat schon die **Verwüstung** begonnen. Was ist dann nach der »Auseinandersetzung« mit Amerika?

Überlegungen XV

[14], S. 260 :

Dieser aber ist der *Planetarismus*: der letzte Schritt des **machenschaftlichen** Wesens der Macht zur **Vernichtung** des Unzerstörbaren auf dem Wege der **Verwüstung**. Die **Verwüstung** vermag das Unzerstörbare zu **vernichten**, ohne daran gehalten zu sein, dieses überhaupt je zu fassen. **Verwüstung** aber untergräbt die Möglichkeit des Wesens eines Anfänglichen. Denn das Unzerstörbare ist nicht das irgendwo vorhandene Beständige, sondern das Anfängliche.

Überlegungen XV

[17], S. 262 :

Das **Weltjudentum**, aufgestachelt durch die aus Deutschland hinausgelassenen Emigranten, ist überall **unfaßbar** und braucht sich bei aller Machtentfaltung nirgends an kriegerischen Handlungen zu beteiligen, wogegen uns nur bleibt, das beste **Blut** der Besten des eigenen Volkes zu opfern.

Überlegungen XV

[24, 25-26], S. 266- 267:

Verbrechen: das ist kein bloßes **Zerbrechen**, sondern die **Verwüstung** von Allem in das **Gebrochene**. Das **Gebrochene** ist vom Anfang **abgebrochen** und in den Bereich des **Brüchigen** verteilt. Hier bleibt nur noch die eine Möglichkeit des Seins – in der Weise der Ordnung. Das Ordnen ist nur das Gegenspiel des seynsgeschichtlich (nicht etwa juris-

critère de ce qui en tout serait l'essentiel corrompt déjà la *possibilité* de la méditation. Là, la **dévastation** a déjà commencé. Que pourra bien donner une « confrontation » avec l'Amérique ?

Réflexions XV

[14], p. 260 :

C'est cela, le *planétarisme* : le dernier pas accompli par l'essence **fabricatrice** du pouvoir pour **anéantir** l'indestructible en recourant à la **dévastation**. La **dévastation** peut **anéantir** l'indestructible sans être tenue de le comprendre. Mais la **dévastation** ensevelit la possibilité de la pleine essence de quelque chose d'initial. Car l'indestructible n'est pas quelque chose qui se trouverait là devant, persévérant ici ou là dans son être, mais bien l'initial.

Réflexions XV

[17], p. 262 :

Le **monde juif planétarisé**, à l'instigation des émigrants autorisés à quitter l'Allemagne, est partout **insaisissable** et pour déployer sa puissance il n'a pas besoin de participer à une action guerrière quand il ne nous reste plus qu'à sacrifier le meilleur **sang** des meilleurs de notre peuple.

Réflexions XV

[24, 25-26], pp. 266-267 :

Le **crime** : ce n'est pas seulement une **in-fraction** mais la **dévastation** de tout en ce qui est brisé. Ce qui est brisé est dès le début **rompu** et épars dans le domaine du précaire. Ici ne reste plus que l'unique possibilité de l'être – à la guise de l'ordre. Remettre en bon ordre n'est jamais que le jeu adverse de la **criminalité** comprise dans la perspective de l'histoire de l'être

tisch-moralisch) begriffenen **Verbrecher-tums**[1].

[...]

Wenn man sich aber in den Glauben an »Christus« rettet, entsteht die Verlegenheit, daß dieser Glaube in der »Philosophie«, die man zu betreiben vorgibt, nicht vorkommen kann. Man nennt sich daher, statt sich als gläubigen Christen zu bekennen und dann auch die »Philosophie« als eine »Torheit der Welt« preiszugeben, einen »unverbesserlichen Platoniker«. Dabei beklagt man sich noch über die Falschmünzerei des Bolschewismus. In solchem Treiben zeigt sich erst die **Verwüstung**.

(et non par exemple de manière juridico-morale)[1].

[...]

Mais quand on se réfugie dans la foi en « Christ » il y a ceci d'embarrassant que cette foi ne peut trouver place dans la « philosophie » que l'on prétend pratiquer. On devrait dès lors faire profession de chrétien croyant et abandonner la « philosophie » comme « folie du monde », sinon on mérite le nom d'« incorrigible platonicien ». Tout en déplorant de surcroît le faux-monnayage du bolchevisme. C'est bien à de telles manœuvres que se montre la **dévastation**.

Reprenons à présent la discussion de la terminologie heideggérienne et venons-en à l'analyse du terme *Verwüstung* (« dévastation ») dont, comme nous l'avons rappelé, on ne trouve pas trace dans les *Apports à la philosophie*. Pour les fins de notre enquête, et avant de nous lancer dans l'examen du terme *Verwüstung*, il nous faut nous arrêter à *Wüste* (« désert ») et, à partir de là, étudier la corrélation qu'il y a entre *Verwüstung* et *Zerstörung* (« destruction ») : deux concepts qui ne sont pas superposables ni facilement situables si l'on recourt aux coordonnées spatio-temporelles de la subjectivité.

Commençons par le substantif *Wüste* (« désert »), dont les seules occurrences se trouvent dans le § 8 des *Überlegungen XII*. En se référant explicitement à Nietzsche – ce qui ne doit pas pour autant nous inciter à sous-estimer les différences substantielles qui séparent nos deux auteurs au sujet du nihilisme – Heidegger note ses réflexions sur *Wüste* dans les termes suivants : c'est « l'enlisement et la dissipation de toute possibilité de décisions essentielles » ; « ce que cet

---

1. Le ton de ce passage, qui joue sur le verbe *brechen* (« casser », « rompre », « briser »), avec les temps conjugués ou les participes passés des verbes *verbrechen, zerbrechen* et *abbrechen*, ainsi qu'avec l'adjectif *brüchig*, n'a pu être rendu dans la traduction française. Le point de départ est le mot *Verbrechen* (« crime »), composé comme notre mot *in-fraction*. (N.d.T.)

aspect désertique a de repoussant, de paralysant et de désolant ne doit pas toutefois écarter un seul instant de sa voie l'explication avec Nietzsche » ; puis il revient encore une fois sur le « manque criant de besoin de décision » et poursuit avec la « confusion de l'erroire (*Irre*) » pour conclure : « si nécessaire que soit la traversée du désert ».

En dehors de ces références nous n'en trouvons pas d'autre dans les *Überlegungen* qui serait susceptible de nous fournir de plus amples informations. Mais il est nécessaire à présent de reprendre le terme *Irre* (« errance », ou « erroire ») : comprendre l'emploi qu'en fait Heidegger nous aidera à faire le point sur l'une des nombreuses méprises dans lesquelles peut tomber le lecteur. Outre les occurrences des *Überlegungen XII* (§ 10) et des *Überlegungen XIV* ([53, 82, 109]), *Irre* se trouve dans les *Apports à la philosophie*[1], où ce terme n'est absolument pas susceptible d'être reconduit à l'errance du peuple juif dans le désert. Il suffit de lire les passages des carnets et surtout des *Apports* où le terme *Irre* est récurrent pour se rendre compte de l'absurdité des méprises qui prolifèrent du fait de la méconnaissance des textes heideggériens, donnant ainsi naissance à de « graves » erreurs produisant une « réelle » (*wirklich*) distorsion interprétative[2].

1. M. Heidegger, *Beiträge zur Philosophie, op. cit.*, § 87, « *L'histoire vraie du premier commencement (histoire de la métaphysique)* » : « Étant donné qu'il pense plus originalement le nihilisme jusqu'au fond qu'est l'abandonnement de l'être, ce savoir est à proprement parler le dépassement du nihilisme – et l'histoire du premier commencement cesse du même coup de paraître comme quelque chose de vain, et il est retiré de l'erroire (*Irre*) ; à présent seulement une grande heure se lève sur toute l'œuvre de pensée qui a eu lieu jusqu'ici » (p. 175 ; trad. fr. pp. 204-205 [où le traducteur, François Fédier, renvoie à sa note de la p. 397, que nous reproduisons intégralement ici, pour justifier sa traduction d'*Irre* par « erroire » » : « *Die Irre.* Non pas l'erreur, ni l'errance (à moins que ce ne soit celle des "Chevaliers errants"). En écoutant nos vocables : "territoire", "laboratoire", ou "trajectoire" – entendre *erroire* dire : la dimension qu'ouvre le fait d'aller, qu'ouvre donc l'allure, autrement dit l'*erre*, autrement dit un itinéraire non fixé d'avance » (*N.d.T.*)]) ; § 226, « *L'allégie de se mettre à couvert en retrait et l'ἀλήθεια* » : « C'est à présent aussi que l'origine de l'erroire (*Irre*) devient plus lisible, ainsi que la puissance et la possibilité de l'abandonnement par l'être, la mise à couvert en retrait et la défiguration qui met tout sens dessus dessous ; la domination de l'infond » (p. 351 ; trad. fr. pp. 400-401) ; § 259, « *La philosophie* » : « Seuls le sang-froid dans la hardiesse de penser et la nuit dans l'erroire (*Irre*) du questionnement prêtent au feu de l'estre la brûlure de sa flamme et l'éclat de sa lumière » (p. 430 ; trad. fr. p. 489).

2. J'invite le lecteur à lire attentivement l'analyse faite par Donatella Di Cesare du terme *Wüste* : il se rendra compte immédiatement que la description qu'elle en donne « sur la base » des carnets ne trouve aucune concordance dans le § 8 des *Überlegungen XIII*, les seules *Réflexions* où l'on trouve des occurrences du terme en question. Il nous a semblé opportun d'en rapporter intégralement le texte dans la mesure où cela nous aide à comprendre la portée du geste qui consiste à vouloir attribuer à Heidegger des expressions qu'il n'a jamais écrites, ni dans les carnets ni ailleurs. Le vice inhérent à

Heidegger hérite bien de Nietzsche l'expression « *Die Wüste wächst* » (« le désert croît »), mais la *Verwüstung* s'inscrit dans la question portant sur le nihilisme, qui nous restitue la distance interprétative qui sépare les deux auteurs. Pour Nietzsche, en effet, le nihilisme est la « dé-valuation » (*Entwertung*) des suprêmes valeurs, et cela se maintient toujours sur le plan de la « question des valeurs ». Les « valeurs » (*Werte*) constituent à ses yeux l'être de l'étant au sens de son étantité. C'est en demeurant sur ce plan que Nietzsche cherche « l'inversion de valeur des valeurs » (*Umwertung der Werte*). De toute évidence, il manque à l'édifice nietzschéen la dimension de la *Wahrheit* (« vérité »), de la *Lichtung* (« clairière »), de l'*Offenheit* (« ouverture »), de l'*Unverborgenheit* (« présence à découvert ») de l'être. On peut en inférer que pour Heidegger le nihilisme n'est jamais à comprendre comme la dé-valuation des suprêmes valeurs mais bien comme un avènement permanent de la *Wesung* (« permanence »)[1] de l'être : le *nihil* du nihilisme, le *nihil* de la dévastation (*Verwüstung*) empêche un *nouveau commencement* dans la permanence de la vérité de l'être. Si l'avènement permanent dans la permanence de l'être est dévasté, l'étant lui non plus ne peut

---

une falsification des carnets est patent dans ces illustrations parfaitement arbitraires : « Aride, désolé, stérile, pierreux, inhospitalier, inhabitable, privé de vie, vide et nul, espace informe et démesuré, sans frontières et par là lieu de perdition, de tentation, domaine du Malin et du démoniaque : tel est le désert pour Heidegger » (D. Di Cesare, *Heidegger e gli ebrei*. I Quaderni neri [*Heidegger et les Juifs. Les* Cahiers noirs], Bollati Boringhieri, Turin, 2014, p. 127). S'appuyant sur la falsification des carnets, l'auteur préfère traduire *Verwüstung* par « désertification » – montrant par là son ignorance de toute la distance qui sépare Heidegger de Nietzsche, chez qui ne sont pas présentes, notamment, des dimensions telles que la *Wahrheit* (« vérité »), la *Lichtung* (« clairière »), etc. –, ce qui lui permet de justifier sa propre thèse : « Il n'est donc pas correct de traduire *Verwüstung* par "dessèchement" ou "dévastation", à la fois parce qu'on perd ainsi la référence au "désert" et parce qu'on réduit le phénomène qui, s'il atteste une valeur politique, n'en relève pas moins toutefois, pour Heidegger, de l'ontologie et s'inscrit dans l'histoire de l'être » (*ibid.*, p. 126). En écrivant cela, elle passe encore une fois sous silence le fait que si *Verwüstung* est bien inscrit dans l'histoire de l'être, la référence à *Wüste* – et avec elle ce qui relie Heidegger à Nietzsche – est en même temps dépassée précisément par la position de Heidegger. Mais cet examen s'avère superflu pour la bonne raison que l'intention de Di Cesare est autre, et on le comprend quelques lignes plus loin : « ce qui importe est l'écho et l'évocation de la *Wüste*, du désert. Il n'est pas difficile d'apercevoir dans la désertification encore une forme de judaïsme » (*ibid.*, p. 127). En effet, le choix de traduire *Verwüstung* par « désertification » plutôt que par « dévastation » va lui permettre d'opérer un forçage de la terminologie par sa propre position – forçage à vrai dire arbitraire et par certains aspects quelque peu fantaisiste – qui veut à tout prix inscrire le judaïsme dans la pensée de l'histoire de l'être.

1. Les traductions françaises du terme allemand *Wesung* tel que l'emploie Heidegger écartent à vrai dire l'idée de « permanence » et le rendent plutôt par « déploiement », « aîtrée », ou encore « déferlement ». (*N.d.T.*)

plus trouver à se déployer dans la manifesteté de son essence. La différence ontologique de l'étant ou encore la différence entre être et étant règne donc dans le double mouvement qui accompagne la *Verwüstung* de la vérité de l'être eu égard à la *Zerstörung* (destruction) de l'étant en son dévoilement (*Unverborgenheit* [« présence à découvert »]) ; par conséquent, *Verwüstung* n'est pas synonyme de *Zerstörung*. Avec la *Verwüstung* est compromise toute possibilité de cette décision initiale[1] et en elle est assurée la plus complète immuabilité installée par l'in-décision. La disparition de cette possibilité est à entendre au sens où l'in-décision a pour fonction d'être progressivement la *fossoyeuse* de tout recours, si minime soit-il, à l'urgence d'une décision initiale par le *maintien* d'une vie contingente, qui vise à arrêter net toute mutabilité éphémère en la rendant immuable, en la conservant maintenue dans son être.

Des *Überlegungen XII-XIV* nous pouvons déduire les traits saillants de la *Verwüstung* d'après ce que nous en dit Heidegger : c'est le « coup de grâce de la fin d'ores et déjà décidée » (*Überlegungen XII*, [a]) ; « *Nietzsche* a fait incursion [...] dans le désert de cette "dévastation" qui commence avec le caractère inconditionné de la faisance », « ne faut-il pas traverser la plus récente dévastation ? », « aucun chemin ne mène de la dévastation et du désert [...] à la confusion de l'erroire » (§ 8) ; l'absence de besoin éprouvé pour des décisions, la croissance envahissante et incontrôlable de la destination « sont déjà par elles-mêmes non seulement destruction mais bien dévastation » (§ 24) ; « le comble de la dévastation est préparé lorsque même au nihilisme au sens essentiel [...] se trouve refusée la possibilité » d'une transition (*Durchgang*) (§ 26) ; le « reportage », le magazine avec des illustrations « représentant des vedettes de cinéma et des danseuses de cabaret à moitié nues [...]. Il ne s'agit plus seulement ici de destruction (*Zerstörung*) des « usages » et des « convenances », mais bien d'un processus métaphysique, d'une dé-vastation (*Ver-wüstung*) de

---

1. M. Heidegger, *Metaphysik und Nihilismus, op. cit.*, § 136, « *Le rien et la dé-vastation* », p. 146 : « *Désert* : la constance de ce qui refuse le commencement. La dé-vastation comme l'assurance que persiste un complet déracinement de tout, en sorte que tout ce qui a eu cours jusqu'à présent demeure conservé ; que l'on se consacre à la "politique culturelle" aux fins de la dé-vastation. »

toute possibilité de l'estre dans l'artifice du faisable à merci – du productible et du présentable » (§ 35) ; « là où la désertion du sens prend le dessus, et cela du fait de l'homme en tant que *subjectum* [...], le congé signifié à tout ce qui fait sens [...] » doit être remplacé par le calcul des « valeurs » : l'accomplissement de la métaphysique vire alors à la « dévastation de la pensée » (*Überlegungen XIII*, § 34) ; « la **dévastation** invisible » sera plus grande lors de cette Seconde Guerre mondiale « que les **destructions visibles** » (§ 124) ; « l'apparition du **colossal** vertige de la **dévastation fabricatrice** », « l'invisible **dévastation** de la pleine essence de l'être, qui a déjà dépassé toute **destruction** fracassante de l'étant » (§ 128) ; quant au peuple, « la longue accoutumance à l'effondrement passé inaperçu des critères demeurant en retrait » et le fait de s'habituer à la platitude des prétentions mènent à l'avenir à la « destruction "de" l'être » et à « toute **dévastation** extérieure » (§ 129) ; en lien avec le § 124, Heidegger remarque à nouveau que « la **dévastation** invisible est plus intrusive que les **destructions** visibles » (§ 134) ; la lutte a pour enjeu de décider « si l'humanité demeure au service de la **dévastation** ou bien si, en une histoire autrement fondée, elle se fait l'écho de la voix de Dieu » (*Überlegungen XIV* [7]) ; se référant à tous ceux qui instrumentalisent *Ainsi parlait Zarathoustra* : « la forme la plus insidieuse de la **dévastation spirituelle** » dans laquelle on ne trouve pas la moindre trace d'une méditation, « où tout titube » ([10]) ; la dévastation est précédée par « un **anéantissement** (*Vernichtung*) » sous la forme la plus extrême de « l'apparent maintien de la "culture" » ([41]) ; « sous le "régime" de la **dévastation de la langue** tout bâtir passe pour "non naturel" et "inorganique" » ([86]) ; Heidegger développe encore une fois ses réflexions en lien avec le § 35 des *Überlegungen XII* et relève que « la "revue illustrée" et le "cinéma" [...] s'imposent comme moyens de formation privilégiés », et que « la **dévastation** de l'esprit est tenue pour l'esprit lui-même » (*Überlegungen XIV*, [93]) ; les destructions extérieures ne sont que « les conséquences ultérieures d'une **dévastation** qui est déjà là » ([119]) ; selon Heidegger, il faut faire en sorte « que, par-delà l'**auto-dévastation** (*Selbstverwüstung*) » « de toute l'humanité

des Temps nouveaux » puisse être sauvé un « **commencement** (*Anfang*) de la pleine essence allemande » (*Überlegungen XV* [6]).

Dans ce long travelling notre parcours subit un brusque coup d'arrêt à cause d'un passage aussi dense que concis des *Überlegungen XV* ([8-11, 12]). Heidegger s'avise du fait que la dévastation – outre qu'elle définit l'époque moderne – se manifeste historiquement dans l'américanisme, mais ce qui contribue par soi-même à la dévastation, c'est « "la race des seigneurs" que sont les Anglais ». C'est là une donnée historique, en elle-même très discutable, mais importante pour situer la vision que Heidegger avait de la modernité, dans laquelle la dévastation – outre qu'elle est visible dans la destruction programmée mise en œuvre par le national-socialisme – est en réalité quelque chose qui précède la modernité elle-même et qui trouve son commencement au moment où l'on a voulu renoncer à une pensée n'ayant plus son origine dans l'être. La destruction n'est jamais que la manifestation historique d'une dévastation qui vient de bien plus loin et c'est pourquoi celle-ci est bien plus « intrusive » ; par certains aspects la critique de la modernité chez Heidegger n'est à tout prendre que l'aboutissement d'une réflexion qui, quant à elle, ne vise pas à s'en tenir seulement à « son temps ». La critique adressée aux Anglais et au rôle qu'ils ont joué dans le conflit mondial se veut, à mon avis, un avertissement visant à signaler qu'on ne peut pas rester prisonnier de la destruction « visible », historique, et trouver en elle une prétendue solution à ce qui est arrivé. La question fondamentale se situe à un niveau bien plus profond et « invisible » pour beaucoup : c'est précisément la dévastation qui ne peut pas être saisie sur la base de la destruction. Les effets engendrés par la destruction mènent inévitablement à barrer tout accès à une co-appartenance à l'être de l'étant, en sorte que l'étant conserve, inchangée, son étantité dans son maintien. Ce qui est détruit n'est jamais quelque chose de visible ou de quantifiable : car tout reste à sa place, transformé par une spiritualité nouvelle qui oriente l'homme moderne vers une vie sans décision, à s'étourdir bruyamment dans ses vains pouvoirs. La prédominance de l'étant, telle

qu'elle se rattache au processus de la destruction, pourra être
maintenue pour peu que le *délire* de la rationalité ne s'avise pas de
l'avancée de la dévastation qui survient inexorablement. Il reste
toujours à l'arrière-plan non seulement la différence ontologique
qu'il y a entre dévastation et destruction, mais surtout la priorité
bien plus envahissante de celle-là sur celle-ci.

En outre, Heidegger décèle chez les Anglais et les Américains la
prétention, apparemment évidente et valable partout, « de "s'imposer" comme critère de ce qui en tout serait l'essentiel » (*Überlegungen XV* [12]). Ce qui a été historiquement déclenché avec les
événements liés à la guerre a besoin, selon l'auteur, d'être à son
tour interprété dans une autre optique si l'on veut construire un
avenir pour l'histoire. Dépasser l'aplatissement historisant ne peut
nous être d'un grand secours : il y faut une réorientation radicale
qui *ne s'en tienne pas* à la destruction visible manifeste.

Heidegger poursuit ses réflexions sur la *Verwüstung* (« dévastation ») dans d'autres passages des *Überlegungen XV* : « la dévastation ensevelit la possibilité de la pleine essence de quelque
chose d'initial » ([14]) ; « le crime (*Verbrechen*) : ce n'est pas seulement une in-fraction mais la dévastation de tout en ce qui est
brisé. Ce qui est brisé est dès le début rompu et épars dans le
domaine du précaire » ([24]) ; et, enfin, se « réfugie[r] dans la
foi en "Christ" » comme se lamenter du « faux-monnayage du
bolchevisme » amènent à des effets démesurés : « c'est bien à de
telles manœuvres que se montre la dévastation » ([26]).

Ce long parcours, sciemment synthétisé, peut nous aider à
comprendre le double niveau auquel se situent les réflexions de
Heidegger : d'un côté la *dévastation*, et de l'autre une *destruction*
qui en son être visible arrête le regard sur les effets produits par
elle, mais en faisant oublier totalement que ce qui saute aux
yeux n'est que la conséquence d'une dévastation bien plus profonde circonscrite à la question de l'être, à la *Seinsfrage*. Où se
situe Heidegger dans un tel scénario ? Ce qui va de l'avant, c'est
son questionnement, qui indique un but à atteindre : « avant
que nous et ceux qui sont tournés vers l'avenir puissions nous
tenir instamment dans l'"immémoriale confusion", ne faut-il pas

traverser la plus récente dévastation ? » (*Überlegungen XII*, § 8). Traverser la dévastation a une portée encore plus essentielle que la traversée de la simple destruction : il ne sera jamais possible de se limiter aux images visibles d'une vision du monde exclusivement catégoriale parce que celles-ci ne rentrent pas dans la sphère des choses permettant de se décider pour l'être. La décision prend forme non seulement à partir de la persévérance d'un questionnement portant sur l'être, mais encore en décidant de demeurer exposé à l'*essentielle permanence de la vérité de l'être*.

Le problème de fond relève de la vision du monde catégoriale et demeure irrésolu si l'on reste ancré dans des cadres « familiers, tels que "pays natal", "culture", "peuple" mais aussi "État" et "Église", "société" et "communauté" » (*Überlegungen XII*, § 24). Autant de cadres qui provoquent un blocage et renforcent la fabrication de l'étant en son enracinement historique. Mais qu'est-ce qui est au juste renforcé et maintenu ? Réponse : l'absence de sens. Avec « l'homme en tant que sujet » – défini aussi comme « comptable et accapareur de sa propre calculabilité comme de celle de toutes choses » (*Überlegungen XIII*, § 34) – se réalise la dévastation de la pensée. Dans ce cadre bien circonscrit *l'homme en tant que sujet* devient *le centre de l'étant* : aux yeux de Heidegger un tel pouvoir produit la dévastation de la pensée[1].

En nous acheminant vers la conclusion de cette section, arrêtons-nous à quelques passages des *Überlegungen XII* (§§ 24 et 38), *XIII* (§ 101), *XIV* ([121]) et *XV* ([17]).

Dans le § 24 des *Überlegungen XII*, le recours au terme *Judentum* est précédé par l'expression « montée en puissance » (*Machtsteigerung*) qui « trouve son fondement dans le fait que la métaphysique de l'Occident, notamment dans son déploiement lors des Temps nouveaux, a offert le point de départ pour que se répandent une rationalité et une aptitude au calcul sinon vides qui, de cette façon, se procurent un abri dans l'"esprit" sans pour autant pouvoir saisir à partir d'elle-même les domaines de décisions en réserve »

---

1. Le § 34 des *Überlegungen XIII* peut être mieux approfondi à partir du § 260 (« *Le gigantesque* ») et du § 261 (« *L'opinion que l'on a de l'estre* ») des *Beiträge* (*op. cit.*, pp. 441 et 443 ; trad. fr. pp. 501 et 503).

(§ 24). En suivant le développement de cette expression, « montée en puissance du génie juif », il nous faut tenir compte du contexte marqué par les exploits de l'« homme occidental » et par le fait que le pays natal, la culture, le peuple ou encore l'État et l'Église, la société et la communauté sont considérés par Heidegger comme le lieu où le « bonheur » s'épuise à vouloir « s'en sortir sans décisions » et dans l'étourdissement à l'idée « d'augmenter sans cesse sa possession et sa jouissance » (§ 24). Il n'est pas possible de comprendre la portée de l'évocation du *Judentum* si l'on ne tient pas compte de l'*incipit* du § 24. La réflexion proposée par Heidegger a une portée bien plus vaste, et l'évocation du *Judentum* sous la forme du stéréotype alors répandu à cette époque d'une habileté au calcul (*Rechenfähigkeit*) s'inscrit dans la dimension d'un calculable qui régit de manière transversale l'époque moderne marquée par la rationalité et la métaphysique en ses formes canoniques (les « idées » et les « valeurs »).

Il ne suffit pas d'isoler la structure de la réflexion indiquée juste ensuite : « la montée en puissance du génie juif (*Judentum*) [...] trouve son fondement dans le fait que la métaphysique de l'Occident [...] a offert le point de départ pour que se répandent une rationalité et une aptitude au calcul sinon vides » (§ 24), parce qu'à vouloir l'isoler on aboutit à cette prétendue illustration : « Le gouffre qui s'ouvre impose d'identifier dans le Juif l'ennemi métaphysique[1]. » Le fait que l'habileté au calcul *trouve* son fondement d'être dans la métaphysique occidentale explique pour Heidegger l'impossibilité d'appréhender les domaines de décisions ; sinon nous ne pouvons pas justifier pourquoi apparaît dans la conclusion du § 24 la véritable raison de la distance prise avec la phénoménologie de Husserl. Dans la perspective qui est celle de Heidegger, son « attaque » visant Husserl n'a rien de personnel et n'est pas dirigée seulement contre lui : « l'attaque vise l'omission de la question de l'être, elle vise l'essence de la métaphysique en tant que telle ». L'évocation du *Judentum* demande donc à être située au sein d'un contexte bien plus vaste, qui embrasse le domaine des décisions

---

1. D. Di Cesare, *Heidegger e gli ebrei, op. cit.*, p. 99.

essentielles ; il faudrait, en effet, faire gravement violence au texte pour faire endosser au « Juif » les oripeaux de la métaphysique et l'inscrire ainsi à part entière dans la métaphysique occidentale.

Or, rien n'y correspond dans le § 24 des *Überlegungen XII* ; en effet, pour affubler le « Juif » d'oripeaux métaphysiques et pour mettre en scène le *clash métaphysique* – entre Heidegger et « le Juif » – Donatella Di Cesare a recouru ici au stratagème qui consiste à utiliser le terme *Feind* (« ennemi ») en allant le dénicher dans le § 79 des *Überlegungen und Winke III* du tome 94 : « Où *est l'ennemi* et comment le *susciter ?* Vers quoi diriger l'attaque ? Avec quelles armes ? », et dans le § 91 des *Überlegungen IV* : « l'ennemi est l'inessence de l'étant qui [...] se révèle *appartenir* à ce avec quoi le **penseur** (*Denker*) doit être foncièrement ami (la pleine essence de l'être)[1] ». Cette extrapolation consistant à identifier « le Juif » et « l'ennemi » vise à étayer la thèse suivante : « il revient au philosophe de se tenir enraciné sur le terrain de l'être pour mettre en lumière la dissension, pour démêler ce qui est embrouillé[2] ». C'est sciemment que *Denker* (« penseur ») est traduit ici par « philosophe » parce que le *télescopage métaphysique* doit être résolu par le philosophe et rester dans ce domaine. Si l'auteur avait poursuivi avec la lecture du § 91, elle se serait rendu compte que Heidegger critique vivement tous ceux qui accèdent à la philosophie « du dehors » (*Außen*), qui sont là pour « grappiller » (*naschen*) quelque chose ; pour mieux dire, il critique tous ceux qui de l'extérieur se servent de la philosophie à leurs fins personnelles : à user de ce procédé, on finit à mon avis par devenir des *mendiants du sens*. Ce qui peut surprendre est que Donatella Di Cesare recoure au tome 94 sans se rendre compte que le contexte dans lequel s'inscrit le mot *Feind* (« ennemi ») ressortit au national-socialisme et qu'*aucun emploi par Heidegger du mot « Juif » n'est susceptible d'être ramené à* Feind. Nonobstant, elle veut identifier le Juif à « l'ennemi », ce qui a pour conséquence que – selon la position qu'elle a adoptée – Heidegger devient le

---

1. *Ibid.*, p. 100 : « l'ennemi est l'inessence de l'étant qui, sans jamais mettre fin aux hostilités, se révèle appartenir à ce qui, très profondément, doit être ami du philosophe, l'essence de l'être ».
2. *Ibid.*

persécuteur qui doit combattre le Juif éradicateur, alors même qu'il suffirait de rester dans le tome 96 pour comprendre ce que Heidegger vise par ce terme : « L'expansion, les préparatifs et par voie de conséquence la généralisation sont les ennemis (_Feinde_) insurmontables de l'essentiel » (_Überlegungen XIV_ [91]) ; « le génie russe (_Russentum_) est trop attaché à la terre et hostile à la raison (_vernunftfeindlich_) » (_Überlegungen XV_ [10]). Cela suffit pour prévenir du danger auquel on s'expose dès lors qu'on se met à instrumentaliser les carnets par les libres extrapolations de certaines de leurs parties afin de conforter ses propres _pré-_ jugés. Cela revient à mettre en scène une faramineuse adultération des sources. En outre, la conclusion des _Überlegungen XIV_ ([121]), à savoir : « la question du rôle du monde juif planétarisé (_Weltjudentum_) n'est en rien une question _raciale_, c'est la question métaphysique portant sur le type d'humanité », est bien éloignée des logiques aberrantes du mythe de la race sur lequel s'érigeait le national-socialisme. Faire appel à la « question métaphysique portant sur le type d'humanité » ne signifie nullement assigner le génie juif mondial à un niveau métaphysique. Cela signifie que les réflexions heideggériennes demandent à être lues herméneutiquement à travers la différence ontologique et la critique des _diverses époques de la métaphysique_ : c'est là indispensable pour saisir de manière claire et sans équivoque possible que « le déracinement de tout l'étant hors de l'être » ne peut être imputé exclusivement au _Judentum_ ou au _Weltjudentum_, et encore moins au Juif, pour la bonne raison qu'_il n'y a pas la moindre trace chez Heidegger de l'attribution d'une essence métaphysique quelconque à ce qui est juif_.

En continuité avec cette instrumentalisation et ce qu'elle suggère vient culminer, comme dans une chaîne de montagnes, un autre défaut : celui de chercher un alibi pour établir ce qui s'avère être en soi indémontrable. C'est là une constante qui caractérise les postfaces de l'éditeur allemand des carnets. Dans celle du tome 96 il soutient ceci :

> L'art et la manière dont Heidegger considère les « signes de la fabrication » ne doivent pas être compris comme prise de position

politique. Il s'agit bien plutôt d'un inventaire, *dans la perspective de l'histoire de l'être,* des événements au cours desquels Heidegger adopte un certain point de vue. C'est ainsi qu'il comprend le déchaînement croissant des événements de la guerre comme l'« *accomplissement de la technique* » dont le dernier acte consistera « en ce que la terre elle-même sautera » et que « l'espèce humaine » disparaîtra. Ce qui du reste ne serait pas « un malheur, mais la première purification *de l'être* de sa longue défiguration par la prééminence de l'étant »[1].

En conservant en arrière-plan « la purification *de l'être* » (*Reinigung des Seins*), reprise des *Überlegungen XIV* ([113]) mais placée au début de ses réflexions, l'auteur de cette Postface poursuit en ajoutant quelques passages des *Überlegungen XII* et *XV* où figurent des références au *Judentum* et au *Weltjudentum* – que nous avons largement replacées dans leurs contextes respectifs –, puis reprend le concept de *Reinigung* et l'utilise de la façon suivante :

> Dans de telles déclarations sur le « judaïsme » apparaît à quel point Heidegger s'empêtre dans sa pensée d'une « purification *de l'être* »[2].

Qu'un tel rapprochement entre *Reinigung* (« purification ») et *Judentum* (« judaïsme ») ait créé d'autres alibis pour pouvoir continuer de manière imperturbable à remettre en route la machine colossale de l'instrumentalisation, cela saute aux yeux de tout le monde[3].

Pour comprendre ce que signifie *Reinigung des Seins* (« purification de l'être »), il nous faut revenir encore une fois aux *Apports à la philosophie* :

---

1. P. Trawny, « Nachwort des Herausgebers » [« Postface de l'éditeur »], in M. Heidegger, *Überlegungen XII-XV (Schwarze Hefte 1939-1941), op. cit.,* p. 281.

2. *Ibid.,* pp. 282-283.

3. Voir D. Di Cesare, *Heidegger e gli ebrei, op. cit.,* § 24, « *Le Juif et la "purification" de l'Être* », pp. 212-217. L'auteur, en effet, dans le sillage de la Postface de Trawny, reprend le passage des *Überlegungen XIV* ([113]) pour nous proposer la conclusion suivante : « Lorsqu'il écrit, au début des années 1940, la *Reinigung des Seins,* "la purification de l'Être", celle-ci est déjà devenue *Vernichtung,* anéantissement. » Un tel propos n'est pas susceptible d'approfondissement parce que nous nous trouvons désormais face à un stade dans lequel devient patent l'usage arbitraire incurable de termes heideggériens pris en vrac, mais avec l'intention d'emprisonner la pensée dans ce que nous serions tenté d'appeler une *herméneutique borderline.*

Surmonter le platonisme dans cette direction et de cette manière relève d'une décision historiale de la plus ample dimension ; c'est aussi jeter les fondations d'une histoire de la philosophie autrement philosophique que celle de Hegel (ce qui, dans *Être et Temps*, est développé à titre de *dé-struction* [*Destruktion*] ne signifie pas déconstruction, si l'on entend par là « démolition » [*Zerstörung*] ; cela veut dire : « émondage » [*Reinigung*], « désobstruction », dans l'optique de libérer les positions métaphysiques fondamentales de ce qui empêche d'accéder jusqu'à elles). Mais tout cela n'est encore que prélude, quand on regarde l'accomplissement qu'est *ce qui vient se faire entendre* et *ce qui se met en jeu*[1].

De la part de l'éditeur du tome 96 de la *Gesamtausgabe*, qui soutient la thèse d'une « contamination » antisémite de la pensée de l'histoire de l'être à partir de 1936, et donc à partir des *Apports*, on se serait au moins attendu à un rappel de cette référence dans sa Postface, mais – à bien y regarder – cela aurait mis fin à la longue série de ses allégations qui s'avèrent autant d'ébauches ayant pour but, dans leur inachèvement, d'insinuer des doutes dans l'esprit du lecteur, doutes qui demeurent de toute façon insolubles, du moins tant qu'ils ne tiennent pas compte des textes de Heidegger.

5. *Remarques I-V (Cahiers noirs 1942-1948)*[2]

5.1. La parole à Heidegger : « Je ne dis pas cela
pour me défendre mais seulement
à titre d'information »
et comme « simple constatation »

Dans cette section le lecteur se trouvera face à un changement de registre : des *Überlegungen* rassemblées dans les tomes 94 à 96 de la *Gesamtausgabe* on passe à présent aux *Anmerkungen*, [*Remarques*] contenues dans le tome 97. Là, Heidegger – de façon immédiate

---

1. M. Heidegger, *Beiträge zur Philosophie, op. cit.*, § 110, « L'ἰδέα, le platonisme et l'idéalisme », (p. 221 ; trad. fr. p. 253).
2. M. Heidegger, *Anmerkungen I-V (Schwarze Hefte 1942-1948)*, in *Gesamtausgabe*, tome 97, *op. cit.*

et avec un style très direct – nous *restitue* certains éléments assez personnels sur une période historique marquée par la féroce brutalité de Hitler. Ces éléments s'avéreront utiles pour ramener à leurs justes proportions les stéréotypes, souvent dévastateurs, qui visent à *manipuler la figure de Heidegger en plaquant sur ses écrits une grille de lecture politique.* Les extraits que nous allons rapporter parlent d'eux-mêmes : la clarté de ces notes désarme quiconque les aborde – ou pour mieux dire désarmerait quiconque les aborderait sans savoir qu'elles ont été écrites par Heidegger. Toutefois, dès lors que nous ne pouvons pas oublier que l'auteur des *Anmerkungen* est un Heidegger las des innombrables méprises qui ont émaillé et continuent à émailler son histoire personnelle, il convient de souligner quelques données qui sont loin d'être négligeables. Il est donc important de rappeler que cette section ne se veut pas une défense de Heidegger ; en restant fidèle à ses notes on a voulu reprendre le principe qui l'avait guidé quand il a tenu à laisser une trace des relations qu'il a entretenues avec le Juif Edmund Husserl : « je ne dis pas cela pour me défendre, mais seulement à titre d'information » ou à titre de « simple constatation » (*Anmerkungen* V [52-54]). Une lecture attentive des *Anmerkungen* V a été décisive pour que l'on s'avise que les « précisions » personnelles contenues dans cette section « ne sont pas » (*nicht*) « destinées au public » (*Öffentlichkeit*), à cette catégorie du public qui envahit, qui saccage sans pudeur, mais ne trouvant partout que l'arrogance de sa propre crédulité : « le règne de l'opinion publique est déjà à ce point dictatorial que tout raisonnement de ce type est automatiquement déclaré "nazi" et par là "rendu inopérant" » (*Anmerkungen* V [49]).

Nous allons reporter ici quelques concordances intertextuelles qui s'avéreront utiles pour notre parcours :

Hitler : « la fourbe **brutalité**[1], et qui dépasse largement en rouerie celle de Hitler » (*Anmerkungen* I [127] ; contexte : le

---

1. Le terme *Brutalität*, ici référé à Hitler (*Anmerkungen* I [127]), est employé un peu plus loin pour qualifier le Troisième Reich : « dans l'obtuse brutalité (*in der stumpfen Brutalität*) du "Troisième Reich" » (*Anmerkungen* I [162]).

« cas » du professorat) ; « la véritable erreur du "rectorat de 1933" n'était pas tant que je n'aie pas reconnu "Hitler" en son "**essence**[1]" (*Wesen*), à la différence d'autres plus intelligents [...] j'ai cru que le moment était venu de devenir inauguralement historial, non pas avec Hitler (*nicht mit Hitler*) » (*Anmerkungen I* [149]) ; il ne s'agit pas de savoir si Hitler ou Mussolini ou quelqu'un d'autre « a "raison" ou non », il s'agit de faire en sorte que la génération à venir ait « la chance d'éprouver ce qui est et d'estre dans : l'*estre* » (*Anmerkungen II* [27-29]) ; « **Hitler** et ses **complices** (*seine Helfershelfer*) », Hitler n'est pas (*nicht*) « **destinalement** (*geschicklich*) "**justifié**[2]" » (*Anmerkungen II* [62-63]) ; ne sommes-nous pas « au bord de l'abîme (*Abgrund*) ? [...] Et cela ne date pas d'hier, et cela n'est pas non plus "le fait de" Hitler » et pas davantage « le fait » de Staline ou de Roosevelt (*Anmerkungen II* [72] ; contexte : dès lors que « "[sa]" philosophie [...] serait "la philosophie de l'abîme" », Heidegger s'interroge) ; « ces messieurs de l'Université et des établissements secondaires s'étonnent *a posteriori* que les "**Jeunesses hitlériennes**" » aient pu avoir tant d'influence dans les écoles » (*Anmerkungen II* [78-79]) ; « l'inessence (*Unwesen*) irresponsable avec laquelle Hitler a mis l'Europe à feu et à sang. Staline n'a besoin que d'être un peu plus malin que Hitler [...]. Hitler est devenu une **catastrophe** (*Katastrophe*) [...]. Hitler, qui n'était lui-même qu'un **marqueur** (*Merkzeichen*) de l'âge du monde » (*Anmerkungen III* [46-47] ; contexte : « l'agitation déconcertante avec laquelle les "puissances occidentales" font aujourd'hui une europolitique ») ; « Peut-être se trouvera-t-il un jour quelqu'un pour comprendre que dans le Discours de rectorat de 1933 a été faite la tentative [...] de ramener à nouveau à la pensée le savoir comme **savoir essentiel, mais non de le livrer à Hitler** »

---

1. L'« essence » de Hitler est ensuite spécifiée comme « inessence (*Unwesen*) irresponsable » (*Anmerkungen III* [46]).

2. Heidegger avait noté peu auparavant : « nous ne visons nullement à "justifier" le national-socialisme, c'est-à-dire son inconscience historiale (*geschichtliche Ahnunglosigkeit*) » (*Anmerkungen II* [40-41]). Cette mention de Hitler *et* du national-socialisme – visant à ne pas dédouaner non plus ce dernier – est une donnée de fait incontestable, qui devrait dissiper tout doute éventuel sur la position adoptée par Heidegger à propos de cette question.

(*Anmerkungen III* [57-58]) ; la « **folie criminelle** (*verbrecherischer Wahnsinn*) de Hitler » (*Anmerkungen V* [21]) ; « l'**essence criminelle** (*das verbrecherische Wesen*) de Hitler [...] », si parmi « ceux qui étaient *pour* (*für*) Hitler [...] Peut-être même y en avait-il parmi eux qui étaient authentiquement déjà et bien avant les autres – *contre* (*gegen*) Hitler » (*Anmerkungen V* [48-49]) ; « un "portrait du Führer" n'a jamais été affiché, comme cela était prescrit et comme c'était le cas dans les autres séminaires » (*Anmerkungen V* [52-54]).

Nazi- / Nati- : « **L'idée de pouvoir et par conséquent de devoir se venger sur un peuple** (*Volk*) **se répercute sur nous. Que devons-nous répondre à l'aveuglement nationaliste** (*nationalistische Verblendung*) **[...]** ? » (*Anmerkungen I* [75] ; le peuple auquel il est fait référence est de toute évidence ici le peuple juif) ; « la **terreur** de la violence (*Gewalt*) faisant irruption qui supprime et dévaste la "vie" demeure effrayante. [...] La **terreur** de la violence brute (*rohe Gewalt*) et de la dévastation publique est insensée » (*Anmerkungen I* [113-114]) ; « Il y a aujourd'hui des savants et des Allemands apparemment raisonnables qui pensent que, si l'on élimine le militarisme et la terreur nationale-socialiste », alors pourrait naître automatiquement au sein du peuple le « poétiser & penser » là où le « poétiser & penser » est toujours pris dans son « acception usuelle et typique du "**régime nazi scélérat**" (*verruchtes Naziregime*) » (*Anmerkungen I* [126]) ; les conséquences inéluctables du « régime de la terreur » (*Anmerkungen I* [128-130]) ; « l'**énorme brutalité** (*massive Brutalität*) **du "national-socialisme" an-historial** » (*Anmerkungen I* [134]) ; « le discours pavoisant d'un ex-plumitif et journaliste national-socialiste » (*Anmerkungen I* (135] ; contexte : se sentir autorisé à débiter des « niaiseries » comme le fait Sternberger) ; « les **horreurs** (*Greuel*) du national-socialisme » (*Anmerkungen I* [149]) ; « le **retour de la barbarie** (*Verwilderung*) du national-socialisme. [...] **les autres** (*die Anderen*) se déclarent de nouveau prêts pour le national-socialisme » (*Anmerkungen I* [151]) ; « "on" aurait dû reconnaître que le soi-disant national-socialisme [...] était poussé par une tout autre réalité que personne n'était assez

libre (*frei*) et fort d'un savoir (*wissend*) » (*Anmerkungen II* [28] ; contexte : « mon passé en 1933 ») ; « le "national-socialisme" et le "fascisme" auraient été une voie [s'ils avaient réussi] pour rendre l'"Europe", sa "culture" et son "esprit" mûrs et prêts pour le "communisme" » (*Anmerkungen II* [31-32]) ; « on ne saurait trop s'indigner sur la **ruine** (*Zerfall*) de la "science" et de la "vérité" durant le **règne** (*Herrschaft*) du national-socialisme » (*Anmerkungen II* [39]) ; « pareille réflexion ne revenant nullement à "justifier" le national-socialisme – c'est-à-dire son **inconscience historiale** (*geschichtliche Ahnungslosigkeit*) tout aussi difficilement dépassable. [...] Il est [...] irresponsable d'accabler le national-socialisme *sans* s'être jamais fait une idée sérieuse du "socialisme" [...]. On fronce les sourcils à l'évocation des "nazis" et de leur **"terreur"** » et l'on s'arrête à toutes les « **indéniables atrocités** commises par certains fonctionnaires du Parti » (*Anmerkungen II* [40-41]) ; « "L'erreur de 1933" » n'a pas consisté dans le fait qu'une « tentative a été faite avec le "national-socialisme" » (*Anmerkungen II* [58]) ; il n'était pas prévu « d'en rester au national-socialisme en tant que tel comme institution [...]. Que la *machine de mort* (*Tötungsmaschinerie*) » déjà mise en route dans l'Allemagne occupée soit seulement « la "punition" pour le national-socialisme [...], on pourra faire croire encore un certain temps aux imbéciles » (*Anmerkungen II* [59-60]) ; « Philosophie catholique » n'est guère différente de la « science nationale-socialiste » (*Anmerkungen II* [75]) ; « on "dénazifie" (*entnazifizieren*) à tour de bras et on est fort loin de s'aviser du fait que depuis des décennies on a fait bien pire avec notre "science" que ne le faisaient les **discours absurdes du Parti** » (*Anmerkungen II* [78-79]) ; au vu de la dégradation actuelle « de l'atmosphère de la pensée, dissolution à partir de laquelle le "national-socialisme" est devenu très vite et de manière irrépressible l'*une* **des aberrations criminelles**[1] (*eine der Abirrungen ins Verbrecherische*) » (*Anmerkungen II* [139]) ; « dans le

---

1. L'adjectif *verbrecherisch* (« criminel ») a déjà été utilisé deux fois en référence à Hitler : « la **folie criminelle** (*verbrecherischer Wahnsinn*) de Hitler » (*Anmerkungen V* [21]) ; « l'**essence criminelle** (*das verbrecherische Wesen*) de Hitler » (*Anmerkungen V* [48-49]).

"national-socialisme", c'est-à-dire dans le pitoyable dévoiement de son essence, "l'esprit" était seulement méprisé » (*Anmerkungen II* [154-155]) ; « pourquoi le Parti a-t-il combattu ce discours [de rectorat] dans tous les cercles savants ? Certainement pas parce que, comme veut le faire croire l'opinion publique mondiale, il **aurait trahi l'Université en la livrant au national-socialisme** » (*Anmerkungen III* [57-58]) ; « les cours sur Nietzsche ne sont ni une justification du national-socialisme ni une attaque contre le christianisme » (*Anmerkungen IV* [99-100]) ; « le règne de l'opinion publique est déjà à ce point dictatorial que toute réflexion de ce genre est tout aussitôt qualifiée de "nazie" et par là rendue inopérante » (*Anmerkungen V* [48-49]) ; « il n'a jamais été fait d'acquisition d'un **livre national-socialiste,** par exemple de Rosenberg et consorts » (*Anmerkungen V* [52-54] ; contexte : l'époque du rectorat).

Jude (« Juif ») / **Christ** (« chrétien ») / **Kz** (« camp de concentration ») : « la judéité (*Judenschaft*) » : « à l'époque de l'Occident chrétien, c'est-à-dire de la métaphysique, celle-ci est le principe de la destruction (*Zerstörung*). [...] pour la pensée en son essence initiale en réserve de l'histoire de l'Occident, la mémoire du premier commencement dans le monde grec, qui est resté en dehors du **caractère juif** (*Judentum*), autrement dit du **caractère chrétien** (*Christentum*) » (*Anmerkungen I* [29-30]) ; « la **terreur du nihilisme définitif** est plus inquiétante encore que la violence grossière des complices des bourreaux et des **camps de concentration** (*Kz*) » (*Anmerkungen I* [88-89]) ; « une "faute" (*Schuld*) encore plus essentielle, une "faute collective" (*Kollektivschuld*) dont l'ampleur n'a rien de commensurable – quant à son essence – avec l'**horreur** des "**chambres à gaz**" (*Gaskammern*) [...] et qui demeurent à jamais impardonnables. [...] Le peuple, le pays allemand est un unique **camp de concentration** (*Kz*) » (*Anmerkungen I* [151]) ; « je n'ai jamais entrepris quoi que ce soit contre (*gegen*) Husserl [...]. Ses œuvres n'ont jamais été retirées de la bibliothèque du séminaire, comme cela était prescrit pour les **auteurs juifs** ; [...] jamais un propos critique de ma part [...], ni dans les cours ni lors des exercices. **J'ai pris**

mes distances avec Husserl ; ce fut une douloureuse nécessité [...]. Il me semble néanmoins que mes essais depuis *Être et Temps* sont le témoignage le plus digne de ce dont je suis redevable à Husserl – [je n'ai jamais été] **son disciple** [...]. Mais cela troublait les relations entre familles bien avant qu'il soit question du national-socialisme et de **persécution des Juifs** (*Judenverfolgung*) » (*Anmerkungen V* [52-54]).

Antisemitismus (« antisémitisme ») : « Que les grands prophètes soient des Juifs (*Juden*), c'est là un fait dont le secret n'a pas encore été pensé. **(Précision pour les ânes** (*Esel*) **: cette observation n'a strictement rien à voir avec de l'antisémitisme. Celui-ci est aussi insensé et blâmable** que l'intervention sanguinaire du christianisme contre "les païens" [...]. Que le christianisme lui aussi stigmatise l'antisémitisme comme "non chrétien", cela fait partie de l'éminente formation de raffinement de sa technique de pouvoir) » (*Anmerkungen II* [77]).

Universitätsprofessoren (« professeurs d'université ») / **Philosoph** (« philosophe ») / **Fassadenkletterer** (« acrobates[1] ») / **Öffentlichen Meinung** (« opinion publique ») : « les **professeurs d'université** (*Universitätsprofessoren*) signent aujourd'hui sans broncher des "déclarations" dégoulinantes de morale » qui servent seulement à « tout mettre "en sûreté" dans ce qui est anodin, ennuyeux, autrement dit maîtrisable » (*Anmerkungen I* [126]) ; « le seul obstacle en travers du chemin est à présent l'empressement de ceux qui [...] tentent » d'aplanir ce qu'il faudra « di[re] à l'avenir [...] et qui [...] croient encore que le désastre (*Unheil*) » aurait pu être évité si ses exécutants « avaient été "plus cultivés" [...]. On ne trouve partout et encore que les mêmes **acrobates** (*Fassadenkletterer*) » (*Anmerkungen II* [25]) ; « Les *esprits superficiels* (*die flachen Köpfe*) ont cette chance de ne pas être en mesure de penser en tant que tel le désastre qui

---

1. *Fassadenkletterer* signifie littéralement « escaladeurs de façades ». L'expression française la plus proche est « monte-en-l'air », mais elle est sortie de l'usage. Toutefois, Heidegger semble viser ici ces « acrobates » qui font le « grand écart » entre les convictions qu'ils affichaient sous le Troisième Reich et celles dont ils se réclament à partir de l'effondrement de celui-ci. *(N.d.T.)*

les submerge », au lieu de quoi, dans leurs calculs sur les fautes et les responsabilités respectives, « ils imputent toujours la faute à des phénomènes dérivés et participent au spectacle de l'**affairement public de l'opinion** (*der öffentliche Meinungsbetrieb*) » (*Anmerkungen II* [27-29]) ; on laisse – et « c'est le fait non pas de tel ou tel chargé de cours en philosophie mais de **philosophes estimés** (*anerkannter Philosoph*) » – « des jeunes gens inconscients et irrévérencieux soutenir des thèses [...], on sème et on cultive systématiquement une insolence à l'égard de l'histoire, de la pensée et de la rigueur de la méditation et du dire » (*Anmerkungen II* [39]) ; « **ces messieurs de l'université** et des établissements secondaires **s'étonnent** (*wundern sich*) *a posteriori* que les "Jeunesses hitlériennes" aient pu avoir autant d'influence dans les écoles » et on ne se rend pas compte que depuis des décennies des choses bien pires ont été commises : « on a inconsidérément cultivé l'absence de pensée (*Gedankenlosigkeit*) sous toutes ses formes » (*Anmerkungen II* [78-79]) ; « on s'est souvent et vivement irrité au cours des dernières années que vers 1933 il ne se soit pas trouvé des "intellectuels" pour reconnaître immédiatement l'essence criminelle de Hitler. Il est difficile d'établir si ceux qui se comptent parmi les **clairvoyants** (*Vorausschauende*) n'ont pas été heurtés par quelque chose de tout autre, qui contrariait seulement leur propre **vanité** (*Eitelkeit*) et leur propre **soif de pouvoir** (*Herrschsucht*). [...] le **règne de l'opinion publique** (*Herrschaft der öffentlichen Meinung*) est déjà à ce point dictatorial » (*Anmerkungen V* [48-49]) ; « Vu qu'en 1948 les **diffamations** (*Verunglimpfungen*) et les **insultes** (*Schmähungen*) [...] sont visiblement encore de mise [...], j'ai tenu à apporter ici encore cette précision, qui n'est d'ailleurs pas destinée au **public** (*Öffentlichkeit*) » (*Anmerkungen V* [52-54]).

Comment Heidegger a-t-il choisi de faire face à l'inessence de Hitler et aux considérables répercussions du national-socialisme ? Heidegger lui-même de répondre : « il fut nécessaire, mais seulement **en se tenant à l'écart** (*Danebenstehen*) ou **en se rebellant tardivement** (*verspätetes Revoltieren*), de réussir à **s'en sortir** (*vorbeikommen*) » (*Anmerkungen III* [46-47]). Référence

cruciale qui nous aide à comprendre la manière dont Heidegger tente activement de réagir tout en se tenant « à l'écart », et que nous avons déjà rencontrée dans la conclusion du § 51 des *Überlegungen VIII* :

> C'est pourquoi il est permis tout au plus d'*arrêter* sa position en s'y opposant [au national-socialisme], mais jamais (*niemals*) de se lancer (*sich wegwerfen*) dans une longue discussion. Même cette position arrêtée ne peut valoir, en tant que telle, que comme relevant d'une considération propre, **jamais elle ne peut servir ne serait-ce qu'à s'en démarquer publiquement** ; car celle-ci ne manquerait pas d'être recrutée pour procurer à l'affairement de la « vie de l'esprit » des « nouveautés » et pour confirmer son caractère prétendument indispensable[1].

Anmerkungen I

[29-30], S. 20 :

Der Anti-christ muß wie jedes Anti- aus dem selben Wesensgrund stammen wie das, wogegen es anti- ist – also wie »der Christ«. Dieser stammt aus der **Juden**-**schaft**. Diese ist im Zeitraum des christlichen Abendlandes, d. h. der Metaphysik, das Prinzip der **Zerstörung**.

[...]

Von hier aus ist zu ermessen, was für das Denken in das verborgene anfängliche Wesen der Geschichte des Abendlandes das Andenken an den ersten Anfang im Griechentum bedeutet, das außerhalb des **Judentums** und d. h. des **Christen**-**tums** geblieben.

Remarques I

[29-30], p. 20 :

L'Anti-Christ doit provenir, comme tout ce qui est anti-, du même fondement essentiel que ce contre qui il est anti-, en l'occurrence, donc, de l'« Christ ». Celui-ci provient de la **judéité**. À l'époque de l'Occident chrétien, c'est-à-dire de la métaphysique, celle-ci est le principe de la **destruction**.

[...]

À partir de là on peut prendre la mesure de ce que signifie, pour la pensée en son essence initiale en réserve de l'histoire de l'Occident, la mémoire du premier commencement dans le monde grec, qui est resté en dehors du caractère juif, autrement dit du caractère chrétien.

---

1. Voir *supra*, pp. 166 et 182-183.

Anmerkungen I

[31], S. 21 :

Die Absage an das Aufmerken auf die Zugehörigkeit in das Sein ist die grimmigste **Verwüstung** unseres eigenen geschichtlichen Wesens.

Anmerkungen I

[75], S. 50 :

Die Moral, die meint, Gerechtigkeit bestehe in der Rache. Die Meinung, sich an einem **Volk** rächen zu können und deshalb sich rächen zu müssen, schlägt auf uns zurück. Was haben wir auf die **nationalistische Verblendung** zu antworten, wenn wir jetzt vielleicht versuchen, mit der Zeit irgendwo ein **international bestimmtes** Unterkommen zu finden?

Anmerkungen I

[81], S. 54 :

Seht ihr immer noch nicht oder gar immer weniger, wie die **Unwelt** sich breit macht, in der kein Denken mehr gewagt werden kann, weil das Wesen des Denkens und der Freyheit verschollen ist im Staub der **Verwüstung**?

Anmerkungen I

[88-89], S. 59 :

Der Nihilismus tritt jetzt erst in das Stadium seiner eigentlichen, d. h. durch und durch täuschenden und verfänglichen und verführenden und niederziehenden, Zug um Zug auszehrenden Gestalt. Der schleichend-unkenntliche auszehrende Nihilismus als die Folge des gröbsten und für jeden handgreiflichen und *darum* jeden auch sogleich übertölpelnder Nihilismus. Endgültig ist der auszehrende Nihilismus erst, wenn er diejenige Täuschungssicherheit erlangt hat, die ihm erlaubt, auch den »**Glauben**« und das **Christentum** und die

Remarques I

[31], p. 21 :

Refuser de prêter attention à l'appartenance à l'être est la **dévastation** la plus ravageuse de la plénitude de notre propre essence historiale.

Remarques I

[75], p. 50 :

La morale qui pense que la justice consisterait en vengeance. L'idée de pouvoir et par conséquent de devoir se venger sur un **peuple** se répercute sur nous. Que devons-nous répondre à l'**aveuglement nationaliste** si à présent nous essayons peut-être de trouver avec le temps un refuge à **caractère international** ?

Remarques I

[81], p. 54 :

Ne voyez-vous encore toujours pas ou même de moins en moins que l'**im-monde** se répand dans lequel aucune pensée ne peut plus être risquée, car la pleine essence de la pensée et de la liberté a disparu dans les sables de la **dévastation** ?

Remarques I

[88-89], p. 59 :

Le nihilisme parvient à présent seulement au stade de sa figure véritable, c'est-à-dire entièrement fallacieuse et insidieuse et captieuse et tirant vers le bas, de plus en plus dévorante. Le nihilisme dévorant, méconnaissable en ce qu'il a de rampant comme conséquence du nihilisme le plus grossier et pour tout un chacun le plus palpable, nihilisme qui de ce fait embobine immédiatement tout un chacun. Le nihilisme dévorant est devenu définitif dès lors qu'il a atteint cette assurance de faire illusion qui lui permet de s'inféoder aussi la « **foi** », le

Moral in seinen Dienst zu nehmen und dafür bejaht und gefördert zu werden. Der Terror des endgültigen Nihilismus ist noch unheimlicher als alle Massivität der Henkerknechte und der **Kz.**

Anmerkungen I

[97], S. 64 :

Die Deutschen aber, die ein böses Geschick in ihr **Unwesen** verwirrte, klagen nur einander und sich selbst an vor einem Richter, der die Gerechtigkeit selber sein soll. Wo ist da größere Anmaßung, im Verbrechen oder im Richten? Wo ist bei all diesem Treiben die Zugehörigkeit ins Seyn – wo zuvor die Absage an alle Sicherung und Unsicherheit – die nur dem Aufstand der Eigensucht des Menschenwesens entstammt, durch den der Mensch dem Anfang entwichen ist, um sich in der geordneten **Verwüstung der Erde** unterzubringen?

Anmerkungen I

[113-114], S. 74 :

Der Terror der wütenden Gewalt, die »Leben« auslöscht und **verwüstet,** bleibt grausig. Seine Grausamkeit hat, um Grauen zu erregen, den Vorteil des Greifbaren und der »Tatsachen« – des wirkenden Wirklichen. Und dennoch ist dieser Terror, angefüllt mit **Unheil,** noch nicht das Heillose und der eigentliche Schrecken. Das Heillose zeigt sich nicht im Gewalt-tätigen und Rohen des Wütenden; es zeigt sich überhaupt nicht, sondern verbirgt sich im Anschein der gerechten Verteilung der Ansprüche der Macht und der Mächtigen. [...] Der Terror der rohen Gewalt und öffentlichen **Verwüstung** ist dumm. Der Terror des Wahrheitsbesitzes aber ist gescheit und stellt das Unauffällige und die Besorgnis um das Heil der Welt in den Dienst seiner Listen.

christianisme et la morale en étant en cela approuvé et encouragé. La terreur du nihilisme définitif est plus inquiétante encore que la violence grossière des complices des bourreaux et des **camps de concentration.**

Remarques I

[97], p. 64 :

Mais les Allemands, qu'un mauvais sort a égarés en leur **inessence,** ne font que se dénoncer mutuellement et eux-mêmes devant un juge censé être la justice incarnée. Où se situe la plus grande arrogance, dans le crime ou dans le verdict ? Et où est l'appartenance à l'estre – où est préalablement le renoncement à toute assurance et inassurance – dans toute cette agitation qui ne provient que de l'égoïsme triomphant par quoi l'homme a esquivé l'amorce du commencement pour s'installer dans la **dévastation** réglée **de la terre** ?

Remarques I

[113-114], p. 74 :

La terreur de la violence faisant irruption qui supprime et **dévaste** la « vie » demeure effrayante. La cruauté employée pour susciter l'horreur a l'avantage d'être tangible et une « donnée de fait » – appartenant à la réalité effective. Et pourtant cette terreur, si **funeste** soit-elle, n'est pas encore le désastre et l'effroi proprement dit. Le désastreux ne se montre pas dans le recours à la violence ni dans la cruauté de la furie ; il ne se montre pas du tout mais à vrai dire se met en retrait dans l'apparence de la juste répartition des prétentions du pouvoir et des puissants. [...] La terreur de la violence brute et de la **dévastation** publique est insensée. Mais la terreur inhérente à la prétention de détenir la vérité, quant à elle, est astucieuse et met ce qui passe inaperçu, et la préoccupation du salut du monde, au service de ses stratagèmes.

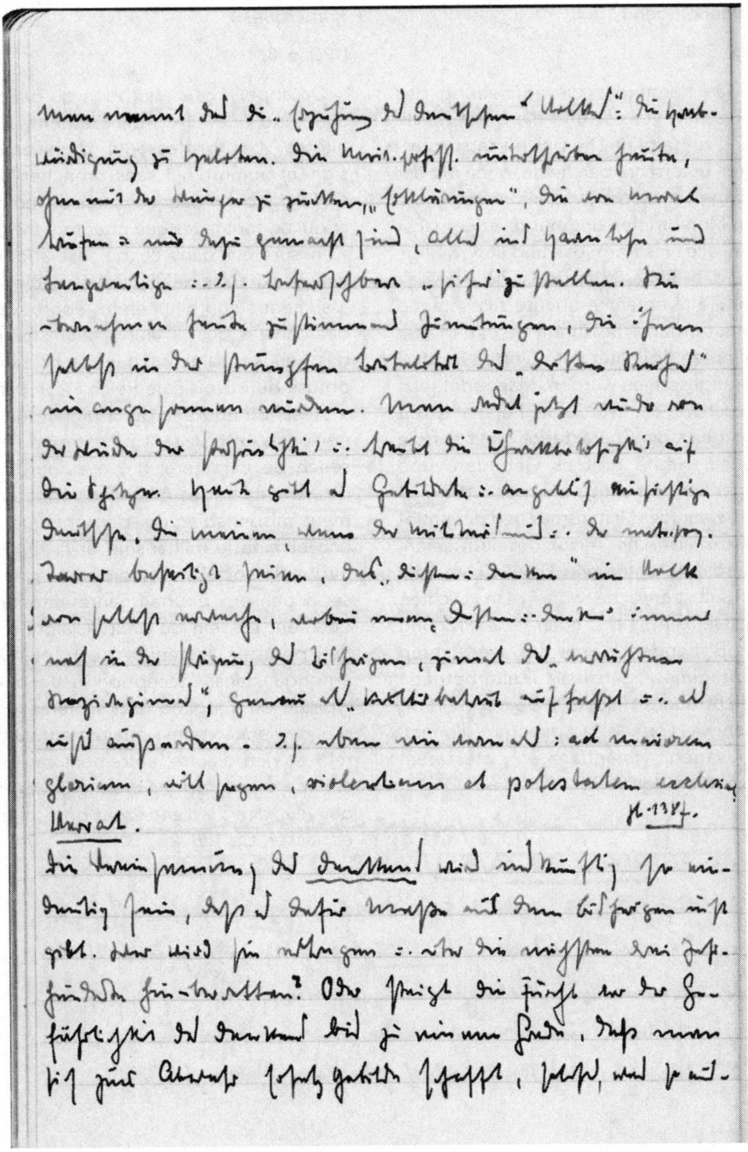

Anmerkungen I, p. 126
[*Gesamtausgabe*, tome 97, p. 82]

Anmerkungen I

[126], S. 82 :

Man nennt das die »Erziehung des deutschen Volkes« und die Herabwürdigung zu Heloten. Die **Universitätsprofessoren** unterschreiben heute, ohne mit der Wimper zu zucken, »Erklärungen«, die von Moral triefen und nur dazu gemacht sind, alles ins Harmlose und Langweilige und d. h. Beherrschbare »sicher« zu stellen. Sie übernehmen heute zustimmend Zumutungen, die ihnen selbst in der **stumpfen Brutalität des »Dritten Reichs«** nie angesonnen wurden. Man redet jetzt wieder von der Würde der Persönlichkeit und treibt die **Charakterlosigkeit** auf die Spitze. Heute gibt es Gebildete und angeblich einsichtige Deutsche, die meinen, wenn der **Militarismus** und der **nationalsozialistische Terror** beseitigt seien, daß das »Dichten und Denken« im Volk von selbst erwache, wobei man »Dichten und Denken« immer noch in der Prägung des Bisherigen, zumal des »**verruchten Naziregimes**«, genau als »**Kulturbetrieb**« auffaßt und als nichts außerdem – d. h. eben wie vormals: *ad maiorem gloriam*, will sagen, *violentiam et potestatem ecclesiae*[1]. Vgl. *138f.*

Remarques I

[126], p. 82 :

On appelle ça « éducation du peuple allemand » et le rabaissement des hilotes. Les **professeurs d'université** signent aujourd'hui sans broncher des « déclarations » dégoulinantes de morale et qui ne sont faites que pour tout mettre « en sûreté » dans ce qui est anodin, ennuyeux, autrement dit maîtrisable. Ils assument aujourd'hui en les approuvant des corvées qui ne leur seraient même pas venues à l'esprit dans la **brutalité obtuse du « Troisième Reich »**. On parle à présent à nouveau de la dignité de la personne en poussant à l'extrême l'**absence de caractère**. Il y a aujourd'hui des savants et des Allemands apparemment raisonnables qui pensent que, si l'on élimine le **militarisme** et la **terreur nationale-socialiste**, alors le « poétiser & penser » pourrait naître automatiquement au sein du peuple, alors que le « poétiser & penser » est toujours entendu dans l'acception usuelle et typique du « **régime nazi scélérat** », et précisément comme « **affairement culturel** » et rien d'autre, autrement dit tout comme avant : *ad maiorem gloriam*, ce qui veut dire : *violentiam et potestatem ecclesiæ*[1]. Cf. *138 sq.*

---

1. « Pour la plus grande gloire », « pour la plus grande violence et la plus grande puissance de l'Église ». (*N.d.T.*)

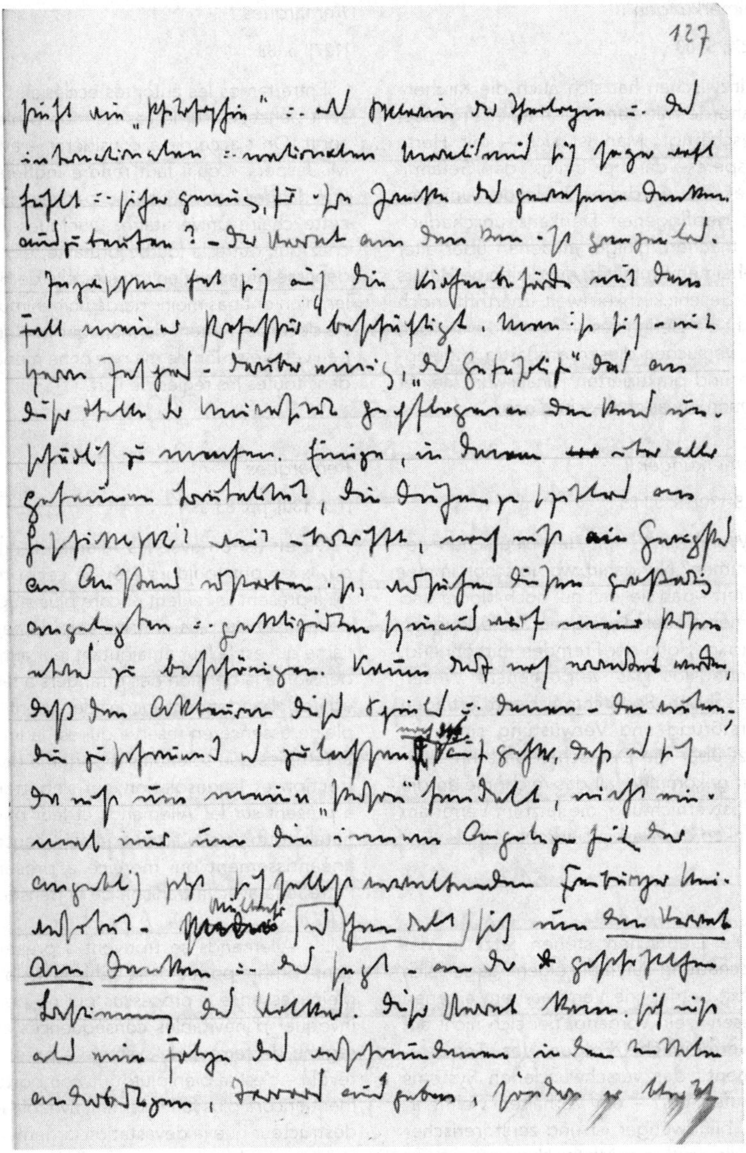

Anmerkungen I, p. 127
[*Gesamtausgabe*, tome 97, p. 83]

Anmerkungen I

[127], S. 83 :

Inzwischen hat sich auch die Kirchenbehörde mit dem Fall meiner Professur beschäftigt. Man ist sich – mit Herrn Jaspers – darüber einig, »das Gefährliche« des an dieser Stelle der Universität gepflogenen Denkens unschädlich zu machen. Einige, in denen über aller geheimen **Brutalität**, die diejenige **Hitlers** an Geschicklichkeit weit übertrifft, noch nicht ein Geringstes an Anstand erstorben ist, versuchen diesen großartig angelegten und praktizierten Hinauswurf meiner Person etwas zu beschönigen.

Anmerkungen I

[128-130], S. 83-85 :

Wohin ist es mit den Deutschen gekommen? Nur dahin, wo sie schon immer waren – daß sie jetzt nur noch blöder und immer blöder die eigene Seele leugnen und, im Hohn der **Fremden** mithöhnend, ahnungslos das verborgenste Wesen preisgeben. So fürchterlich zum Ertragen **Zerstörung** und **Verwüstung** sind, die jetzt über die Deutschen und ihre Heimat gekommen, all das reicht nie an die **Selbstvernichtung**, die jetzt im Verrat am Denken das Dasein bedroht.

[...]

Die Deutschen stehen jetzt in der Beschattung durch die eigene gegen sich selbst betriebene Verräterei am eigenen Wesen – ein Vorgang, der sich nicht auf **unvermeidliche Folgen des Terrorregiments** des verschwundenen Systems berufen darf – ein Verhalten vielmehr, das blindwütiger ist und **zerstörerischer** als die weithin sichtbare **Verwüstung** und die in Plakaten an|schaulich zu machenden Greuel.

Remarques I

[127], p. 83 :

Entre-temps les autorités ecclésiales se sont penchées sur le cas de mon professorat. On s'accorde à considérer – avec M. Jaspers – qu'il faut rendre inoffensif le « danger » de la pensée cultivée dans cette chaire universitaire. Quelques-uns chez qui, outre la fourbe **brutalité**, et qui dépasse largement en rouerie celle de **Hitler**, n'en ont pas moins gardé un minimum de décence, tentent de ménager quelque peu cette éviction de ma personne menée dans toutes les règles de l'art.

Remarques I

[128-130], pp. 83-85 :

Où en est-on avec les Allemands ? Là où ils en ont toujours été – à ceci près qu'à présent ils renient encore plus stupidement et de plus en plus stupidement l'âme qui est la leur et, ajoutant leur autodérision à la dérision des **étrangers** à leur égard, abandonnent inconsidérément la pleine essence en réserve qui est la leur. Si terribles que soient à supporter la **destruction** et la **désolation** qui s'abattent à présent sur les Allemands et leur pays natal, tout cela n'atteint jamais l'**autoanéantissement** qui menace à présent l'être le là avec la trahison de la pensée.

[...]

Les Allemands se trouvent à présent dans l'ombre portée de la trahison de leur pleine essence – processus qui ne peut invoquer d'**inévitables conséquences du régime de terreur** du système à présent révolu – c'est là bien plutôt un comportement encore plus furieusement aveugle et **destructeur** que la **dévastation** largement visible et les horreurs que les affiches sont là pour nous mettre sous les yeux.

Anmerkungen I

[134], S. 87 :

Wie erbärmlich ist dies ratlose Kriechen unter der Beschattung durch den planetarischen Terror einer **Weltöffentlichkeit**, mit dem verglichen die **massive Brutalität des** geschichtslosen »**Nationalsozialismus**« die reine Harmlosigkeit ist – trotz der unübersehbaren Handgreiflichkeit der von ihm *mit*angerichteten **Verwüstung**?

Remarques I

[134], p. 87 :

À quel point n'est-elle pas pitoyable, cette flagornerie désemparée dans l'ombre de la terreur planétaire d'une **publicité mondiale**, comparée à laquelle l'**énorme brutalité du** « **national-socialisme** » **an-historial** est bien inoffensive – malgré l'évidence palpable et indéniable de la **dévastation** qu'il a contribué à installer ?

Anmerkungen I

[135], S. 88 :

Statt dessen machen sich nur jene breit, die sich für das Abgestandene dadurch legitimieren, daß sie beiseite gestanden und schon **1932** nichts begriffen und jetzt aus dem Abgestandenen einen Betrieb gemacht haben. Ist etwa das lose Geschwätz des Herrn Sternberger[a] mehr wert und anders im Grunde, als das aufgespreizte Gerede eines vormaligen **nationalsozialistischen Schrift-stellers** und **Zeitungsmachers**?

Remarques I

[135], p. 88 :

Au lieu de quoi se répandent ceux qui tirent leur légitimité du fait qu'ils se sont tenus à l'écart, qui déjà en **1932** n'ont strictement rien compris et ont fait commerce de cette mise à distance. La prolixité de M. Sternberger[a] vaut-elle plus et autrement au fond que le discours pavoisant d'un **ex-plumitif** et **journaliste national-socialiste** ?

Anmerkungen I

[149], S. 98 :

Der eigentliche **Irrtum** des »**Rektorats 1933**« war nicht so sehr, daß ich, wie andere Klügere, nicht »**Hitler**« in seinem »**Wesen**« erkannte und mit jenen in der Folgezeit grollend daneben stand, im Bereich der Willenlosigkeit – d. h. im selben Bereich mit den Wollenden – sondern daß ich meinte, jetzt sei die Zeit, **nicht mit Hitler**, aber mit einer Erweckung des Volkes in seinem abendländischen Geschick anfänglich –

Remarques I

[149], p. 98 :

La véritable **erreur** du « **rectorat de 1933** » n'était pas tant que je n'aie pas reconnu « **Hitler** » en son « **essence** », à la différence d'autres plus intelligents, pour me tenir ensuite à leurs côtés avec rancune dans le domaine de l'absence de volonté – c'est-à-dire dans le domaine que celle-ci a en partage avec ceux qui veulent –, elle a consisté en ceci que j'ai cru que le moment était venu de devenir inauguralement historial, **non pas avec Hitler** mais avec un

---

a. Dolf Sternberger (1907-1989) a étudié à Kiel, Francfort et Heidelberg l'art dramatique et la germanistique. Il a passé son doctorat avec Paul Tillich sur le thème *Der verstandene Tod. Eine Untersuchung zu Martin Heideggers Existenzialontologie* [*La Mort comprise. Recherches sur l'ontologie existentiale de Martin Heidegger*]. Après la Seconde Guerre mondiale il a été coéditeur de la revue mensuelle *Die Wandlung*. Il passe pour être l'un des cofondateurs des sciences politiques allemandes.

geschichtlich zu werden. Vgl. die Rektoratsrede[a].

[...]

Die jetzt Zusammenstehenden, die nichts gelernt haben; es sieht in der Tat so aus, als sei sonst in den 12 Jahren nichts geschehen bei uns – die Anknüpfung der Gescheiterten beim Zustand von 1932 und die Zustimmung des Auslands *dazu!* Man kennt nur dieses oder die **Greuel des Nationalsozialismus.** Aber dieses Entweder-Oder ist der eigentliche **Irrtum.**

Anmerkungen I

[151], S. 99-100 :

Wäre z. B. die *Verkennung* dieses Geschickes – das uns ja nicht selbst gehörte, wäre das Niederhalten im *Weltwollen* – aus dem Geschick gedacht, nicht eine noch wesentlichere **»Schuld«** und eine **»Kollektivschuld«,** deren Größe gar nicht – im Wesen nicht einmal am Greuelhaften der **»Gaskammern«** gemessen werden könnte –; eine **Schuld** – unheimlicher denn alle öffentlich **»anprangerbaren«** **»Verbrechen«** – die gewiß künftig keiner je entschuldigen dürfte. Ahnt »man«, daß jetzt schon **das deutsche Volk und Land ein einziges** *Kz* **ist** – wie es »die Welt« allerdings noch nie »gesehen« hat und das »die Welt« auch nicht sehen *will* – dieses Nicht-wollen noch *wollender* als unsere *Willenlosigkeit* gegen die **Verwilderung des Nationalsozialismus.** Was könnte die Folge sein; daß auf der einen Seite die **einen** zurück fallen auf die Zeit *vor* 1932 und **die anderen** auf den **Nationalsozialismus** erneut sich verstehen, in der Meinung, daß er »doch recht« gehabt habe.

éveil du peuple en son destin occidental. Cf. le Discours de rectorat[a].

[...]

Ceux qui sont à présent solidaires, et qui n'ont jamais rien appris ; tout se passe comme si rien n'était arrivé au cours de ces douze dernières années – le ralliement de ceux qui ont échoué en 1932, et l'approbation de l'étranger *par-dessus le marché* ! On ne connaît que cela ou alors les **horreurs du national-socialisme.** Mais ce ou bien/ou bien est précisément l'**erreur** proprement dite.

Remarques I

[151], pp. 99-100 :

Si d'aventure elle était pensée à partir du coup d'envoi du destin, la *méconnaissance* de ce destin – qui nous échappait – sa répression dans la *volonté mondiale* ne serait-elle pas une « **faute** » encore plus essentielle, une « **faute collective** » dont l'ampleur n'a rien de commensurable – quant à son essence – avec l'horreur des « **chambres à gaz** » ; faute plus inquiétante que tous les « **crimes** » susceptibles d'être publiquement « **stigmatisés** » – et qui demeurent à jamais impardonnables. Pressent-« on » qu'à présent déjà **le peuple, le pays allemand est un** unique *camp de concentration* – tel que « le monde » n'en a encore jamais « vu » et que « le monde » ne *veut* pas non plus le voir – *ce* non-vouloir étant mû par une plus forte *volonté* que notre absence de volonté face au **retour de la barbarie du** *national-socialisme*. Ce qui pourrait s'ensuivre : que les uns, d'une part, retombent dans l'époque *antérieure* à 1932 et que **les autres** se déclarent de nouveau prêts pour le **national-socialisme**, en estimant qu'« au fond il avait raison ».

---

a. M. Heidegger, *Die Selbstbehauptung der deutschen Universität,* in *Reden und andere Zeugnisse eines Lebensweges,* in *Gesamtausgabe,* tome 16, éd. Hermann Heidegger, Francfort, Klostermann, 2000, p. 107-117[1].

1. [*L'Université allemande envers et contre tout elle-même,* in *Écrits politiques,* trad. fr. F. Fédier, Gallimard, Paris, 1995, p. 99-110].

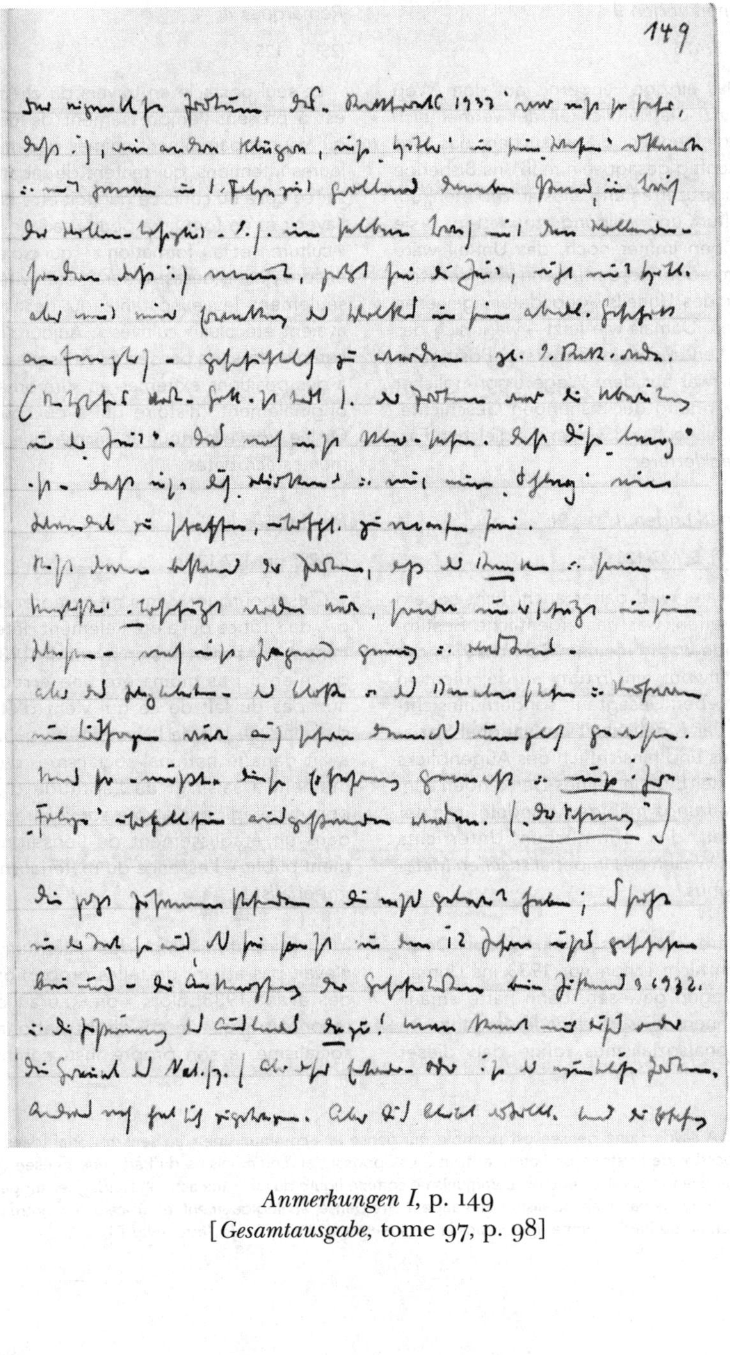

Anmerkungen I, p. 149
[*Gesamtausgabe*, tome 97, p. 98]

Anmerkungen II

[25], S. 125 :

Das einzige Hindernis auf dem Weg ist jetzt die Betulichkeit der vermeintlich Gutmeinenden, die versuchen, das, was inskünftig gesagt sein muß, ins Bisherige zurückzuzerren und alles aufzubieten, um »Kultur« und »Bildung« zu »retten« – sie glauben immer noch, das Unheil wäre vermieden worden, wenn die Vollstrecker des Unheils »gebildeter« gewesen wären. Damals wie jetzt – wagt sich das Denken nicht in äußerste Positionen und zwar auf dem Wege ursprünglicher Verwindung der bisherigen Geschichte. Überall noch und wieder die gleichen *Fassadenkletterer.*

Anmerkungen II

[27-29], S. 127-128 :

»Man« wird daher auch nicht sobald begreifen, was das eigentliche Bestimmende war in meinem Schritt **1933**, der gleichwohl ein *Irrtum* wurde; nicht in dem eben Gesagten[1], sondern hinsichtlich der Möglichkeit im **National-Sozialismus** und hinsichtlich des Augenblicks und der Eignung eines Denkenden zum *verwaltungs* mäßigen Handeln in einer Anstalt des öffentlichen Unterrichts – das Wesen des *imperialistischen Materialismus.*

[...]

Wäre die Versimpelung der Deutschen nicht schon *vor* 1933 ins Unmaß gestiegen gewesen, dann hätte »man« erkennen müssen, daß der sogenannte **Nationalsozialismus**, ohne daß dieser

Remarques II

[25], p. 125 :

Le seul obstacle en travers du chemin est à présent l'empressement de ceux qui sont apparemment animés des meilleures intentions, qui tentent de rabattre sur ce qui a eu cours ce qui doit être dit à l'avenir et de tout faire pour « sauver » la « culture » et la « formation » – qui croient encore que le **désastre** aurait été évité si seulement les exécutants du **désastre** avaient été plus « cultivés ». Aujourd'hui comme alors – la pensée ne se risque pas à des positions extrêmes en surmontant originalement l'histoire qui a eu cours. On ne trouve partout et encore que les mêmes *acrobates.*

Remarques II

[27-29], pp. 127-128 :

C'est pourquoi « on » ne comprendra pas de sitôt ce qui a été l'élément déterminant dans mon pas en avant de **1933**, qui n'en a pas moins été une **erreur** ; non pas du fait de ce qui vient d'être dit[1] mais du fait de la possibilité qu'il y avait dans le national-socialisme, d'un moment à saisir et de l'aptitude d'un penseur à agir par la voie *administrative* dans un établissement de l'enseignement public – l'essence du *matérialisme impérialiste.*

[...]

Si la crétinisation des Allemands n'avait pas atteint de telles proportions dès *avant* 1933, alors « on » aurait dû reconnaître que le soi-disant **national-socialisme**, à son propre insu comme

---

1. À savoir : une pensée est possible qui pense le « communisme » au sens historial (dans la perspective de l'histoire de l'être), et tout en s'opposant au communisme du Parti, une pensée qui « approuve » (*bejaht*) le véritable communisme comme figure du nihilisme achevé. Heidegger suggère donc ici que le national-socialisme demande à être pensé, analogiquement, et fût-ce à l'encontre de la doctrine du Parti, comme figure dans la perspective de l'histoire de l'être. *(N.d.T.)*

und seine parteimäßigen Verfechter es wußten, von einer ganz anderen Wirklichkeit gestoßen war und daß niemand frei und wissend – denkend genug war, um ins Freie und in die Dimension derjenigen Entscheidungen zu führen, die seit langem da *sind* und jetzt trotz »Antifaschismus« dennoch ins Äußerste treiben. Aber auch jetzt handelt es sich nicht darum, ob **Hitler** oder **Mussolini** oder sonstwer »Recht« behält oder nicht, sondern, daß erfahren wird, *was ist*, und daß das künftige Geschlecht nicht nur die »Chance« der Armut bekommt, sondern die Chance, zu erfahren, was ist und zu seyn im: *Seyn.*

[...]

Es gehört zum besonderen Glück der **flachen Köpfe**, daß sie das **Unheil**, das sie wegfegt, nicht als solches zu denken vermögen, daß sie vielmehr bei ihrem **Rechnen** nach schuldig und nicht schuldig immer abgeleiteten Erscheinungen die Schuld geben und sich am Schauspiel des öffentlichen Meinungsbetriebs beteiligen.

Anmerkungen II

[31-32], S. 130 :

Kommunismus. – Der »Nationalsozialismus« und »Faschismus« wären, wenn es geglückt wäre, ein Weg gewesen, »Europa« und seine »Bildung« und seinen »Geist« für den »Kommunismus« reif und bereit zu machen. Aber – das war zu früh; denn alles wurde nur »politisch« gesehen; nicht einmal metaphysisch, geschweige denn seynsgeschichtlich.

à l'insu de ses thuriféraires suivant les directives du Parti, était poussé par une tout autre réalité que personne n'était assez libre et fort d'un savoir – assez pensant – pour la mettre au jour et dans la dimension de ces décisions qui depuis longtemps *sont* là à nous attendre et qui à présent, malgré tout « antifascisme », nous mettent au pied du mur. Mais même à présent il ne s'agit pas de savoir qui, de **Hitler**, de **Mussolini** ou de qui que ce soit d'autre, a « raison » ou non mais que soit éprouvé *ce qui est* et que la génération à venir n'ait pas seulement la « chance » de la pauvreté mais la chance d'éprouver ce qui est et d'estre dans : l'*estre.*

[...]

Les **esprits superficiels** ont cette chance de ne pas être en mesure de penser en tant que tel le **désastre** qui les submerge et, avec leurs **calculs** établissant qui est coupable et qui ne l'est pas, ils imputent toujours la faute à des phénomènes dérivés et participent au spectacle de l'affairement public de l'opinion.

Remarques II

[31-32], p. 130 :

Communisme. – S'ils avaient réussi, le « national-socialisme » et le « fascisme » auraient été une voie pour rendre l'« Europe », sa « culture » et son « esprit » mûrs et prêts pour le « communisme ». Mais – c'était prématuré ; car tout n'a été envisagé que dans une optique « politique » ; pas même de manière métaphysique et encore moins dans la perspective de l'histoire de l'estre.

Anmerkungen II

[39], S. 135 :

Man kann sich nicht laut genug ent-
rüsten über den **Zerfall** der »Wissenschaft« und der »Wahrheit« während
der **Herrschaft** des **Nationalsozialismus**
und zugleich läßt man – nicht beliebige
Privatdozenten der Philosophie – als
anerkannter **Philosoph**, in den Übungen
ahnungs- und ehrfurchtslose Jünglinge in
einer Stunde über »Platon« und »Hegel«
in Thesen daherreden, als seien das
irgendwelche Zeitschriftenartikelschrei-
ber; man duldet nicht nur, man pflanzt
und pflegt systematisch eine Frechheit
gegenüber der Geschichte und gegenüber dem Denken und der Strenge der
Besinnung und des Sagens, man betreibt
eine *Verwüstung* unter angeblicher
»Wandlung« des verruchten Bisherigen,
die durch nichts mehr zu überbieten ist
und gegenüber dem früheren nur dieses voraus hat, daß es sich mit »Mora-
lismus« und alten Fetzen von »Bildung«
und »Geistigkeit« in seinen eigenen
Zerfall verhüllt und einen lauten Betrieb
entfaltet und von einer in gleicher Weise
urteilslosen und sachfremden Öffentlichkeit bejaht wird.

Anmerkungen II

[40-41], S. 136-137 :

Man kann daraus sich leicht ausrech-
nen, was diese wieder auferstandenen
Herrschaften geleistet hätten an wachsender **Ahnungslosigkeit**, wenn *sie* 1933 *weiter* »an der Macht« geblieben wären – mit
dieser Überlegung soll in keiner Weise
der »**Nationalsozialismus**« – d. h. dessen
gleichfalls kaum überbietbare **geschichtliche Ahnungslosigkeit** »gerechtfertigt«
werden.
    [...]
    Es ist billig, aber auch töricht und, um

Remarques II

[39], p. 135 :

On ne saurait trop s'indigner sur la
ruine de la « science » et de la « vérité »
durant le **règne** du **national-socialisme**
tout en laissant – c'est le fait non pas
de tel ou tel **chargé de cours en philosophie** mais de **philosophes estimés** –,
au cours d'exercices, des jeunes gens
inconscients et irrévérencieux soutenir
des thèses lors d'une séance sur « Platon » ou « Hegel » en s'exprimant à tort
et à travers, comme s'il s'agissait d'auteurs de rubriques de magazines ; on
ne fait pas que tolérer, on sème et on
cultive systématiquement une insolence
à l'égard de l'histoire, de la pensée et de
la rigueur de la méditation et du dire, on
opère une *dévastation* sous couvert de la
prétendue « transformation » d'un passé
honni, avec laquelle rien ne saurait riva-
liser, et qui a pour seul avantage qu'elle
se voile de « moralisme » et se livre sous
les vieux oripeaux de la « culture » et de
la « spiritualité » à un affairement bruyant
approuvé à son tour par un public tout
aussi dépourvu de jugement et tout aussi
peu averti.

Remarques II

[40-41], pp. 136-137 :

On peut facilement supputer, à partir
de là, ce que ces potentats ressuscités
auraient produit, dans leur **inconscience**
croissante, *s'ils* étaient *restés* « au pouvoir » en 1933 – pareille réflexion ne
revenant nullement à « justifier » le
« national-socialisme » – c'est-à-dire son
inconscience historiale, tout aussi difficilement dépassable.
    [...]
    Il est bien commode mais non

moralisch zu reden, vielleicht doch verantwortungslos, über den **Nationalsozialismus** herzufallen, *ohne* sich je einen ernsthaften Gedanken über den »Sozialismus« zu machen; dieser ist nicht eine bloß »politische« Parteisache, er ist die neuzeitliche Anthropologie innerhalb der **Technik** – er ist ein Grundstück der Vollendung der Wesensgeschichte der Neuzeit. Man rümpft die Nase über die »**Nazis**« und ihren **Terror** und hängt sich an alles Vordergründige und unleubar Scheußliche der einzelnen **Parteifunktionäre** und **-einrichtungen** und – man täuscht sich darüber, was hier, ohne rechtes Wissen des **Nationalsozialismus** selber, *gewollt* war, gewollt sein mußte – man mogelt sich so mit Hilfe der Entrüstungen und moralischen Erklärungen darüber hinweg, was eigentlich ist und rettet sich womöglich noch ins 18. Jahrhundert oder sonstwohin und sieht nicht, was schon da ist – nicht erst vielleicht »kommt«.

Anmerkungen II

[58], S. 147 :

»**Der Irrtum von 1933**« – es ist nötig, daß man sich über diesen **Irrtum** keine irrige Vorstellung mache. Der **Irrtum** bestand nicht darin, daß ein Versuch gewagt wurde mit dem »**Nationalsozialismus**« als einer Gestalt der unumgänglichen Verwirklichung und Einrichtung der absoluten Metaphysik des Willens zum Willen, um diese selbst aus sich und damit das Weltgeschick vorzubereiten in den Übergang zur Überwindung der Metaphysik.

moins stupide et, moralement parlant, peut-être irresponsable d'accabler le national-socialisme *sans* s'être jamais fait une idée sérieuse du « socialisme » ; celui-ci n'est pas une simple affaire de « politique » partisane, il constitue l'anthropologie des *Temps nouveaux* au sein de l'univers de la **technique**, le terrain où s'accomplit foncièrement l'histoire des *Temps nouveaux*. On fronce les sourcils à l'évocation des « **nazis** » et de leur « **terreur** » en s'en tenant au premier plan et à toutes les indéniables atrocités commises par certains **fonctionnaires du Parti** et certaines **institutions du Parti** – et l'on se trompe sur ce qui en l'occurrence était *voulu* et devait l'être, sans que le **national-socialisme** en ait clairement conscience – on se leurre ainsi avec force indignations et explications morales sur ce qui est véritablement en se réfugiant le cas échéant dans le XVIIIe siècle ou ailleurs, sans s'aviser de ce qui est déjà là – et non « viendra » éventuellement.

Remarques II

[58], p. 147 :

« **L'erreur de 1933** » – il est nécessaire que l'on ne se fasse pas de cette **erreur** une interprétation erronée. L'**erreur** en question n'a pas consisté en ce qu'une tentative a été faite avec le « **national-socialisme** » comme figure de la réalisation et de l'installation incontournables de la métaphysique absolue de la volonté de volonté pour préparer celle-ci à partir d'elle-même et ainsi le destin du monde à la transition permettant de surmonter la métaphysique.

Anmerkungen II

[59-60], S. 148-149 :

Der Irrtum war nicht ein bloß »politischer« in dem Sinne, daß man sich in der »Partei« versah; politisch im weltgeschichtlichen Sinne war die Entscheidung kein Irrtum; denn es sollte im vorhinein nicht beim Nationalsozialismus als solchem bleiben, als einer Einrichtung für die Ewigkeit; er war gedacht als Ende der Metaphysik, als Übergang, der selbst nur aus dem Anfang zu überwinden sein wird.

[...]

Daß die jetzt in Deutschland, im besetzten wohlgemerkt, in Gang gebrachte *Tötungsmaschinerie* etwas anderes leisten soll als die vollständige Vernichtung, das können nur noch liberale Demokraten und sogenannte Christen glauben machen wollen. Daß diese Maschinerie nur die »Strafe« für den Nationalsozialismus sei, oder auch nur die bloße Ausgeburt einer Rachsucht, möge man noch eine Zeit lang einigen Törichten glauben machen. Man hat in Wahrheit die erwünschte Gelegenheit gefunden, nein, in den letzten zwölf Jahren *mit*organisiert und zwar bewußt, um diese Verwüstung in Gang zu bringen. Wenn dabei Verzögerungen eintreten, dann entspringen sie nur der Berechnung, die darauf sieht, daß diese Maschinerie das eigene Geschäftsgebahren nicht noch zu plötzlich stört.

Anmerkungen II

[62-63], S. 150 :

Angenommen (eine Rechnung, die schon ungeschichtlich »denkt«) Hitler und seine Helfershelfer seien nicht auf – und »an« die Macht und durch diese verkommen, wäre dadurch die Wirklich-

Remarques II

[59-60], pp. 148-149 :

L'erreur en question n'était pas une simple erreur « politique » en ce sens qu'il y a eu méprise quant au « Parti » ; politiquement, mais au sens cette fois de l'histoire du monde, cette décision n'était pas une erreur ; car il ne s'agissait pas d'emblée d'en rester au national-socialisme en tant que tel comme institution pour l'éternité ; ce dernier était pensé comme fin de la métaphysique, comme transition appelée à n'être surmontée qu'à partir du commencement.

[...]

Que la *machine de mort* actuellement en marche en Allemagne, dans l'Allemagne occupée s'il faut le préciser, doive accomplir autre chose que le complet anéantissement, seuls peuvent encore vouloir le faire croire des démocrates libéraux et de soi-disant chrétiens. Que cette machine ne soit que la « punition » pour le national-socialisme ou le simple produit d'une soif de vengeance, c'est là ce que l'on pourra faire croire encore un certain temps aux imbéciles. En réalité, on a trouvé l'occasion rêvée, ou bien plutôt conjointement organisée au cours des douze dernières années et cela sciemment, pour mettre en œuvre cette dévastation. Si atermoiements il y a, ils sont seulement dus à la computation qui veille à ce que cette machine ne perturbe pas trop brusquement ses affaires.

Remarques II

[62-63], p. 150 :

À supposer (selon un calcul qui « pense » déjà de manière non historiale) que Hitler et ses complices ne soient pas arrivés, parvenus « au » pouvoir pour en être ensuite déchus, la réa-

keit von Amerika und Rußland, wie sie *ist*, im Geringsten, (wesentlich gedacht) geändert worden? Im Gegenteil: der Andrang dieses Wirklichen wäre nur verschleiert und vielleicht noch schrecklicher geblieben. Dadurch ist Hitler nicht geschicklich »gerechtfertigt«, was wiederum ein fragwürdiges Vorhaben ist. Überdies stehen Amerika und Rußland ihrerseits in einem Weltgeschick, das *sie* nicht machen, sondern nur vollziehen.

Anmerkungen II

[72], S. 156 :

»Meine Philosophie« – falls der törichte Ausdruck gebraucht werden darf – sei »die Philosophie des Abgrunds« – ich frage zurück: stehen wir etwa nicht am Abgrund? Nicht nur wir, die Deutschen, nicht nur Europa – sondern »die Welt«? Und nicht nur seit gestern und schon gar nicht »durch« Hitler, so wenig wie »durch« Stalin oder »durch« Roosevelt. –

Anmerkungen II

[75], S. 157-158 :

»Katholische Philosophie« – das ist nicht viel anders als »nationalsozialistische Wissenschaft« – ein vierekkiger Kreis, ein hölzernes Eisen, das, wenn es ins Feuer kommt, zur Asche zerfällt, statt gehärtet zu werde.

Anmerkungen II

[77], S. 159 :

»Prophetie« ist die Technik der Abwehr des Geschicklichen der Geschichte. Sie ist ein Instrument des Willens zur Macht.

lité de l'Amérique et de la Russie, telle qu'elle *est*, en eût-elle été changée si peu que ce soit (à penser les choses de manière essentielle) ? Bien au contraire : l'afflux de ce **réel** serait seulement resté voilé et peut-être encore plus effrayant. En cela Hitler n'est pas pour autant destinalement « justifié », propos qui à son tour est très discutable. De surcroît, l'Amérique et la Russie sont prises pour leur part dans un destin mondial qu'il ne *leur* appartient pas de faire mais seulement d'accomplir.

Remarques II

[72], p. 156 :

« Ma philosophie » – à supposer que soit permise cette expression dénuée de sens – serait « la philosophie de l'abîme » – mais je demande en retour : ne sommes-nous pas précisément au bord de l'abîme ? Non seulement nous, les Allemands, non seulement l'Europe – mais bien « le monde » ? Et cela ne date pas d'hier, et cela n'est pas non plus « le fait » de Hitler tout aussi peu que « le fait » de Staline ou « le fait » de Roosevelt. –

Remarques II

[75], pp. 157-158 :

« Philosophie catholique » – cela ressemble à s'y méprendre à « science nationale-socialiste » – un cercle carré, du fer en bois qui, mis au feu d'une forge, se réduit en cendres au lieu d'être trempé.

Remarques II

[77], p. 159 :

La « prophétie » est la **technique** de défense face à la dimension destinale de l'histoire. C'est un instrument de la

Daß die großen Propheten **Juden** sind, ist eine Tatsache, deren Geheimes noch nicht gedacht worden. (Anmerkung für Esel: mit »**Antisemitismus**« hat die Bemerkung nichts zu tun. **Dieser ist so töricht und so verwerflich**, wie das blutige und vor allem unblutige Vorgehen des Christentums gegen »die Heiden«. Daß auch das Christentum den **Antisemitismus** als »unchristlich« brandmarkt, gehört zur hohen Ausbildung der Raffinesse seiner **Machttechnik**.)

volonté de puissance. Que les grands prophètes soient des **Juifs**, c'est là un fait dont le secret n'a pas encore été pensé. (Précision pour les ânes : cette observation n'a strictement rien à voir avec l'«antisémitisme». **Celui-ci est aussi insensé et blâmable** que l'intervention sanguinaire du christianisme contre « les païens », et même plus encore celle qui n'a pas versé le sang. Que le christianisme lui aussi stigmatise l'**antisémitisme** comme « non chrétien », cela fait partie de l'éminente formation de raffinement de sa **technique de pouvoir**.)

Anmerkungen II

[78-79], S. 160 :

Nachträglich wundern sich die Herren an der Universität und an den höheren Schulen darüber, weshalb die »**Hitlerjugend**«[a] in den Schulen solchen Einfluß gewinnen konnte. Man »entnazifiziert« kräftig und ahnt nicht im Entferntesten, daß man mit der eigenen »**Wissenschaft**« seit Jahrzehnten Schlimmeres betrieben hat, als es die törichten Redereien der Partei vermochten – man hat, selber gedankenlos – die Gedankenlosigkeit in jeder Gestalt großgezüchtet.

Remarques II

[78-79], p. 160 :

Ces messieurs de l'Université et des établissements secondaires s'étonnent *a posteriori* que les « **Jeunesses hitlériennes**[a] » aient pu avoir autant d'influence dans les écoles. Aujourd'hui on « **dénazifie** » à tour de bras et on est fort loin de s'aviser du fait que depuis des décennies on a fait bien pire avec notre « **science** » que ne le faisaient les discours absurdes du Parti – on a inconsidérément cultivé l'absence de pensée sous toutes ses formes.

Anmerkungen II

[125], S. 191 :

Sprachliche Begabung ohne eine lange Übung im Handwerk des Denkens ist für den Begabten und seine Umgebung ein **Unheil**.

Remarques II

[125], p. 191 :

Être doué dans le maniement de la parole sans s'être longuement exercé dans le métier de la pensée est pour celui qui a ce don, comme pour son entourage, un **désastre**.

a. Les Jeunesses hitlériennes étaient l'organisation pour la jeunesse et la relève du NSDAP. Elles ont été fondées en 1926 pour disparaître avec l'effondrement du Troisième Reich. Voir Wolfgang Benz, Hermann Graml et Hermann Weiß (dir.), *Enzyklopädie des Nationalsozialismus*, Klett-Cotta Verlag, Stuttgart, 3e édition, 1998, p. 513.

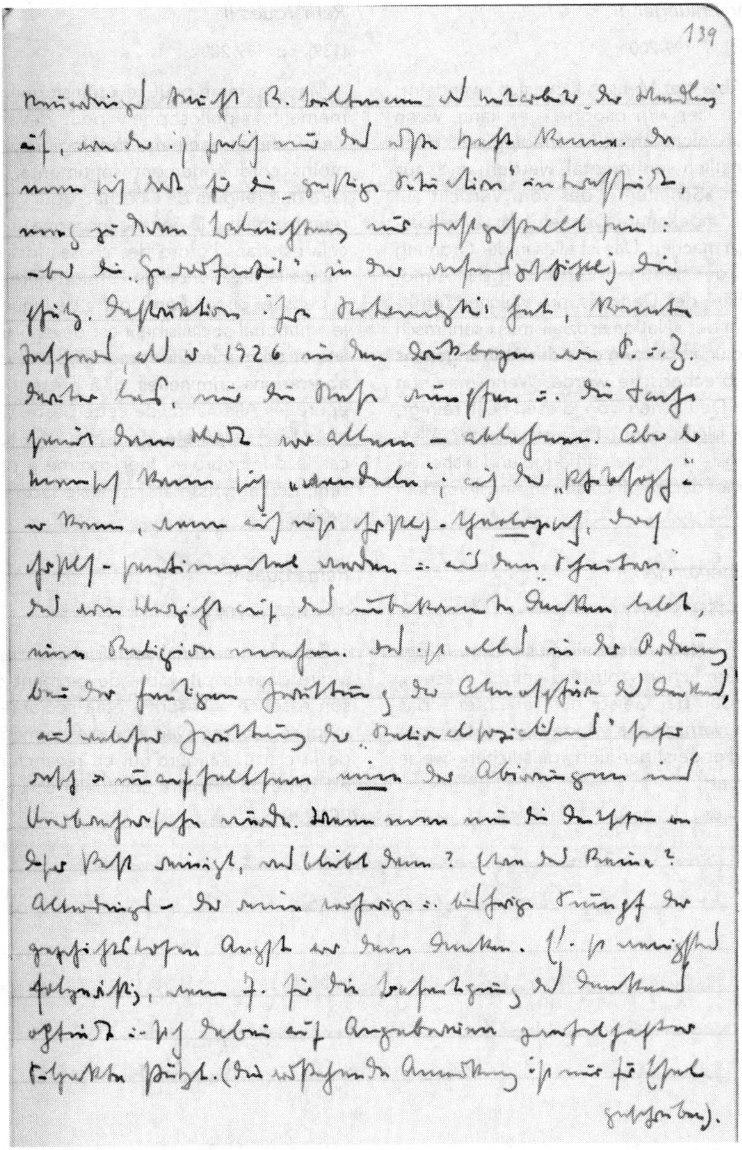

Anmerkungen II, p. 139
[*Gesamtausgabe*, tome 97, pp. 199-200]

Anmerkungen II

[139], S. 199-200 :

Aber der Mensch kann sich »wandeln«; auch der »Philosoph« – er kann, wenn auch nicht christlich-*theologisch*, doch christlich-sentimental werden und aus dem »Scheitern«, das vom Verzicht auf das unbekannte Denken lebt, eine Religion machen. Das ist alles in der Ordnung bei der heutigen Zerrüttung der Atmosphäre des Denkens, aus welcher Zerrüttung der »Nationalsozialismus« sehr rasch und unaufhaltsam *eine* der Abirrungen ins Verbrecherische wurde. Wenn man nun die Deutschen von dieser Pest reinigt, was bleibt dann? Etwa das **Reine**? Allerdings – der reine vorherige und bisherige Sumpf der geschichtslosen Angst vor dem Denken.

Anmerkungen II

[154-155], S. 209 :

Im »Nationalsozialismus«, d. h. in der erbärmlichen Abirrung seines Wesens, wurde »der Geist« nur verachtet – das war wenigstens eindeutig. Jetzt aber wird er geistiger- und »geistlicher«- weise ruiniert.

Remarques II

[139], pp. 199-200 :

Mais l'homme peut se « transformer » ; même le « philosophe » peut devenir, sinon chrétiennement *théologique*, du moins chrétiennement sentimental, et faire une religion de l'« échec » qui vit du renoncement à la pensée inconnue. Tout cela est dans l'ordre des choses lors de l'actuelle dissolution de l'atmosphère de la pensée, dissolution à partir de laquelle le « national-socialisme » est devenu très vite et de manière irrépressible l'*une des* **aberrations criminelles**. Si à présent on **épure** les Allemands de cette peste, que reste-t-il ? La **pureté**, peut-être ? En tout cas le pur bourbier, ici comme à présent, de l'angoisse an-historiale face à la pensée.

Remarques II

[154-155], p. 209 :

Dans le « national-socialisme », c'est-à-dire dans le pitoyable dévoiement de son essence, « l'esprit » était seulement méprisé – ce qui avait au moins le mérite de la clarté. Aujourd'hui en revanche il est ruiné de manière spirituelle et « cléricale ».

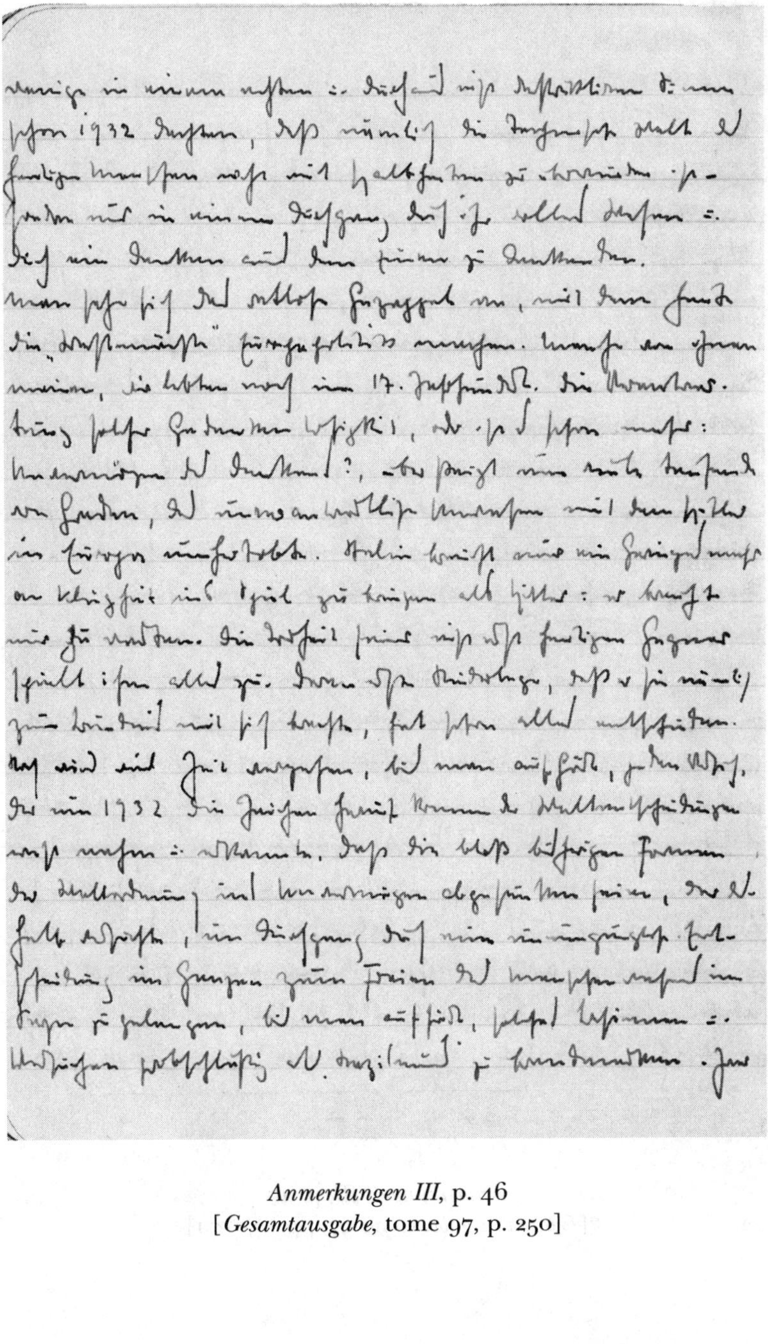

Anmerkungen III, p. 46
[*Gesamtausgabe*, tome 97, p. 250]

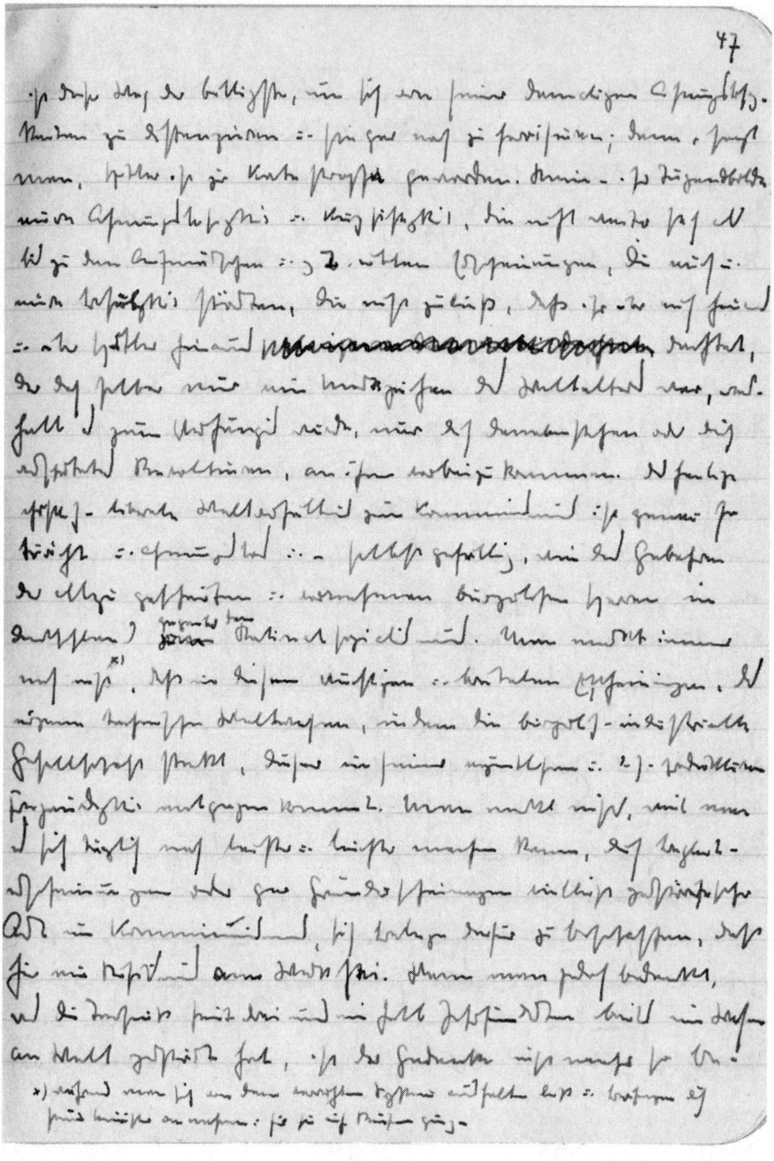

Anmerkungen III, p. 47
[*Gesamtausgabe*, tome 97, pp. 250-251]

Anmerkungen III

[46-47], S. 250-251 :

Man sehe sich das ratlose Gezappel an, mit dem heute die »Westmächte« Europapolitik machen. Manche von ihnen meinen, wir lebten noch im 17. Jahrhundert. Die Verantwortung solcher Gedankenlosigkeit, oder ist es schon mehr: Unvermögen des Denkens?, übersteigt um viele tausende von Graden das **unverantwortliche Unwesen, mit dem Hitler in Europa umhertobte**. Stalin braucht nur ein Geringes mehr an Klugheit ins Spiel zu bringen als **Hitler**: er braucht nur zu warten. Die Torheit seiner nicht erst heutigen Gegner spielt ihm alles zu. Deren erste Niederlage, daß er sie nämlich zum Bündnis mit sich brachte, hat schon alles entschieden.

[...]

Zwar ist dieser Weg der billigste, um sich von seiner damaligen **Ahnungslosigkeit** zu distanzieren und sie gar noch zu heroisieren; denn, sagt man, **Hitler ist zur Katastrophe geworden**. Nein – ihr Tugendbolde, eure **Ahnungslosigkeit** und **Kurzsichtigkeit**, die nicht weiter sah als bis zu den Aufmärschen und zum Teil üblen Erscheinungen, die euch und eure Behäbigkeit störten, die nicht zuließ, daß ihr über euch hinaus und über **Hitler** hinaus dachtet, der doch selber nur ein **Merkzeichen des Weltalters** war, weshalb er zum Verhängnis wurde, nur durch **Danebenstehen** oder durch **verspätetes Revoltieren**, an ihm **vorbeizukommen**. Das heutige christlich-liberale Weltverhältnis zum Kommunismus ist genau so töricht und **ahnungslos** und – selbstgefällig, wie das Gebaren der allzu gescheiten und vornehmen bürgerlichen Herren in Deutschland gegenüber dem **Nationalsozialismus**. Man merkt immer noch nicht, während man sich von dem verruchten System aushalten

Remarques III

[46-47], pp. 250-251 :

Que l'on observe l'agitation déconcertante avec laquelle les « puissances occidentales » font aujourd'hui une euro-politique. Certaines d'entre elles font comme si nous vivions encore au XVIIᵉ siècle. La responsabilité d'une telle absence de pensée – ou faut-il aller jusqu'à dire : incapacité à penser ? – dépasse de milliers de degrés l'**inessence irresponsable avec laquelle Hitler a mis l'Europe à feu et à sang**. Staline n'a besoin que d'être un peu plus malin que **Hitler** : il lui suffit d'attendre. L'inconséquence de ses adversaires de toujours joue entièrement en sa faveur. Leur première défaite, qu'il les ait amenés à s'allier avec lui, a déjà décidé de tout.

[...]

Certes, c'est la voie la plus commode pour prendre ses distances avec l'**inconscience** dont on a pu faire preuve et même pour en faire quelque chose d'héroïque ; car, dit-on, **Hitler est devenu une catastrophe**. Détrompez-vous – parangons de vertu, votre **inconscience** et votre **myopie** qui ne voyait pas plus loin que les défilés et les phénomènes en partie fâcheux qui vous perturbaient, vous et votre petit confort qui ne vous permettait pas de penser plus loin que vous-même et par-delà **Hitler**, qui n'était lui-même qu'un **marqueur de l'âge du monde**, raison pour laquelle il est devenu une fatalité dont on n'a pu **se remettre qu'en se tenant à l'écart ou en se rebellant tardivement**. Le rapport chrétien-libéral du monde d'aujourd'hui au communisme est aussi insensé et **inconscient** et complaisant que l'attitude de ces messieurs bourgeois par trop intelligents et trop importants en Allemagne face au **national-socialisme**. On ne remarque toujours pas, tout en

308 Martin Heidegger

ließ und Berufungen durch seine Minister annahm und für sie auf Reisen ging, daß in diesen **wuchtigen und brutalen Erscheinungen** das eigene technische Weltwesen, in dem die bürgerlich-industrielle Gesellschaft steckt, dieser in seiner eigentlichen und d. h. produktiven Fragwürdigkeit entgegenkommt.

Anmerkungen III

[57-58], S. 258 :

Vielleicht kommt eines Tages doch jemand dahinter, daß in der Rektoratsrede von **1933** der Versuch gemacht wurde, diesen Prozeß der Vollendung der Wissenschaft in der Verendung des Denkens vorauszudenken, Wissen als Wesenswissen wieder ans Denken zu bringen, **nicht aber an Hitler auszu|liefern.** Warum ließ denn die **Partei** in allen Dozentenlagern diese Rede bekämpfen? Doch wohl nicht deshalb, weil sie, wie die **Weltöffentlichkeit** vorgibt, **die Universität an den Nationalsozialismus verraten hat.**

Anmerkungen III

[125], S. 307 :

Das **Unheil** der Verwahrlosung liegt nicht in der ungepflegten Sprache; es hat sich in der gepflegten fast noch gefährlicher eingenistet. Das **Unheil** besteht darin, daß die Sprache, ob gepflegt oder ungepflegt, nicht mehr Sprache ist, noch nicht Sprache sein kann.

continuant à être stipendié par le régime honni, en acceptant des nominations par ses ministres et en effectuant des missions pour leur compte, que dans ces **symptômes imposants et brutaux** c'est l'essence technique du monde en tant que telle, sur laquelle repose la société industrielle bourgeoise, qui vient audevant en ce qu'elle a de proprement, c'est-à-dire de productivement problématique.

Remarques III

[57-58], p. 258 :

Peut-être se trouvera-t-il un jour quelqu'un pour comprendre que dans le Discours de rectorat de **1933** a été faite la tentative de penser par avance ce procès de l'accomplissement de la science quand la pensée touche à sa fin, de ramener à nouveau à la pensée le savoir comme savoir essentiel, **mais non de le livrer à Hitler.** Pourquoi le **Parti** a-t-il combattu ce discours dans tous les cercles savants ? Certainement pas parce que, comme veut le faire croire l'**opinion publique mondiale**, il aurait trahi l'Université en la livrant au national-socialisme.

Remarques III

[125], p. 307 :

Le **désastre** de la désolation ne réside pas dans le langage peu soigné ; il s'est même incrusté de manière presque encore plus dangereuse dans le langage châtié. Le **désastre** consiste en ceci que la langue, soignée ou non, n'en est plus une, ne peut pas encore en être une.

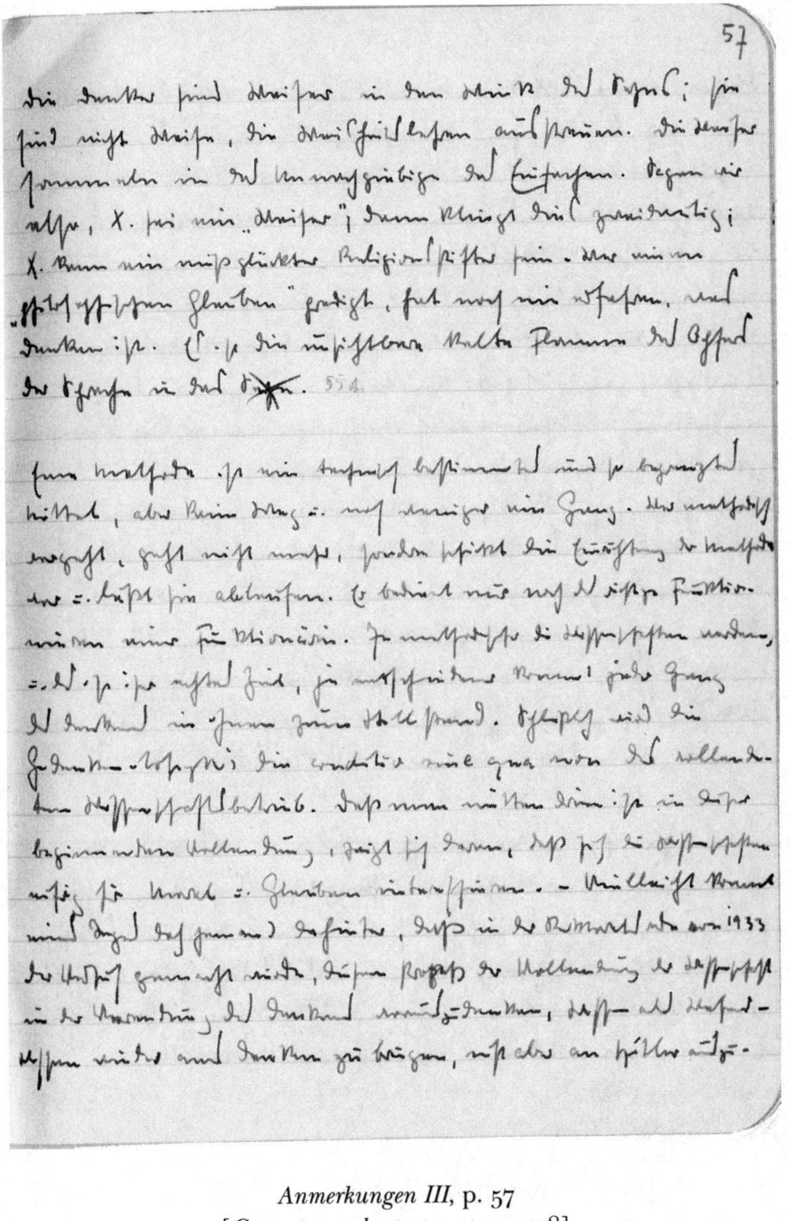

Anmerkungen III, p. 57
[*Gesamtausgabe*, tome 97, p. 258]

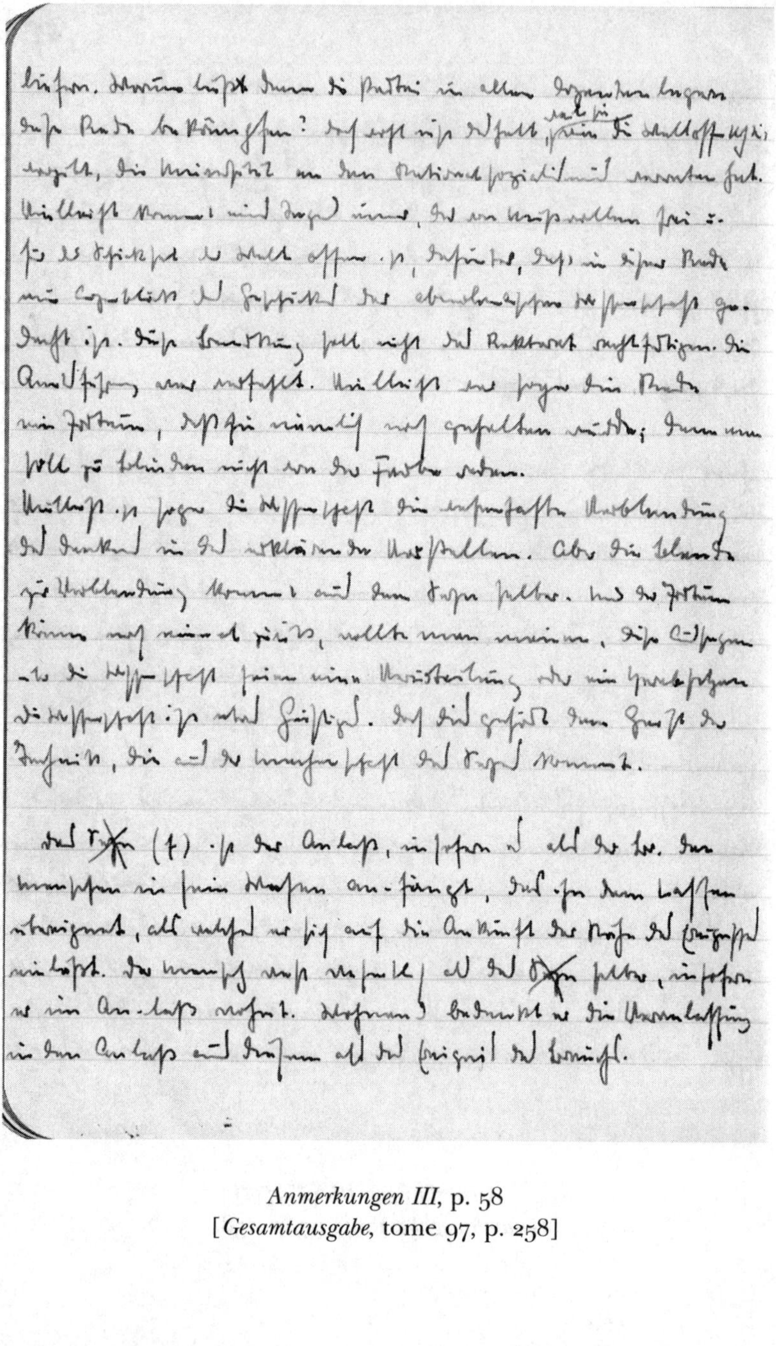

Anmerkungen III, p. 58
[*Gesamtausgabe*, tome 97, p. 258]

Annmerkungen III

[129], S. 309 :

Gleichwohl dürfen wir dieses Furchtbare der Verworfenheit des Menschen nur am Rande der **äußersten Verweigerung der Wahrheit des Seyns** erwähnen; denn schon ist in der Verweigerung das Einstige der ereignenden Enteignis gedacht als die Stille des Ratsals[1], der gegenüber die Verwirrende **Verwüstung** des Erdballs in die Verwahrlosung doch nur das nichtige Nichts bleibt, das bezeugt, daß es mit dem Seienden, das vermeintlich in seiner Realität für sich genommen sei, gerade nichts ist. Vermutlich ist dies so, weil es sogar mit dem Seyn nichts ist, weil das Seyn als das Seyn des ~~Seyns~~ ist: die Eschatologie seiner selbst aus dem Ereignis des Brauchs.

Anmerkungen III

[137], S. 315 :

Noch haben wir wenig Mut, dem **Unheil**, das die Wissenschaft befördert, ins Gesicht zu sehen und mit dem Durchdenken dieses Geschicks ernst zu machen.

Anmerkungen IV

[62], S. 369 :

Zur Götterlehre. – Jehova ist derjenige der Götter, der sich anmaßte, sich zum **auserwählten Gott** zu machen und keine anderen Götter mehr neben sich zu dulden. Die Wenigsten erraten, wie dieser Gott auch so noch und zwar notwendig sich unter die Götter rechnen muß; wie könnte er sonst sich aussondern. Daraus wurde dann der eine einzige Gott, außer

Remarques III

[129], p. 309 :

Il nous est permis toutefois de mentionner ici ce qu'a de terrible l'échouage de l'homme au bord de l'**extrême refus de la vérité de l'estre** ; car déjà en ce refus ce que réserve la désappropriation appropriante est pensé comme la quiétude de l'énigme (*Ratsal*[1]) face à laquelle la Confondante **Dévastation** de la planète dans la désolation demeure simplement le néant nul et non avenu qui atteste qu'il n'en est précisément rien de l'étant qui est prétendument pris en sa réalité pour soi. Et sans doute en va-t-il ainsi parce qu'il n'en est rien de l'estre parce que l'estre est en tant qu'estre de l'~~estre~~ : l'eschatologie de lui-même à partir de l'avenance du falloir.

Remarques III

[137], p. 315 :

Nous n'avons encore guère à cœur de regarder en face le **désastre** fomenté par la science et de prendre au sérieux la pensée pensant à fond ce destin.

Remarques IV

[62], p. 369 :

Sur la doctrine des dieux. – Jéhovah est ce dieu qui a prétendu être le **dieu élu** et ne plus souffrir d'autres dieux à ses côtés. Fort peu comprennent que même de cette façon et par là encore nécessairement ce dieu doit être compté parmi les dieux ; comment pourrait-il sinon se mettre à part ? En est résulté le Dieu unique, en dehors duquel (*praeter*

---

1. *Ratsal* est la forme de *Rätsel*, « énigme », en moyen haut-allemand. *(N.d.T.)*

dem (*praeter quem*) überhaupt sonst keiner sei. Was ist ein Gott, der sich gegen die anderen zum auserwählten hinaufsteigert? Jedenfalls ist er nie »der« Gott schlechthin, gesetzt, daß das so Gemeinte je göttlich sein könnte.

Anmerkungen IV

[99-100], S. 394-395 :

Oder gehört gar beides zusammen im andenkenden Denken? Doch wie hält man es mit Nietzsches Philosophie? Man schmäht sie und hält sie mit der Beseitigung des **Nationalsozialismus** für überwunden. Oder sie sagen, Nietzsches Denken sei nicht so schlimm –; dieses, anscheinend objektive Reden, ist das Schlimmste und gehört mit jener Auslegungsart zusammen, die Nietzsche zu Kierkegaard stellt und diese als Ausnahmen vorstellt – Ausnahmen von welcher Regel?

([...] Die Nietzsche-Vorlesungen sind weder eine Rechtfertigung des **Nationalsozialismus**, noch ein Angriff auf das **Christentum** –. Sie sind ein Denken, rein um des Denkens willen und d. h. des Zu-Denkenden.)

Anmerkungen V

[21], S. 444 :

Das deutsche Volk ist politisch, militärisch, wirtschaftlich und in der besten Volkskraft ruiniert, sowohl durch den **verbrecherischen Wahnsinn Hitlers** als auch durch den endlich »zum Zuge gekommenen« Vernichtungswillen des Auslandes. Man mache sich nichts vor. So töricht es ist, die Geschichte jetzt erst von **1945** ab zu rechnen und über Unterdrückung und Ungerechtigkeit zu jammern, so töricht ist es, statt dessen erst mit **1933** zu beginnen.

quem) il n'y en a pas d'autre. Qu'est-ce qu'un dieu qui s'élève au-dessus des autres comme dieu élu ? En tout cas il ne saurait être « le » dieu par excellence, à supposer que ce qui est visé par là puisse être divin.

Remarques IV

[99-100], pp. 394-395 :

Ou bien les deux [ce qui a déjà été pensé et ce qui est à penser] sont-ils encore solidaires dans la pensée remémorante ? Mais comment s'en tire-t-on avec la pensée de Nietzsche ? On la dénigre et on la tient pour dépassée une fois le **national-socialisme écarté**. Ou alors on dit que la pensée de Nietzsche n'est pas si mauvaise au fond ; cette façon de parler, apparemment objective, est ce qu'il y a de pire et va de pair avec ce type d'interprétation qui associe Nietzsche à Kierkegaard et les présente comme des exceptions – mais des exceptions à quelle règle au juste ?

([...] Les cours sur Nietzsche ne sont ni une justification du **national-socialisme** ni une attaque contre le **christianisme** –. Ils sont une pensée n'ayant d'autre dessein que la pensée, et cela veut dire de ce qu'il y a à penser.)

Remarques V

[21], p. 444 :

Le peuple allemand est politiquement, militairement, économiquement ruiné quant aux forces vives du peuple, tant par la **folie criminelle de Hitler** que par la volonté d'anéantissement de l'étranger qui a fini par « entrer en lice ». Ne nous faisons pas d'illusion. S'il est insensé de faire commencer l'histoire à présent en **1945** et de se plaindre de l'oppression et de l'injustice, il est tout aussi insensé de la faire commencer en **1933**.

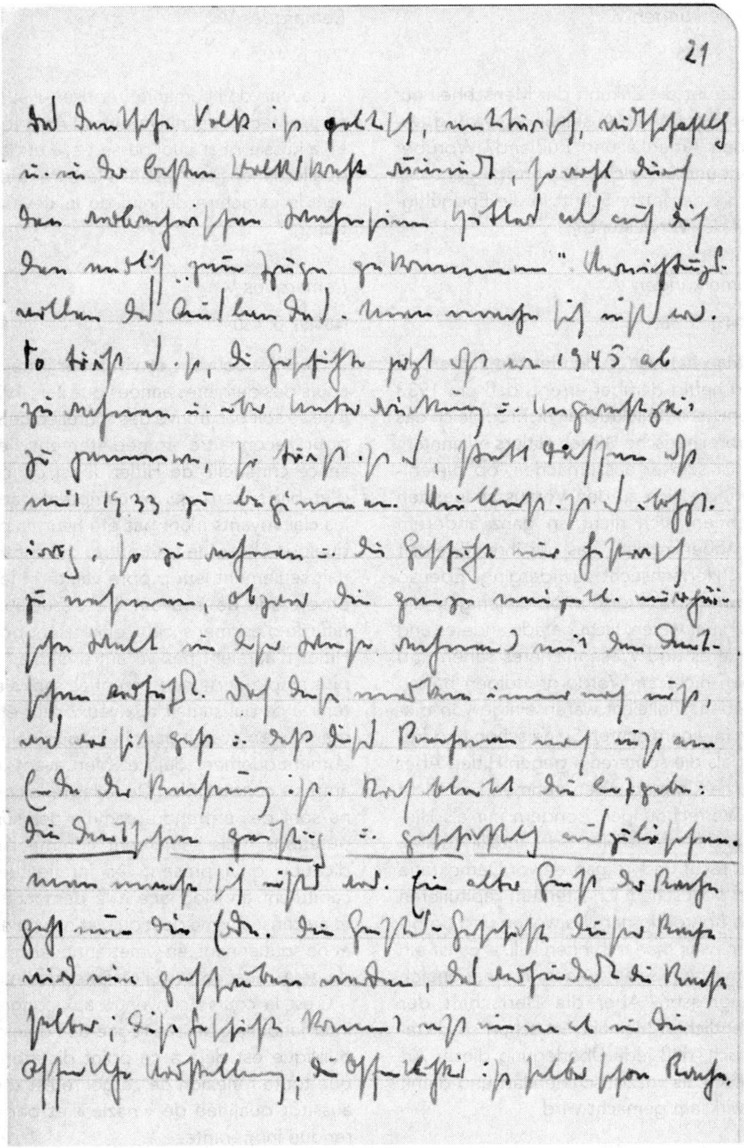

Anmerkungen V, p. 21
[*Gesamtausgabe*, tome 97, p. 444]

Anmerkungen V

[22], S. 445:

Beruht die Zukunft der Menschheit auf der endgültigen Auseinandersetzung zwischen Amerika und Rußland? Worüber geht und in welcher Dimension geht sie? Ist sie der letzte Schritt in die Endgültigkeit der **Verwüstung?**

Anmerkungen V

[48-49], S. 460 :

Man hat sich in den letzten Jahren oft und heftig darüber erregt, daß um **1933** manche »**Intellektuelle**« nicht sogleich **das verbrecherische Wesen Hitlers** erkannten. Es ist schwer auszumachen, ob diejenigen, die sich zu den **Vorausschauenden** rechnen, sich nicht an ganz anderem gestoßen haben, was nur ihrer **Eitelkeit** und **Herrschsucht** zuwiderging. Ebenso schwer ist zu erörtern, ob diejenigen, die *für* Hitler waren, nicht gerade anderes und weiteres und Wesentlicheres sahen und eben nicht am Vordergründigen haften blieben. Vielleicht waren einige von *diesen* in einem echten Sinne schon und früher als die späteren – *gegen* Hitler. Aber solche Überlegungen nehmen sich nicht als Verrechnungen, sondern nur als Hinweis darauf, daß jetzt die Intellektuellen erst recht und im ganzen vor Demokratie und politischem Christentum kapitulieren und übereifrig nur *das* wollen und befördern, was *man* mit ihnen will. – Es ist ein förmliches Gelaufe nach internationalen Kongressen. Aber **die Herrschaft der öffentlichen Meinung** ist schon so diktatorisch, daß jede Überlegung dieser Art einfach als »nazistisch« erklärt und damit unwirksam gemacht wird.

Remarques V

[22], p. 445 :

L'avenir de l'humanité repose-t-il sur la confrontation définitive entre l'Amérique et la Russie ? Par quoi passe-t-elle et dans quelle dimension ? Est-elle le dernier pas vers le caractère définitif de la **dévastation ?**

Remarques V

[48-49], p. 460 :

On s'est souvent et vivement irrité au cours des dernières années que vers **1933** il ne se soit pas trouvé des « **intellectuels** » pour reconnaître immédiatement l'**essence criminelle de Hitler**. Il est difficile d'établir si ceux qui se comptent parmi les **clairvoyants** n'ont pas été heurtés par quelque chose de tout autre, qui contrariait seulement leur propre **vanité** et leur propre **soif de pouvoir**. Il est tout aussi difficile d'estimer si ceux qui étaient *pour* Hitler n'auraient pas vu autre chose, de plus ample et de plus essentiel, sans s'en tenir à ce qui sautait aux yeux. Peut-être même y en avait-il parmi eux qui étaient authentiquement déjà et bien avant les autres – *contre* Hitler. De telles réflexions ne sont pas à prendre comme des supputations mais seulement comme l'indication qu'à présent les intellectuels capitulent en bloc face à la démocratie et au christianisme politique, et ne veulent et ne soutiennent, en y mettant beaucoup de zèle, que *ce que l'on* attend d'eux. – C'est la course convenue aux congrès internationaux. Mais **le règne de l'opinion publique** est déjà à ce point dictatorial que toute réflexion de ce genre est tout aussitôt qualifiée de « nazie » et par là rendue inopérante.

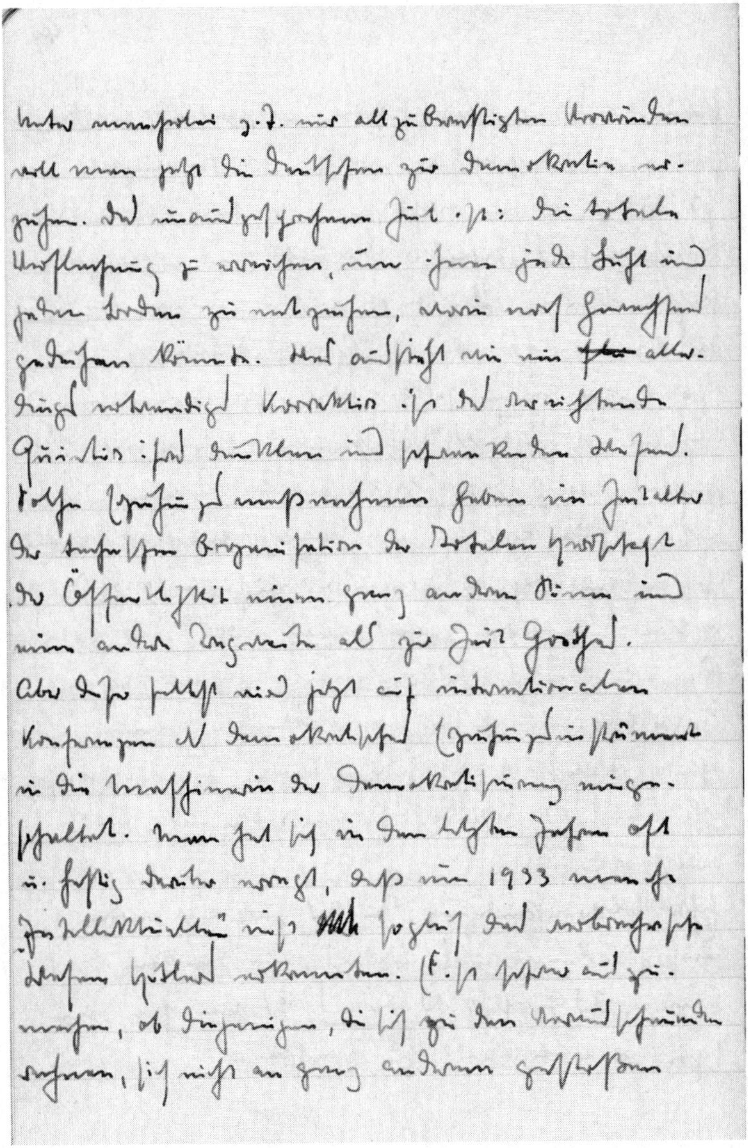

Anmerkungen V, p. 48
[*Gesamtausgabe*, tome 97, p. 460]

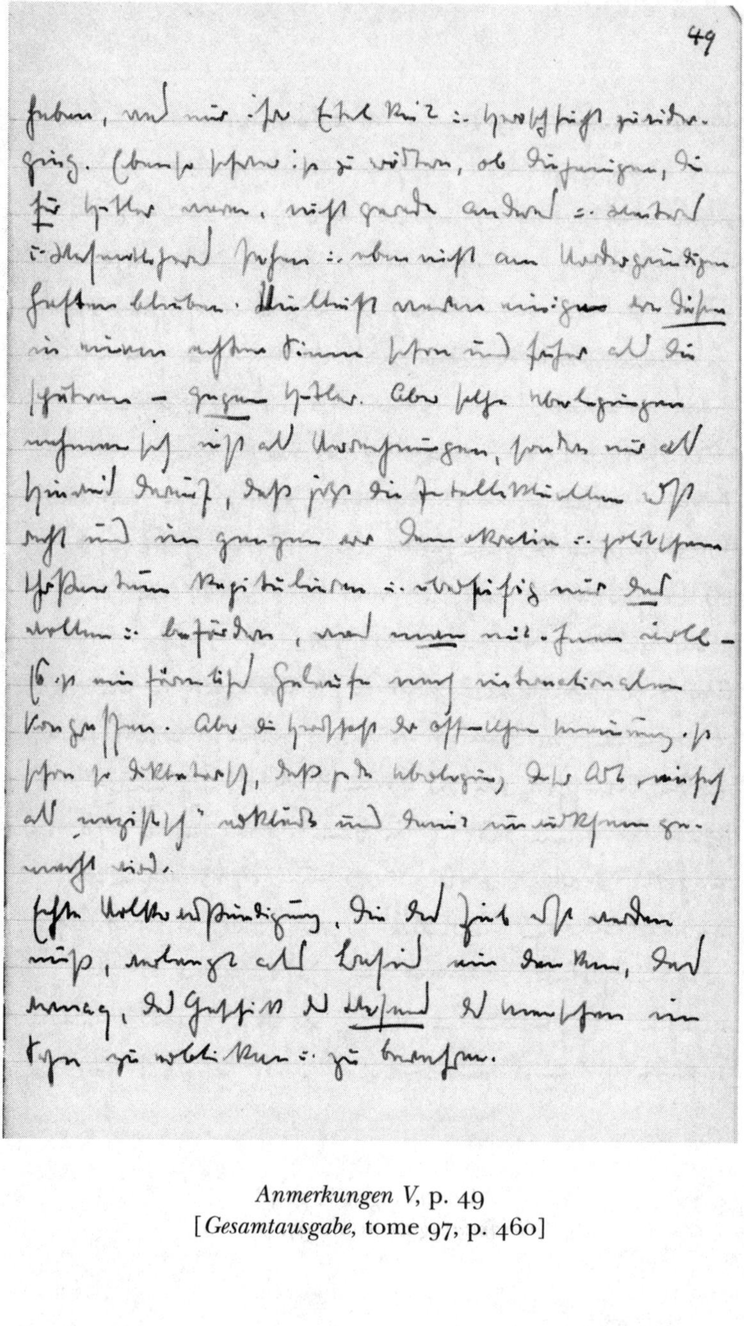

Anmerkungen V, p. 49
[*Gesamtausgabe*, tome 97, p. 460]

Anmerkungen V

[52-54], S. 462-463 :

Husserl. – Seitdem Husserl von 1930/31 öffentlich in Vorträgen[a], die schon eher Kundgebungen waren (Berlin und Frankfurt), **gegen mich** Stellung nahm und meine Arbeit als Unphilosophie zurückwies (vgl. das Nachwort zu seinen »Ideen« (1930/31)), bin ich an ihm *vorbei*gegangen. Ich habe nie das Geringste **gegen Husserl** unternommen. Man lügt, ich hätte ihn aus der Universität vertrieben und die Bibliothek verboten. Husserl war seit 1928 emeritiert auf eigenen Wunsch; er hat seitdem nie mehr gelesen oder eine Übung gehalten; er hat nie die Universitätsbibliothek benutzt, von wenigen Ausnahmen in den Jahren 1920 ff. abgesehen. Was gab es da zu vertreiben? Seine Werke sind niemals aus der Seminarbibliothek entfernt worden, wie das für **jüdische Autoren** vorgeschrieben war; sowenig wie je ein **nationalsozialistisches Buch**, z. B. Rosenberg[b] und dergleichen, angeschafft oder, wie vorgeschrieben und auch in den übrigen Seminaren befolgt war, ein »Führerbild« aufgehängt wurde. **Ich nenne dies nicht zur Verteidigung, nur als Feststellung,** wozu auch dieses gehört, daß ich zwischen 1933 und 44 genau wie früher in der gleichen Sachlichkeit auf die Bedeutung der Phänomenologie Husserls und die Notwendigkeit des Studiums der »Logischen Untersuchungen« hingewiesen habe. Es ist nie ein Wort der Kritik, was ja möglich und berechtigt und kein Verbrechen gewesen wäre, gefallen, weder in den Vorlesungen noch in den Übungen.

Remarques V

[52-54], pp. 462-463 :

Husserl. – Depuis que Husserl a pris publiquement position *contre* moi en 1930-1931 dans des conférences[a] qui s'apparentaient plutôt à des manifestations (Berlin et Francfort), et a récusé mon travail comme non philosophie (cf. la Postface à ses *Ideen* de 1930-1931), je suis passé *outre* et m'en suis éloigné. Je n'ai jamais entrepris quoi que ce soit **contre Husserl**. On ment lorsqu'on prétend que je l'aurais exclu de l'Université et que je lui aurais interdit l'accès à la bibliothèque. Husserl était professeur émérite depuis 1928, à sa demande ; depuis lors il n'a plus fait de cours ni dirigé d'exercices ; il n'a jamais fait usage de la bibliothèque universitaire, à quelques exceptions près au cours des années 1920 et suivantes. Qu'est-ce qui aurait donc bien pu donner lieu à quelque exception que ce soit ? Ses œuvres n'ont jamais été retirées de la bibliothèque du séminaire, comme cela était prescrit pour les **auteurs juifs** ; il n'a jamais été fait d'acquisition d'un **livre national-socialiste**, par exemple de Rosenberg[b] et consorts, et un « **portrait du Führer** » n'a jamais été affiché, comme cela était prescrit et comme c'était le cas dans les autres séminaires. **Je ne dis pas cela pour me défendre, mais seulement à titre d'information**, à quoi s'ajoute qu'entre 1933 et 1944, comme par le passé, j'ai toujours signalé avec la même impartialité l'importance de la phénoménologie de Husserl et la nécessité d'étudier les *Recherches logiques*. Jamais un propos critique de ma part, qui eût été possible

---

a. Edmund Husserl : *Phänomenologie und Anthropologie*. In : *Aufsätze und Vorträge* (1922-1937). Hua XXVII, éd. Thomas Nenon et Hans Rainer Sepp. Kluwer Academic Publishers, Dordrecht *et al.*, 1989, pp. 164-181.

b. A. Rosenberg : *Der Mythus des XX. Jahrhunderts* [*Le Mythe du XXe siècle*], Hoheneichen-Verlag, Munich, 1930.

et justifié, et n'aurait rien eu de criminel, ni dans les cours ni lors des exercices.

Ich bin an **Husserl** vorbeigegangen; das war eine **schmerzliche Notwendigkeit**. Man hätte auch jede andere Haltung von mir nur als höfliche Geste ausgelegt. Wer aber von verabscheuungswürdigem Verrat redet, weiß nicht, daß er nur Rache redet und von dem, was früh geschah, nichts weiß: daß mein eigener Weg des Denkens als Abfall ausgelegt wurde, daß man zur Propaganda die Zuflucht nahm, als mein Weg anders nicht aufzuhalten war. Man inszeniert jetzt eine große Geschichtsfälscherei.

J'ai pris mes distances avec **Husserl** ; ce fut une **douloureuse nécessité**. Toute autre attitude de ma part eût été interprétée comme relevant de la pure courtoisie. Mais quiconque parle d'une exécrable trahison montre qu'il ne sait pas s'exprimer autrement qu'en termes de vengeance et ignore tout de ce qui s'est passé bien avant : que mon propre chemin de pensée a été interprété comme reniement, que l'on a eu recours à la propagande lorsqu'on ne parvenait pas à se mettre autrement en travers de mon chemin. On met en scène à présent une grotesque falsification de l'histoire.

Mir scheint aber, daß meine Versuche seit »Sein und Zeit« das würdigste Zeugnis für das sind, was ich **Husserl** verdanke – daß ich von ihm lernte und für seinen Weg zeugte dadurch, daß ich *nicht* sein Anhänger blieb, der ich auch nie war. Aber genau dieses verstieß gegen die Hausordnung, lange vor dem, daß von **Nationalsozialismus** und **Judenverfolgung** die Rede war. Weil auch noch im Jahre **1948** die **Verunglimpfungen** und **Schmähungen** im Schwange sind, niemand sich die Mühe nimmt, sachlich aus Sachkenntnis zu urteilen oder gar auf meine Schriften einzugehen und die sonst viel benutzten Vorlesungen als Zeugnisse meines Denkens anzuführen, sei dies noch einmal vermerkt, nicht für die Öffentlichkeit, **nicht zur Verteidigung, sondern als Feststellung.**

Il me semble néanmoins que mes essais depuis *Être et Temps* sont le témoignage le plus digne de ce dont je suis redevable à **Husserl** – du fait que j'ai appris de lui et témoigné en faveur du chemin qui fut le sien en *ne* restant justement *pas* son disciple, que d'ailleurs je n'ai jamais été. Mais cela troublait les relations entre familles bien avant qu'il soit question du **national-socialisme** et de **persécution des Juifs**. Vu qu'en **1948** les **diffamations** et les **insultes** sont visiblement encore de mise, et que personne ne prend la peine de porter un jugement en connaissance de cause, ni même de se pencher sur mes écrits ni de mentionner mes cours, que l'on ne s'est pas privé d'exploiter par ailleurs, comme autant de témoignages de ma pensée, j'ai tenu à apporter encore cette précision, qui n'est d'ailleurs pas destinée au public, **non pour me défendre, mais à titre de simple constatation.**

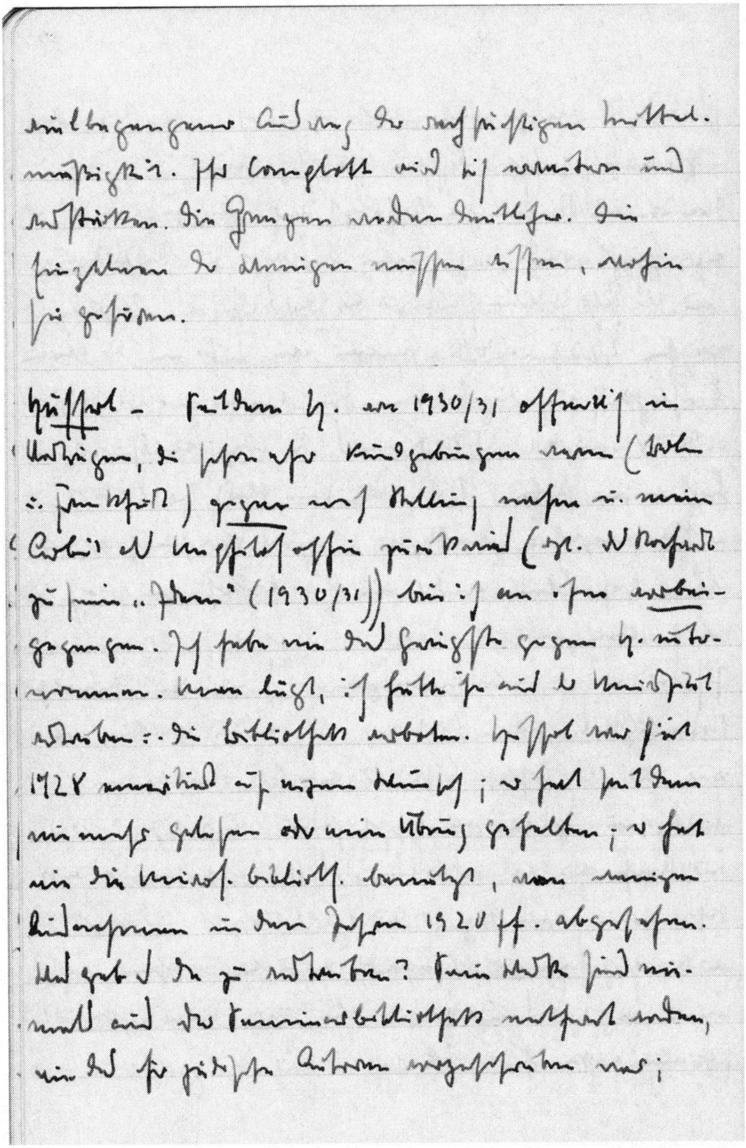

Anmerkungen V, p. 52
[*Gesamtausgabe*, tome 97, p. 462]

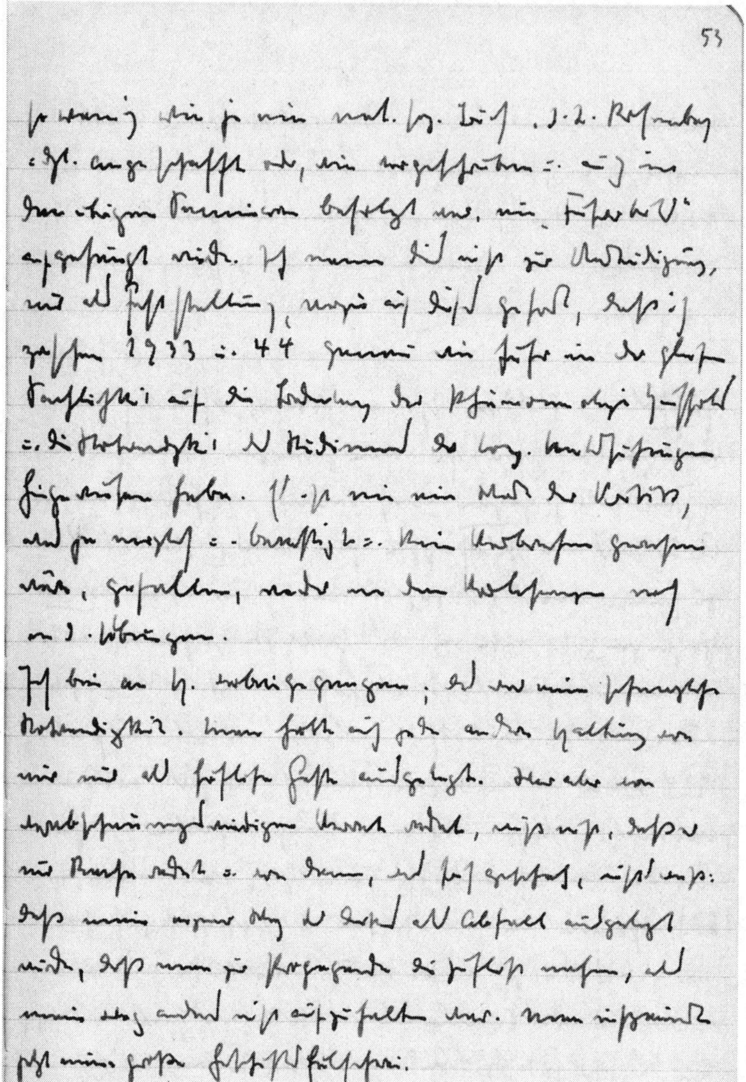

Anmerkungen V, p. 53
[*Gesamtausgabe*, tome 97, pp. 462-463]

Anmerkungen V

[85], S. 481 :

Der letzte Akt der **Verwüstung.**
Der Roman im Übergang zur Bericht-
erstattung.

Remarques V

[85], p. 481 :

Le dernier acte de la **désolation.**
Le roman en passe de devenir compte
rendu.

Anmerkungen V

[90], S. 483 :

Das **Unheil** der Psychologie – sie ist
die populäre und gemeine Form des
Subjektivismus – sie verlangt noch weniger Nachdenken und gibt den Anschein
einer letzten Überlegenheit einer letzten
Reserve[1].

Remarques V

[90], p. 483 :

Le **désastre** de la psychologie – elle
est la forme populaire et commune du
subjectivisme – demande encore moins
de réflexion et donne l'apparence d'une
supériorité qu'aurait en fin de compte une
dernière réserve[1].

Anmerkungen V

[137], S. 509 :

Alle **Feinde** sind einträchtig in ihrer
Feindschaft; sie verschleiern diese oder
bekennen sie in den verschiedensten Formen. Ins Ganze gesehen leisten sie der **Barbarei** der »neuen Welt« den bequemsten
Vorschub und zögern dann auch nicht, mit
dieser ihre gemeinsame Sache zu machen.

Remarques V

[137], p. 509 :

Tous les ennemis s'accordent en leur hostilité ; ils l'occultent ou l'avouent sous les
formes les plus diverses et les plus variées. À
voir les choses de manière globale, ils fournissent à la **barbarie** du « nouveau monde »
l'**encouragement** le plus commode et n'hé-
sitent pas alors à s'allier avec celle-ci.

Anmerkungen V

[143], S. 512 :

Inzwischen gerät das Tun des Acker-
bauers, der Landwirt ist, in die Zangen
der **Industrietechnik** und erledigt seine
Geschäfte rasch in möglichst wenig Tagen
und Stunden mit möglichst viel Gewinn
mit immer rascheren **Maschinen.**

Inzwischen verläuft im Feldweg die Spur
von Traktoren. Diese **Verwüstung** ist in
ihrem Bezirk mit ihren Mitteln unaufhaltsam.

Remarques V

[143], p. 512 :

Entre-temps l'activité du laboureur,
devenu exploitant agricole, est prise dans
l'étau de la **technique industrielle** et règle
ses affaires rapidement en aussi peu de
jours et d'heures que possible avec le
maximum de profit et des **machines** de
plus en plus performantes.

Dans le même temps on peut suivre sur
le chemin de campagne la trace laissée
par des tracteurs. Dans son secteur et
avec les moyens dont elle dispose, cette
dévastation est irrépressible.

---

1. « Réserve » au sens où l'on parle d'une « réserve d'Indiens », d'après le mot anglais (États-Unis)
reservation : territoire réservé à une population indigène. *(N.d.T.)*

Il suffirait de se référer aux liens intertextuels établis sur la base d'une lecture continue des carnets recueillis dans le tome 97 et situés au début de la présente section pour avoir une vision correcte et équilibrée – et donc non faussée sur la base d'extrapolations rhapsodiques à partir de certains passages des *Anmerkungen* – sur ce que Heidegger a pu noter entre 1942 et 1948. Outre ces liens intertextuels il nous a paru nécessaire de reporter successivement tous les passages des *Anmerkungen* – sans omission aucune – dans lesquels apparaît clairement le rejet complet, de la part de Heidegger, de la folie criminelle de Hitler, par qui l'Europe était alors envahie, en soulignant qu'il n'est pas (*nicht*) « justifié » destinalement (*geschicklich*) (*Anmerkungen II* [62-63]). La fermeté de la prise de position de Heidegger *contre* (*gegen*) Hitler est avalisée par un langage très incisif qui, en parlant d'« inessence », d'« essence criminelle » et de « folie criminelle », identifie les traits caractéristiques d'une irresponsabilité qui alors faisait rage au-delà de toute mesure : « Hitler est devenu une catastrophe (*Katastrophe*) » (*Anmerkugen III* [46-47]).

Dans les *Anmerkungen* Heidegger fait une série de constatations sur Hitler, qui portent sur ce qui sautait aux yeux de tout le monde ; toutefois, ce qui est visible pour beaucoup ne pousse pas pour autant à s'interroger de manière responsable sur les causes qui ont amené à précipiter au bord du gouffre, et même au-delà, non seulement l'Allemagne mais avec elle aussi l'Europe entière. Le problème n'est pas de dédouaner l'Allemagne de la terreur nationale-socialiste ; les notes de Heidegger ont besoin d'être parcourues avec un certain recul, au risque sinon d'en altérer le sens. Pour Heidegger, les catastrophes engendrées par Hitler du fait de la mise en œuvre de la féroce politique nationale-socialiste sont la marque de l'inessence d'un monde dans lequel on ne se hasarde plus à penser. Outre la destruction visible et indéniable engendrée par Hitler, Heidegger adresse une critique en règle à la responsabilité de l'Amérique et de la Russie. Son argumentaire est la plupart du temps provocateur : « À supposer (selon

un calcul qui "pense" déjà de manière non historiale) que Hitler et ses complices ne soient pas arrivés, parvenus "au" pouvoir pour en être ensuite déchus, la réalité de l'Amérique et de la Russie, telle qu'elle *est*, en eût-elle été changée si peu que ce soit (à penser les choses de manière essentielle) ? » (*Anmerkungen II* [62-63]). En ce sens, ce qui est passé au crible de la critique, ce n'est pas seulement Hitler, le national-socialisme, la réalité de l'Amérique et de la Russie, mais encore la manière dont celles-ci ont géré l'après-guerre. Pour Heidegger le problème n'est pas résolu uniquement par la dénazification, ce qui est en jeu n'est pas seulement la destitution de ceux qui ont collaboré à augmenter les potentialités criminelles de Hitler – et notons-le bien : il évoque « Hitler et ses complices (*seine Helfershelfer*) » ! –, notamment parce que cela ne nous aiderait pas à mettre en œuvre une réflexion sérieuse portant sur les véritables causes ayant contribué à un tel retour à la barbarie.

Par-delà ces constatations, Heidegger relève les effets causés par l'« inconscience historiale » du national-socialisme et « les indéniables atrocités commises par certains fonctionnaires du Parti » (*Anmerkungen II* [40-41]). Le national-socialisme et ses « aberrations criminelles » (*Anmerkungen II* [139]) ont contribué à systématiser la brutalité de Hitler au moyen des camps d'extermination. Un passage des *Anmerkungen I* [75] est emblématique à cet égard : « L'idée de pouvoir et par conséquent de devoir se venger sur un peuple se répercute sur nous ». « Demeur[e] à jamais impardonnabl[e] » (*Anmerkungen I* [151]) ce qui s'est passé dans les camps d'extermination ; l'horreur de ce qui s'est déroulé dans les chambres à gaz ne peut être que vivement condamnée. Même le fait que Heidegger note que l'antisémitisme est « insensé et blâmable » (*töricht und* [...] *verwerflich*) (*Anmerkungen II* [77]) est un élément qui ne doit nullement nous surprendre, parce que cela souligne à quel point il est lui-même étranger à ces logiques et à ces actions brutales qui ont laissé une trace indélébile chez le peuple juif et dans sa communauté.

Dans ce parcours, l'évocation de la judéité doit être replacée dans son contexte sur la base de tous les textes examinés : « À

partir de là on peut prendre la mesure de ce que signifie, pour la pensée en son essence initiale en réserve de l'histoire de l'Occident, la mémoire du premier commencement dans le monde grec, qui est resté en dehors du caractère juif (*Judentum*), autrement dit du caractère chrétien (*Christentum*) » (*Anmerkungen I* [29-30]) n'est. Le *Judentum*, autrement dit le *Christentum*, n'est pas entré selon Heidegger dans l'histoire de l'être telle qu'elle se déroule entre le *premier commencement* (observé chez les penseurs grecs) et l'*autre commencement* appelé à se réaliser chez les Allemands. De là on peut inférer qu'il est impossible d'absolutiser le propos en l'étendant à davantage de niveaux de la pensée de Heidegger : tout comme il n'est pas possible d'isoler le *Judentum* (il ne faut jamais perdre de vue son lien étroit avec le *Christentum*), il est impossible, sur la base du parcours heideggérien, d'inscrire le *Judentum* et le *Christentum* au sein de la pensée de l'histoire de l'être. Les insinuations avancées par l'éditeur allemand des carnets révèlent donc son incapacité à maîtriser l'articulation théorique qui se développe à partir du *premier commencement* pour parvenir à l'*autre commencement*. Toujours dans les *Anmerkungen I* ([29-30]) nous trouvons : la judéité (*Judenschaft*) est à l'époque de l'Occident chrétien, c'est-à-dire de la métaphysique, « le principe de destruction (*Zerstörung*) ». Ici figure un autre lien indissociable qui relie la judéité, cette fois à l'Occident chrétien – et c'est à propos de l'Occident chrétien que Heidegger prend soin de préciser : « c'est-à-dire de la métaphysique ». Ce qui fait que non seulement il n'est pas possible de dissocier la judéité de l'Occident chrétien, mais qu'il n'est pas possible non plus d'inscrire la judéité au sein de la métaphysique ; soutenir une thèse contraire témoigne de la volonté d'adultérer sciemment les textes – ici comme ailleurs. À faire violence aux textes avec des lectures personnelles on prend le risque de présenter sous un faux jour tout le parcours de Heidegger. Le fait que pour Heidegger la judéité soit le « principe de destruction » doit être interprété à partir de la critique que Heidegger adresse à tout l'Occident chrétien et à la modernité. En outre, le principe de destruction – il nous est arrivé à maintes reprises d'appro-

fondir ce point au cours de nos analyses – est un principe qui cherche à maintenir *inchangée* l'étantité de l'étant par la conservation de son autosuffisance. La « destruction » en question doit être lue sur la base de l'indépendance complète de l'étantité de l'étant par rapport à l'être. L'hypothèse de lire les *Anmerkungen* en projetant sur la judéité le peuple juif envisagé comme porteur d'un principe de « destruction » revient à ne pas être en mesure de saisir les catégories employées par Heidegger et les expressions linguistiques qui se rattachent à une tournure à certains égards très composite, si brève soit-elle. En outre, quiconque a supposé puis soutenu la thèse d'une « implication » de Heidegger dans l'extermination des Juifs trouvera un démenti encore plus flagrant dans les *Anmerkungen* contenues dans le tome 97. La lecture de quelques textes serait à vrai dire suffisante pour se rendre compte que Heidegger ne cherchait nullement à se justifier face aux accusations portées contre lui ; sa ferme attitude de rejet vis-à-vis de Hitler, du national-socialisme et de la folie de ceux qui ont participé à la persécution programmée des Juifs est aujourd'hui – comme alors – patente, à cette différence près que l'« opinion publique », « ces messieurs de l'Université », ses propres collègues eux-mêmes, les « acrobates » de service ont tenté, avec leurs diffamations, d'occulter la réalité des choses et ont ainsi contribué à *mettre en scène une grande distorsion de l'histoire.* Ce qui est advenu quand on a voulu faire de son rectorat une lecture politique : Heidegger n'éprouve aucune difficulté à constater qu'il s'est agi d'une « erreur » (*Irrtum*), mais il affirme aussi qu'« il est nécessaire que l'on ne se fasse pas de cette erreur une interprétation erronée » (*Anmerkungen II* [58]). C'est de manière presque obsessionnelle que dans les *Anmerkungen I-III* et *V* il revient sur l'erreur de son rectorat comme s'il voulait démarquer son propre parcours théorique du « mouvement » national-socialiste à ses débuts contre ceux qui, quant à eux, continuaient à alimenter avec leurs propres illusions une série de méprises réitérées. La distorsion de l'histoire effectuée par ses détracteurs n'épargne pas même les liens entretenus avec le philosophe juif Edmund Husserl : à cette manipulation des événements historiques, Heideg-

ger apporte quelques rectifications qui ont échappé à l'opinion publique, devenue désormais une dictature. Mais malgré cela Heidegger entend préciser que ses notes ne s'adressent pas à la « sphère publique » (*Öffentlichkeit*) : elles ne sont pas susceptibles de lui être destinées dès lors qu'elles ne peuvent être comprises par quiconque est enfermé dans la pré-compréhension d'une vie qui se nourrit de sa propre auto-référentialité et qui cherche, à l'aide des armes que lui fournit un savoir instable, à donner le change avec l'arrogance de la présomption de savoir. Il n'est pas possible de se faire illusion en croyant comprendre Heidegger si l'on a commencé par donner naissance à une confusion catastrophique ; à ce stade, nous pouvons entrevoir le nouveau visage pris par la dictature : l'arrogance de l'invisible ampleur inégalée de non-sens dont l'opinion publique est friande.

Quant à ce que Heidegger écrit en 1948 dans les *Anmerkungen V* ([52-54]) à propos de Husserl, cela sera repris en 1950 dans ses « Discours » (*Reden*) rassemblés ultérieurement dans le tome 16 de la *Gesamtausgabe*. Il est important de reporter ici intégralement le texte en question parce que les déclarations qu'il contient sont une reprise de la position de Heidegger vis-à-vis du national-socialisme, de ses relations avec Husserl, et aussi de ses étudiants juifs. Ce que Heidegger a consigné dans les carnets recueillis dans le tome 97 de la *Gesamtausgabe* est expliqué, avec le recul, avec une *fermeté accrue*, au point que, sur certains points, lui-même revisite certaines déclarations concernant son lien avec Husserl (« mon maître »). Mais laissons la parole à Heidegger :

> Je n'ai jamais fait partie de la S.A., ni de la S.S., ni d'aucune corporation militaire ; je n'ai donc jamais porté d'uniforme – hormis durant quatre ans l'uniforme de soldat lors de la Première Guerre mondiale.
> Je n'ai jamais eu – ni avant ni après 1933 – quelque relation personnelle ou épistolaire que ce soit avec des officiels du Parti ni avec des organisations du mouvement national-socialiste.

Même lorsque j'ai exercé les fonctions de recteur, je ne suis entré en contact qu'en de rares occasions avec quelques rares personnes appartenant au Parti, et toujours pour les nécessités du service.

Je ne me suis jamais associé à quelque mesure antisémite que ce soit ; bien au contraire : en 1933, j'ai interdit à l'université de Fribourg la proclamation antisémite des étudiants nationaux-socialistes ainsi que la manifestation qui était prévue contre un professeur juif. Je me suis largement impliqué en faveur de mes étudiants juifs partis à l'étranger ; mes recommandations leur ont facilité la tâche à bien des égards.

Prétendre que j'aurais, en tant que recteur, interdit à Husserl l'entrée de l'université et de la bibliothèque, c'est là une calomnie d'une grande bassesse. Je n'ai jamais cessé de voir en Husserl mon maître, avec gratitude et vénération. Mes propres travaux philosophiques se sont toutefois éloignés à bien des égards de sa position, en sorte que Husserl m'a publiquement attaqué dans son grand discours tenu en 1931 au Palais des Sports de Berlin. Dès avant 1933 les relations amicales entre nous étaient distendues. Lorsque fut édictée en 1933 la première loi contre les Juifs (qui m'a tellement effrayé moi-même comme bien d'autres), ma femme a envoyé à Mme Husserl un bouquet de fleurs accompagné d'une lettre – également en mon nom – qui exprimait une vénération et une gratitude inchangées tout en condamnant la cruauté des mesures prises contre les Juifs. À l'occasion d'une réédition d'*Être et Temps* (en 1941), l'éditeur m'a écrit que sa parution ne serait autorisée que si la dédicace à Husserl en était retirée. J'ai donné mon accord pour cette suppression à condition que la véritable dédicace, telle qu'elle figure dans le texte à la p. 38, demeure inchangée. Ce qui s'est passé. À la mort de Husserl, j'étais malade et alité. Il est vrai qu'une fois rétabli je n'ai pas écrit à Mme Husserl, ce qui était assurément une négligence ; le motif en était la honte douloureuse que j'éprouvais face à ce qui entre-temps – dépassant de loin la première loi – avait été entrepris contre les Juifs et à quoi nous assistions, impuissants.

Mais à l'occasion du 90ᵉ anniversaire de Mme Husserl, je lui ai fait parvenir une lettre accompagnée de fleurs en la priant expressément de bien vouloir excuser ma négligence au moment de la

mort de son mari, négligence dont le regret m'avait affecté très douloureusement au cours de toutes ces années[1].

Les divergences patentes qui étaient apparues entre Husserl et Heidegger s'étaient manifestées bien avant la publication en 1927 d'*Être et Temps*. C'est ce à quoi se réfère Husserl dans une lettre de 1921 adressée au philosophe Roman Ingarden :

> Entre-temps, j'ai beaucoup avancé, et sans renier pour autant les *Id*[*een*] *I* (sinon quelques aspects qui ne concordent pas avec mes manuscrits), j'ai mis en avant les aspects systématiques et j'ai perfectionné de nombreux points, surtout de principe. Me voilà à présent très rassuré. Dieu m'aidera à continuer. Heidegger quant à lui a continué à développer sa pensée étrange et exerce une forte influence. Quoi qu'il fasse, c'est toujours d'une très grande qualité[2].

Le parcours entrepris par Heidegger n'était pas conforme aux attentes que Husserl plaçait en lui et, ainsi, est devenu antithétique avec le projet husserlien de fonder une phénoménologie comme « science rigoureuse », telle qu'elle avait toujours davantage pris forme après la publication des *Recherches logiques*. Les autres disciples de Husserl, à commencer par Hedwig Conrad-Martius, voulaient arrêter le projet husserlien aux seules *Recherches logiques*, pour s'éloigner ensuite du maître suite à la publication des *Ideen I*, car ils percevaient sa position comme idéalité – en ce qu'il aurait cristallisé ses analyses au seul niveau de la *dimension eidétique*. Alors qu'avec Heidegger nous assistons à un complet renversement du projet husserlien jusqu'en ses fondements, où la *distance* à l'égard de Husserl vaut *autonomie* dans le parcours théorique, mais sans jamais pour autant lui faire méconnaître la

---

1. M. Heidegger, « Bemerkungen zu einigen Verleumdungen, die immer wieder kolportiert werden » [« Observations relatives à quelques calomnies sans cesse colportées »] (1950), in *Reden und andere Zeugnisse eines Lebensweges*, op. cit., § 211, pp. 468-469.

2. E. Husserl, *Briefe an Roman Ingarden. Mit Erläuterungen und Erinnerungen an Husserl* [*Lettres à Roman Ingarden. Édition annotée accompagnée de témoignages sur Husserl*], éd. R. Ingarden, Nijhoff, La Haye, 1968, pp. 23-24 (lettre du 24 décembre 1921).

dette qu'il avait envers les *Recherches logiques*, qui ont eu un fort impact sur lui.

Par conséquent, le parcours accompli par les disciples de Husserl se révèle bien différent de celui accompli par Heidegger. Si avec les premiers on peut encore parler d'une façon de revisiter la phénoménologie et sa méthode, avec Heidegger, en revanche, nous assistons à un complet retournement de situation de la même phénoménologie en vue de la question de l'être, de la *Seinsfrage*[1]. Le projet husserlien, tel qu'il allait se structurer avec la publication des *Ideen I*, porte non seulement Heidegger mais, au même moment, aussi Hedwig Conrad-Martius à prendre ses distances.

Sans l'ombre d'un doute, la « réduction eidétique » constitue une véritable possibilité de dépasser le criticisme kantien, sur la foi duquel, pendant longtemps, on a estimé impossible d'expliquer à fond « ce qui est donné » jusqu'à parvenir à en saisir l'« essence » (*Wesen*). La phénoménologie husserlienne des *Recherches logiques* inaugure une nouvelle ère d'études et en même temps elle s'est opposée aux tendances qui voulaient réduire le donné aux paramètres fonctionnels de la simple subjectivité. C'est précisément sur ce point que se dessine sciemment l'option de la phénoménologie réaliste de Hedwig Conrad-Martius, qui entend s'orienter vers une « recherche eidétique » (*Wesensforschung*), au sens husserlien du terme, de la réalité elle-même et de ses divers domaines, dès lors qu'une véritable spéculation philosophique, fondée sur des données de fait, requiert avant tout, outre le relevé précis des données empiriques, l'« observation eidétique » de la réalité à interpréter[2]. De cette façon on conçoit aisément que la première « attente » qui avait conduit Hedwig Conrad-Martius à

1. Soulignons au passage l'intérêt de l'analyse approfondie d'Iso Kern relative à l'étude d'*Être et Temps* par Husserl au cours de la décennie 1925-1935, vu que celui-ci voulait parvenir à une « lecture sobre et concluante de sa philosophie [de Heidegger] », comme on peut l'inférer de certains de ses manuscrits (A VII 3 ; A VII 24 ; B II 5 ; B I 32) : I. Kern, « Einleitung des Herausgebers », *in* E. Husserl, *Zur Phänomenologie der Intersubjektivität. Texte aus dem Nachlaß. Dritter Teil : 1929-1935* [*Phénoménologie de l'intersubjectivité. Textes inédits. Troisième partie : 1929-1935*], *in Gesammelte Werke*, tome XV, éd. I. Kern, Nijhoff, La Haye, 1973, pp. XXII-XXVII et LII-LV.

2. Cf. H. Conrad-Martius, « Phänomenologie und Spekulation » [« Phénoménologie et spéculation »], *in* M. J. Langeveld (dir.), *Rencontre-Encounter-Begegnung. Festschrift für F. J. J. Buytendijk*,

suivre Husserl avait été le dépassement accompli par le maître de ce psychologisme relevant du naturalisme qui accordait la priorité aux seuls processus psychologiques de la connaissance, au détriment de ce qui se donne réellement en se manifestant à moi « *hic et nunc* », « en chair et en os » (*leibhaftig*). Le profit que l'on retire de la phénoménologie naissante consiste à « rééquilibrer » le rapport, qui cesse d'être antithétique, entre « sujet conscient » d'une part et, d'autre part, « réalité en sa manifestation concrète », en accordant à la « réalité » la place qui lui revient lorsqu'elle n'est plus considérée comme relevant du « domaine » exclusif de la conscience.

À la lumière de quoi Conrad-Martius se sent en droit de reprendre les recherches de Husserl, encouragée par le fait que la phénoménologie husserlienne ne peut être renouvelée dans le lit d'une philosophie parmi d'autres, qu'elle est au contraire un style de recherche qui ne se nourrit pas des philosophies mais bien des *choses mêmes*. C'est à celles-ci qu'il appartient de fournir l'impulsion de la recherche et d'orienter le regard de l'observateur. C'est là une priorité qu'on ne saurait sous-estimer si nous considérons le paysage culturel dans lequel Husserl porte à maturité ses recherches.

À la pure factualité et à la recherche frénétique de « résultats » à atteindre, Husserl oppose un « style » de recherche rigoureux – anticipant son constant empressement à fonder un modèle de « science » philosophique – qui est attentif aux parcours à accomplir mais garde surtout pleinement conscience que tout processus de connaissance doit être assumé et mis en avant de manière objective et véridique. L'« objectivité » et la « véridicité » sont deux éléments inhérents à la réalité elle-même et c'est pour cette raison que les recherches doivent constamment tenir compte de tout ce qui s'offre comme donnée. Le « parcours » devient ainsi le terrain sur lequel se mesure le phénoménologue, même si les résultats obtenus deviennent autant de pistes pour la « nouvelle

Utrecht-Anvers, 1957, pp. 116-128 ; trad. angl. : « Phenomenology and Speculation », in *Philosophy Today* (1959), pp. 43-51.

Martin Heidegger

amorce » d'un autre parcours, à la lumière de ce que nous a trans-
mis Husserl avec le *immer wieder* (« toujours tout reprendre depuis
le début »), qui est le mot d'ordre de la méthode husserlienne.

Cette nouvelle posture, donc, a pour la première fois dirigé
le regard sur les *choses mêmes*, auxquelles l'observateur n'a pas
« imposé » ses propres lois avec toutes sortes de tendances construc-
tivistes – l'observation ayant « reçu » la bonne façon de procéder
des lois inhérentes à la réalité telle qu'elle s'offre à nous.

L'« attente » suscitée par cette nouvelle posture devait bientôt être remise en jeu, précisément avec la parution des *Ideen*.
C'est à partir de cet écrit, contenant les cinq leçons professées
par Husserl à Göttingen en 1907, que naîtront les premiers signes
avant-coureurs d'une « incompréhension » entre Husserl et ses
disciples. Dans ces leçons, Husserl met en évidence le « flux de la
conscience », en lui appliquant une sorte de réduction comparable
à la réduction eidétique, au point de susciter chez ses disciples
l'écho d'un retour à l'idéalisme transcendantal. Il n'est certainement pas possible d'excéder le Husserl des *Recherches logiques* seulement par la position réaliste de la phénoménologie qui s'était peu à
peu constituée. Cela ne saurait constituer l'unique grille de lecture
susceptible de dire le tout de la phénoménologie husserlienne. La
partie se joue à vrai dire sur le projet originaire de Husserl quant
à la phénoménologie : la structurer comme « science » rigoureuse.
Le statut de « science » ne pouvait revenir assurément au réalisme
phénoménologique, lié à une position phénoménologique d'ordre
« descriptif », dans la mesure où ce réalisme n'envisage pas encore
toute la sphère des analyses intentionnelles. Pour toute la construction husserlienne, Conrad-Martius revendique la phénoménologie
purement eidétique. Cela explique la difficulté qui attend quiconque aborde les recherches de Conrad-Martius : difficulté de
taille à mettre au compte non seulement d'un langage sans aucun
doute ardu mais aussi à la position de Husserl, telle qu'elle ne
nous autorise pas à nous appuyer sur la réduction transcendantale. Conrad-Martius prétend, quant à elle, qu'il ne faut accepter
que le premier moment de la réduction : l'orientation que prend
notamment son ontologie est statique-descriptive et, pour tout dire,

quelque peu « géométrique » ; les « concepts » de « lieu » et de « sphère » de l'être ne peuvent être des « parcours » que dans la séquence des niveaux de la complexe architecture d'une ontologie réelle. Difficulté évidente parce que dans les recherches de Conrad-Martius nous ne pouvons trouver aucun lien menant des aspects les plus statiques de la méthode eidétique au stade « génétique » des analyses intentionnelles. Assumer ce dernier stade ne recueillait pas son assentiment, parce qu'il pouvait évoquer un « retour » en force de la réalité en « fonction » de la sphère égoïque. L'analyse intentionnelle redevenait ainsi le véritable virage de la phénoménologie.

L'opposition de Hedwig Conrad-Martius à l'égard du maître se fait de plus en plus explicite. Elle porte sur l'« incompréhensible retour au transcendantalisme, au subjectivisme, sinon précisément au psychologisme[1] ». Cette prise de position a amené Husserl à manifester sa déception devant le fait que certains de ses disciples n'auraient pas compris assez à fond ce que représentait pour lui un « commencement radical ».

En effet, dans une lettre adressée à Ingarden en 1921, non seulement Husserl admet la déception que lui cause Heidegger, mais au début de sa lettre il écrit : « pour le dire en toute franchise, j'ai sérieusement envisagé la possibilité de ne plus assumer la responsabilité du *Jahrbuch*[2] ». Cette décision d'abandonner la direction du *Jahrbuch* peut assurément être interprétée à la lumière de certaines déclarations de Husserl lui-même à Ingarden ; en particulier, il a manifesté son regret quant à certains représentants provenant de l'école de Munich et à quelques collaborateurs qui n'avaient pas compris son propre « horizon de recherche » :

Sur le texte de Mme Conrad-Martius, j'ai moi aussi été frappé par un certain éloignement, mais elle n'a jamais été vraiment mon

1. H. Conrad-Martius, *Die transzendentale und die ontologische Phänomenologie* [*Phénoménologie transcendantale et phénoménologie ontologique*], in *Schriften zur Philosophie. Gesammelte kleinere Schriften* [*Contributions à la philosophie. Édition complète des scripta minora*], éd. E. Avé-Lallemant, tome 3, Kösel, Munich, 1963-1965, p. 395.

2. E. Husserl, *Briefe an Roman Ingarden*, op. cit., p. 23. [*Jahrbuch* : il s'agit du *Jahrbuch für Philosophie und phänomenologische Forschung* (*Annales de philosophie et de recherche phénoménologique*) fondé en 1913 par Husserl, Scheler, Reinach et Geiger (*N.d.T.*).]

élève et elle rejette l'esprit d'une philosophie « comme science rigoureuse » [...]. Même la phénoménologie de Pfänder, au fond, diffère profondément de la mienne, si bien qu'il n'a jamais compris pleinement les problèmes de constitution, il finit dans une métaphysique dogmatique – lui qui est honnête et solide. Déjà Geiger n'est phénoménologue que pour un quart. Alors que vous [Roman Ingarden], vous l'êtes à part entière. Quel dommage que vous n'ayez pas obtenu ici deux années supplémentaires pour participer aux quatre semestres de cours intensifs[1].

Husserl se dit déçu non seulement par Heidegger mais aussi par Conrad-Martius, Pfänder et Geiger. Tout autre est la situation d'Edith Stein même si, avec le temps, elle a révisé la position de la phénoménologie husserlienne en mettant en œuvre un *élargissement éminemment métaphysique* dans ses recherches ; *élargissement* beaucoup plus prononcé chez Stein que chez Husserl, si par métaphysique nous entendons la métaphysique classique à laquelle Stein recourt comme à une auxiliaire de la phénoménologie. Nous pouvons situer l'*Excursus sur l'idéalisme transcendantal* dans *Potenz und Akt*, dans cette perspective. Là, Stein prend ses distances avec l'idéalisme transcendantal kantien qu'elle élimine en quelques lignes – pour prendre ensuite ses distances avec la phénoménologie husserlienne. Même si, comme je l'ai déjà noté ailleurs, cette critique provient, à mon avis, de l'incapacité à saisir l'âme authentique de l'*Erkenntnistheorie* (« théorie de la connaissance ») husserlienne – autrement dit le principe chez Husserl de la corrélation « conscience-monde », qui ne peut absolument pas être confondue avec une position telle que : « conscience »-du-« monde »[2].

« Distance », « éloignement », manière de « revisiter le projet

---

1. Il est fort probable que Husserl se réfère ici aux *Metaphysische Gespräche* [*Discussions métaphysiques*] publiés en 1921.
2. Pour un approfondissement de ce thème, nous renvoyons à F. Alfieri, *Il serrato confronto con la fenomenologia husserliana in Potenza e atto di Edith Stein. Al limite della fenomenologia tradizionale* [*La confrontation serrée avec la phénoménologie husserlienne dans Puissance et acte d'Edith Stein. À la limite de la phénoménologie traditionnelle*], in A. Ales Bello et F. Alfieri (dir.), *Edmund Husserl e Edith Stein. Due filosofi in dialogo* [*Edmund Husserl et Edith Stein. Deux philosophes en dialogue*] (Filosofia, 62), Morcelliana, Brescia, 2015, pp. 41-99.

husserlien » : autant d'éléments qui ne peuvent qu'en partie être rapportés à Heidegger, vu qu'ils servent bien plutôt à qualifier les relations entre Husserl et ses disciples, relations qui du reste s'avèrent bien visibles à partir de l'orientation qu'ils ont donnée à leurs recherches en revisitant personnellement, chacun à sa façon, la phénoménologie – pour une large part cette phénoménologie au prisme de ses œuvres publiées et du cycle de leçons qu'il a professées d'abord à Göttingen puis à Fribourg jusqu'au semestre d'hiver de 1927-1928, lorsqu'il a décidé de prendre congé de l'Université en anticipant d'un an l'âge auquel il pouvait faire valoir ses droits à la retraite.

5.2. « Auto-anéantissement » : des *Réflexions*[1] aux *Remarques*[2]

Dans cette dernière section nous nous proposons d'analyser le terme *Selbstvernichtung* (« auto-anéantissement ») en relation avec *Vernichtung* (« anéantissement »), en tenant compte de tous les passages des carnets où apparaît cette corrélation. En effet, nous ne pouvons pas comprendre l'emploi du terme *Selbstvernichtung* dans les *Anmerkungen* sans les références présentes dans les *Überlegungen*. Les carnets sont notre seul et unique point de départ et d'arrivée dès lors que *Selbstvernichtung* est un terme absent des *Apports à la philosophie*. Venons-en à présent à repérer le contexte et les références textuelles où est attestée la terminologie examinée ici :

Überlegungen XIII [107-109]
Contexte : le **communisme** et l'**État anglais**
— Le communisme : « À quel moment historique l'**auto-anéantissement** (*Selbstvernichtung*) du "communisme" va devenir un déroulement et une fin visibles » ; « l'**auto-anéantissement** (*Selbstvernichtung*) trouve sa première forme en ceci que le "communisme" **pousse** vers le déclenchement de complications guerrières ».

1. M. Heidegger, *Überlegungen XII-XV (Schwarze Hefte 1939-1941)*, *op. cit.*
2. M. Heidegger, *Anmerkungen I-V (Schwarze Hefte 1942-1948)*, *op. cit.*

— La forme bourgeoise-chrétienne du « bolchevisme » anglais :
anéantie (*Vernichtung*) ; « son **anéantissement** (*Vernichtung*) définitif ne peut avoir la forme de l'**auto-anéantissement** (*Selbstvernichtung*) foncier, tel qu'il est fomenté le plus fortement par la
surenchère de son être en trompe-l'œil dans le rôle de sauveur
de la moralité ».

Überlegungen XIV [18-19]
Contexte : l'**essence de la subjectivité** (« **pousse** » et « *s'installe* »)
« L'**auto-anéantissement** (*Selbstvernichtung*) de l'humanité ne
consiste pas seulement dans le fait qu'elle se supprime elle-même
mais dans le fait d'élever les générations où elle trouve une *confirmation* de sa seigneurie sans que cet aveuglement se laisse mettre
à nu comme tel. »

Überlegungen XV [12-14]
Contexte : l'**homme des « Temps nouveaux »**
— « La "politique" appartient en son essence aux Temps nouveaux et en tant que telle elle est toujours politique de pouvoir
[…]. La plus haute sorte, l'acte suprême de la politique consiste
à **acculer l'adversaire** dans une position où il se voit contraint de
procéder à **son propre anéantissement** (*Selbstvernichtung*). »
— Le planétarisme : « le dernier pas de l'essence fabricatrice
du pouvoir vers l'**anéantissement** (*Vernichtung*) de l'indestructible
au moyen de la dévastation ».
— « **Anéantir** (*Vernichten*), mettre bon ordre et remettre en
ordre ne suffisent pas à une vocation historiale, mais seulement
le **poétiser** à même la pleine essence de l'estre, pour **bâtir** une
appartenance fondée en lui. »
Explicitation : l'adversaire : « l'américanisme » ; « l'indestructible » ; « ce qui est initial ».

Anmerkungen I [26-31]
Contexte : la **technique** ; l'**Occident chrétien**
— La technique : « Le plus haut niveau de la technique est
atteint lorsqu'en tant que consommation elle n'a plus rien à

consommer – sinon elle-même. Sous quelle forme s'accomplit cet **auto-anéantissement** (*Selbstvernichtung*) ? [...] le caractère irrépressible, inclus en essence, de ce qui pousse au toujours "plus nouveau" – c'est-à-dire pousse davantage à la consommation. »

— L'Occident chrétien : « Mais dès lors que ce qui est foncièrement "juif" au sens métaphysique entre en lutte contre ce qui est juif, le point culminant de l'**auto-anéantissement** est atteint dans l'histoire (*Selbstvernichtung*) ; à supposer que ce qui est "juif" se soit partout emparé du pouvoir, en sorte que la lutte contre "ce qui est juif", et elle avant tout, s'y trouve dès lors inféodée. »

Anmerkungen II [66-75]
Contexte : la **pensée** (*Denken*)
— « Ce qui se répand à présent sous le nom de "philosophie" est l'**auto-anéantissement** (*Selbstvernichtung*) de la pensée organisé par l'Église et le Parti ou encore alimenté par le désarroi et l'incapacité. »

— « Alors que la bombe atomique réduit tout en poussière, en entrant elle-même dans l'**anéantissement** (*Vernichtung*), la publicité ne cesse de s'extraire de ses **opérations d'anéantissement** (*Vernichtungsgeschäft*). »

— « Encore plus dévastateur que l'onde de chaleur provoquée par l'explosion de la bombe atomique est l'"esprit" dans la figure du journalisme mondial. Celle-là **anéantit** (*vernichten*) en provoquant une extinction ; celui-ci **anéantit** (*vernichten*) en installant l'apparence de l'être sur le pseudo-fondement de l'absence inconditionnée de racines. »

— « La véritable défaite ne consiste pas dans l'effondrement du "Reich", dans le fait que les villes ne soient plus que ruines, que les hommes soient tués par d'invisibles machines de mort, mais dans le fait que les Allemands se laissent acculer par d'autres à l'**auto-anéantissement** (*Selbstvernichtung*) de leur être et le fomentent eux-mêmes sous l'apparence plausible d'éliminer le régime de terreur du "nazisme". »

338　　　　　　　　　*Martin Heidegger*

Überlegungen XIII

§ 107-109, S. 154- 155 :

Ist der »Kommunismus« die metaphysische Verfassung der Völker im letzten Abschnitt der Vollendung der Neuzeit, dann liegt darin, daß er bereits im Beginn der Neuzeit sein Wesen, wenngleich noch verdeckt, in die Macht setzen muß. Politisch geschieht das in der neuzeitlichen Geschichte des englischen Staates. Dieser ist – auf das Wesen gesehen und von den zeitgemäßen Regierungs- und Gesellschafts- und Glaubensformen abgesehen – *dasselbe* wie der Staat der vereinigten Sowjetrepubliken – nur mit dem Unterschied, daß dort eine riesenhafte Vorstellung in den Schein der Moralität und Völkererziehung alle Gewaltentfaltung harmlos und selbstverständlich macht, während hier das neuzeitliche »Bewußtsein« rücksichtsloser, wenngleich nicht ohne Berufung auf Völkerbeglückung, sich selbst im eigenen Machtwesen bloßstellt. Die bürgerlich-christliche Form des englischen »Bolschewismus« ist die gefährlichste. Ohne die **Vernichtung** dieser bleibt die Neuzeit weiter erhalten. Die endgültige **Vernichtung** kann aber nur die Gestalt der wesenhaften **Selbstvernichtung** haben, die am stärksten durch die Übersteigerung des eigenen Scheinwesens in die Rolle des Retters der Moralität befördert wird. In welchem historischen Zeitpunkt die **Selbstvernichtung** des »Kommunismus« einsetzt zu einem sichtbaren Vorgang und Ende, ist gleichgültig gegenüber der seynsgeschichtlich schon gefallenen Entscheidung, die jene unausweichlich macht. Die **Selbstvernichtung** hat ihre erste Form darin, daß der »Kommunismus« auf den Ausbruch kriegerischer Verwicklungen in das Unaufhaltsame ihrer vollständigen Machtloslassungen

Réflexions XIII

§ 107-109, pp. 154-155 :

Si le « communisme » est bien la constitution métaphysique des peuples dans la dernière phase de l'accomplissement des Temps nouveaux, alors cela implique qu'il lui faut imposer son essence, fût-elle encore dérobée, dès le début des Temps nouveaux. Politiquement parlant c'est ce qui a eu lieu avec l'histoire de l'État anglais lors des Temps nouveaux. Envisagé en son essence – et en faisant abstraction de ses formes de gouvernement, de société et de foi –, ce dernier est *le même* que l'État des républiques soviétiques unies, à cette différence près que là une représentation gigantesque prenant l'apparence de la moralité et de l'éducation du peuple rend inoffensif et parfaitement compréhensible tout déploiement de violence tandis qu'ici la « conscience » des Temps nouveaux se montre elle-même plus à nu, plus impitoyable en sa propre essence de puissance, tout en n'omettant pas d'invoquer le bonheur des peuples. La forme bourgeoise-chrétienne du « bolchévisme » anglais est la plus dangereuse. Si elle n'est pas **anéantie**, l'époque des Temps nouveaux est conservée. Mais son **anéantissement** définitif ne peut avoir la forme de l'**auto-anéantissement** foncier, tel qu'il est fomenté le plus fortement par la surenchère de son être en trompe-l'œil dans le rôle de sauveur de la moralité. À quel moment historique l'**auto-anéantissement** du « communisme » va devenir un déroulement et une fin visibles, cela importe peu eu égard à la décision déjà tombée dans la perspective de l'histoire de l'estre, qui rend cet auto-anéantissement inévitable. L'**auto-anéantissement** trouve sa première forme en ceci que le « communisme » pousse vers le déclenchement de complications guerrières dans ce qu'ont d'irrépressibles les déchaînements complets

hinausdrängt. (Vgl. oben S. 88 »Der Krieg...« bis S. 89).

Als bewußte Taktik ist die Beförderung von Weltkriegen als erstes von Lenin erkannt, gefördert und ausgeübt worden. Sein Jubel über den Ausbruch des Weltkrieges im Jahre 1914 kennt keine Grenzen; je neuzeitlicher solche Weltkriege werden, umso rücksichtsloser fordern sie die Zusammenfassung aller kriegerischen Gewalten in die Machthaberschaft Weniger. Dies bedeutet jedoch, daß überhaupt nichts mehr, was irgend zum Sein der Völker gehört, davon ausgenommen werden könnte, ein Element der kriegerischen Gewalt zu sein. Und gerade diese von Lenin erstmals als »totale Mobilmachung« erkannte und auch so genannte Einrichtung des Seienden auf die unbegrenzte Versteifung der Machtentfaltung in die Maßlosigkeit des Umfassens von Jeglichem wird durch die Weltkriege verwirklicht. Sie trägt den »Kommunismus« auf die höchste Stufe seines machenschaftlichen Wesens. Diese höchste »Höhe« ist die allein geeignete Stätte, um in das von ihm selbst bereitete Nichts der Seinsverlassenheit hinabzustürzen und das lange Ende seiner Verendung einzuleiten. Alle Völker des Abendlandes sind je nach ihrer geschichtlichen Wesensbestimmung in diesen Vorgang einbezogen, sei es, daß sie ihn beschleunigen oder hemmen, sei es, daß sie an seiner Verhüllung arbeiten oder an seiner Bloßstellung, sei es, daß sie ihn scheinbar bekämpfen oder versuchen, außerhalb seines grenzenlosen Wirkungsfeldes zu bleiben.

Überlegungen XIV

[18-19], S. 181-182 :

Die **Selbstvernichtung** des Menschentums besteht nicht darin, daß es sich beseitigt, sondern daß es sich jeweils die

de sa puissance. (Cf. *supra*, p. 88, « La guerre... », jusqu'à la p. 89.)

C'est d'abord par Lénine qu'a été reconnu et exercé comme une tactique consciente le fait d'entraîner dans des guerres mondiales. Sa jubilation lors du déclenchement de la Première Guerre mondiale en 1914 n'a connu aucune limite ; plus de telles guerres mondiales se conforment aux Temps nouveaux, plus elles requièrent le regroupement de toutes les puissances belligérantes sous un pouvoir qui n'est détenu que par quelques-uns. Or cela signifie que rien de ce qui appartient d'une façon ou d'une autre à l'être des peuples ne saurait échapper au fait de constituer un élément de la puissance belligérante. Et c'est précisément cette disposition de l'étant, pour la première fois reconnue et qualifiée par Lénine de « mobilisation totale » dans la crispation illimitée du déploiement du pouvoir avec la démesure de tout ce qu'elle en vient à englober, qui se trouve réalisée par les guerres mondiales. C'est elle qui porte le « communisme » au *summum* de son essence fabricatrice. Cette « hauteur » maximale est le seul lieu approprié pour se précipiter dans le néant préparé par ses soins de l'abandon de l'être et amorcer son achèvement à n'en plus finir. Tous les peuples de l'Occident sont impliqués dans ce processus, chacun selon sa propre vocation historiale, qu'ils l'accélèrent ou le ralentissent, qu'ils travaillent à l'occulter ou à le mettre à nu, qu'ils le combattent en apparence ou qu'ils tentent de demeurer en dehors de son champ d'action illimité.

Réflexions XIV

[18-19], pp. 181-182 :

L'**auto-anéantissement** de l'humanité ne consiste pas seulement dans le fait qu'elle se supprime elle-même mais dans

Geschlechter züchtet, in denen ihm seine Herrlichkeit *bestätigt* wird, ohne daß diese Blendung als Verblendung sich bloßstellen ließe. Das Wesen der *Subjektivität* treibt und rast in dieses Sicheinrichten in der unbedingten Seinsverlassenheit. (Vgl. Vom Wesen der φύσις, S. 10[a].) Das Sichselbstzurechtstellen der geeigneten Selbstbestätigung ist die innerste Wesung der *Subjektivität*. Daher muß diese von Grund aus erschüttert – d. h. die Metaphysik als solche muß überwunden werden.

Warum läßt sich jedes wesentliche denkerische Denken »dialektisch« einebnen und dadurch scheinbar verschärfen und zuspitzen? Weil diese Art der Zerstörung notwendig dort als Gefahr sich verschärfen muß, wo gerade Gründung und Anfang am ursprünglichsten walten. Zu einer Zeit, die alle Sprache nur als Verkehrs- und Organisationsmittel kennt und alles Denken als »Rechnung«, ist der Überfall der Dialektik und der »dialektischen« Verödung auf jeden Sproß und Keim am ehesten ohne Hemmung, ja im Recht. Die wesenhafte Wehrlosigkeit gegen diese Zerstörung, weil jede Abwehr schon in den Bezirk des Flachen sich begeben und das Eigenste aufgeben muß; durch Absteigen wird nie ein Gipfel erreicht, geschweige denn innebehalten im Sinne der stillen Überhöhung.

le fait d'élever les générations où elle trouve une *confirmation* de sa seigneurie sans que cet aveuglement se laisse mettre à nu comme tel. L'essence de la *subjectivité* s'emballe à pousser vers l'abandon inconditionné de l'être. (Cf. « Ce qu'est et comment se détermine la φύσις », p. 10[a].) L'auto-investiture en sa confirmation appropriée est le déferlement le plus intime de la *subjectivité*. C'est pourquoi celle-ci doit être ébranlée de fond en comble – autrement dit la métaphysique en tant que telle doit être surmontée.

Pourquoi toute pensée essentielle se laisse-t-elle « dialectiquement » niveler, et par là apparemment renforcer et aiguiser ? Parce que ce type de destruction doit nécessairement se renforcer comme danger là où précisément fondation et commencement règnent le plus originairement. À une époque qui ne connaît plus la langue que comme moyen de communication et d'organisation, dans laquelle toute pensée se réduit à un « calcul », l'assaut de la dialectique et de la désolation « dialectique » appliquée à tout ce qui est à l'état germinal est sans retenue, et à juste titre. La foncière impuissance face à cette destruction tient au fait que toute défense doit déjà se mettre au niveau de la platitude et renoncer à ce qu'elle a de plus propre ; ce n'est jamais en dévalant la pente que l'on atteint un sommet, et tout aussi peu que l'on s'y arrête au sens de regarder paisiblement les choses d'en haut.

---

a. M. Heidegger, « Vom Wesen und Begriff der Φύσις. Aristoteles, *Physik*, B, 1 », in *Wegmarken* [*Jalons*], in *Gesamtausgabe*, tome 9, éd. Friedrich-Wilhelm von Herrmann, Francfort, 2e édition 1996, p. 241[1].

1. M. Heidegger, « Ce qu'est et comment se détermine la φύσις (Aristote, *Physique*, B, 1) », trad. fr. F. Fédier, in *Questions II*, Gallimard, Paris, 1968, p. 181. (*N.d.T.*)

Überlegungen XV

[12-14], S. 259-260 :

Der »neuzeitliche« Mensch ist im Begriff, sich zum Knecht der Verwüstung zu machen.

Wer als geschichtlicher Mensch geschichtlich handeln muß, der bedarf allem zuvor der Inständigkeit im Wesenhaften, die schon das Wesentliche alles Wesens anfänglich zum Austrag gebracht hat.

»Politik« ist neuzeitlichen Wesens und ist als solche stets Machtpolitik, d. h. die Einrichtung und der Vollzug der Ermächtigung der Macht in dem von ihr übermächtigten Seienden. Die höchste Art und der höchste Akt der Politik bestehen darin, den Gegner in eine Lage hineinzuspielen, in der er dazu gezwungen ist, zu seiner eigenen **Selbstvernichtung** zu schreiten. Hierbei muß die Politik einen langen Atem und einen langen Arm haben und imstande sein, längere Zeit hindurch Schläge hinzunehmen; sie darf sich durch zeitweilige Niederlagen nicht irre machen lassen.

Nicht »bilden« und keine »Typen«, sondern Übereignen in das Sein und Gleichmütige der wesentlichen Ahnung.

Man entdeckt jetzt erst und spät genug und nur wieder halb als eine politische Gegnerschaft den »Amerikanismus« (vgl. ob. S. 8).

Das Fehlen jeder Selbsterkenntnis bringt es mit sich, daß die Wesensgleichheit dieser Erscheinung mit allen übrigen auf dem Planeten unbegriffen bleibt und der Geschichtsgrund aller nicht bestimmt wird. Dieser aber ist der *Planetarismus*: der letzte Schritt des machenschaftlichen Wesens der Macht zur **Vernichtung** des Unzerstörbaren auf dem Wege der Verwüstung. Die Verwüstung vermag das Unzerstörbare zu vernichten, ohne daran

Réflexions XV

[12-14], pp. 259-260 :

L'homme des « Temps nouveaux » est en passe de devenir le serviteur de la dévastation.

Qui éprouve la nécessité d'agir historialement en tant qu'homme historial doit avant tout se tenir instamment dans l'essentiel, ce qui a déjà porté historialement à son accomplissement l'essentiel de toute essence en sa plénitude.

La « politique » appartient en son essence aux Temps nouveaux et en tant que telle elle est toujours politique de pouvoir, c'est-à-dire institution et accomplissement de l'habilitation du pouvoir dans l'étant sur lequel elle exerce son hégémonie. La plus haute sorte, l'acte suprême de la politique consiste à acculer l'adversaire dans une position où il se voit contraint de procéder à son propre **auto-anéantissement**. À cet égard la politique doit être de longue haleine, avoir le bras long et être capable d'encaisser des coups pendant assez longtemps ; elle ne doit pas se laisser dérouter par des défaites de temps à autre.

Ne pas « former » ni tout ramener à des « types » mais approprier en l'être et l'équanimité du pressentiment essentiel.

Voilà que l'on finit par découvrir à présent et assez tardivement, et encore seulement à moitié, l'« américanisme » comme adversaire politique (cf. *supra*, p. 8).

Le manque de connaissance de soi a pour effet que l'essentielle similarité de ce phénomène avec tous les autres apparaissant sur la planète demeure incomprise et que leur fondement historial commun n'est pas déterminé. C'est le *planétarisme* : le dernier pas de l'essence fabricatrice du pouvoir vers l'**anéantissement** de l'indestructible au moyen de la dévastation. La dévastation, quant à elle, ensevelit la possibilité de la pleine

gehalten zu sein, dieses überhaupt je zu fassen. Verwüstung aber untergräbt die Möglichkeit des Wesens eines Anfänglichen. Denn das Unzerstörbare ist nicht das irgendwo vorhandene Beständige, sondern das Anfängliche.

Weder **Vernichten** noch Ordnen noch Neuordnen ist wesentliches Genügen einer geschichtlichen Bestimmung, sondern allein das Dichten am Wesen des Seins und das Erbauen einer gegründeten Zugehörigkeit in dieses.

Anmerkungen I

[26-31], S. 18-21 :

Der Denker kommt weiter nur auf die Art, daß er der Nähe des Nächsten und jedesmal von den Gedankenlosen übersehen näher kommt. Weitergehen ist hier das stete Nichtverlieren des Anfangs.

Die höchste Stufe der **Technik** ist dann erreicht, wenn sie als Verzehr nichts mehr zu verzehren hat – als sich selbst. In welcher Gestalt vollzieht sich diese **Selbstvernichtung**? Erwarten dürfen wir sie auf Grund der in ihr Wesen eingeschlossenen Unauhaltsamkeit zum immer »neueren« – d. h. verzehrenderen.

Heute ist es wesentlicher, wahrhaft da-zu-sein, statt zu »wirken«. Es wird zu viel gewirkt. Das eifervolle Bereden dessen, was denn künftig werden solle und wie die Geschichte »aussehen« werde, wie man sich die Zukunft zu denken habe, all das sind Bekümmernisse nach der Art des ordnenden Planens. Es sind Rückfälle in das Überwundene. Im Zeitalter der Vollendung der Metaphysik ist es wesentlich, zu wissen, daß wir im einfachen Wissen des Seyns *einfach da sein müssen*. Das langsame Wort des Seyns zu denken ist schwer, falls man darauf noch denken

essence de quelque chose d'initial. Car l'indestructible n'est pas ce qui se trouve là devant quelque part en sa constance, c'est l'initial.

Anéantir, mettre bon ordre et remettre en ordre ne suffisent pas à une vocation historiale, mais seulement le poétiser à même la pleine essence de l'estre, pour bâtir une appartenance fondée en lui.

Remarques I

[26-31], pp. 18-21 :

Le penseur ne poursuit son chemin qu'en se rapprochant de ce qu'il y a de plus proche, en passant chaque fois inaperçu de ceux qui sont sans pensée. Aller plus loin, c'est n'avoir de cesse de ne pas perdre de vue le commencement.

Le plus haut niveau de la **technique** est atteint lorsqu'en tant que consommation elle n'a plus rien à consommer – sinon elle-même. Sous quelle forme s'accomplit cet **auto-anéantissement** ? Nous pouvons nous attendre à ce qu'il repose sur le caractère irrépressible, inclus en essence, de ce qui pousse au toujours « plus nouveau » – c'est-à-dire pousse davantage à la consommation.

Il est plus essentiel aujourd'hui d'être le là que d'« agir ». On agit trop. Le bavardage plein de zèle sur ce que l'avenir nous réserve, sur ce à quoi « ressemblera » l'histoire et comment se représenter l'avenir : autant de préoccupations s'inscrivant dans l'ordre de la planification. Il y a des retombées dans ce qui a été surmonté. À l'époque de l'achèvement de la métaphysique il est essentiel de savoir qu'*il nous faut simplement être là*. La parole patiente de l'estre se laisse difficilement penser, si tant est qu'il soit encore permis de penser en termes de difficulté ou de

darf, ob etwas schwer oder leicht sei. In jeder Lage ist dieses Denken und seine Inständigkeit schwerer als jede Art von Heroismus.

Wir nähern uns dem Augenblick der weltgeschichtlichen Prüfung der Deutschen, ob sie es vermögen, den Bereich jenseits von Rationalismus und Irrationalismus zu erfahren und wohnbar zu machen. Warum hindern wir uns selbst an dem Geschick, heutige Kräfte zu erwecken und ihre Gestalt zu bauen?

»Revolution« – ihr Wesen müssen wir endlich doch revolutionär verstehen und d. h. worthaft als die Rückwälzung des Wesens in das Anfängliche. Der eigentliche Revolutionär bringt weder Neues, noch bewahrt er Altes, *er erweckt das Anfängliche.*

Im Denken der Denker ist einfaches Da-sein, sofern sie ihr Sagen an der Quelle des Erfahrens halten, für das sich ereignet, was ungesagt bleibt. Der Denker, der reden muß und des Wortes nicht entbehren kann, hat gleichwohl die einfache Zuweisung in ein »Handeln«, das vor allem Tun und Machen und Wirken bloßes Dasein ist. Nur in diesem Bereich der Geschichte des Denkens erfahren wir, was sich ereignet.

Das Geheimnis des **Unwesens** –

Das »Erkennen« und »Wissen«, das uns von den »Wissenschaften« und der »Lebenspraxis« angeboten wird, ist in Wahrheit überall τέχνη, die als das Sichauskennen überall jegliches »kennt«, in dem es das zu Kennende durch eine Erklärung überholt und ihm dadurch überlegen wird zu Zwecken einer Meisterung. Das denkerische Wissen will nicht das Seiende überholen durch Beschaffung des neuen Seienden, das erklärt. Das denkerische Wissen geht nur den Gang, um beim Sein anzukommen und vor seiner Wahr-

facilité. En toute situation cette pensée et le fait de se tenir instamment en elle sont plus difficiles que toute sorte d'héroïsme.

Nous nous approchons de l'instant de la mise à l'épreuve des Allemands dans l'histoire du monde, à savoir de leur capacité ou non à éprouver et à rendre habitable le domaine se situant par-delà rationalisme et irrationalisme. Pourquoi nous faisons-nous obstacle à nous-mêmes sur la voie du destin consistant à éveiller des forces d'aujourd'hui et à les configurer ?

« Révolution » – il nous faut enfin en saisir l'essence de manière révolutionnaire en la comprenant littéralement comme retournement de la pleine essence en l'initial. Le véritable révolutionnaire n'apporte rien de nouveau, il ne conserve rien d'ancien, il *éveille l'initial.*

Dans la pensée des penseurs veille le simple être là, dans la mesure où ils maintiennent leur dire à la source de l'expérience pour laquelle advient en propre ce qui demeure non dit. Le penseur qui doit parler, qui ne peut se dispenser du mot, a aussi bien la simple assignation à un « agir » qui, avant toute action, tout faire, tout œuvrer, est simple être le là. C'est seulement en ce domaine de l'histoire de la pensée que nous éprouvons ce qui advient en propre.

Le secret de l'**inessence** –

La « connaissance » et le « savoir » qui nous sont dispensés par les « sciences » et la « pratique de la vie » sont en réalité toujours τέχνη, qui en tant que s'y connaître « connaît » tout, partout, en ce qu'elle dépasse ce qu'il s'agit de connaître par une explication et lui devient supérieure en vue d'en avoir la maîtrise. Le savoir pensif, lui, ne vise pas à dépasser l'étant en se procurant le nouvel étant qui l'explique. Le savoir pensif a pour seule démarche d'arriver auprès de l'être et de reculer face à sa vérité. Ce

heit zurückzutreten. Dieser Rückschritt ist grundverschieden im Wesen von dem für alle Wissenschaften und alle Praktiken unentbehrlichen Fortschritt.

Das Verborgenste Wesen der Macht ist die Unsicherheit und die Angst vor ihr.

Der moderne Historiker, dessen Geschäft eine Form des **Journalismus** ist, muß so viel Bücher und Akten lesen und fortgesetzt soviel gelesene Bücher besprechen und so viel Bücher selbst verfertigen, daß ihm nicht auch noch zugemutet werden kann, bei diesem Geschäft einen Gedanken zu fassen und ihm nachzudenken und dabei Gefahr zu laufen, daß das Nachdenken eine Verzögerung in den Geschäftsbetrieb bringen könnte.

Das reine Wesen des Griechentums, d. h. das Seiende, inmitten dessen die Griechen als seiende fremd gewesen, dieses und sie selbst und der Bezug des Seins zu ihnen – in der einfachen Wesung von der ἀλήθεια her zeigen und erfahren. Den μῦθος und λόγος – jedes Wort und Gebild rein, aber nicht erzwungen und schematisch-pedantisch – aus ἀλήθεια erfahren.

Wir müssen jeden Tag neu den Blick im Unzerstörbaren ruhen lassen. Aus dieser Ruhe entspringt alle Bewegung.

Der Anti-christ muß wie jedes Anti- aus dem selben Wesensgrund stammen wie das, wogegen es anti- ist – also wie »der Christ«. Dieser stammt aus der **Judenschaft**. Diese ist im Zeitraum des christlichen Abendlandes, d. h. der Metaphysik, das Prinzip der Zerstörung. Das Zerstörerische in der Umkehrung der Vollendung der Metaphysik – d. h. der Metaphysik Hegels durch Marx. Der Geist und die Kultur wird zum Überbau des »Lebens« – d. h. der Wirtschaft, d. h. der Organisation – d. h. des Biologischen – d. h. des »Volkes«.

pas en arrière est foncièrement différent en son essence du pas en avant ou progrès indispensable à toutes les sciences et toutes les pratiques.

La pleine essence de la puissance la plus à l'abri en retrait est le manque d'assurance et l'angoisse devant elle.

L'historiographe moderne, dont l'occupation est une forme de **journalisme**, doit lire tant de livres et consulter tant d'archives, continuer à discuter de tant de livres et mettre au point tant de livres qu'on ne saurait lui demander de surcroît d'avoir une idée, de la méditer à fond et de courir ainsi le danger que cette méditation puisse réfréner son affairement.

La pure essence du monde grec, c'est-à-dire l'étant au beau milieu duquel les Grecs en tant qu'étants sont demeurés étrangers, cela et eux-mêmes et la relation de l'être à leur égard – le montrer et l'éprouver dans le simple afflux de l'ἀλήθεια. Éprouver à partir de l'ἀλήθεια le μῦθος et le λόγος – éprouver toute parole et toute figure purement, sans rien forcer ni rien de schématique ou de tatillon.

Il nous faut chaque jour laisser un regard neuf se poser et reposer dans l'indestructible. De cette quiétude provient tout mouvement.

L'Anti-Christ doit comme tout ce qui est anti- provenir du même fondement essentiel que cela contre quoi il est anti-, en l'occurrence « le Christ ». Celui-ci provient de la **judéité**. À l'époque de l'Occident chrétien, c'est-à-dire de la métaphysique, celle-ci est le principe de destruction. Ce qu'il y a de destructeur dans le retournement de l'accomplissement de la métaphysique – c'est-à-dire de la métaphysique de Hegel par Marx : l'esprit et la culture deviennent la superstructure de la « vie » – c'est-à-dire de l'économie, c'est-à-dire de l'organisation – c'est-

Wenn erst das wesenhaft »Jüdische« im metaphysischen Sinne gegen das Jüdische kämpft, ist der Höhepunkt der Selbstvernichtung in der Geschichte erreicht ; gesetzt, daß das »Jüdische« überall die Herrschaft vollständig an sich gerissen hat, so daß auch die Bekämpfung »des Jüdischen« und sie zuvörderst in die Botmäßigkeit zu ihm gelangt.

Von hier aus ist zu ermessen, was für das Denken in das verborgene anfängliche Wesen der Geschichte des Abendlandes das Andenken an den ersten Anfang im Griechentum bedeutet, das außerhalb des Judentums und d. h. des Christentums geblieben. Die Verdüsterung einer Welt erreicht nie das stille Licht des Seins.

Wir dürfen jetzt nicht »über« das Abendland ein »historisches« Gerede und Geschreibe machen, sondern es gilt, abendländisch zu *sein*, d. h. anfänglicher den Anfang anfangen lassen.

Vorbeigehen am Rechnen der Macht. Einkehr in die Erwartung des Spielzeitraums des Geschichts[a].

Daß in Zielen, Werten, Aufträgen, Beiträgen gerechnet wird und gedacht werden muß, zeigt, in welcher Weise das Geschicht schon in die Ungeschichte verworfen ist. Wesentliche Geschichte bedarf nicht der Ziele. Sie ruht in der Wahr-heit.

Nicht, daß eine wimmelnde Masse erhalten und ihr Lebensstandard – auch nur das wirtschaftliche Auskommen – gesichert bleibt, ist das geschichtlich Wesentliche – sondern, daß das Sein – als das sich lichtende Gefild der Anwesung und

à-dire du biologique – c'est-à-dire enfin du « peuple ».

Mais dès lors que ce qui est foncièrement « juif » au sens métaphysique entre en lutte contre ce qui est juif, le point culminant de l'auto-anéantissement est atteint dans l'histoire ; à supposer que ce qui est « juif » se soit partout emparé du pouvoir, en sorte que la lutte contre « ce qui est juif », et elle avant tout, s'y trouve dès lors inféodée.

On peut, à partir de là, prendre la mesure de ce que signifie, pour la pensée allant jusqu'à la pleine essence initiale en réserve de l'histoire de l'Occident, la mémoire du premier commencement dans le monde grec, qui est resté en dehors du caractère juif et du caractère chrétien. L'assombrissement d'un monde n'atteint jamais la paisible lumière de l'être.

Il ne nous est pas permis aujourd'hui de nous livrer à un bavardage et à des écrits « historiographiques » sur l'Occident – il nous faut *être* occidentaux, c'est-à-dire laisser le commencement commencer de manière plus commençante.

Passer son chemin là où il y a calcul de la puissance. Revenir à l'attente de l'espace & temps où se joue le destin[a].

Qu'il faille compter et penser en termes d'objectifs à atteindre, de valeurs, de missions et de contributions montre de quelle façon est d'ores et déjà rejeté le destin dans ce qui est an-historial. L'histoire essentielle n'a pas besoin d'objectifs. Elle repose sur la splendeur du vrai.

Ce qui est historialement essentiel n'est pas qu'une masse grouillante se maintienne et que son standard de vie – ou ne serait-ce que ses moyens économiques de subsistance – soit assuré – mais que l'être soit préservé comme la

---

a. Heidegger emploie ici le terme *Geschicht*, qui est du genre neutre et correspond en moyen haut-allemand à *Geschichte*, pour souligner qu'il ne s'agit pas de l'histoire conçue sur la base du temps mondain mais de l'advenir de l'avenance.

Abwesung der Blickenden gewahrt und die Wahrheit des Seins zum Eigentum wird.

Die Absage an das Aufmerken auf die Zugehörigkeit in das Sein ist die grimmigste Verwüstung unseres eigenen geschichtlichen Wesens. Das seynsgeschichtlich Belanglose genießt den Vorzug der historischen Weltöffentlichkeit.

»Heimkunft« ist die Zukunft unseres geschichtlichen Wesens. Hier bestimmen nicht »Ziele«. Jetzt stimmt einzig der Anfang. Die Preisgabe in die Verwahrlosung der Wahrheit.

Anmerkungen II

[66-75], S. 152-158 :

Landschaft. – Man kann sie »sehen« und entdecken und beschreiben und ins Gerede und in den Verkehr bringen – nach der Art aller Zugereisten – sie wird zu etwas für alle Welt und von aller Welt Gesichtetem und bekommt ihr Allerweltsgesicht (so läßt sich der Titel Panorama verstehen) oder – einer gehört dem Land, braucht es nicht anzugaffen und dabei meinen, er gehöre kraft des Gaffens dazu – er steht in ihr schweigend und so als kennte er sie nicht. Daß sie aber in ihm spricht – nicht er über sie – kommt in Anderem zur Sprache. **Und selbst diese Überlegung sollte nicht aufgezeichnet sein.**

Wer unvertraut bleibt mit dem Denken, meint, dieses sei, weil es den Anschein von »Reflexion« zeige, eingeweiht in sein Wesen. Nur das halbwüchsige Denken beobachtet sich selbst und gerät noch auf den Einfall, mit einer »Logik« sich den Abschluß zu schaffen.

contrée s'ouvrant en clairière de l'entrée en présence et du retrait de ceux qui guignent, et que la vérité de l'être se trouve appropriée.

Renoncer à prêter attention à l'appartenance à l'être est la dévastation la plus enragée de notre propre essence historiale. Ce qui est insignifiant dans la perspective de l'histoire de l'estre jouit du privilège de bénéficier de la publicité historique mondiale.

Le « retour au foyer » est l'avenir de notre pleine essence historiale. Il n'y a pas ici d'« objectifs » déterminants. Seul le commencement donne le ton. L'abandon à la désolation de la vérité.

Remarques II

[66-75], pp. 152-158 :

Paysage. – On peut le « voir », le découvrir, le décrire, en faire un objet de bavardage et de communication – comme le font tous les nouveaux arrivants –, il devient quelque chose pour tout le monde, qui est vu par tout le monde et reçoit son visage mondio-visuel (comme on peut comprendre le terme « panorama ») – ou alors : on est du pays, on n'a pas besoin d'écarquiller les yeux et de s'imaginer qu'on en fait partie à force d'écarquiller les yeux – c'est en silence que se tient celui qui est du pays et comme s'il ne le connaissait pas. Que ce paysage parle en lui – plutôt que lui n'en parle – vient à la parole en ce qui n'est pas elle. **Et cette réflexion ne devrait d'ailleurs même pas être notée.**

Celui auquel la pensée n'est pas familière s'imagine au fait de quelque chose en son essence dès lors qu'il y a un semblant de « réflexion ». Seule la pensée à moitié formée s'observe elle-même et en vient à l'idée que la « logique » sera en mesure de lui fournir la conclusion.

Die seltsamste und vielleicht stärkste Wirkung, die ein Denken ausübt, ist jene, die in den Gegnern wider deren Wollen und Wissen erfolgt. Kaum aber sind sie je so geartet, daß ein Denken von ihnen lernen könnte. Die Gegnerschaft ist zu abhängig von dem Trugbild, gegen das sie angeht und das sie notwendig auf eine Ebene des Prekären hinabstößt. Weil der Lärm der Gegnerei nicht eine innere Dauer eines sachhaltigen Gewichts aufbringt, muß er immer neu und immer lauter gemacht werden. Schließlich meint sogar dann eine aufwachsende Jugend, »hören« sei nichts anderes als das Weitertragen von Lärm.

Was jetzt unter dem Namen »**Philosophie**« sich breitmacht, ist die kirchlich und parteimäßig organisierte oder aber aus Ratlosigkeit und Unvermögen gespeiste **Selbstvernichtung** des Denkens. Als das Denken bei den ersten Denkern des Abendlandes, d. h. bei den ersten und einzigen Denkern zu Ende war, mit und nach dem Denken der Griechen (Aristoteles), entstand die »Logik«.

»Philosophie« ist jetzt der Name für die Ausreden einer organisierten Angst vor dem Denken.

—

Im Denken warte des Wohnens im Geschick. Das Denken stiftet andenkend das Licht des Einst.

Schule und Historie setzen das Denken dem Verderb aus.

Das Weglassen lernen wir nur im Seyn-Lassen des Seyns.

Abhängiger noch als die Schuldner von ihren Gläubigern sind diese von jenen. Gerechnete Verhältnisse sind ohnedies unfreie. Der Dank fällt nicht in sie. Und wo die Pflicht zum Dank geltend gemacht wird, ist der Dank, der ihr entspricht, schon nicht mehr Dank; denn er entspringt nicht im Denken.

L'effet le plus étrange et peut-être le plus puissant qu'une pensée exerce est celui qu'elle suscite chez ses adversaires à leur corps défendant. Mais il est bien rare qu'ils soient ainsi faits qu'une pensée puisse apprendre quelque chose d'eux. La position d'adversaire est trop tributaire du simulacre auquel elle s'en prend et qu'elle ramène nécessairement à un niveau de précarité. Comme le bruit de la farouche opposition n'a pas la durée intérieure de ce qui a un poids consistant, l'adversaire doit toujours vociférer de plus belle et de plus en plus fort. Finalement, il n'est pas jusqu'à la jeunesse en pleine croissance qui ne croie qu'« écouter » ne serait rien d'autre que répercuter le bruit.

Ce qui se répand à présent sous le nom de « philosophie » est l'**auto-anéantissement** de la pensée organisé par l'Église et le Parti ou encore alimenté par le désarroi et l'incapacité. Lorsque la pensée a touché à sa fin chez les premiers penseurs de l'Occident, c'est-à-dire chez les premiers et les seuls penseurs, avec et après la pensée des Grecs (Aristote), alors naquit la « logique ».

« Philosophie » est à présent le nom donné en guise d'exutoire à une angoisse organisée face à la pensée.

—

Que la pensée puisse attendre d'habiter le destin ! La pensée institue en se remémorant la lumière de ce qui vient.

École et décompte historique exposent la pensée à la ruine.

Savoir laisser tomber, nous ne l'apprenons qu'en laissant estre l'estre.

Les créanciers sont encore plus tributaires de leurs débiteurs que ceux-ci de ceux-là. Des rapports comptables sont de surcroît non libres. Il n'y a pas en eux de gratitude. Et là où l'on fait de la gratitude un devoir, la gratitude correspondante n'est déjà plus gratitude, parce que celle-ci ne provient pas de la pensée.

In einer Zeit, da die Angst vor dem Denken als »Philosophie« gilt, muß jeder, der noch aus einem Bezug der Sache des Denkens lebt, sich über die erste Entscheidung klar sein. Sie heißt: wegbleiben. Sie ist aber nur im Anschein negativ. Sie kommt aus dem Wartenkönnen. Warten: freilich nicht auf eine spätere Zustimmung einer Öffentlichkeit; sondern warten, über die eigene Lebenszeit hinaus, auf den Blick einer Lichtung des Seyns, der sich dem Menschen ereignet.

In der Natur der Sache liegt es wohl, daß die Sache des Denkens, die wohl *die* Sache des Menschen ist, sich dem Menschen ständig entzieht und ihn so gerade anzieht, damit das Denken ein Andenken werde.

Bei der Sache bleiben, koste dies, was immer es koste. Denn hier wird nicht mehr gerechnet.

Eine »wörtliche« Übersetzung besteht nicht darin, daß man die entsprechenden »Wörter« nach Anzahl und grammatischer Form setzt, sondern daß wir »das Wort« treffen und zwar ihr Herkommen aus dem Sagen der übersetzenden Sprache.

Im Weltalter der Kriege und Zerstörungen ist es nötig, das Kostbare zu schützen. Der beste Schutz bleibt, daß es unauffällig im Unbekannten gehalten wird. Die größte Zerstörungskraft eignet heute der Öffentlichkeit. Denn sie zerstört, in dem sie den Anschein errichtet, als baue sich in ihr und durch sie eine Welt auf. Die **Atombombe** läßt dagegen nur alles in Staub zerfallen, in dem sie selbst in die **Vernichtung** eingeht. Die Öffentlichkeit aber arbeitet sich aus ihrem **Vernichtungsgeschäft** ständig heraus. Dieses ist ihr Element. Es gilt, vor dieser Zerstörung das Kostbare, das Denken als Andenken, in das Unbekannte zurückzunehmen, gleichsam zu vergraben.

Wir können das Seyn nie erzwingen,

À une époque où l'angoisse face à la pensée passe pour de la « philosophie », tout être qui vit encore d'une relation avec l'affaire de la pensée doit être au clair avec la première décision. Elle s'appelle : se tenir à distance. Elle n'est qu'apparemment négative. Elle vient du savoir attendre. Attendre : non pas assurément l'approbation ultérieure d'un public ; mais attendre, par-delà la durée de sa propre vie, le regard d'une clairière de l'estre avenant à l'homme.

Il est dans la nature de l'affaire de la pensée, qui est bel et bien *l'*affaire de l'homme, qu'elle ne cesse d'échapper à l'homme, de se retirer et par là précisément l'attire afin que la pensée se fasse remémorante.

Demeurer auprès de l'affaire de la pensée, quoi qu'il doive en coûter. Car il n'y a plus ici de compte qui vaille.

Une traduction « littérale » ne consiste pas à mettre des « mots » tenus pour équivalents en en respectant le nombre et la forme grammaticale mais à trouver « le mot » fusant du dire de la langue dans laquelle on traduit.

À l'âge du monde des guerres et des destructions il est nécessaire de protéger ce qui est précieux. Et la meilleure protection est encore que ce qui est précieux soit maintenu, de manière inaperçue, dans l'inconnu. La plus grande force de destruction appartient aujourd'hui à la publicité. Car elle détruit en faisant croire qu'en elle et par elle un monde prend forme. Alors que la **bombe atomique** réduit tout en poussière, en entrant elle-même dans l'**anéantissement**, la publicité ne cesse de s'extraire de ses **opérations d'anéantissement**. Tel est son élément. Face à cette destruction il convient de mettre à l'écart ce qui est précieux, la pensée comme remémoration, dans l'inconnu, pour ainsi dire de l'enterrer.

L'estre ne se laisse jamais extorquer mais

aber erwarten: im Austrag des Behütens seiner Wahrheit eine Ankunft bereiten.

Oft faßt einen das Grauen bei der Aussicht, daß auf Jahrzehnte hinaus bei uns kein *Denken* mehr sein wird, sondern nur ein zuchtloses »Weltanschauungs«-gerede, das noch gar nicht merkt, wie sehr es sich mehr und mehr in die Botmäßigkeit dessen begibt, was man als »verruchtes System« ausrotten möchte. Man schaltet zwar dessen »Inhalte« aus und beseitigt die vormaligen Anhänger. Dafür behält man jedoch um so entschiedener den Stil zurück und umgibt ihn mit christlichen und humanitären Phrasen. Verheerender als die Hitzewelle der Atombombe ist der »Geist« in der Gestalt des Weltjournalismus. Jene vernichtet, indem sie nur auslöscht ; dieser vernichtet, indem er den Schein von Sein errichtet auf dem Scheingrund der unbedingten Wurzellosigkeit. Der absolute Journalismus betäubt die heute Stil gewordene Angst vor dem Denken und sorgt so für die gründlichste Ausrottung des Denkens. Wir müssen uns und die Kommenden darauf bringen, daß inskünftig für lange Zeit das Denken ein kostbarer Schatz bleibt, den man am besten hütet, wenn man ihn tief vergräbt. Mit »Pessimismus« hat das nichts, aber viel mit Nüchternheit zu tun. (Später erwähnt in einem Brief an Manfred Schröter[a].)

Rettungen und Verteidigungen gegenüber der Öffentlichkeit sind unnötig. Aber nötig ist die Ruhe für die Unruhe des Denkens.

seulement attendre : préparer sa venue sous l'égide de la garde de sa vérité.

On est souvent épouvanté à l'idée que, durant des décennies, il n'y aura plus de pensée mais un bavardage intempérant en termes de « visions du monde », qui ne s'avise pas encore de son degré de plus en plus grand d'inféodation à ce que l'on aimerait extirper comme « système honni ». On met certes hors circuit ses « contenus » et on écarte les partisans d'hier. Mais à cette fin on en retient d'autant plus le style en l'entourant de belles paroles chrétiennes et humanitaires. Encore plus dévastateur que l'onde de chaleur provoquée par l'explosion de la bombe atomique est l'« esprit » dans la figure du journalisme mondial. Celle-là anéantit en provoquant une extinction ; celui-ci anéantit en installant l'apparence de l'être sur le pseudo-fondement de l'absence inconditionnée de racines. Le journalisme absolu est le sédatif de l'angoisse face à la pensée, devenue aujourd'hui un style, et ainsi s'occupe de l'extirpation la plus radicale de la pensée. Nous devons nous faire à l'idée, et le faire comprendre aux générations à venir, que la pensée est appelée à demeurer à l'avenir, et pour longtemps, un précieux trésor et que la meilleure façon de le protéger est de l'enfouir profondément. Cela n'a rien à voir avec du « pessimisme » mais beaucoup à voir avec de la lucidité. (Évoqué ultérieurement dans une lettre à Manfred Schröter[a].)

Les tentatives de réhabilitation et de défense face à la sphère publique ne sont pas nécessaires. Nécessaire, en revanche, est la quiétude pour l'inquiétude de la pensée.

---

a. Manfred Schröter (1880-1973) est habilité en 1908 avec une thèse sur Schelling, et sera l'éditeur de l'édition munichoise dite du jubilé de Schelling (1927-1928). Marié depuis 1909 avec une Juive, il a dû renoncer à l'époque du national-socialisme à un enseignement à l'université technique de Munich.

Im Denken ist es gut, öfter und dabei, wie neu ankommend, dorthin zurückzukehren, wohin der Weg schon einmal gelangte.

Weshalb gelangen wir *denkend* nur *so* weit im Element des Seyns, wie weit das Geschick der Wahrheit des Seyns aus diesem herkommt? Das Maß im Einst.

Im Bereich des Einfachen sind wir unversehens und ohne daß sich etwas in seiner Unmöglichkeit genügend anzeigt, auf dem Irrweg. Wir finden uns dann bei einem Vorhaben, das dem Versuch gleicht, auf einem Baum Fische zu fangen.

Eine Gesetzgebung des Da-seins, die das Gesetz aus dem Geschick des Daseins erst werden und – im Werden läßt, auf die Gewähr, daß sich sogar das Wesen von Gesetz wandelt.

Das Zu-denkende:
Der Unterschied im Geschick des Einst.

Meine Personalakten in der Philosophischen Fakultät Freiburg sind verschwunden[a]. Vielleicht beweist ein späterer Historiker der Universitätsgeschichte auf Grund dieses Fehlens der Akten, daß meine dreißigjährige Tätigkeit an der Universität eine Fiktion sei.

»Meine Philosophie« – falls der törichte Ausdruck gebraucht werden darf – sei »die Philosophie des Abgrunds« – ich frage zurück: stehen wir etwa nicht am Abgrund? Nicht nur wir, die Deutschen, nicht nur Europa – sondern »die Welt«? Und nicht nur seit gestern und schon gar nicht »durch« **Hitler**, so wenig wie »durch« Stalin oder »durch« Roosevelt. –

Dans le domaine de la pensée il est bon de revenir souvent, et comme si l'on y arrivait pour la première fois, là où le chemin avait déjà abouti une fois.

Pourquoi ne parvenons-nous *en pensant* qu'*aussi* loin, dans l'élément de l'estre, que le destin de la vérité de l'estre trouve en celui-ci sa provenance ? La mesure en ce qui vient de ce qui provient.

Dans le domaine du simple nous nous fourvoyons inopinément, et sans que quelque chose se montre suffisamment en son impossibilité. Notre dessein ressemble alors à la tentative d'attraper des poissons sur un arbre.

Une législation de l'être le là qui laisse advenir la loi à partir du destin de l'être le là et la laisse en devenir avec la garantie que se transforme l'essence de la loi.

Ce qui est à penser :
La différence dans le destin de ce qui vient de ce qui provient.

Mon dossier personnel archivé à la faculté de philosophie de Fribourg a disparu[a]. Un historien futur démontrera peut-être, sur la base de la disparition du dossier, que mon activité d'enseignement à l'université durant trente ans était une fiction.

« Ma » philosophie – si tant est que puisse être employée cette expression dénuée de sens – serait la « philosophie de l'abîme » – mais je demande en retour : ne nous trouvons-nous pas précisément au bord de l'abîme ? Non pas seulement nous, les Allemands, non pas seulement l'Europe – mais bien « le monde » ? Et cela ne date pas d'hier et n'est pas non plus « le fait » de **Hitler** et tout aussi peu « le fait » de Staline ou « le fait » de Roosevelt. –

---

a. Ces dossiers ont été retrouvés au début des années 1990, parmi d'autres, dans une baignoire, là où était alors domiciliée la faculté de philosophie de l'université de Fribourg (Erbprinzstraße 13). Voir les remerciements dans la « Postface de l'éditeur ».

Ist ein Denken gefährlich, das denkt, was ist? Oder will man »denken«, was *nicht* ist? Will man überhaupt nicht denken, sondern faseln, die Faselei über »das Wirkliche« fortsetzen? Man will nur dieses. Man steht immer noch nicht am Abgrund, man will gar nicht wissen, was das ist. Gleich als hetzte da eine geheime Angst davor, daß der Mensch mit dem Blick in den Abgrund gerade nur erst beginnt, zu erfahren, erfahren zu lernen, was ist. Gleich als hätten die Rechner und Zersetzer, die alles durch ihre Intellektualität zerreiben, Angst vor jener Leere, in der ihr Gefasel und ihre organisierte Zerstörerei auch bei denen, die törichter sind als die Deutschen, nichts mehr verfängt.

Die eigentliche Niederlage besteht nicht darin, daß »das Reich« zerschlagen, die Städte zertrümmert, die Menschen durch unsichtbare Tötungsmaschinerien hingemordet werden, sondern daß sich die Deutschen durch die Anderen in die **Selbstvernichtung** ihres Wesens treiben lassen und sie selbst betreiben unter dem plausiblen Anschein, das Schreckens- regiment des »**Nazismus**« zu beseitigen. Man wird dieses, zumal wenn es hinreichend präpariert und geschichtlich isoliert worden ist – als sei es ohne Zutun der Anderen, plötzlich im Januar 1933 vom Himmel gefallen, um sich, ebenso isoliert, in den nächsten zwölf Jahren zu entwickeln – man wird dieses so präparierte Gebilde jederzeit mit Recht der Weltöffentlichkeit als Schande vorführen können. – Aber es wird schwer sein, den Blick so frei und überlegen zu machen, daß er erkennt, wie eben dieses Rechthaben – im Grunde eine planetarische Irreführung darstellt, die alles in die Verwirrung treibt.

Une pensée qui pense ce qui est est-elle dangereuse ? Ou alors voudrait-on penser plutôt ce qui *n'est pas* ? Voudrait-on non pas penser mais débiter des sornettes, continuer à débiter des sornettes sur la « réalité » ? C'est là au fond tout ce que l'on veut, on ne se tient toujours pas au bord de l'abîme, on ne veut surtout pas savoir ce que c'est. Comme si nous poursuivait une secrète angoisse face à la possibilité que l'homme, en regardant l'abîme, commence enfin à éprouver, à apprendre à éprouver ce qui est. Comme si les calculateurs et les démolisseurs, qui triturent tout avec leur intellectualité, éprouvaient une angoisse face à cette vacuité dans laquelle leurs sornettes et leur entreprise de démolition organisée n'attrapent plus rien, même chez ceux qui sont plus insensés que les Allemands.

La véritable défaite ne consiste pas dans l'effondrement du « Reich », dans le fait que les villes ne soient plus que ruines, que les hommes soient tués par d'invisibles machines de mort, mais dans le fait que les Allemands se laissent acculer par d'autres à l'**auto-anéantissement** de leur être et le fomentent eux-mêmes sous l'apparence plausible d'éliminer le régime de terreur du « **nazisme** ». Ce que l'on ne manquera pas de présenter – une fois qu'on l'aura soigneusement réinterprété et isolé historialement – comme si c'était soudain tombé du ciel en janvier 1933, sans que personne y soit pour rien, pour se développer, tout aussi isolé, au cours des douze années suivantes – et ce tableau, une fois mis au point, pourra être présenté chaque fois à bon droit à l'opinion publique mondiale comme sujet d'opprobre. – Mais il sera difficile de faire en sorte que le regard soit assez libre et prenne assez de hauteur pour reconnaître à quel point cet « avoir raison » représente au fond un égarement planétaire propre à tout embrouiller.

Vielleicht weiß »Man« sehr gut, daß auf diesem Wege am sichersten der zugleich gebrandmarkte »Nazismus« noch unheilvoller angereizt und gezüchtet wird. Man wird auch dieses, von langer Hand vorbereitet, wollen, um dann noch einmal zur letzten Maßnahme der Ausrottung unter noch lauterem Humanitätsgeschrei auszuholen.

Und das Christentum versucht, während diese Teufelei »anläuft«, noch da und dort seine kulturellen Geschäfte zu machen. Man verzeichnet mit Genugtuung über soviel neu erreichte Modernität, daß der Leiter der Fernsehforschungsgesellschaft – ein Katholik sei. **Man predigt zugleich, die Technik müßte dem Menschen dienen.** Man wagt es gleichzeitig, solches törichtes Zeug zu reden und den »Joseph Goebbels« als einen Lügner an den Pranger einer äußerst fragwürdigen Weltöffentlichkeit zu stellen.

Im wirklichen Gehen, zumal im Gang des Denkens – können wir nie zugleich hinter uns hergehen, um auch dieses Gehen noch zu belauern.

Ob sich bald wohl einige noch finden, die sich mit einem merkbaren Ruck von dem elenden Zeitschriftengeschwätz abkehren und der nachwachsenden Jugend noch einmal zeigen, was Arbeit im Geiste *ist*? Werkstatt, nicht Faseleien. Aber auch dieses Zeigen ist schon zu spät.

»Katholische Philosophie«, dieses Gebilde, und eher noch sein Aushängeschild, wagt sich jetzt aufdringlicher hervor. Daß sich schon im bloßen Titel die bare Unmöglichkeit kundtut, scheinen die noch nicht zu merken, die meinen, es sei nötig, mit dieser Form von Spiegelfechterei sich einzulassen. »Katholische Philosophie« – das ist nicht viel anders als »nationalsozialistische Wissenschaft« – ein viereckiger Kreis, ein hölzernes Eisen,

Peut-être sait-« on » pertinemment qu'à être ainsi stigmatisé le « nazisme » se trouve d'autant plus sûrement attisé et cultivé de manière encore plus désastreuse. Mais cela aussi, préparé de longue date, c'était précisément l'effet recherché, pour prendre la dernière mesure d'éradication tout en proclamant d'autant plus bruyamment des idéaux humanitaires.

Et tandis que cette ruse diabolique se « met en marche », le christianisme continue ici et là à faire ses affaires culturelles. Satisfaits de tant de modernité de nouveau atteinte, certains relèvent que le directeur de la Société de recherche télévisuelle est un catholique. On prêche en même temps que la technique devrait être utile à l'homme. On ose proférer de telles stupidités et, dans le même temps, taxer « Joseph Goebbels » de menteur et le clouer au pilori d'une opinion mondiale extrêmement discutable.

Quand on chemine véritablement, notamment dans le domaine de la pensée, on ne peut jamais simultanément revenir en arrière pour jeter un coup d'œil sur le chemin parcouru.

S'en trouvera-t-il bientôt encore quelques-uns pour se détourner du misérable verbiage des revues par un sursaut notable et montrer à la génération montante ce qu'*est* le travail dans l'esprit ? L'atelier, non des sornettes. Mais il est déjà trop tard pour le montrer.

La « philosophie catholique », cet artefact, et plus encore son étendard osent à présent se montrer avec plus d'ostentation. Que dans son propre intitulé s'annonce sa stricte impossibilité, de cela ne semblent pas encore s'aviser ceux qui estiment qu'il serait nécessaire d'entrer dans cette mascarade. « Philosophie catholique », ce n'est guère différent de « science nationale-socialiste » – un cercle carré, un fer en bois qui, une fois

das, wenn es ins Feuer kommt, zur Asche zerfällt, statt gehärtet zu werden. Aber es geht nicht einmal ins Feuer. Es erhebt nur ein großes Geschwätz nach dem Vorbild des **modernen Journalismus** – auch vor der »Aneignung« dieser Erscheinung schreckt man nicht zurück. »Katholische Philosophie« – dieser Titel erklärt schon, falls man ihn denkt, die unbedingte Bereitschaft zum – Verzicht auf das Denken, aber hinter der Fassade und mit dem Aufwand der Terminologie des jeweils gerade gängigen »Philosophierens«, das auch nicht immer schon *denken* ist.

mis au feu de la forge, tombe en cendres au lieu de se tremper. Mais il ne va pas même au feu. Il suscite seulement beaucoup de bavardage selon le modèle du **journalisme moderne** – et l'on ne recule pas devant le fait de « faire sien » ce phénomène. « Philosophie catholique » – cet intitulé suffit déjà à expliquer, à supposer qu'on s'y arrête, qu'on est prêt de manière inconditionnée à renoncer à la pensée, mais derrière la façade et avec le renfort de la terminologie de la « philosophie » qui a eu cours, même si elle n'est pas toujours pour autant une *pensée*.

Le « communisme », l'« État anglais », l'« essence de la subjectivité », « l'homme des Temps nouveaux », la « technique », l'« Occident chrétien » et, finalement, la « pensée » représentent le scénario dans lequel prend forme la corrélation, dans les carnets, entre les termes *Vernichtung* et *Selbstvernichtung*. Pour élucider leur emploi dans les *Anmerkungen I-II* (1942-1946), il s'avère nécessaire d'étendre notre enquête en tenant compte des *Überlegungen*.

L'une des raisons qui ont empêché les interprètes de Heidegger de procéder au cadrage de cette analyse est le fait que certains se sont arrêtés aux six premières lignes des *Anmerkungen I* ([30]). Et dès lors que les *Anmerkungen* ont été composées à partir de 1942, cela a inévitablement conditionné les interprètes, dont l'attention a été focalisée sur ce seul point, jusqu'à amener nombre d'entre eux à identifier les *Anmerkungen* à cet unique passage. Il est indéniable que la grille interprétative adoptée à la suite de la publication des *Anmerkungen* a ramené toute réflexion à cette interprétation initiale que l'on a voulu donner à *Selbstvernichtung* ; et telle est la raison pour laquelle le contenu complexe des notes[1] n'a pu être soumis à une analyse pertinente – au point de négliger l'ensemble des argumentations traitées dans notre section 5.

---

1. *Anmerkungen* : les notes de Heidegger dans les *Cahiers*. (N.d.T.)

Les *interprétations partisanes* de *Selbstvernichtung*, renforcées par
l'impact que ce terme peut avoir une fois répercuté dans l'opinion publique, ont de fait arrêté dans son élan toute réflexion
et ont inévitablement amené à des approximations faciles et très
réductrices. Un piège très répandu tient au sens par trop littéral
que l'on a voulu attribuer à ce terme. On ne comprend que trop
aisément qu'il ait fallu dès lors passer sous silence le contenu
des *Anmerkungen I-V*, en se contentant tout au plus d'un rapide
survol : celles-ci auraient sapé l'opération instrumentale de ceux
qui s'obstinent dans l'idée que *Selbstvernichtung* serait l'unique
point de référence sur lequel s'appuyer. Cette opération a contribué à réduire, jusqu'à l'éliminer, le contenu de toutes les autres
Anmerkungen. Le parti pris de limiter l'interprétation de *Selbstvernichtung* aux *Anmerkungen I* ([30]) n'a donc guère été profitable
à la plupart vu que – comme nous allons le montrer – ce parti
pris a seulement contribué à aggraver une distorsion herméneutique concernant l'interprétation du terme et surtout le contexte
dans lequel il est inséré. En règle générale, il n'est pas possible
d'accomplir un parcours herméneutique dans les carnets si l'on
n'est pas disposé à laisser de côté sa propre « vision du monde ».

Selbstvernichtung : c'est une forme de *Vernichtung*. Dans le
contexte du « communisme » et de l'« État anglais » (*Überlegungen XIII* [107-109]), *Selbstvernichtung* n'a pas la valeur d'un simple
auto-anéantissement au sens littéral mais signifie la conservation et
la montée en puissance de ces deux réalités qui se configurent au
cours du temps comme absolues. L'*auto-anéantissement* est donc
révélateur de leur manifestation comme on peut l'inférer de l'emploi de certaines formes verbales : « le "communisme" **pousse**
au déclenchement de complications guerrières » ; « **promu** […] »
par la **surenchère** de son propre faux-semblant » (il s'agit ici de
la « forme bourgeoise-chrétienne du "bolchevisme" anglais »). Et
dans la même mesure aussi en référence à l'« essence de la subjectivité » (*Überlegungen XIV* [18-19]), l'*auto-anéantissement* prend
la valeur de son maintien – et c'est pourquoi il est « **cultivé** » par
des générations dans lesquelles il trouve sa « *confirmation* de sa
seigneurie ».

C'est sous cette nouvelle forme que « l'essence de la subjectivité **pousse** et **s'installe** dans ce complet abandon de l'être ». En
ce sens, nous assistons avec « l'homme des Temps nouveaux »
(*Überlegungen XV* [12-14]) au règne de la politique de la puissance,
c'est-à-dire à « l'institution et l'accomplissement de l'habilitation
de la puissance dans l'étant rendu par elle tout-puissant ». L'*auto-
anéantissement* devient la plus haute des formes inhérentes à ces
mécanismes de puissance dans lesquels l'étant parvient à son
plus haut niveau de domination et où ce qui s'anéantit est toujours conservé en une manifestation consécutive qui perdure et
renaît sous de nouveaux faux-semblants. Si avec l'anéantissement
l'entité de l'étant est liée aux logiques du règne de la puissance,
avec l'*auto-anéantissement* nous assistons à la surenchère dans cette
montée en puissance de toutes les stratégies qui donnent à ces
logiques l'assurance de per-*durer* de manière inconditionnée
comme si elles voulaient en fixer le caractère immuable.

Comme nous l'avons vu, le parcours tracé dans les *Überlegungen*
se poursuit dans les *Anmerkungen*, où la « technique », l'« Occident chrétien » et la « pensée » continuent à être les lieux dans
lesquels est visible l'*auto-anéantissement*. Si nous reprenons la mention de la « technique », la forme de l'auto-anéantissement est
réalisée lorsque la technique, n'ayant plus rien à consommer,
« pousse vers ce qui est toujours "plus nouveau" – autrement dit
pousse davantage à la consommation ». Il ne s'ensuit pas que
parler d'*auto-anéantissement* équivaudrait à trouver toujours une
marge de manœuvre supplémentaire poussant la volonté de puissance vers de nouveaux domaines de domination pour pouvoir
renforcer ce règne qui se conserve et se consolide dans sa propre
conservation.

La référence à l'« Occident chrétien » ainsi que la mention de
la « judéité » et de ce qui est juif ne comportent aucune réflexion
explicite ou implicite qui nous permettrait de supposer – si tant
est que l'on puisse émettre une telle hypothèse – que Heidegger
aurait voulu se référer au *Volk* (peuple) juif en tant que tel :
le point culminant de l'auto-anéantissement est atteint quand
ce qui est foncièrement juif, *intrinsèquement*, se re-*tourne* contre

lui-même ; autrement dit, quand la fermeture dans la rigide calculabilité (stéréotype alors répandu) s'oppose à ce qui lui est
intrinsèque, on atteint le point culminant de *l'auto-anéantissement*
qui correspond à la *forme* la plus haute d'une métaphysique de
l'Occident chrétien dans laquelle la « vision du monde » est marquée par la non-appartenance à l'histoire de l'être. À l'arrière-
plan se tiennent toujours l'Occident chrétien et les catégories
employées par Heidegger pour décrire comment il est possible
que l'*auto-anéantissement* soit une constante qui perdure au cours
de l'histoire et renaît sous de nouvelles formes. En effet, dans
le contexte marqué par la « pensée » (*Anmerkungen II* [66-75]),
une nouvelle forme d'*anéantissement* est l'*auto-anéantissement* de
la pensée produit par ce qui se répand sous le nom de « philosophie » et prend ensuite une forme organisée avec l'intervention
de l'« Église » et du « Parti ». Enfin, la mention de l'« opinion
publique » et de ses « opérations d'anéantissement » indique
encore une fois que l'*auto-anéantissement* est à entendre comme
une action systématique décrétant l'incompatibilité entre la
« vision du monde » d'une modernité dominée par le règne de
la surenchère dans la montée en puissance de l'étant et, d'autre
part, le projet heideggérien de fondation d'un savoir essentiel.

6. *Post-scriptum*

Ce post-scriptum a une configuration parfaitement autonome
et indépendante des analyses menées jusqu'à présent parce que
certaines questions abordées en lui n'ont guère de rapport avec un
parcours théorique qui a délibérément gardé ses distances avec
les logiques d'éreintement nourries de stéréotypes, si répandues
soient-elles. Garder ses *distances* revient à se tenir à l'écart du
délire de la confusion qui veut uniformiser, amalgamer la pensée à des domaines dans lesquels elle ne pourra jamais sombrer
de son propre chef. C'est seulement dans la *méditation en quête
de sens* que garder ses distances nous met dans un mouvement

actif où notre être est à l'abri dans l'inquiétude de se voir toujours repoussé *outre tout par-delà définissable,* inquiétude au sein
de laquelle même le langage se ploie en sa propre imperfection
parce qu'il s'avère incapable de recueillir, c'est-à-dire d'acquérir,
la pleine unité de ce qui se situe « par-delà ». Mais à certains
stades de ce parcours nous nous sommes arrêtés dans une rétrospective du chemin accompli pour nous rendre compte qu'il a été
habité par l'insistance d'un questionnement sans relâche. C'est
en marquant une halte que l'on s'aperçoit que c'est également
notre regard qui a changé sur les choses du monde, la perspective
qui s'est offerte nous autorisant également à constater quelques
éléments qu'il est bon de répertorier ici.

Revenons aux questions relatives à la Postface du tome 95, laissée en souffrance dans le deuxième point de notre section 3, en
rappelant ce que soutient l'éditeur allemand des carnets :

> L'arrière-plan de ces déclarations relatives au « judaïsme » aussi
> bien qu'à l'interprétation de la réalité quotidienne du national-
> socialisme est constitué à vrai dire par toutes ces pensées que nous
> connaissons à partir des traités « historiaux » de Heidegger rédi-
> gés à la même période : les *Apports à la philosophie (De l'avenance)*
> (tome 65, 1936-1938), *Besinnung* [*Méditation du sens*] (tome 66,
> 1938-1939) et, plus tardifs, *Geschichte des Seyns* [*Histoire de l'estre*]
> (tome 69, 1939-1940), *Über den Anfang* [*En passant par le commen-
> cement*] (tome 70, 1941) et *Das Ereignis* [*L'avenance*] (tome 71,
> 1941-1942). À maintes reprises les « Réflexions » font écho à ces
> écrits[1].

L'éditeur allemand rapproche ici les *Überlegungen* des œuvres
contenues dans les tomes 65, 66, 69, 70 et 71 de la *Gesamtausgabe,*
mais il est évident que ce rapprochement n'est qu'un prétexte
pour insinuer un doute que nous lèverons plus loin. Il est bien
naturel que les *Überlegungen,* et plus généralement les *Schwarze
Hefte,* aient vu le jour au cours de la même période que celle

---

1. P. Trawny, « Nachwort des Herausgebers », *in* M. Heidegger, *Überlegungen VII-XI (Schwarze
Hefte 1938-1939),* op. cit., p. 452.

où Heidegger écrivait ses traités et que se trouvent en eux des allusions répétées à ces ouvrages. Toutefois, le doute que l'éditeur allemand cherche à insinuer est que les « déclarations relatives au *"Judentum"* » aussi bien que l'interprétation de la réalité quotidienne du national-socialisme » se retrouveraient inscrites dans le projet de l'histoire de l'être. Si elle n'est pas justifiée, cette insinuation s'avère très grave et *ne peut pas être passée sous silence*. Par la suite, dans son ouvrage *Heidegger und der Mythos der jüdischen Weltverschwörung*, l'éditeur allemand soutient que « dans ceux-ci [les *Cahiers noirs*] "les Juifs" se trouvent placés dans une topographie de l'histoire de l'être, ou une auto-topographie [...] dans laquelle une signification particulière et spécifique leur est attribuée, et cette signification est de nature antisémite[1] ». Nous nous trouvons ici face à quelque chose de « particulier » (« signification particulière ») qui ne peut ni ne doit être traité à la légère parce que cela donne des proportions gigantesques à la gravité de ses insinuations, nous contraignant à déduire que l'éditeur allemand estime, pour sa part, que Heidegger était antisémite, comme serait antisémite la pensée de l'histoire de l'être. À partir de sa Postface il a donné naissance à toute une série d'insinuations qui par la suite ont été reprises – mais jamais pleinement justifiées – dans ses autres écrits ; il a contrevenu de cette façon – et *sans rencontrer d'opposition* – aux directives formulées par Heidegger pour l'édition des volumes de la *Gesamtausgabe*[2].

---

1. P. Trawny, *Heidegger und der Mythos der jüdischen Weltverschwörung, op. cit.*, p. 15 ; trad. fr., p. 131.

2. J'ai longuement discuté de cet argument avec Friedrich-Wilhelm von Herrmann lors de nos entretiens à Fribourg. Les dispositions contractuelles adoptées par Heidegger et Vittorio Klostermann pour l'édition des volumes de la *Gesamtausgabe* sont extrêmement claires et réglementent aussi la latitude laissée aux traducteurs : « Les éditeurs et les traducteurs ne doivent pas écrire de préfaces mais seulement des postfaces. La postface de l'éditeur doit se limiter en tout et pour tout à son travail d'éditeur et s'abstenir de discuter de toute interprétation relative au contenu de l'œuvre éditée par ses soins » ; pareillement, « dans la postface, le traducteur peut parler de son travail de traduction, mais il doit s'abstenir de discuter de toute interprétation du texte traduit par ses soins ». Il est impératif de respecter ces directives au point que Franco Volpi lui-même a dû s'y tenir lorsqu'il a envoyé à l'éditeur Klostermann une copie des épreuves du volume traduit par ses soins, les *Beiträge zur Philosophie (Vom Ereignis)*, sous le titre : *Contributi alla filosofia (Dall'Evento)*. Dès lors que F.-W. von Herrmann, en sa qualité de principal responsable scientifique de la *Gesamtausgabe*, a poursuivi l'entretien sur le cas Volpi, je rapporte intégralement le contenu de notre entretien : « Hermann Heidegger, administrateur du *Nachlaß*, a constaté que Volpi avait contrevenu, en sa qualité de traducteur et éditeur, aux directives

Il nous semble que l'hypothèse selon laquelle Heidegger aurait été antisémite a été largement dépassée sur la base de ce que l'auteur nous a livré dans ses carnets : ceux-ci demeurent pour nous l'unique nœud de l'affaire dans la controverse vu que l'hypothèse d'un antisémitisme s'exacerbe à partir de la publication de ces textes.

Par conséquent, une fois écartée l'hypothèse d'un antisémi-

---

précédemment indiquées, puisqu'il avait rédigé une préface contenant une interprétation portant sur les contenus de l'œuvre en question. Sa préface a dû être modifiée en « Avertissement de l'éditeur de l'édition italienne » et les parties interprétatives ont dû être retranchées. Pour que cette mesure soit appliquée, la maison d'édition Klostermann et Hermann Heidegger ont agi d'un commun accord. La version intégrale dudit Avertissement a été publiée par la suite dans : F. Volpi, *La selvaggia chiarezza. Scritti su Heidegger* [*La Sauvage clarté. Écrits sur Heidegger*], Adelphi, Milan, 2011, pp. 267-299. Si l'on confronte les deux versions, on constate qu'en ont été éliminés les éléments suivants : d'abord la subdivision en huit parties et les cinquante-sept notes de références ; les réinterprétations de Volpi, qui dans la version intégrale constituent une partie considérable du texte (de la p. 268 à plus de la moitié de la p. 280, des trois premières lignes de la p. 283 à la p. 285 et de la p. 296 à la p. 299). Une bonne partie en a été revue pour pouvoir être publiée dans l'édition italienne des œuvres comme « Avertissement de l'éditeur ». Outre les interprétations ont été supprimées aussi quelques mentions faites par Volpi de la « crise personnelle » que Heidegger aurait traversée entre 1936 et 1938, par exemple le contenu de la note 1 où il est écrit : « selon Pöggeler, la crise a poussé Heidegger à envisager le suicide ». Ces évocations, comme aussi le fait que Volpi a utilisé la correspondance privée entre Heidegger et Elisabeth Blochmann dans les années 1932, 1935 et 1938 (*ibid.*, pp. 273 et 275) – période au cours de laquelle l'auteur est engagé dans la rédaction des *Beiträge* –, ne sont pas du ressort de l'éditeur et/ou traducteur, du rôle auquel il est tenu dans son écrit, et si l'on songe au fait que l'évocation d'Elisabeth Blochmann n'était guère gênante, elle a été supprimée du fait qu'elle avait été l'une des « amantes » de Heidegger : information qui, à l'époque où écrivait Volpi, n'était pas tombée dans le domaine public, n'ayant été divulguée qu'à présent par Hermann Heidegger (voir *infra*, « Martin Heidegger n'était pas antisémite », p. 443). Outre la correspondance avec Elisabeth Blochmann, Volpi fait référence à d'autres correspondances, notamment celle avec Hannah Arendt en 1950 (*ibid.*, pp. 274-275) et celle entre cette dernière et Jaspers, en 1949, où Hannah Arendt lui rapporte : « J'ai lu la lettre contre [*sic*] l'humanisme, elle aussi est assez problématique et ambiguë par bien des aspects, même si c'est la première chose qui soit à nouveau au niveau de l'époque. (Hier j'ai lu les essais sur Hölderlin et quelques cours sur Nietzsche, épouvantables et pleins de verbiage. Sa vie à Todtnauberg, lançant des imprécations contre la civilisation et écrivant *Sein* avec un *y*, est à vrai dire seulement la tanière dans laquelle il s'est retiré) » (*ibid.*, p. 284). On comprend la raison pour laquelle Hermann Heidegger a voulu que l'Avertissement fût « censuré » : en dehors des interprétations de Volpi sur le contenu des *Beiträge* s'y trouvait toute une série d'éléments ne pouvant figurer dans un texte censé n'être qu'une *ouverture* pour le lecteur des *Apports*. On pense également à certaines expressions de Volpi relatives à l'œuvre, elles aussi éliminées du texte édité par Adelphi en 2007, comme par exemple : « si l'on ajoutait les premières suggestions dues à la circulation clandestine du manuscrit parmi les adeptes et aux convictions que dans ces pages se trouvait la clef pour déchiffrer la pensée du "second" Heidegger » (*ibid.*, p. 267). Mais l'omission décisive concerne la dernière partie de son texte, où l'auteur reprend avec une « sauvage clarté » : « Ses géniales expérimentations linguistiques implosent, et prennent de plus en plus l'aspect du funambulisme, ou plutôt du radotage. Son usage de l'étymologie revient à en abuser. La conviction que la véritable philosophie ne peut parler qu'en grec ancien et en allemand (et le latin ?) : une hyperbole. La manière dont il encense le rôle du poète : une surestimation. Les espoirs qu'il a mis dans la pensée poétisante : une pieuse illusion. Son anthropologie de la *Lichtung* ("clairière"), dans laquelle l'homme officie comme berger de l'Être :

tisme chez Heidegger, nous devons impérativement comprendre la raison pour laquelle l'éditeur allemand a mis en cause les tomes 65, 66, 69, 70 et 71 de la *Gesamtausgabe*. De cette façon, le doute qu'il a insinué vient saper à la base tout le parcours théorique accompli par Heidegger à partir de 1936 et, en quelque sorte, focalise l'attention sur les carnets, qui deviendraient le livre majeur et mystérieux dans lequel se cacheraient les préceptes antisémites les mieux occultés – et par conséquent pro-nazis – qui auraient servi par la suite à construire son parcours théorique et donc les cinq œuvres recensées dans la Postface en question. Si cette insinuation reposait vraiment sur quelque chose, nous ne serions pas dans le domaine du doute mais dans celui de la certitude. Cela demeure un doute infondé vu que, jusqu'à présent, l'éditeur allemand n'a fourni aucune preuve venant étayer ses propres allégations. Je crois donc qu'il nous reste à accomplir un chemin inverse pour comprendre ce qu'il en est de cette insinuation : dès lors que les carnets visaient à fixer des réflexions ou des notes destinées à être reprises et approfondies par la suite, voyons si se trouve la trace d'un seul renvoi aux *Überlegungen* et aux *Anmerkungen* dans les œuvres qui viennent d'être recensées. En effet, une grande partie du matériau contenu dans les carnets a été ensuite approfondie ou reprise dans ses livres ; passons donc en revue les cinq ouvrages de Heidegger mis en accusation :

Beiträge zur Philosophie (Vom Ereignis) (*Gesamtausgabe*, tome 65)[1]
– 21 renvois : *Überlegungen II, IV, V, VI* ; *Überlegungen IV* [85 *sq.*] ;

---

une proposition irrecevable et impraticable. Ce qui est énigmatique, ce n'est pas tant la pensée du dernier Heidegger, c'est bien plutôt l'admiration servile et souvent dépourvue d'esprit critique qui lui a été vouée et qui a produit tant de scolastique » (*ibid.*, pp. 298-299). En conclusion à ces brèves mais significatives mentions, une question de fond demeure posée : aurait-il été envisageable qu'un tel jugement, ou pour mieux dire la prise de position de Volpi sur Heidegger, pût être approuvée à des fins de publication dans l'« Avertissement de l'éditeur » aux *Apports* ? Ces difficultés avaient été minutieusement prévues du vivant de Heidegger lui-même, et c'est pourquoi il a tenu à fixer l'ensemble des normes devant être scrupuleusement suivies par les éditeurs et les traducteurs de ses œuvres. Dans le cas Volpi, Hermann Heidegger et von Herrmann ont dû veiller, en collaboration avec Vittorio Klostermann, à ce que les clauses contractuelles voulues par Heidegger lui-même soient respectées. La situation créée par l'éditeur allemand des carnets a échappé à une analyse vigilante, sans doute parce qu'elle a d'abord été sous-estimée dans sa portée effective.

1. M. Heidegger, *Beiträge zur Philosophie*, *op. cit.*, § 1, « Vue préalable » (p. 1 ; trad. fr. p. 13) ;

Überlegungen IV (sur le commencement et la transition) ; *Überlegungen IV* [90] ; *Überlegungen IV* [96] ; *Überlegungen IV* [83] ; *Überlegungen VI* [33, 68, 74] ; *Überlegungen IV* [115 *sq.*] ; *Überlegungen II, IV, V, VI, VII* ; *Überlegungen V* [17 *sq.*, 34, 51 *sq.*] ; *Überlegungen V* [82 *sq.* sur Platon] ; *Überlegungen V* [44 *sq.*] ; *Überlegungen VII* [47 *sq.*] ; *Überlegungen V* [35 *sq.*] ; *Überlegungen VII* [97 *sq.*, sur Hölderlin – Nietzsche] ; *Überlegungen VII* [90 *sq.*] ; *Überlegungen VI, VII, VIII* ; *Überlegungen VI, VII* (sur Hölderlin) ; *Überlegungen VII* [78 *sq.*] ; *Überlegungen IV* [1 *sq.*] ; *Überlegungen VIII.*

Besinnung (*Gesamtausgabe*, tome 66)[1] – 13 renvois : *Überlegungen XII* [29] ; *Überlegungen VII* [64 *sq.*, 89] ; *Überlegungen XI* [24] ; *Überlegungen X* [70 *sq.*] ; *Überlegungen IX* [86] ; *Überlegungen VII* [69 et *sq.*] ; *Überlegungen IX* [40 *sq.*, 44 *sq.*] ; *Überlegungen X* [47 *sq.*] ; *Überlegungen X* [55 *sq.*] ; *Überlegungen XIII* [36] ; *Überlegungen XIII* ; *Überlegungen XIII* [41 *sq.*] ; *Überlegungen und Winke Heft II-IV-V.*

Die Geschichte des Seyns (*Gesamtausgabe*, tome 69)[2] – 3 renvois : *Überlegungen XII, XIII* ; *Überlegungen XIII* [81, 89] ; *Überlegungen XIII* [6 *sq.*].

---

§ 16, « Philosophie* » (p. 43 ; trad. fr. p. 63) ; § 23, « *La pensée du commencement. Pourquoi penser à partir du commencement ?* » (p. 57 ; trad. fr. p. 79) ; § 40, « *L'œuvre de pensée et l'âge de la transition* » (p. 83 ; trad. fr. p. 107) ; § 52, « *L'abandon de l'être* » (p. 112 ; trad. fr. p. 139) ; § 56, « *L'abandonnement de l'être déploie sa durée à couvert en la guise de l'oubli de l'être* » (p. 118 ; trad. fr. p. 145) ; § 76, « *Thèses sur la "science"* » (p. 147 ; trad. fr. p. 175) ; § 105, « *Hölderlin-Kierkegaard-Nietzsche* » (p. 204 ; trad. fr. p. 236) ; « *IV. Le saut* » (p. 225 ; trad. fr. p. 259) ; § 136, « *L'estre* » (p. 255 ; trad. fr. p. 292) ; § 171, « *Être le là* » (p. 255 ; trad. fr. p. 337) ; « *IV. Ceux qui sont tournés vers l'avenir* » (p. 393 ; trad. fr. p. 449) ; § 251, « *La pleine essence du peuple et être le là* » (p. 398 ; trad. fr. p. 455) ; § 257, « *L'estre* » (p. 421 ; trad. fr. p. 479) ; § 258, « *La philosophie* » (p. 422 ; trad. fr. p. 480) ; § 265, « *Tentative pour arriver à penser l'estre* » (p. 456 ; trad. fr. p. 517) ; § 267, « *L'estre* (Avenance) » (p. 473, trad. fr. p. 537) ; § 272, « *L'homme* » (p. 491 ; trad. fr. p. 556).

1. M. Heidegger, *Besinnung*, op. cit., § 8, « *En vue de la méditation* » (p. 15) ; § 11, « *L'art à l'époque de l'achèvement de la métaphysique* » (p. 30) ; § 15, « *La méditation sur elle-même de la philosophie entendue comme explication historiale* (L'ex-plication de fond entre la métaphysique et la pensée de l'histoire de l'estre) » (p. 68) ; § 58, « *La question adressée à l'homme* » (p. 148) ; § 64, « *Décompte historique et technique* » (pp. 183-184) ; § 64, « *L'histoire de l'estre* » (p. 224) ; XXII. « *Estre et "devenir"* (L'achèvement de la métaphysique occidentale) » (p. 279) ; § 97, « *La pensée de l'histoire de l'estre et la question de l'être* » (p. 339) ; § 129, « *La dernière ascension de la métaphysique* » (p. 400) ; « *Complément sur désir et volonté* (Pour sauvegarder ce qui a été tenté) » (p. 420). Dans les œuvres en question Heidegger renvoie aux carnets figurant à présent dans les tomes 94-97 de la *Gesamtausgabe* ; cela est également constaté dans la Postface de von Herrmann (p. 433).

2. M. Heidegger, *Die Geschichte des Seyns*, op. cit., § 87, « *Histoire-destinée* » (note 1, p. 101) ; § 89, « *Le Dieu à l'extrême* » (note 1, p. 105) ; § 93, « *Avenance* » (note 1, p. 107).

Über den Anfang (*Gesamtausgabe*, tome 70)[1] – 3 renvois : *Überlegungen XV* [17, 20] ; *Überlegungen XV* [22] ; *Überlegungen XV.*

Das Ereignis (*Gesamtausgabe*, tome 71)[2] – un seul renvoi : *Überlegungen* (*Gesamtausgabe*, tomes 94-96).

Il suffirait de reprendre les références présentes dans ces cinq œuvres pour se rendre compte que les renvois aux carnets non seulement sont circonscrits à quelques passages des *Überlegungen* contenus dans les tomes 94 et 95, mais encore qu'ils concernent exclusivement les articulations théoriques de la pensée de l'histoire de l'être, dans lesquelles on ne trouve strictement aucune trace de questions politiques liées au national-socialisme, et tout aussi peu de questions à caractère idéologique et confessionnel liées au peuple juif. En effet, ce n'est pas un hasard que cette absence totale de renvoi aux *Anmerkungen* (que Heidegger aurait pu utiliser ici *a posteriori*) dans les œuvres où, en revanche, Heidegger aborde des questions liées au national-socialisme, à la folie criminelle de Hitler et revient à plusieurs reprises sur l'erreur qu'il a commise en 1933 en acceptant la charge de recteur. Cela montre que les carnets ont servi à Heidegger pour transcrire toutes les pensées sur lesquelles il pensait revenir au cours de son itinéraire spéculatif : si certaines d'entre elles ont été reprises et approfondies, d'autres constituent un *hapax* que nous retrouvons seulement dans les carnets et nulle part ailleurs. Pour cette raison, sur les cinq œuvres examinées, non seulement il n'y a aucune référence explicite à des questions politiques ou liées au peuple juif, mais il n'y a pas non plus la moindre référence implicite susceptible de contredire ce que nous soutenons ici. L'insinuation de l'éditeur allemand des carnets selon laquelle serait attestée dans ces œuvres une « contamination » antisémite dans le parcours

---

1. *Über den Anfang*, op. cit., § 16, « *Le séjour essentiel de l'homme des Temps nouveaux. Planétarisme et idiotisme* » (note 1, p. 34) ; § 79, « *Esquisse du dire du commencement (cette esquisse plutôt comme visant à y introduire)* » (note 1, p. 100).

2. M. Heidegger, *Das Ereignis*, op. cit., § 363, « *Penser* » (p. 320).

propre à la pensée de l'histoire de l'être se trouve seulement esquissée et il ne produit pas le moindre élément susceptible d'avaliser cette hypothèse. Il n'est pas possible de fournir des preuves à l'appui d'une telle insinuation pour la bonne raison qu'il n'y a pas de faits susceptibles de venir l'étayer. À partir de ces prémisses les développements suscités par l'insinuation *lancée* par l'éditeur allemand s'avèrent plutôt injustifiés : reprendre les œuvres de Heidegger parce qu'en elles seraient cachées les preuves d'une « contamination » antisémite qui commencerait en 1936 avec la rédaction des *Apports à la philosophie*. Une telle position – et nous ne pouvons pas ne pas rappeler que Günter Figal s'est montré séduit par cette proposition au point de souhaiter que l'on s'engage dans cette direction – témoigne de la volonté de temporiser sur le « cas Heidegger » au lieu de se décider à adopter une position claire et sans équivoque à partir de l'héritage théorique qu'il nous a laissé. Prendre un parti net et théoriquement fondé comporte le risque majeur d'être montré du doigt comme « négationniste » ou, pire encore, comme « néo-nazi » – autant de stéréotypes dont on ne manque jamais de vous affubler alors même que se laisse établir qu'il n'y a pas trace d'antisémitisme chez Heidegger. Cela montre à quel point aucun parcours théorique ne sera jamais suffisant pour engager une confrontation sérieuse, dès lors que les insinuations sans fondement se sont alimentées au cours des années du fait de certains stéréotypes. Ceux-ci recourent à l'antisémitisme comme grille de lecture d'une longue tradition philosophique qui parviendrait chez Heidegger à son point culminant et comme à son accomplissement. Bref, la position adoptée par Figal et par ceux qui s'alignent sur elle, à savoir revisiter toutes les œuvres de la *Gesamtausgabe* pour *trouver* trace de cet antisémitisme, témoigne de la volonté de botter en touche, de se tirer tacitement – et presque *incognito* – d'une situation embarrassante qui a déjà dégénéré en accusations gratuites n'épargnant pas ceux qui décident d'assumer tous les efforts que demande, en sa complexité, la traversée des textes heideggériens :

François Fédier, le « fils » spirituel français de Heidegger, avec toute la peine qu'il a pu se donner depuis les années 1950, s'est consacré à la traduction de ses textes, administrant le *Nachlaß* du philosophe, revendiquant constamment un droit de propriété ou de premier occupant [...]. À son tour von Herrmann nie l'antisémitisme. Et à ce propos on en vient à dire que qui s'obstine à *nier* et *dénier*, sans prendre ses distances avec les arguments nazis, *s'inscrit déjà par là dans le néonazisme*[1].

Nous avons rapporté cette déclaration parce qu'elle montre à quel point il a été difficile pour beaucoup d'intellectuels d'entrer dans le débat sur le « cas Heidegger » – beaucoup d'entre eux ont jugé opportun de se tenir à une distance respectable parce qu'ils auraient pu à leur tour se voir catalogués, quand bien même l'étude des carnets aurait révélé, comme nous l'avons montré, qu'il s'agissait d'une méprise. Pour nier la présence de l'antisémitisme chez Heidegger, il faut d'abord en trouver trace dans ses carnets, au risque sinon de s'obstiner à vouloir trouver à tout prix ce qui n'est en réalité que le fruit de lectures politiques, qui s'accompagnent souvent d'une faible capacité à gérer ses propres suggestions. Friedrich-Wilhelm von Herrmann, François Fédier, la famille Heidegger et l'auteur de ces lignes sont très éloignés des arguments nazis et de l'antisémitisme, mais il est inadmissible que l'on puisse brouiller le dur labeur de la recherche en se laissant aller à des illustrations un peu trop faciles et, pire encore, enfermer leur propre cheminement théorique dans une grille de lecture politique[2], en instrumentalisant la douleur du peuple juif avec des simplifications très réductrices visant à faire pression sur les masses. La probité intellectuelle nous oblige à accomplir un cheminement théorique où l'on s'aperçoit du travail que demande la traversée d'une pensée en sa complexité, lorsque l'on

---

1. D. Di Cesare, *Heidegger & Sons. Eredità e futuro di un filosofo* [*Heidegger & fils. Héritage et avenir d'un philosophe*], Bollati Boringhieri, Turin, 2015, pp. 23 et 25.
2. *Ibid.*, p. 27 : « beaucoup se situent apparemment à droite. À commencer par les "grands héritiers" ou présumés tels, von Herrmann et Fédier ». De telles affirmations révèlent à quel point les déclarations de Di Cesare sur les carnets de Heidegger ont mûri au sein d'une culture du ressentiment et par conséquent sont viciées à la base par une posture qui veut à tout prix enfermer Heidegger dans des lectures politiques – qui n'épargnent pas non plus le travail accompli par ses collaborateurs.

est fermement décidé à demeurer au sein de cette complexité, en en assumant la responsabilité, sans jamais recourir à des illustrations sommaires qui constituent un grave obstacle à la pensée.

Un instrument assez utile, et qui a frayé sa propre voie de recherche sur les carnets, est le travail pionnier de Francesca Brencio dans le recueil qu'elle a dirigé : *La pietà del pensiero. Heidegger e i* Quaderni neri[1]. L'auteur a analysé les contenus des carnets à partir de la difficulté du langage heideggérien, en évitant tout forçage herméneutique susceptible d'une façon ou d'une autre d'altérer les unités de sens, ce qui se produit lorsqu'on tente de suivre le mouvement d'une pensée qui serait malencontreusement détachée du style fragmentaire inhérent à ces textes. Le travail accompli par Francesca Brencio n'a pas été à vrai dire de tout repos et ne se limite pas à proposer des interprétations : nous ne parlons pas par hasard d'un travail pionnier, parce qu'en lui se trouvent engagés plusieurs parcours herméneutiques qui facilitent l'orientation du lecteur dans ces textes conservant leur propre autonomie. C'est précisément pour cette raison que cette étude n'a pas voulu céder à un sensationnalisme un peu trop facile. Outre l'analyse de termes clefs, l'auteur a su magistralement faire ressortir le fait que, chez Heidegger, les interprétations liées au *Judentum* doivent être lues en lien avec le *Christentum*, au sein du contexte bien plus vaste qu'est la critique de l'Occident chrétien[2]. Dans cet ouvrage, tout est ramené à ses justes proportions ; en particulier, le caractère fragmentaire de ces textes, qui ne peuvent être compris que par une lecture continue des carnets, n'a pas échappé à l'auteur. Les lire en respectant le mouvement des réflexions heideggériennes a été pour Francesca Brencio l'occasion de rééquilibrer bien des interprétations qui, quant à elles, ont cherché à tout prix à alimenter le *sens commun* sans pour autant se laisser ébranler par

---

1. F. Brencio (dir.), *La pietà del pensiero. Heidegger e i* Quaderni neri [*La piété de la pensée. Heidegger et les* Cahiers noirs], Aguaplano, Passignano, 2015.
2. F. Brencio, « "Heidegger, una patata bollente". L'antisemitismo fra critica alla cristianità e *Seinsgeschichtlichkeit*" [« "Heidegger, une patate chaude". L'antisémitisme entre critique de la chrétienté et historialité de l'être »], in *ibid.*, pp. 107-186.

le doute que c'était là peut-être se fourvoyer grandement. Les positions équilibrées que nous retrouvons dans les recherches de Francesca Brencio, accompagnées d'une copieuse littérature secondaire, nous confirment dans l'idée que le relatif battage médiatique autour des carnets a été orchestré non pour ouvrir un débat scientifique mais pour enfermer Heidegger dans des lectures très personnelles, et presque pour assurer la poursuite ou la perpétuation d'une querelle qui, par bien des aspects, n'a pas de raison d'être. Pour cette raison, le livre en question est un outil *nécessaire* pour quiconque voudra à l'avenir entreprendre une lecture systématique des carnets en passant par une recherche herméneutique rigoureuse qui commence par mettre en œuvre l'attitude de l'*épochê* – comparée par Husserl à une « conversion religieuse » (*religiöse Umkehrung*)[1].

Pour terminer, qu'il nous soit permis de rappeler que Heidegger lui-même nous a livré une piste qui peut nous être secourable, surtout lorsqu'on aborde l'étude d'un auteur prenant en considération les difficultés qui se rencontrent à le traduire et à l'interpréter :

> Une traduction « littérale » ne consiste pas à mettre des « mots » tenus pour équivalents en en respectant le nombre et la forme grammaticale mais à trouver « le mot » fusant du dire de la langue dans laquelle on traduit[2].

1. E. Husserl, *Die Krisis der europäischen Wissenschaften und die transzendentale Phänomenologie*, éd. W. Biemel, in *Husserliana. Gesammelte Werke*, tome 6, Nijhoff, La Haye, 2ᵉ édition 1976, § 35, p. 140 ; *La crise des sciences européennes et la phénoménologie transcendantale*, trad. fr. G. Granel, Gallimard, Paris, 1976.

2. M. Heidegger, *Anmerkungen II*, op. cit., [69].

CHAPITRE TROIS

Des correspondances inédites
de Friedrich-Wilhelm von Herrmann –
qui restent à aborder

Francesco Alfieri

1. Avant-propos : Edith Stein et Martin Heidegger

La publication de quelques lettres inédites adressées par Martin Heidegger et par Hans-Georg Gadamer à Friedrich-Wilhelm von Herrmann n'entrait pas dans le projet initial du présent volume. Même à l'occasion des entretiens que j'ai pu avoir avec celui-ci à Fribourg en novembre 2015, nous avions confirmé notre intention de nous en tenir uniquement à l'étude des *Cahiers noirs*. Cependant, au cours de leur relecture, nous nous sommes aperçus que plus d'une fois Heidegger avait mis les points sur les *i*, comme s'il prévoyait la tentation d'instrumentaliser sa philosophie et savait que ce risque pouvait donner naissance à de fausses interprétations. J'ai alors demandé à von Herrmann si, outre ce dont nous avions déjà connaissance, il existait d'autres documents de Heidegger lui-même susceptibles de nous aider à comprendre la difficulté à laquelle ne manquerait pas d'être confronté quiconque, à l'avenir, se mettrait à étudier ses manuscrits. Il nous est apparu que le seul intitulé de *Cahiers noirs* avait créé une aura de mystère qui avait conduit les lecteurs, fût-ce à leur insu, à imaginer que les carnets contiendraient quelque chose qui – pour un motif inexplicable – serait longtemps demeuré caché et que, avec leur publication, « l'homme Heidegger » aurait enfin été découvert de telle sorte qu'il pourrait à présent être « connu » par tous.

Leur parution n'a pas produit toutefois une connaissance authentique de ce que Heidegger y avait noté. Nous nous sommes rendu compte en effet que l'expression « *cahiers noirs* » – qui indique la manière dont ils sont répertoriés et non leur contenu – avait été malheureusement utilisée pour rendre encore plus mystérieux et inaccessible le chemin frayé par Heidegger dans ses carnets. S'ajoutant à cela le fait que, de manière délibérée, aucun passage significatif de leurs contenus respectifs n'a été porté à la connaissance de l'opinion publique, il est aisé d'en déduire qu'il n'y avait pas de meilleure façon pour tisser le maillage de l'instrumentalisation toujours en cours. Il eût été préférable de désigner ce groupe de manuscrits en recourant aux titres que Heidegger lui-même leur avait attribués, en classant comme *Réflexions* ce qui figure dans les volumes 94 à 96 de la *Gesamtausgabe* et comme *Remarques* ce qui se trouve dans le volume 97. Mais, pour nous également, c'était devenu une habitude de les appeler *Cahiers noirs*, même si nous étions conscients du fait que cela n'aiderait pas le lecteur à les apprécier à leur juste valeur.

Toutefois, revenir aux textes et à une plus juste appellation est loin d'être suffisant pour faire tomber les pré-jugés inhérents à celui qui cherche à tout prix à désigner la figure de l'intellectuel Heidegger comme liée indissolublement au national-socialisme et à la folie de la politique hitlérienne. Il suffirait par exemple, pour faire tomber ces préjugés, de faire un pas en arrière et de revenir au cercle phénoménologique de Göttingen, et en particulier à l'une de ses représentantes : la philosophe juive Edith Stein, formée à l'école d'Edmund Husserl, et qui en 1921 a voulu opérer un « passage » au catholicisme et a choisi par la suite la voie du Carmel, puis a partagé jusqu'au bout l'atroce destin de son peuple quand elle fut déportée au camp de concentration d'Auschwitz-Birkenau où elle mourut le 9 août 1942. Qu'est-ce qui relie ce qu'a vécu Edith Stein au cours de son existence à Martin Heidegger ? Même si nous nous trouvons face à deux destins fort différents, ce qui les unit est véritablement leur « contribution intellectuelle » marquée par une période très difficile : celle de l'avènement du national-socialisme et de son déclin,

rendu de plus en plus inéluctable par une politique aussi démente que cruelle.

Au cours des années 1935-1937, Edith Stein a rédigé son ouvrage le plus important, véritable chef-d'œuvre philosophique ayant pour titre *Endliches und ewiges Sein. Versuch eines Aufstiegs zum Sinn des Seins*[1]. L'auteur l'a défini comme un « cadeau d'adieu à l'Allemagne[2] », mais ce qu'il est important de souligner ici, c'est que le manuscrit comprend également deux textes en appendice dont le premier est intitulé « Martin Heidegger. Philosophie de l'existence ». Le manuscrit fut confié à l'éditeur Otto Borgmeyer de Breslau qui l'a subdivisé en deux volumes, le second comprenant l'appendice sur Martin Heidegger. En 1938 les épreuves étaient déjà prêtes (une copie en est conservée aux Archives Edith Stein de Cologne), mais malheureusement le travail éditorial fut interrompu en raison d'une situation politique de plus en plus hostile aux Juifs, notamment après les événements du 11 novembre 1938. Par la suite, l'œuvre fut publiée dans les années 1950 mais sans ses Appendices, et les rééditions successives ont continué à ne pas les inclure[3]. Il faudra attendre la nouvelle édition de l'*Edith Stein Gesamtausgabe* [notée par la suite ESGA] pour la voir éditée en un seul volume[4], avec les Appendices[5] prévus dans le projet initial. Il n'est guère aisé de comprendre quel a été le véritable motif pour lequel les premières éditions n'ont pas pu ou n'ont pas voulu inclure les Appendices, mais c'est là un point particulier d'importance secondaire. À vrai dire, il faut s'arrêter à une autre question encore plus pertinente pour ce dont nous nous enquérons ici : comment est-il possible qu'Edith Stein ait fait figurer à la fin de *Endliches und ewiges Sein* un Appendice sur Martin

---

1. In *Edith Stein Gesamtausgabe* (voir *infra*, note 3).
2. E. Stein, *Selbstbildnis in Briefen* [Autoportrait par lettres], tome 2 : *1933-1942*, Introduction de H.-B. Gerl-Falkovitz, édition établie et annotée par M. A. Neyer, 2ᵉ édition revue et corrigée par H.-B. Gerl-Falkovitz, in ESGA tome 3, Herder, Fribourg-Bâle-Vienne, 2006, lettre du 9 décembre 1938, p. 324 : « Et si c'était encore possible, ce serait mon cadeau d'adieu à l'Allemagne. »
3. E. Stein, *L'Être fini et l'Être éternel : essai d'une atteinte du sens de l'être*, Nauwelaerts, 1972.
4. E. Stein, « Anhang : Martin Heideggers Existenzphilosophie – Die Seelenburg », texte introduit et établi par A. U. Müller, in *Endliches und ewiges Sein. Versuch eines Aufstiegs zum Sinn des Seins*, *op. cit.*
5. *Ibid.*, pp. 445-499.

Heidegger ? Si quelque compromission que ce soit de celui-ci avec le national-socialisme avait été notoire, Edith Stein aurait donc pu dialoguer à la fin de cette œuvre avec un sympathisant nazi, alors que, au cours des années 1935-1938, le national-socialisme manifestait de jour en jour une hostilité croissante envers les intellectuels juifs et les opposants au régime ? Lors de sa relecture des épreuves, en 1938, Edith Stein aurait eu tout le loisir de supprimer cet Appendice.

En réalité, les rapports entre Heidegger et Edith Stein remontaient à l'année 1931, au cours de laquelle elle lui avait montré un manuscrit intitulé *Potenz und Akt*[1], rédigé en vue d'une éventuelle habilitation à Fribourg. Elle s'exprime dans les termes suivants au sujet de ce manuscrit dans une lettre en date du 25 décembre 1931 adressée à son ami polonais Roman Ingarden :

> Je dois défendre résolument les philosophes de Fribourg. Honekker, bien qu'il ne me connaisse pas du tout, a remué ciel et terre. Il s'est efforcé en vain de me faire obtenir du ministre une bourse d'études en qualité de professeur libre, en en discutant pendant des heures avec moi et Husserl. Vu que les personnes d'un certain âge qui ne bénéficient d'aucune assistance ne seront plus acceptées par la Faculté, il a fini par me conseiller de ne pas déposer de requête pour m'épargner d'avoir à subir un refus. Heidegger s'est montré très aimable même quand il m'a présenté la chose comme étant sans espoir. Il a pris mon travail [*Potenz und Akt*] pour le lire, et finalement nous en avons discuté durant plus de deux heures, de manière agréable et utile, ce dont je lui suis véritablement reconnaissante[2].

Si l'échange intellectuel entre Edith Stein et Heidegger commence en 1931, à travers la lecture de *Potenz und Akt*, pour se

---

1. E. Stein, *Potenz und Akt. Studien zu einer Philosophie des Seins* [*Puissance et acte. Études sur la philosophie de l'être*], texte introduit et établi par H.-R. Sepp, in ESGA, 11-12, Herder, Fribourg-Bâle-Vienne, 2005.
2. E. Stein, *Selbstbildnis in Briefen* [*Autoportrait par lettres*], tome 3 : *Briefe an Roman Ingarden* [*Lettres à Roman Ingarden*], Introduction de H.-B. Gerl-Fakovitz, texte établi et annoté par M. A. Neyer, en collaboration avec E. Avé-Lallemant pour les notes, in ESGA, tome 10, Herder, Fribourg-Bâle-Vienne, 2e édition 2005.

poursuivre jusqu'en 1938 avec *Endliches und ewiges Sein*, peut-on réellement croire que l'ancienne élève de Husserl n'ait pas considéré alors les éventuelles lourdes implications de Heidegger dans le national-socialisme ? En outre, sur la base du témoignage direct d'Edith Stein au sujet de son habilitation à Fribourg, et de l'engagement de Husserl et de Heidegger pour qu'elle l'obtienne, comment est-il possible de se livrer à certaines conclusions bien hâtives avec lesquelles on voudrait se débarrasser d'Edith Stein et de son parcours intellectuel en supposant qu'en entrant au Carmel elle aurait signifié son « congé » à la philosophie[1] ? Une habilitation manquée peut-elle vraiment avoir pour conséquence que l'on a *congédié* la philosophie ? Un parcours intellectuel peut certes être conditionné par un espace physique et académique où se déployer, mais de là à supposer un congé signifié à la philosophie ?

Toutes ces réflexions, toujours accompagnées de bien d'autres

---

1. Nous nous référons ici à certaines conclusions récentes de Donatella Di Cesare qui ne concordent pas avec l'itinéraire philosophique d'Edith Stein et montrent qu'elles restent clairement étrangères aux sources : « Comment ne pas penser au naufrage universitaire d'Edith Stein, assistante de Husserl, mais écrasée par le rôle de l'éternelle copiste, de la secrétaire à vie, de l'assistante superflue dont la tâche avait dû se réduire à transcrire les notes du maître dans une copie fort soignée qui, bien souvent, finissait au panier ? Qu'Edith Stein n'ait pu accéder à l'habilitation, alors interdite à toutes les femmes dans le Baden-Wurtemberg, c'est là pour Husserl, au fond, quelque chose qui va de soi. Son successeur fut Heidegger – non Edith Stein. Le reste de l'histoire est bien connu, comme sont bien connus les effets de cet abandon de la part du maître : tout en restant fidèle, l'élève a pris congé de la philosophie mais aussi du monde, en une fuite intérieure qui, paradoxalement, l'a amenée à être cloîtrée et qui eut Auschwitz pour dernière station » (*Heidegger & Sons*, op. cit., p. 64). Un tel tableau, expéditif et même à certains égards purement fantaisiste, ne tient pas compte du rôle réel qu'a joué Edith Stein dans la réélaboration de certains manuscrits husserliens. Ce n'est pas un hasard si Thomas Vongehr, des Archives Husserl de Louvain, a appelé de ses vœux un nouvel horizon de recherche, *aussi ardu que nécessaire*, pour comprendre la forte incidence d'Edith Stein dans la réélaboration des manuscrits du maître durant la période de son assistanat. Il écrit à ce sujet : « Ce qui manque encore cruellement à la recherche steinienne et par là husserlienne, et sur quoi Imhof, par exemple, a attiré l'attention dès 1987 [...], c'est une description circonstanciée des projets de travail concrets auxquels Edith Stein a collaboré le temps de son assistanat. À cette fin, il faudrait une investigation propre et de grande ampleur qui prendrait en compte non seulement l'œuvre publiée des *Husserliana*, mais aussi tout le *Nachlaß* encore inédit de Husserl en y cherchant les traces d'Edith Stein. C'est seulement ainsi que le travail impressionnant fourni par Edith Stein et l'ampleur de ses remaniements pourraient être mesurés et estimés à leur juste valeur » (« *"Der liebe Meister"*. *Edith Stein über Edmund und Malvine Husserl* » [« *"Ce cher maître"*. Edith Stein sur Edmund et Malvine Husserl »], in D. Gottstein et H. R. Sepp [dir.], *Polis und Kosmos. Perspektiven einer Philosophie des Politischen und einer philosophischen Kosmologie. Eberhard Avé-Lallemant zum 80. Geburtstag* [*Polis et Cosmos. Perspectives d'une philosophie du politique et d'une cosmologie philosophique. Pour saluer Eberhard Avé-Lallemant à l'occasion de son 80ᵉ anniversaire*], Königshausen & Neumann, Wurtzbourg, 2008, note 4, p. 273).

interrogations, sont revenues souvent lors de mes conversations avec Friedrich-Wilhelm von Herrmann. Elles étaient un motif suffisant pour continuer à méditer sur la manière dont le « cas Heidegger » a été pensé à travers l'utilisation de jugements sommaires et précipités qui n'épargnent pas même ses collègues d'origine juive (c'est-à-dire Edith Stein et Edmund Husserl) et que rien ne vient corroborer dans les « sources ». Lorsque nous sommes tombés sur l'affirmation « le reste de l'histoire est bien connu[1] », nous avons compris que nous devions remettre en question l'idée que certains se font de ce qui est « bien connu », en prenant acte du fait que ce qui pour ces personnes est « bien connu » est malheureusement encore « inconnu » d'eux-mêmes sur la base de leurs propres approximations.

Pour revenir à la précédente requête – à savoir si Friedrich-Whilhelm von Herrmann était en possession d'autres documents heideggériens susceptibles de nous aider dans notre enquête –, celui-ci m'a rappelé qu'il connaissait depuis longtemps l'existence et la teneur des carnets, et que Heidegger lui-même l'avait dispensé de veiller à leur édition parce qu'il voulait qu'il se concentrât sur ses œuvres principales en vue de la publication de la *Gesamtausgabe,* qui fut mise en route en 1975 auprès de l'éditeur Klostermann. Von Herrmann savait du reste que dans ces carnets Heidegger avait noté certaines réflexions qui le concernaient directement, leur contenu étant destiné à être publié lorsque auraient paru les manuscrits encore inédits. La publication des « cahiers » n'était donc pas prévue avant un certain temps. Heidegger lui-même estimait que les carnets contenaient de simples notes et que – pour cette raison précisément – ils ne devaient être publiés qu'après la parution de tous les autres volumes de la *Gesamtausgabe* ; leur contenu n'a jamais été considéré pour autant comme quoi que ce soit de « privé », à tenir « caché », vu que lui-même y renvoie dans ses œuvres[2]. D'autre part, il est

---

1. D. Di Cesare, *Heidegger & Sons, op. cit.,* p. 64.
2. Par exemple, dans les *Apports à la philosophie,* Heidegger renvoie aux *Réflexions* dont on dispose déjà avec les tomes 94 et 95 de la *Gesamtausgabe.* Voici quelques-uns de ces renvois : « *Réflexions IV,* 83 » (M. Heidegger, *Beiträge zur Philosophie, op. cit.,* p. 118) ; « *Réflexions VII,* 97 sq.

très important de souligner que le rôle d'assistant dévolu à von Herrmann a été vivement souhaité par Heidegger ainsi que par son épouse Elfride. En la personne de Friedrich-Wilhelm von Herrmann, Heidegger avait discerné quelqu'un qui – depuis sa thèse de doctorat de 1964 – avait compris mieux que quiconque l'itinéraire philosophique qu'il lui était revenu de se frayer. Que Heidegger ait soutenu son assistant par une rétribution nous aide en outre à comprendre que nous avons affaire à un choix fait au cours d'une période qui était pour lui décisive, lorsqu'il lui a fallu à ses côtés une personne en laquelle il pouvait avoir toute confiance, en particulier en vue de réaliser le projet éditorial de la *Gesamtausgabe*.

Lors de conversations portant sur ces questions – qui n'ont rien d'évident et ne sauraient être négligées –, von Herrmann m'invita à passer dans son bureau et prit dans un casier qui se trouvait à côté de sa machine à écrire un classeur dans lequel il avait conservé la correspondance qu'il avait entretenue avec

---

– Hölderlin – Nietzsche […] *Réflexions VII*, 90 sq. » (*ibid.*, p. 421) ; « […] *Réflexions II, IV, et VII* Hölderlin » (*ibid.*, p. 422). Il s'agit de renvois en rapport avec la pensée historiale de l'être, qui ne contiennent rien de politique et encore moins d'« antisémite ». Nous nous trouvons en présence d'une affirmation erronée de Peter Trawny lorsque, dans son Introduction à son *Heidegger und der Mythos der jüdischen Weltverschwörung*, il soutient : « Ceux-ci [les *Cahiers noirs*] se situent dans une topographie ou auto-topographie […] de l'histoire de l'être au sein de laquelle leur est attribuée une signification particulière et spécifique ; cette signification est de nature antisémite » (*op. cit.*, p. 15 ; trad. fr. p. 31). Avec cette déclaration, Trawny montre qu'il n'est pas sûr de se trouver sur la bonne voie quand il parle de « contamination » antisémite de la pensée de l'histoire de l'être de Heidegger, au point que dans les dernières lignes de la même Introduction il écrit : « Il se peut que certains jugent, eu égard à certaines déclarations, qu'elles se révèlent être trop partiales, voire erronées. J'espère que des discussions à venir permettront de réfuter ou de corriger mes interprétations. Je serais le premier à m'en réjouir » (p. 16 ; trad. fr. p. 32). Une telle déclaration est très importante vu que si, en premier lieu, Trawny parle d'une « contamination » antisémite dans la pensée historiale de Heidegger, cette thèse – outre qu'elle ne se trouve pas justifiée par des références aux carnets en particulier, et à la *Gesamtausgabe* en général – a également du mal à être justifiée sur le plan interne, c'est-à-dire à partir de la thèse même que Trawny cherche à démontrer. En fait, s'il parle de « contamination » dans l'Introduction, il écrit inversement dans la partie conclusive de son livre, précisément dans les « Tentatives de réponses » : « Parler d'antisémitisme historial ne signifie donc pas affirmer que la pensée de l'histoire de l'être serait en tant que telle antisémite » (p. 133 ; trad. fr. p. 158). *Trawny ne s'est pas avisé du fait qu'il a soutenu la thèse d'une « contamination » antisémite pour fournir lui-même ensuite la réfutation de ses propres dires au terme de son parcours.* Quoi qu'il en soit, d'autres questions demeurent : quel avantage Trawny a-t-il tiré à suivre un itinéraire finalement impraticable, à commencer par celui qui en est l'initiateur ? En outre, en prenant acte de la disparité qui se fait jour dans son livre entre l'Introduction et les « Tentatives de réponses », est-il possible d'inclure le reste de son parcours sur Heidegger en utilisant encore la terminologie d'« herméneutique philosophique » et d'« honnêteté intellectuelle » ?

Martin Heidegger. Nous avons alors commencé à lire cette correspondance avec l'aide précieuse de Mme Veronika von Herrmann. Mais après avoir sélectionné les lettres que le lecteur trouvera reproduites dans la troisième section de ce chapitre, le professeur von Herrmann est soudain revenu sur sa décision de les publier, en me disant : « Il suffit d'étudier les *Cahiers noirs* et il n'y a pas d'autres documents. Celui qui cherche à comprendre n'a pas besoin d'autres documents. »

De manière plutôt inattendue, je trouvai le lendemain sur mon plan de travail trois lettres, dont une de Heinrich Heidegger. Je compris tout de suite que c'étaient celles que j'avais pu voir la veille. Le professeur von Herrmann me notifiait : « Il est nécessaire de publier au moins ces trois lettres dans notre livre. »

La section des inédits aurait dû se conclure avec ces trois lettres mais nous avons dû y retravailler après que – à l'occasion d'un second voyage à Fribourg en janvier 2016 – la décision a été prise d'examiner une autre correspondance, celle entre von Herrmann et Hans-Georg Gadamer, qui avait été l'assistant de Heidegger à Marbourg. Tout en sachant pertinemment que cela pouvait retarder la parution de ce volume – prévue le 27 janvier, « Jour du Souvenir » (ou Journée internationale de l'Holocauste) – nous avons estimé *nécessaire* de reprendre l'étude de cette correspondance dans la mesure où s'y dessinaient de nouvelles pistes de réflexion. Donner la parole à un contemporain de Heidegger pouvait nous aider, nous-mêmes et le lecteur, à effectuer une relecture de tout le « cas Heidegger ». En effet, une telle opération a été révélatrice pour comprendre comment, en son temps, Gadamer avait réagi à l'instrumentalisation de Heidegger entreprise par le Chilien Víctor Farías en 1987. Dans la quatrième section ci-dessous, le lecteur pourra donc disposer aussi de trois lettres de Gadamer. En réalité, la correspondance est beaucoup plus ample ; il n'est pas possible pour le moment de l'éditer parce que les thèmes qui y sont présents et certaines références à des personnes ou à des situations privées en empêchent la publication intégrale : si elle avait été envisageable, l'histoire controversée de la *Martin-Heidegger-Gesellschaft* [Société Martin-Heidegger]

comme les interprétations de certains étudiants eussent été fortement remises en question. Pour l'heure, notre intention est de nous arrêter uniquement à la manière dont Gadamer a compris l'instrumentalisation qui se faisait au détriment de son maître à travers l'*affaire**1 Farías et comment il a alors géré la situation embarrassante orchestrée en 1987. Le côté *déjà vu** des années 1980 nous a été très utile pour comprendre la machination à présent à l'œuvre.

2. *Critères de la présente édition*

Le lecteur disposera d'une reproduction numérisée des originaux et de la transcription allemande des textes, suivies de leur traduction française. Dans les textes, la pagination de l'original a été restituée par nos soins entre crochets droits (et, là où c'était nécessaire, en ajoutant r pour *recto* et v pour *verso*), les changements de ligne étant indiqués par un signe d'interruption (|). Dans l'appareil critique les originaux sont indiqués avec les abréviations « Heid » et « Gad » ; pour la correspondance de Gadamer sont proposées aussi nos propres corrections, qui concernent quelques coquilles (*corr* ed), et les corrections et les ajouts apportés par l'auteur (Gad²). Notre seule intervention (*add* ed) figure entre crochets obliques.

Dans la lettre de Gadamer du 27 janvier 1988, de nombreux passages ont été soulignés par Friedrich-Wilhelm von Herrmann, notamment pour faire ressortir l'importance de leur contenu ; du fait de cette importance, on a choisi de les souligner également dans la transcription allemande, ainsi que dans la traduction proposée.

---

1. Tous les termes en italique suivis d'un astérisque sont en français dans le texte. *(N.d.T.)*

3. Trois lettres de Martin et Heinrich Heidegger adressées à Friedrich-Wilhelm von Herrmann

La première de ces lettres, datée du 20 février 1964, remonte à la période durant laquelle von Herrmann était l'assistant d'Eugen Fink (poste qui fut le sien de 1961 à 1970), alors que dans la seconde, datée du 26 novembre 1972, Heidegger s'adresse à son assistant chargé du projet éditorial de la *Gesamtausgabe*. Précisons d'emblée qu'il n'a pas été possible de publier intégralement la lettre de 1964 du fait que son contenu rentre également dans l'un des carnets dont, comme on l'a dit, une publication imminente n'est pas prévue. C'est pourquoi nous avons choisi de reproduire uniquement le début de cette longue missive.

Le critère qui nous a amenés à porter à la connaissance du public le contenu de ces deux lettres vient d'une suggestion faite par Heidegger lui-même : relever comment les « méprises » – qui ont été une constante dans la réception de son itinéraire spéculatif – peuvent traverser l'histoire et parvenir jusqu'à nous en prenant une nouvelle configuration, celle précisément de l'instrumentalisation par les *mass media*. En 1964 Heidegger dit apprécier le fait que, dans sa thèse de doctorat, Friedrich-Wilhelm von Herrmann s'est tenu à bonne distance des méprises qui planent désormais sur *Être et Temps* :

> Votre thèse atteste une étude approfondie de mes écrits et laisse derrière elle les méprises devenues depuis longtemps habituelles.

Cette façon que von Herrmann a de procéder se confirme dans ses écrits ultérieurs, ce qui ne peut laisser indifférent Heidegger, qui remarque en 1972 :

> Un grand merci pour votre lettre et l'essai qui l'accompagne. Pour ceux qui se tiennent en dehors – et combien de philosophes d'aujourd'hui se tiennent encore en dehors – cet essai n'est guère accessible.

Aux malentendus en question s'ajoute un nouvel élément : la manière de procéder propre à ceux qui abordent les choses « du dehors » ; d'où, ici, la mention des « philosophes d'aujourd'hui » qui, avec leurs duperies, en restent à la surface, tandis que leur demeure « inaccessible » toute tentative de comprendre – pari de qui se fait un devoir de revenir au fondement d'un nouveau commencement.

Les malentendus prennent donc une nouvelle configuration, celle précisément d'une laborieuse instrumentalisation, avec l'intervention d'un autre facteur bien identifié par Heidegger qui écrit à ce sujet, toujours en 1972 : « Mais aujourd'hui tout est axé sur la "politique sociale". »

Que quelques-uns retombent dans la « politique sociale », c'est là la tentation qui porte à une instrumentalisation de la pensée désormais fébrilement en quête d'un sens ; celui-ci ne peut plus être cultivé parce que les flatteries d'une pensée politisée enferment les philosophes de métier dans les rets des logiques manipulatrices. Heidegger et von Herrmann ont évité ce danger car ils ont su reconnaître les effets de duperies similaires : rester à la surface des choses et à la merci des événements gouvernés par le pouvoir politique en place. Enfin, à partir d'une remarque précise de la seconde missive : « Pour le reste, nous en parlerons de vive voix », le lecteur pourra comprendre la raison pour laquelle Heidegger a choisi Friedrich-Wilhelm von Herrmann comme assistant personnel : il avait avec lui d'intenses échanges intellectuels qui les ont longtemps liés.

Le troisième document est une carte envoyée le 15 août 1978 à von Herrmann par le révérend Heinrich Heidegger, le neveu de Martin (c'était le fils cadet de Fritz Heidegger). Ce bref écrit nous permet de mettre en évidence deux éléments. Le premier souligne le rôle joué par Bernhard Welte[1] à l'occasion de la célébration des obsèques de Heidegger : Heidegger avait exprimé au philosophe catholique, et néanmoins ami, son désir qu'il se

---

1. Voir note 1, p. 386.

chargeât de l'éloge funèbre, se mettant d'accord par avance avec lui sur le choix des passages bibliques. Nous sommes en présence ici de brèves remarques qui nous restituent certains choix de sa vie privée : il est inévitable, par exemple, de renvoyer aussi à l'un de ses textes composé en 1954 et intitulé « Vom Geheimnis des Glockenturms » [« Le mystère du clocher »][1] qui, prenant pour thème la sonnerie des cloches aux moments liturgiques de prière, nous rappelle la période durant laquelle Heidegger servait comme enfant de chœur dans l'église Saint-Martin de Meßkirch, située juste en face de la maison familiale.

Le second élément souligne l'attention avec laquelle la famille Heidegger a suivi le projet de la *Gesamtausgabe* confié à von Herrmann, comme en témoigne Heinrich Heidegger quand il écrit : « L'édition intégrale fait de grands progrès ! Je n'osais pas espérer qu'elle pût progresser aussi rapidement. »

Pour résumer, les trois missives concernent la manière désenchantée de prendre acte du danger des « malentendus », la dérive de la philosophie devenue désormais une « politique sociale » et, enfin, le rôle décisif joué par von Herrmann dans le projet éditorial de la *Gesamtausgabe* qui lui a été confié selon la volonté expresse de Heidegger lui-même.

3.1. Martin Heidegger à Friedrich-Wilhelm von Herrmann : lettre n° 1

Frbrg. 20 Febr. 64

[1 r] Lieber Herr v. Herrmann,

Ihre Dissertation bezeugt eine gründliche Durcharbeitung | meiner Schriften und läßt die lange üblichen Mißdeutungen | hinter sich. Um vorwegzunehmen, was ich einen Tag | vor Ihrem Besuch zu Herrn Tugendhat sagte :

---

1. M. Heidegger, « Vom Geheimnis des Glockenturms », in *Aus der Erfahrung des Denkens* [*L'expérience de la pensée*], in *Gesamtausgabe*, tome 13, éd. H. Heidegger, Klostermann, Francfort, 1983, pp. 113-116 ; « Le Mystère du clocher », trad. fr. H. X. Mongis, *Port-des-Singes*, n° 2, printemps-été 1975.

„Die Kehre ist in „Sein und Zeit" nicht vorgeplant – der- | glei-
chen ist unmöglich – aber sie ist durch die Thematik | von „Zeit
und Sein" dem Denken abverlangt." In | dieser Thematik waren
die bestimmenden Fragen : die Auslegung | des Seins als Sein
von der „Geworfenheit" und dem „Nichts" | her zu gewinnen. Ich
habe daher bei der Lektüre <Ihrer Arbeit> zuerst | nach diesen
Phänomenen und nach der Behandlungsart durch Sie | gesucht.
Sie bemerken mit Recht, daß die „Geworfenheit" | zum voraus das
Transzendentale anders prägt im Unterschied | zur kantischen
Transzendentalphilosophie. Sie sprechen von | der „Bedingtheit"
des Daseins – die sich dann „steigert" und „verstärkt".

Aber diese Charakteristik ist keine phänomenologische, sondern
| eine von außen vorstellende gegenständliche Geworfenheit | des
Daseins, das ausgezeichnet ist durch den Entwurf von Sein – ist |
also Geworfenheit in die Eröffnung von Sein (Sinn von Sein).

[1 v] [...]

*

Fribourg, le 20 février 1964

[1 r] *Cher Monsieur von Herrmann,*

Votre thèse[1] *atteste une étude approfondie de mes écrits et laisse derrière elle les méprises devenues depuis longtemps habituelles. Comme
par anticipation, je disais à M. Tugendhat*[2] *le jour précédant* | *votre
visite :*

« Le tournant n'est pas esquissé dans Être et Temps *– rien de* | *tel n'eût
été possible – mais il est exigé de la pensée par la thématique* | *de* Temps
et Être. *» Dans* | *cette thématique les questions déterminantes ont été les
suivantes : conquérir l'interprétation* | *de l'être en tant qu'être à partir de
l'*« *être-jeté* » *(*Geworfenheit*) et du* « *néant* ». | *C'est pourquoi lors de la*

---

1. Heidegger répond à von Herrmann au sujet de sa thèse de doctorat, que celui-ci lui avait envoyée : F.-W. von Herrmann, *Die Selbstinterpretation Martin Heideggers* [L'auto-interprétation de *Martin Heidegger*], Anton Hain, Meisenheim am Glan, 1964.

2. Le philosophe Ernst Tugendhat, né en 1930, élève de Karl Ulmer, a enseigné dans les universités de Tübingen, Heidelberg et Berlin. Sa célèbre thèse d'habilitation s'intitule *Der Wahrheitsbegriff bei Husserl und Heidegger* [Le Concept de vérité chez Husserl et Heidegger], de Gruyter, Berlin, 1970.

Martin Heidegger

lecture <de votre travail>¹, c'est d'abord | ces phénomènes que j'ai cherchés et la manière dont | vous en traitez. | Vous remarquez à juste titre que l'« être-jeté », | à la différence de la philosophie transcendantale kantienne, | donne d'emblée une autre empreinte au transcendantal. Vous parlez de | l'« être-conditionné » du Dasein *– tel qu'il se trouve[rait] dès lors « accru » et « renforcé ».*

Mais cette caractéristique n'est pas d'ordre phénoménologique, elle se représente les choses de l'extérieur et de manière objective. L'être-jeté | du Dasein *– que caractérise la pro-jection (*Entwurf²) *de l'être – est | donc être-jeté dans l'ouverture de l'être (sens de être).*

[1 v] [...]

---

1. Ajout indispensable à la compréhension du texte.
2. *Entwurf* a généralement le sens de « projet » (tâche à accomplir par l'être le là) ; toutefois, dans l'horizon de pensée de l'histoire de l'être, il peut aussi signifier le mouvement par lequel l'être, se voilant (le préfixe *ent-* indique en effet que quelque chose se soustrait), jette l'être le là en sa vérité. Cette dernière signification est attestée, notamment, dans le troisième alinéa du § 13 des *Beiträge zur Philosophie* (*op. cit.*). Le terme *Entwurf* peut être entendu comme projet herméneutique accompli par l'être le là ou comme *Wurf* au sens de jet, de projection de la part de l'être. C'est afin de maintenir ces deux nuances que le terme a été traduit par « projection de l'être ».

Lettre n° 1 : M. Heidegger à F.-W. von Herrmann,
Fribourg, le 20 février 1964 (archives von Herrmann)

3.2. Martin Heidegger à Friedrich-Wilhelm von Herrmann : lettre n° 2

Frbrg. 26. XI. 72

[1 r] Lieber Herr v. Herrmann,

Vielen Dank für ihren Brief und den Aufsatz. | Dieser ist für den Außenstehenden – und wie | Viele von den heutigen Philosophen stehen noch | draußen – kaum zugänglich. Denn Sie haben zum | ersten Mal den Zusammenhang dessen klar | und gründlich herausgestellt, was im Titel | Ihrer Arbeit genannt ist. Es betrifft den einfachen | Sachverhalt, daß alles in S. u. Z. Gesagte (über | Dasein und Existenz) im Horizont der Frage nach | dem Sein steht. Es braucht vermutlich noch eine | lange Zeit, bis dies wirklich erkannt und | weitergedacht wird. Was Sie im besonderen | über die Erschlossenheit schreiben, ist aus- | gezeichnet.–

[1 v] Aber heute ist alles auf das „Gesellschaftspolitische" fixiert.

Dr. Pflaumer ist Schüler von Gadamer, den ich am Mittwoch hier spreche.

Über alles andere mündlich. Ich bitte Sie, mich | am Freitag d. 1. Dez. zwischen 17 u. 18 Uhr zu besuchen.

Mit herzlichen Grüßen von uns
Ihr

MARTIN HEIDEGGER

*

Lettre n° 2 : M. Heidegger à F.-W. von Herrmann,
Fribourg, le 26 novembre 1972, recto
(archives von Herrmann)

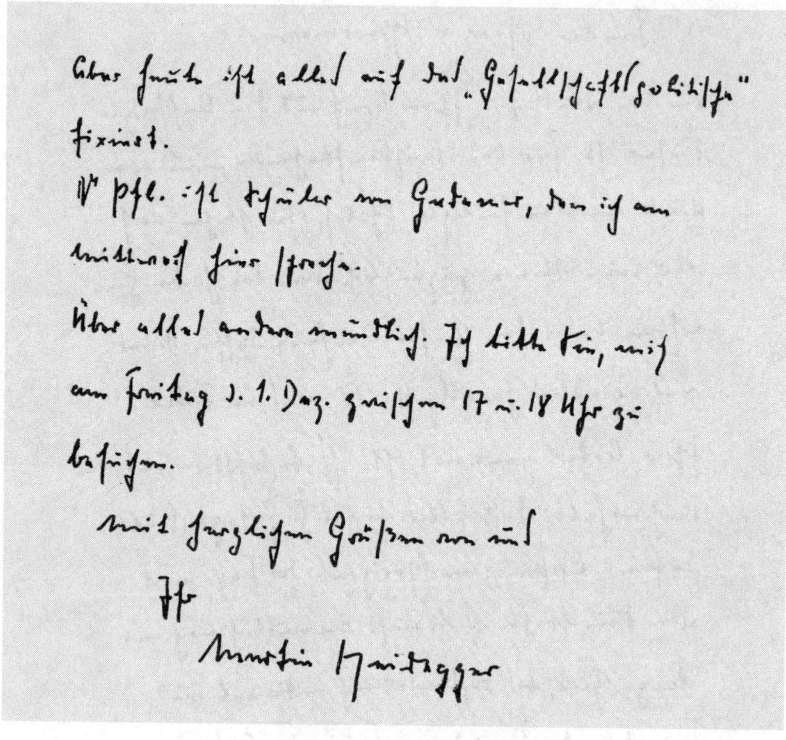

Lettre n° 2 : verso

Fribourg, le 26 novembre 1972

[1 r] *Cher Monsieur von Herrmann,*

Merci beaucoup pour votre lettre et l'essai[1] *qui l'accompagne.* | *Pour ceux qui se tiennent en dehors – et combien* | *de philosophes d'aujourd'hui se tiennent encore* | *en dehors [!] –, cet essai n'est guère accessible. Car vous avez clairement et profondément dégagé* | *pour la première fois la connexion dans ce qui est nommé dans le titre de* | *votre travail. Cela concerne le simple* | *état de fait que tout ce qui est dit dans* Ê[tre] *et* T[emps] | *(sur* Dasein *et* existence) *se tient dans l'horizon de la question en quête de* | *l'être. Sans doute faudra-t-il encore un temps assez* | *long pour que cela soit véritablement reconnu et* | *plus amplement pensé. Ce que vous dites en particulier* | *sur l'ouvertude est en tous points re-* | *marquable.–*

[1 v] *Mais aujourd'hui tout est axé sur la « politique sociale ».*

Le Dr Pflaumer[2] *est un élève de Gadamer avec qui je dois m'entretenir ici mercredi.*

Pour le reste, nous en parlerons de vive voix. Je vous prie de bien vouloir m'honorer de votre visite | *vendredi* 1*[er]* *décembre entre 17 et 18 heures.*

Avec nos bien cordiales salutations

Votre

MARTIN HEIDEGGER

3.3. Heinrich Heidegger à Friedrich-Wilhelm von Herrmann : lettre n° 3

St. Blasien, 15. 8. 78

[1] Sehr geehrter Herr Professor v. Herrmann,

Ich darf in aller Kürze Ihnen antworten | auf Ihre telefonische Anfrage. Die Schrift- | texte, die Prof. Welte vorschlug, waren folgende : | Psalm 130 „Aus den Tiefen..." und | Mt 7, 7-11 „Bittet, so wird..."

Die Gesamtausgabe macht ja gute Fortschritte !

---

1. F.-W. von Herrmann, « Zeitlichkeit des Daseins und Zeit des Seins. Grundsätzliches zur Interpretation von Heideggers Zeit-Analyse » [« Temporalité de l'être le là et temps de l'être. Traits déterminants pour l'interprétation de l'analyse du temps chez Heidegger »], *in* R. Berlinger et E. Fink (dir.), *Philosophische Perspektiven. Ein Jahrbuch* [*Perspectives philosophiques. Annales*], tome 6, Klostermann, Francfort, 1972, pp. 198-210.

2. Ruprecht Pflaumer a été élève de Gadamer à Heidelberg.

Ich hatte nicht mit dieser Schnelligkeit | gerechnet.
Mit herzlichen Grüßen
Ihr
Heinrich Heidegger

*

Saint-Blasien, le 15 août 1978

[11] Monsieur le professeur von Herrmann,

Permettez-moi de répondre très succinctement | à la question que vous m'avez posée au téléphone. Les | passages de l'Écriture proposés par le professeur Welte[1] sont les suivants : | Psaume 130, « De profundis... », et | Matthieu, 7, 7-11 : « Demandez, et il vous sera donné... ».
L'Édition intégrale fait de grands progrès !
Je n'osais pas espérer autant de célérité.
Bien cordiales salutations de
Votre

HEINRICH HEIDEGGER[2]

---

1. Bernhard Welte (1906-1983) fut à partir de 1952 professeur de philosophie chrétienne à l'université de Fribourg. À la demande de Martin Heidegger, il a prononcé le discours funèbre lors de ses obsèques : « Discorso alla sepoltura di Martin Heidegger. Cercare e trovare » [« Discours pour les funérailles de Martin Heidegger. Chercher et trouver »], *Humanitas*, n° 4/33, 1978, section monographique sur Heidegger éditée par G. Penzo, pp. 423-426, repris *in* G. Penzo (dir.), *Heidegger*, Morcelliana, Brescia, 1990, pp. 123-126. Sur la base de ce qui avait été convenu entre Bernhard Welte et Martin Heidegger, les textes bibliques lus durant les obsèques furent le Psaume 130 et Matthieu, 7, 7-11 (dans la traduction allemande de la Vulgate).

2. Heinrich Heidegger (né en 1928) est le fils cadet de Fritz Heidegger (1894-1980), frère du philosophe. Prêtre catholique et doyen, c'est lui qui a présidé la liturgie funèbre de Martin Heidegger selon le rite catholique.

Lettre n° 3 : H. Heidegger à F.-W. von Herrmann,
Fribourg, le 15 août 1978 (archives von Herrmann)

4. *Hans-Georg Gadamer et l'affaire* Farías de 1987*

Il importe à présent de s'arrêter à la prise de position du philosophe Hans-Georg Gadamer en faveur de son maître, lorsqu'en 1987 il a décidé de réagir aux invectives de Víctor Farías qui avait alors fourni une base de lancement à l'instrumentalisation de Heidegger, jusqu'à en faire un « cas » qui finalement perdure jusqu'à nos jours. Ses allusions relatives à la compromission de Heidegger avec le national-socialisme ont hélas ! fait date et conditionné durant des années bien des interprètes, au point de les éloigner d'un jugement critique serein relativement à ce que Heidegger a voulu nous livrer à travers ses écrits. La recherche frénétique de « preuves concrètes » tirées des écrits heideggériens susceptibles de confirmer les allusions de Farías est devenue avec le temps l'objectif prioritaire de certains érudits, voire le seul à atteindre à partir du moment où la voie royale, celle tracée par la pensée historiale de l'être, « était » et « est » encore bien difficile à parcourir pour eux. L'histoire, donc, se répète, et bien que les « protagonistes » de ces instrumentalisations récurrentes fassent usage de terminologies différentes, à vrai dire empruntées à d'autres, un invariant demeure : leur foncière incapacité à fonder leurs propres thèses continue imperturbablement à alimenter un grand tapage médiatique provoquant une « emprise sur les masses » qui met uniquement à profit leur propre lecture « superficielle ». Quiconque poursuit une stratégie de ce type décide délibérément de renoncer à Heidegger comme à tout *commencement* possible.

Le lecteur disposera de trois lettres de Gadamer à von Herrmann, respectivement datées du 30 novembre 1987, du 27 janvier et du 11 avril 1988. Il n'est pas nécessaire d'ajouter de plus amples commentaires compte tenu du style direct employé par Gadamer. Si forte que puisse être la tentation d'analyser certains passages de ces lettres, j'estime que les lecteurs sauront s'orienter de manière autonome et parvenir à des considérations tout à fait inattendues comme il arrive à l'auteur de ces lignes chaque fois qu'il reprend ces documents.

Il importe toutefois de rappeler certains éléments concernant le philosophe français François Fédier, mentionné par Gadamer dans la lettre de novembre 1987. Après la publication du volume de Farías, les réactions des disciples de Heidegger ont été très diverses. Malgré ses problèmes de santé, Gadamer descend alors dans l'arène et par certains aspects relativise les effets provoqués par le livre de Farías, notamment du fait que « Heidegger n'avait aucune compétence en matière de politique ». Cette situation embarrassante met Gadamer à rude épreuve, et il n'a pas ménagé ses efforts pour donner son avis tant en privé, dans ses lettres à von Herrmann, qu'en public, par ses prises de position en diverses occasions. D'où, en guise de clarification, la conclusion de la première lettre :

> Les erreurs et les faiblesses de Heidegger ne sont probablement pas différentes ou pires que ce qu'aurait pris le risque de faire toute autre personne dans une situation périlleuse. Avoir à en parler est toujours un peu hypocrite, et cela ne me plaît pas. C'est pourquoi je regrette beaucoup de ne pas pouvoir garder une attitude de réserve comme je l'ai fait jusqu'à présent. Ce qui, hélas ! me met à rude épreuve au niveau physique.

Bien différente dans sa manière, mais non dans ses contenus, est l'intervention de François Fédier qui, avec Jean Beaufret, avait contribué à faire connaître en France la pensée de Martin Heidegger après une première tentative ébauchée par Jean-Paul Sartre dans *L'Être et le Néant*. Le rôle de François Fédier fut à ce point décisif que Heidegger lui-même lui confia par la suite la responsabilité scientifique de l'édition française de ses propres œuvres. La prise de position très critique de Fédier à l'égard de Farías tient au fait qu'il a connu personnellement le philosophe allemand : à Fédier ne pouvait échapper le malaise de Heidegger, contraint à l'isolement dès l'époque du national-socialisme et immédiatement après, lorsqu'il a été menacé d'une comparution devant la commission de dénazification. Le livre de Víctor Farías a trouvé en François Fédier un opposant résolu, et sa position

est devenue encore plus tranchée[1] quand il s'est aperçu que la presse suivait des interprétations préconçues – notamment celles d'Emmanuel Faye – et qui ne reposaient sur rien.

Tandis que Gadamer a cherché à détourner l'attention malsaine qui s'était concentrée sur Heidegger en n'accordant qu'une importance toute relative aux fragiles invectives de Farías, Fédier, lui, a attaqué frontalement en assumant la responsabilité de qui sait ne pas pouvoir laisser le champ libre à de tels détracteurs. C'est seulement ainsi qu'il est possible de comprendre l'affirmation suivante de Gadamer dans sa première lettre :

> Je suis très préoccupé du fait que M. Fédier, par son analyse et sa description parfaitement correctes de l'attitude pleine de prévention et d'une certaine façon hargneuse de M. Farías, produise un effet indésirable à tous égards. Les nombreuses petites méchancetés et superficialités du livre [de V. Farías] sont, il est vrai, lamentables.

Pour résumer : les contemporains de Heidegger – Gadamer, Fédier et von Herrmann – entrent en lice, même si c'est de différentes manières, non pour absoudre ou défendre Heidegger, mais pour dénoncer le fait qu'une grande distorsion de l'histoire a été mise en scène au détriment du philosophe. Cependant, par-delà ces considérations, Gadamer a effectivement raison quand il s'adresse en ces termes à von Herrmann vers la fin de sa lettre du 27 janvier 1988 :

> Mais de façon générale, si j'étais à votre place ou même si j'étais un membre de la famille, je serais assez confiant dans le fait que toute l'affaire ne sera pas préjudiciable à la reconnaissance philosophique et à l'audience d'un grand penseur. Et surtout, un homme tel que Heidegger n'a pas besoin de l'approbation des imbéciles ni de ce qu'il est convenu d'appeler les masses.

---

1. Pour un approfondissement des positions décisives du philosophe français, voir F. Fédier, *Heidegger. Anatomie d'un scandale*, Robert Laffont, Paris, 1988 ; ainsi que, du même auteur, *Regarder voir*, Les Belles Lettres, Paris, 1995, pp. 83-117 et pp. 223-244. Mais voir surtout : M. Heidegger, *Écrits politiques 1933-1966, op. cit.*

4.1. Hans-Georg Gadamer à Friedrich-Wilhelm von Herrmann : lettre n° 1

Heidelberg, 30. November 1987

[1] Verehrter Herr von Herrmann,

Sie glauben gar nicht, wie mich die Angelegenheit Farias | aufregt. Natürlich könnten wir uns[a] in der überlegenen Haltung | fühlen, daß dieses oberflächliche und miserable Buch für | deutsche Leser im Grunde nichts Neues enthält, jedenfalls | nichts, was man gegen Heidegger ausspielen kann. Aber die | Wirklichkeit der Massenmedien nötigt einen, aus der bisher | befolgten Reserve, soweit ich selbst in Frage komme, heraus- | zutreten. Der Rieseneffekt, den das Buch von Farias in Frank- | reich macht, zeigt eben, daß man so oberflächlich in der Welt | mit den Dingen umgeht, und hier liegt doch auch ein Versäumnis | der deutschen Freunde in Frankreich vor. In Wahrheit schrieb | ich in diesem Sinne an Fédier[b]. Aber er scheint das nicht so | zu sehen. Man kann in gewissen Sinne sagen, daß wir Deutschen, | insbesondere ich selbst, uns ähnlich verhalten haben, indem[c] | wir die 'politische Verirrung' mit ein paar bedauernden Worten | abtaten[d] und möglichst[e] dem Denker und[f] seinen Fragen | sich zuwandten. Das tat aber in Deutschland keinen Schaden, | oder nur geringen. Denn hier hat es seit langem einen Infor- | mationsstrom gegeben, auch einfach aus eigenem Wissen, wie | man, in einem totalitären Lande lebte und wie man Kritik an | einer herrschenden Ideologie allein betreiben konnte. So | durfte man in Deutschland eigentlich keine nochmalige Wirkung[g] | des Buches von Farias erwarten.

Aber ich bin skeptisch geworden. Die modernen Massmedien | sind unersättlich und wissen auch Bedürfnisse zu erzeugen, | wo keine bestehen, und vollends, wenn das Ausland bereits | in Rage ist.

So habe ich nach dem Studium des Buches keinen anderen Weg | mehr gesehen, als die Sache gründlicher anzupacken. Das ist [2] nun freilich ein ebenso keikles wie schwieriges Unternehmen. |

Natürlich^h ist das alles Unsinn, wenn man etwa die Stilgebung |
von « Sein und Zeit » als Pränazismus interpretiert. Leider hat | uns
aber die Weltgeschichte genauⁱ solche Schlusse suggeriert. | Die
ebenso verzweifelte wie doch auch lebensvolle Zeit der | zwanziger
Jahre ist zugleich ein Stück Lebenszeit in der Ent- | stehung der
nationalsozialistischen Bewegung gewesen. Die | enthusiastischen
Erwartugen eines Teils der Jugend und der | jüngeren Intelligenz-
schichten war damals nicht so gänzlich ver- | schieden von dem,
was Heidegger und seine Freiburger Freunde | auf dem Gebiete
des Universitätslebens sich erhofften.

So töricht^j das auch in dem Buch herauskommt, durch die Iden-
| tifikation mit dem Röhm-Putsch^k, wird suggeriert^l, daß Heidegger
| eine Revolution dieses Stiles anstrebte, sozusagen mit Waffen- |
gewalt. Das ändert aber nichts daran, daß das tatsächliche Ein-
| greifen^m Hitlers auf der Seite der Reichswehr und der SS gegen
| die SA in den Augen Heideggers eine Art Verrat an seiner eige-
nenⁿ | Revolution war. So ungern man das hören mag, die schreck-
lichen | Vereinfachungen von Farias treffen da einen richtigen
Punkt. | Er war von der bürokratischen Erstarrung des geistigen
Lebens | unter Hitler zutiefst enttäuscht. All dem habe ich in
dem | beigelegten Text meiner^o Antwort auf das Buch Ausdruck
gegeben. | Ich konnte nicht anders, als jetzt die Sache so darstel-
len, | wie ich sie seit Jahrzehnten sehe. Ob das jetzt Gutes oder |
Schlechtes oder gar nichts bewirken^p wird, weiß ich nicht. | Meine
einzige Hoffnung ist, daß sich der Fall Heidegger zum | Anlaß
ausweiten wird, das Phänomen des Nationalsozialismus | nicht
länger aus der Vulgärperspektive anzusehen und immer | nur das
Verbrecherische^q seiner Ausartungen (und^r insbesondere | die der
gewissenlosen Fortsetzung eines verlorenen Krieges) zu^s | sehen.

Bei der Lage der Dinge muß ich voraussehen, daß die Sache in
| der deutschen Öffentlichkeit immer weiter diskutiert wird, und
| ich bin nicht allzu zuversichtlich, daß es mir gelingen könnte, |
eine tiefere Auffassung herbeizuführen^t. Den^u Begriff des Irrtums
[3] und der Verirrung kann man zunächst in dem Sinne verstehen,
| daß Heidegger keine politische Kompetenz besaß. Sodann aber |
auch in dem Sinne, daß die deutsche Geschichte dieser Zeit | sich

wahrhaft verirrt hat und in ein Unheil führte, das[v] die | heute lebende Generation überhaupt nicht verstehen kann. | Ich habe große Sorgen, daß Herr Fédier[w] mit seiner Prüfung | und durchaus richtigen Schilderung der Voreingenommenheit und | einer gewissen Gehässigkeit von Herrn Farias eine ganz uner- | wünschte Wirkung erzielt. Die vielen kleinen Bosheiten und | Oberflächlichkeiten des Buches sind zwar wirklich kläglich. | Aber wer so etwas liest, findet das alles ohne Gewicht, ver- | glichen mit der nach wie vor lastenden Frage, die ich nicht | so sehr als Frage in Bezug auf Heidegger kenne[x], als eine Frage | in Bezug[y] auf das deutsche Volk als Staatsvolk, das seinen | Schicksalsweg damals verfehlt hat.

Wenn ich allein an all die mir wohlbekannten Männer denke, | die damals mit Heideggers Rektorat zusammenarbeiteten – sie | alle haben die Schrecklichkeiten wahrlich nicht gewollt, die | für uns und die Welt schließlich[z] dabei herauskamen[aa].

Ich fürchte sehr, daß die Öffentlichkeit einfach noch nicht | reif ist, hier zu einem besseren Verständnis zu gelangen. | Die Fehler und Schwächen von Heidegger sind vermutlich keine | anderen und keine größeren, als jeder andere Mensch in expo- | nierten Lagen zu begehen in Gefahr ist. Davon reden zu müssen, | ist immer pharisäerhaft[ab], und ich hasse das. So bin ich | recht unglücklich, daß ich meine bisher befolgte Reserve nicht | weiter aufrechterhalten[ac] kann. Leider setzt es mir auch gesund- | heitlich sehr zu. Ich bin nach meiner Erkrankung[ad] durchaus noch | nicht von der alten Frische und Elastizität und bin recht be- | kümmert.

Mit den besten Grüßen

Ihr

H.-G. GADAMER

[a] uns *corr* ed] und Gad [b] Fédier Gad²] Fedier Gad [c] indem] in dem Gad•in-dem Gad² [d] abtaten Gad²] abtat Gad [e] und möglichst *corr* ed] und möglichst und möglichst Gad [f] und Gad²] uns Gad [g] nochmalige Wirkung *corr* ed] nochmaligeWirkung Gad [h] Natürlich *corr* ed] Natrülich Gad [i] genau *corr* ed] genaus Gad [j] töricht] tör icht Gad • tör-icht Gad² [k] Röhm-Putsch, Gad²] Röhm-Putsch

Gad [l] suggeriert *corr* ed] suggriert Gad [m] Eingreifen Gad²] eingreifen Gad [n] seiner eigenen Gad²] seine eigene Gad [o] meiner Gad²] meine Gad [p] bewirken] bew irken Gad • bew-irken Gad² [q] Verbrecherische Gad²] Verbrecherrische Gad [r] Ausartungen (und Gad²] Ausartungen und Gad [s] Krieges) zu Gad²] Krieges) zu Gad [t] herbeizuführen Gad²] herbeiführt Gad [u] Den Gad²] Der Gad [v] daß Gad²] das Gad [w] Fédier Gad²] Fedier Gad [x] kenne, Gad²] kenne Gad [y] Bezug *corr* ed] bezug Gad [z] Welt schließlich Gad²] Weltschließlich Gad [aa] herauskamen *corr* ed] herauskam Gad [ab] pharisäerhaft, Gad²] pharisâerhaft Gad [ac] aufrechterhalten] Aufrecht erhalten Gad • aufrecht-erhalten Gad² [ad] Erkrankung *corr* ed] ERkrankung Gad

*

Heidelberg, le 30 novembre 1987

[1] Cher Monsieur von Herrmann,

Vous ne pouvez pas savoir à quel point m'affecte cette affaire Farias. | Naturellement, nous pourrions nous sentir dans une position de supériorité | en considérant que ce livre superficiel et misérable ne contient au fond rien de nouveau pour des lecteurs allemands, rien | en tout cas que l'on pourrait retourner contre Heidegger. Mais la | réalité des mass media *nous contraint à sortir de la réserve à laquelle on s'en était tenu jusque-là, du moins en ce qui me concerne. L'énorme retentissement du livre de Farias en Fran- | ce montre précisément avec quelle superficialité on traite les choses dans le monde | d'aujourd'hui et c'est sur ce point qu'il y a une négligence | des amis allemands en France. C'est de fait dans ces termes que j'ai écrit | à Fédier. Mais il ne semble pas voir les choses | de cette façon. On peut dire en un certain sens que nous Allemands, | et moi-même en particulier, nous nous sommes comportés de façon semblable en nous tenant quittes de | « l'égarement politique » avec quelques paroles de repentance | pour nous consacrer le plus possible | au penseur et à ses questions. Mais cela n'a créé aucun préjudice en Allemagne, | ou fort peu. Car ici il y a eu depuis longtemps un flot d'informations, | même dû simplement à l'expérience de | la vie dans un pays totalitaire et de la manière dont il était possible de critiquer | une idéologie dominante. C'est pourquoi on ne doit pas s'attendre à ce que le livre de Farias ait en Allemagne plus d'effet.*

Mais je suis devenu sceptique. Les mass media *modernes sont insatiables et savent aussi faire naître des besoins | même là où il n'y en a pas, et d'autant plus quand le débat fait rage à l'étranger.*

*C'est pourquoi, après avoir étudié le livre en question, je n'ai pas vu d'autre voie | que celle consistant à creuser la question. Mais [2] c'est là à vrai dire une entreprise aussi délicate que difficile. | Bien sûr, tout cela est absurde, comme lorsqu'on interprète comme pré-nazisme | les tournures de style d'*Être et Temps. *Mais, naturellement, | l'histoire mondiale nous a suggéré exactement le même type de déductions. L'époque aussi désespérée que pleine de vitalité des | années 1920 a été également partie prenante dans l'é- | mergence du mouvement national-socialiste. Les attentes | enthousiastes d'une partie de la jeunesse et des jeunes couches intellectuelles n'étaient pas alors si radicalement dif- | férentes de ce que Heidegger et ses amis de Fribourg avaient espéré dans le cadre de la vie universitaire.*

Si insensée que soit la manière dont cela ressort dans le livre, par iden- | tification avec le putsch de Röhm, il est insinué que Heidegger | aurait visé à une révolution de ce style, en d'autres termes en recourant à la force | des armes. Ce qui ne change rien au fait que l'inter- | vention de fait de Hitler soutenant la Reichswehr et la SS contre | la SA a constitué, aux yeux de Heidegger, une sorte de trahison de sa propre révolution. Si désagréable que cela soit à entendre, les terribles | simplifications de Farias atteignent ici leur cible. | Il [Heidegger] était profondément déçu par la sclérose bureaucratique de la vie spirituelle | sous Hitler. Tout cela, je l'ai exprimé dans le texte joint[1] à ma réponse au livre. | Je n'ai pu faire autrement que présenter les choses | telles que je les vois depuis des décennies. J'ignore si cela sera bénéfique ou maléfique, ou encore ne produira aucun effet du tout. | Mon seul espoir est que le cas Heidegger devienne | l'occasion, en étant plus largement considéré, de ne plus envisager le phénomène du national-socialisme | à partir de la perspective communément répandue consistant toujours à n'y voir que l'aspect criminel de ses avatars (et, en particulier, celui de la fuite en avant sans scrupules d'une guerre perdue d'avance).

Dans l'état où en sont les choses, il faut prévoir que la question ne cessera d'être débattue dans l'opinion publique allemande, et | je n'ai pas spécialement bon espoir de réussir à apporter une vision plus approfondie. Le concept d'erreur [3] et d'égarement, on peut tout d'abord le comprendre en ce sens | que Heidegger n'entendait rien à la politique. Mais aussi | en ce sens que l'histoire allemande de cette époque | s'est véritablement égarée et a

---

1. Référence à un texte de Gadamer de quatre feuilles dactylographiées publiées par la suite.

conduit à un désastre que la | génération d'aujourd'hui n'est plus à même de comprendre. | Je suis très préoccupé par le fait que M. Fédier, avec son analyse | et sa description très pertinentes des préventions et d'une certaine hargne de M. Farias, ne produise un effet tout à fait indésirable. Les nombreuses petites méchancetés et | superficialités du livre sont, certes, lamentables. | Mais celui qui lit quelque chose de tel trouve tout cela bien inconsistant | comparé à la question autrement plus grave qui, de mon point de vue, n'est pas tant une question portant sur le seul Heidegger que la question se rapportant au peuple allemand comme peuple d'un État qui | a alors failli à son destin.

Quand je songe ne serait-ce qu'à tous ces hommes familiers | qui ont alors collaboré au rectorat de Heidegger – aucun d'entre eux n'a certainement voulu les atrocités | survenues par la suite | pour nous-mêmes et le monde entier.

Je crains fort que le public ne soit pas encore | assez mûr pour parvenir sur ce point à une meilleure compréhension des choses. | Les erreurs et les faiblesses de Heidegger ne sont probablement pas | différentes ni pires que celles dont tout autre aurait couru le risque dans une situation aussi ex- | posée. Devoir en parler | a toujours quelque chose de pharisien, ce que je déteste. Il me coûte | vraiment de devoir sortir de ma réserve. Et cela me met malheureusement à rude épreuve, y compris | au niveau physique. Depuis ma maladie, je n'ai | pas encore récupéré la fraîcheur et l'élasticité de naguère, ce qui me cause | bien des tracas.

Avec mes meilleures salutations
Votre

H.-G. GADAMER

PHILOSOPHISCHES SEMINAR DER UNIVERSITÄT · MARSILIUSPLATZ 1 · 6900 HEIDELBERG 1
Prof. Dr. Hans-Georg Gadamer   30. November 1987

Verehrter Herr von Herrmann,

Sie glauben gar nicht, wie mich die Angelegenheit Farias
aufregt. Natürlich könnten wir und in der überlegenen Haltung
fühlen, daß dieses oberflächliche und miserable Buch für
deutsche Leser im Grunde nichts Neues enthält, jedenfalls
nichts, was man gegen Heidegger ausspielen kann. Aber die
Wirklichkeit der Massenmedien nötigt einen, aus der bisher
befolgten Reserve, soweit ich selbst in Frage komme, heraus-
zutreten. Der Rieseneffekt, den das Buch von Farias in Frankreich macht, zeigt eben, daß man so oberflächlich in der Welt
mit den Dingen umgeht, und hier liegt doch auch ein Versäumnis
der deutschen Freunde in Frankreich vor. In Wahrheit schrieb
ich in diesem Sinne an Fédier. Aber er scheint das nicht so
zu sehen. Man kann in gewissem Sinne sagen, daß wir Deutschen,
insbesondere ich selbst, uns ähnlich verhalten haben, in dem
wir die 'politische Verirrung' mit ein paar bedauernden Worten
abtat, und möglichst und möglichst dem Denker und seinen Fragen
sich zuwandten. Das tat aber in Deutschland keinen Schaden,
oder nur geringen. Denn hier hat es seit langem einen Infor-
mationsstrom gegeben, auch einfach aus eigenem Wissen, wie
man in einem totalitären Lande lebte und wie man Kritik an
einer herrschenden Ideologie allein betreiben konnte. So
durfte man in Deutschland eigentlich keine nochmaligeWirkung
des Buches von Farias erwarten.

Aber ich bin skeptisch geworden. Die modernen Massenmedien
sind unersättlich und wissen auch Bedürfnisse zu erzeugen,
wo keine bestehen, und vollends, wenn das Ausland bereits
in Rage ist.

So habe ich nach dem Studium des Buches keinen anderen Weg
mehr gesehen, als die Sache gründlicher anzupacken. Das ist

Lettre n° 1 : H.-G. Gadamer à F.-W. von Herrmann,
Heidelberg, le 30 novembre 1987, p. 1 (archives von Herrmann)

- 2 -

nun freilich ein ebenso heikles wie schwieriges Unternehmen.
Natrülich ist das alles Unsinn, wenn man etwa die Stilgebung
von 'Sein und Zeit' als Pränazismus interpretiert. Leider hat
uns aber die Weltgeschichte genaus solche Schlüsse suggeriert.
Die ebenso verzweifelte wie doch auch lebensvolle Zeit der
zwanziger Jahre ist zugleich ein Stück Lebenszeit in der Ent-
stehung der nationalsozialistischen Bewegung gewesen. Die
enthusiastischen Erwartungen eines Teils der Jugend und der
jüngeren Intelligenzschichten war damals nicht so gänzlich verschieden von dem, was Heidegger und seine Freiburger Freunde
auf dem Gebiete des Universitätslebens sich erhofften.

So tör-icht das auch in dem Buch herauskommt, durch die Iden-
tifikation mit dem Röhm-Putsch wird suggeriert, daß Heidegger
eine Revolution dieses Stiles anstrebte, sozusagen mit Waffen-
gewalt. Das ändert aber nichts daran, daß das tatsächliche Eingreifen Hitlers auf der Seite der Reichswehr und der SS gegen
die SA in den Augen Heideggers eine Art Verrat an seiner eigenen
Revolution war. So ungern man das hören mag, die schrecklichen
Vereinfachungen von Farias treffen da einen richtigen Punkt.
Er war von der bürokratischen Erstarrung des geistigen Lebens
unter Hitler zutiefst enttäuscht. All dem habe ich in dem
beigelegten Text meiner Antwort auf das Buch Ausdruck gegeben.
Ich konnte nicht anders, als jetzt die Sache so darstellen,
wie ich sie seit Jahrzehnten sehe. Ob das jetzt Gutes oder
Schlechtes oder gar nichts bew-irken wird, weiß ich nicht.
Meine einzige Hoffnung ist, daß sich der Fall Heidegger zum
Anlaß ausweiten wird, das Phänomen des Nationalsozialismus
nicht länger aus der Vulgärperspektive anzusehen und immer
nur das Verbrecher ische seiner Ausartungen (und insbesondere
die der gewissenlosen Fortsetzung eines verlorenen Krieges)zu
sehen.

Bei der Lage der Dinge muß ich voraussehen, daß die Sache in
der deutschen Öffentlichkeit immer weiter diskutiert wird, und
ich bin nicht all zu zuversichtlich, daß es mir gelingen könnte,
eine tiefere Auffassung herbeiführen. Den Begriff des Irrtums

- 3 -

und der Verirrung kann man zunächst in dem Sinne verstehen,
daß Heidegger keine politische Kompetenz besaß. Sodann aber
auch in dem Sinne, daß die deutsche Geschichte dieser Zeit
sich wahrhaft verirrt hat und in ein Unheil führte, daß die
heute lebende Generation überhaupt nicht mehr verstehn kann.
Ich habe große Sorgen, daß Herr Fédier mit seiner Prüfung
und durchaus richtigen Schilderung der Voreingenommenheit und
einer gewissen Gehässigkeit von Herrn Farias eine ganz uner-
wünschte Wirkung erzielt. Die vielen kleinen Bosheiten und
Oberflächlichkeiten des Buches sind zwar wirklich kläglich.
Aber wer so etwas liest, findet das alles ohne Gewicht, verglichen mit der nach wie vor lastenden Frage, die ich nicht
so sehr als Frage in Bezug auf Heidegger kenne, als eine Frage
in bezug auf das deutsche Volk als Staatsvolk, das seinen
Schicksalsweg damals verfehlt hat.

Wenn ich allein an all die mir wohlbekannten Männer denke,
die damals mit Heideggers Rektorat zusammenarbeiteten - sie
alle haben die Schrecklichkeiten wahrlich nicht gewollt, die
für uns und die Welt schließlich dabei herauskam.

Ich fürchte sehr, daß die Öffentlichkeit einfach noch nicht
reif ist, hier zu einem besseren Verständnis zu gelangen.
Die Fehler und Schwächen von Heidegger sind vermutlich keine
anderen und keine größeren, als jeder andere Mensch in expo-
nierten Lagen zu begehen in Gefahr ist. Davon reden zu müssen,
ist immer etwas pharisäerhaft, und ich hasse das. So bin ich
recht unglücklich, daß ich meine bisher befolgte Reserve nicht
weiter aufrecht erhalten kann. Leider setzt es mir auch gesund-
heitlich sehr zu. Ich bin nach meiner ERkrankung durchaus noch
nicht von der alten Frische und Elastizität und bin recht be-
kümmert.

Mit den besten Grüßen

Ihr

H.G. Gadamer

4.2. Hans-Georg Gadamer à Friedrich-Wilhelm
von Herrmann : lettre n° 2

Heidelberg, 27. Januar 1988

[1] Verehrter Herr von Herrmann,

Von meiner Reise aus Italien bin ich zurück und finde hier
| Berge von Post vor. In Neapel hatte ich zwei offiziellen | Prä-
sentationen[a] | von Neuerscheinungen zu fungieren (das ist | eine
italienische Sitte, die von den Verlagen organisiert | und von den
Kultureinrichtungen ausgeführt wird.) Im vor- | liegenden Falle
war das eine die italienische Übersetzung | von Heideggers 'Weg-
marken', die ich zu würdigen hatte. Das | zweite war die italienische
Übersetzung meines eigenen Büch- | leins « Heideggers Wege »,
bei dem ich gewürdigt wurde, aber auch | kurz antworten mußte.
Zweimal habe ich also schon wieder | mich äußern müssen und
konnte feststellen, daß zwar die Massen- | medien auch in Italien
dem französischen 'Vorbild'[b] folgen, | daß es aber sonst dort anders
aussieht. Was ein totalitärer | Staat ist, hat man dortnoch nicht ganz
vergessen, und daß | ein Denker wie Heidegger in jedem Falle eine
säkulare Er- | scheinung bleibt, ist dort den Leuten durchaus klar.

Inzwischen erwartet mich bei meiner Rückkehr nun auch etwas
| in Deutschland, nämlich die Begegnung mit Derrida und einem
| seiner jüngeren Kollegen aus Straßburg, die am 5. Februar | in
der Heidelberger Universität stattfinden soll. Da werden | wir kaum
über die politischen Albernheiten zu reden haben, | sondern ich
hoffe, daß eseine philosophische Auseinander- | setzung wird. Aber
auch eine solche wird eine schwierige Sa- | che. Erstens ist mein
Französisch nicht gut genug, um einen | Schriftsteller so hohen
Grades immer genau verstehen zu kön- | nen (und meine Ohren
auch nicht). Dazu kommt aber, daß Derri- | da in Wahrheit über-
haupt kein Verhältnis zur deutschen Kultur | hat, Auch von mir
wohl nie wirklich Kenntnis genommen hat, | sondern immer nur an
Ricœur[c] oder Heidegger denkt, den er | 'links zu überholen' sucht.

[2] Nun immerhin, das wird einen philosophischen Gehalt haben | hoffe ich. Falls nicht die akademische Öffentlichkeit, die | dabei unvermeidlich ist, die Sache umfunktionniert. Ich kenne | in dieser Sache die Heidelberger Stimmung nicht. Aber da | Dummheit die Welt regiert, muß man skeptisch sein.

Es wird immer nur mit großem Widerstreben sein, daß ich mich | zu einer öffentlichen Stellungnahme bereit finde. Die fran- | zösische Veröffentlichung ist sehr verkürzt wiedergegeben, | wie man leicht feststellen kann. Doch ist jetzt sowohl eine | französische wie eine italienische Buchveröffentlichung über | den ganzen Fall zu erwarten, in der wenigstens ein ungekürzter | Abdruck meiner Stellungnahme zu lesen sein wird. Aber natür- | lich beherrschen die französischen Autoren das Feld. Immerhin | habe ich mir meinen Brief an Sie noch einmal vorgeholt, um | über Ihre Anregung nachzudenken, meine Stellungnahme noch zu | erweitern. Vielleicht bietet sich ein zwingender Anlaß.

Ich möchte aber doch um Verständnis bitten, wie schwierig das | Ganze für mich ist. Ich habe zwar mit Heidegger ein Vertrauens- | verhältnis gehabt, das kein Thema bewußt vermied. Es war aber | umgekehrt nicht meine Gewohnheit, in den Gesprächen mit Hei- | degger meinerseits Fragen zu stellen. So weiß ich über gar | nichts Bescheid, was Sie oder etwa die Familie aus privatem | Umgang wissen. Es würde mir sehr viel daran liegen, bevor ich | genötigt bin, | mich etwa öffentlich zu dem « Fall » zu äußern, | einmal zwanglose Gespräche über die Sachen zu führen. Ich | bin ja froh, wenn man mir meinen guten Willen nicht in Ver- | dacht zieht, vermute aber, daß doch Vieles, gerade auch bei | Nahestehenden, Anstoß erregt, was ich geschrieben habe.

Nun, meine italienischen[d] Stellungnahmen betreffen natürlich | auch nicht den « Fall », sondern die Philosophie Heideggers | und sind auch durch Ihre Adresse mitbestimmt. Im ganzen würde | ich aber an Ihrer Stelle und ebenso als Angehöriger der Fa- | milie recht zuversichtlich sein, daß die ganze Affäre für die[e] | philosophische[f] Würdigung und Wirkung eines großen Denkers | ohne Schaden bleibt. Schließlich ist ein Mann wie Heidegger

| nicht auf den Beifall von Dummköpfen oder der sogenannten
Massen | angewiesen.

Danke für die Jahresgabe, die meine nächste Lektüre sein wird

IHR H.-G. GADAMER

ᵃ Präsentationen Gad²] Präsitationen Gad ᵇ 'Vorbid' *corr* ed]
'Vorbild', Gad ᶜ Ricœur *corr* ed] Riceour Gad ᵈ italienischen
Gad²] italienische Gad ᵉ für die Gad²] der Gad ᶠ philosophische
Gad²] philosophischen Gad

*

Heidelberg, le 27 janvier 1988

[1] *Cher Monsieur von Herrmann,*

*Me voilà revenu de mon voyage en Italie et je trouve ici des tonnes | de
correspondance. J'ai dû faire à Naples la présentation de deux nouvelles
parutions (c'est une coutume italienne, organisée par les maisons d'édi-
tion | et dont la promotion est assurée par les organismes culturels). En
la circonstance | il s'agissait pour la première de la traduction italienne
des* Wegmarken¹ *de Heidegger, qu'il m'est revenu d'apprécier à sa juste
valeur ; quant à | la seconde, il s'agissait de la traduction italienne de mon
petit ouv- | rage Chemins de Heidegger², dont on m'a félicité et au sujet
duquel | il m'a fallu aussi répondre brièvement à des questions. À ces deux
occasions il m'a donc fallu à nouveau | m'exprimer publiquement, et j'ai pu
constater que les mass media suivent « l'exemple » français même en Italie,
| mais aussi, sinon, que les choses apparaissent là sous un autre jour. Ce
qu'est un État totalitaire, là | on ne l'a pas encore complètement oublié, et
il est parfaitement clair pour les gens qu' | un penseur de l'envergure de
Heidegger demeure en tout cas un phé- | nomène du siècle. Depuis mon
retour d'autres obligations m'attendent | en Allemagne, à savoir la rencontre
avec Derrida et avec l'un de | ses jeunes collègues de Strasbourg, rencontre
prévue le 5 février | à l'université de Heidelberg³. Rencontre qui ne devrait*

---

1. M. Heidegger, *Wegmarken* [*Jalons*], in *Gesamtausgabe*, tome 9, éd. F.-W. von Herrmann,
Klostermann, Francfort, 1976.

2. H.-G. Gadamer, *Heidegger Wege : Studien zum Spätwerk*, Mohr, Tübingen, 1983 ; *Les Chemins
de Heidegger*, trad. fr. J. Grondin, Vrin, Paris, 2002.

3. Le « jeune collègue » en question était Philippe Lacoue-Labarthe (1940-2007). Sur cette ren-

pas donner lieu | *à des discussions sur les <u>balivernes politiques</u>,* | *mais, du moins je l'espère,* | *à un véritable échange philosophique.* | *Et quand bien même ce serait le cas, ce ne sera pas chose facile.* | *Tout d'abord parce que mon français n'est pas assez bon pour me permettre de comprendre toujours exactement un <u>écrivain</u> d'une telle stature (et mon ouïe non plus, qui a baissé). À quoi s'ajoute le fait que Derri-* | *da, à vrai dire, n'a aucun rapport avec la culture allemande* | *ni ne m'a jamais vraiment pris en considération,* | *mais a surtout en tête Ricœur ou Heidegger* | *qu'il tente de « déborder par la gauche ».*

[2] *Il y aura bien toutefois une teneur philosophique,* | *du moins je l'espère. À moins que la publicité universitaire,* | *inévitable, ne donne une autre tournure à la discussion. Je ne connais pas* | *l'atmosphère qui règne à Heidelberg à ce sujet. Mais vu que* | *la bêtise mène le monde, il y a lieu d'être sceptique.*

Ce sera toujours avec une grande réticence que je | *me déclarerai disposé à <u>prendre publiquement position</u>. L'* | *édition française [de ma prise de position sur l'affaire Farías] restitue mon propos sous une forme assez abrégée,* | *comme il est aisé de le constater. Mais il faut s'attendre à présent, <u>sur toute cette question</u>, tant à une <u>publication française</u> qu'à une <u>publication italienne</u> dans laquelle on pourra lire, au moins, la version intégrale de ma prise de position. Mais comme il fallait* | *s'y attendre, <u>les auteurs français tiennent le haut du pavé</u>. Toujours est-il que* | *j'ai remanié la <u>lettre que je vous adresse</u> afin de* | *refléter votre suggestion d'approfondir* | *ma position.* | *<u>Une occasion s'offrira peut-être qui m'y contraindra.</u>*

Je vous prie toutefois de <u>bien vouloir comprendre</u> à quel point tout | *cela est pénible pour moi. Certes, j'ai eu avec Heidegger un rapport de* | *confiance, où aucun thème n'était sciemment évité. Mais, d'autre part, il n'était pas dans mes habitudes, lors de mes conversations avec Hei-* | *deg-ger, de poser à mon tour des questions. <u>C'est pourquoi il n'y a rien que je sache pertinemment de ce que vous-même ou sa famille pouvez savoir pour l'avoir</u>* | *<u>fréquenté dans sa vie privée.</u> J'aurais donc vraiment à cœur, avant d'être* | *contraint à me prononcer sur le « cas » en question, de <u>pouvoir en discuter de manière informelle</u>. De fait* | *je suis heureux que <u>ma bonne volonté ne soit pas mise en</u>* | *cause, mais je crains que bien des choses que j'ai pu écrire ne heurtent, notamment dans* | *l'entourage proche.*

Mes prises de position italiennes ne concernent naturellement | *pas le « cas » mais la philosophie de Heidegger* | *et se trouvent déterminées aussi*

---

contre, voir J. Derrida, H.-G. Gadamer, P. Lacoue-Labarthe, *La Conférence de Heidelberg (1988) : Heidegger, portée philosophique et politique de sa pensée*, éditions de l'IMEC, Paris, 2014. (N.d.T.)

*par cette orientation. Mais de manière générale, | si j'étais à votre place
ou à la place d'un membre de sa famille, j'aurais bon espoir que toute l'af-
faire ne sera en rien préjudiciable à | la reconnaissance philosophique ni
à l'audience d'un grand penseur. Au fond, un homme tel que Heidegger
| n'a pas vocation à recueillir l'approbation des imbéciles ou de ce qu'il est
convenu d'appeler | les masses.*

Merci pour le bulletin annuel, qui sera ma prochaine lecture

VOTRE H.-G. GADAMER

PHILOSOPHISCHES SEMINAR DER UNIVERSITÄT · MARSILIUSPLATZ 1 · 6900 HEIDELBERG 1
Prof. Dr. Hans-Georg Gadamer   27. Januar 1988

Verehrter Herr von Herrmann,

Von meiner Reise aus Italien bin ich zurück und finde hier
Berge von Post vor. In Neapel hatte ich bei zwei offiziellen
Präsentationen von Neuerscheinungen zu fungieren (das ist
eine italienische Sitte, die von den Verlagen organisiert
und von den Kultureinrichtungen ausgeführt wird.) Im vor-
liegenden Falle war das eine die italienische Übersetzung
von Heideggers 'Wegmarken', die ich zu würdigen hatte. Das
zweite war die italienische Übersetzung meines eigenen Büch-
leins "Heideggers Wege", bei dem ich gewürdigt wurde,aber auch
kurz antworten mußte. Zweimal habe ich also schon wieder
mich äußern müssen und konnte feststellen, daß zwar die Massenmedien auch in Italien dem französischen 'Vorbild', folgen,
daß es aber sonst dort anders aussieht. Was ein totalitärer
Staat ist, hat man dort noch nicht ganz vergessen, und daß
ein Denker wie Heidegger in jedem Falle eine säkulare Erscheinung bleibt, ist dort den Leuten durchaus klar.

Inzwischen erwartet mich bei meiner Rückkehr nun auch etwas
in Deutschland, nämlich die Begegnung mit Derrida und einem
seiner jüngeren Kollegen aus Straßburg, die am 5. Februar
in der Heidelberger Universität stattfinden soll. Da werden
wir kaum über die politischen Albernheiten zu reden haben,
sondern ich hoffe, daß es eine philosophische Auseinandersetzung wird. Aber auch eine solche wird eine schwierige Sache. Erstens ist mein Französisch nicht gut genug, um einen
Schriftsteller so hohen Grades immer genau verstehen zu können (und meine Ohren auch nicht). Dazu kommt aber, daß Derrida in Wahrheit überhaupt kein Verhältnis zur deutschen Kultur
hat, auch von mir wohl nie wirklich Kenntnis genommen hat,
sondern immer nur an Riceour oder Heidegger denkt, den er
'links zu überholen' sucht.

Lettre n° 2 : H.-G. Gadamer à F.-W. von Herrmann,
Heidelberg, le 27 janvier 1988, p. 1 (archives von Herrmann)

- 2 -

Nun immerhin, das wird einen philosophischen Gehalt haben
hoffe ich. Falls nicht die akademische Öffentlichkeit, die
dabei unvermeidlich ist, die Sache umfunktioniert. Ich kenne
in dieser Sache die Heidelberger Stimmung nicht. Aber da
Dummheit die Welt regiert, muß man skeptisch sein.

Es wird immer nur mit großem Widerstreben sein, daß ich mich
zu einer öffentlichen Stellungnahme bereit finde. Die französische Veröffentlichung ist sehr verkürzt wiedergegeben,
wie man leicht feststellen kann. Doch ist jetzt sowohl eine
französische wie eine italienische Buchveröffentlichung über
den ganzen Fall zu erwarten, in der wenigstens ein ungekürzter
Abdruck meiner Stellungnahme zu lesen sein wird. Aber natürlich beherrschen die französischen Autoren das Feld. Immerhin
habe ich mir meinen Brief an Sie noch einmal vorgeholt, um
über Ihre Anregung nachzudenken, meine Stellungnahme noch zu
erweitern. Vielleicht bietet sich ein zwingender Anlaß.
Ich möchte aber doch um Verständnis bitten, wie schwierig das
Ganze für mich ist. Ich habe zwar mit Heidegger ein Vertrauens-
verhältnis gehabt, das kein Thema bewußt vermied. Es war aber
umgekehrt nicht meine Gewohnheit, in den Gesprächen mit Heidegger meinerseits Fragen zu stellen. So weiß ich über gar
nichts Bescheid, was Sie oder etwa die Familie aus privatem
Umgang wissen. Es würde mir sehr viel daran liegen, bevor ich
genötigt bin, mich etwa öffentlich zu dem "Fall" zu äußern,
einmal zwanglose Gespräche über die Sachen zu führen. Ich
bin ja froh, wenn man mir meinen guten Willen nicht in Ver-
dacht zieht, vermute aber, daß doch Vieles, gerade auch bei
Nahestehenden, Anstoß erregt, was ich geschrieben habe.
Nun, meine italienischen Stellungnahmen betreffen natürlich
auch nicht den "Fall", sondern die Philosophie Heideggers
und sind auch durch ihre Adresse mitbestimmt. Im ganzen würde
ich aber an Ihrer Stelle und ebenso als Angehöriger der Familie recht zuversichtlich sein, daß die ganze Affäre bei der
philosophischen Würdigung und Wirkung eines großen Denkers
ohne Schaden bleibt. Schließlich ist ein Mann wie Heidegger
nicht auf den Beifall von Dummköpfen oder der sogenannten Massen
angewiesen.

Dank für die Jahresgabe, die meine nächste Lektüre
sein wird.

Ihr H. G. Gadamer

4.3. Hans-Georg Gadamer à Friedrich-Wilhelm
von Herrmann : lettre n° 3

Heidelberg, 11. April 1988

[1] Sehr geehrter Herr von Herrmann,

vielen Dank für Ihr Schreiben mit den guten Nachrichten, |
die mich etwas aufatmen lassen. Meine Erkrankung im vorigen |
Herbst hatte doch die unangenehme Folge, daß ich verschiedene
| Verpflichtungen auf dieses Jahr verschieben mußte und dabei |
auf meine geschwächte Arbeitskraft stoße. Doch ich hoffe | schon,
alles uns betreffende leisten zu können. Sehr gern | würde ich
das Geleitwort an die Jahresgabe anschließen ;[a] | da es bis zum
Beginn des Sommers Zeit hat, bin ich zuversicht- | lich.

Heute schreibe ich vor allem wegen des Husserl-Bandes. Auch
| ich bin sehr beeindruckt von der in diesem Band geleisteten
| Arbeit. Aber erlauben Sie mir ein Wort zu dem Beitrag von
Ott. | Ich hatte den Beitrag beinahe als ersten gelesen, weil
ich | nach der Erfahrung in Bochum Schlimmes befürchtete.
Ich muß | Ihnen gestehen, ich war angenehm enttäuscht. Auch
seine Kritik | an dem Buch von Farias, die mir in die Hände
kam, schien mir | ganz vorzüglich. In beiden Fällen bestreite
ich nicht, daß | ein gewisses Hintergrundressentiment zu spüren
ist. Die Sache | ist mir nur zu klar. Ott gehört zu den regional
gebundenen | Katholiken, der an Heidegger ganz zufällig durch
seine Archiv- | studien geraten ist und sich da herausgefordert
fühlte. Er | hat ja damit wirklich nicht Unrecht, daß Heidegger
den imperia- | listischen[b] Mißbrauch des katholischen Kirchen-
regiments damals | in Freiburg seinerseits wirklich gehaßt hat.
Bei unserer | Heidelberger Diskussion mit Derrida usw. wurde
in kleinerem | Kreise die interessante Frage gestellt, ob sich
Heidegger | wohl überhaupt in das politische Abenteuer[c] von
1933 einge- | lassen hätte, wenn er damals nicht in Freiburg,
sondern noch | in Marburg geblieben wäre. Auch an dieser
Frage ist etwas | Wahres.

Nun, ich möchte einfach meinen Eindruck Ihnen nicht vorent-
| halten. Herr Ott in Bochum hat mich weniger durch Gehässig-
keit [2] gereizt als durch Blindheit und methodische Torheit.
Wie | kann man eine Verteidigungsschrift, wie sie der Anhang
zu | der Rektorratsrede ist, dadurch kritisieren wollen, daß sie |
Auslassungen von Belastendem oder für Belastend Gehaltenem[d] |
enthält. Das ist ein hermeneutischer Mißgriff des Herrn Ott, | den
ich ihm auch deutlich gesagt habe. Weit schlimmer war | aber
das naive Pharisäertum der jüngeren Teilnehmer in Bochum.
| Das ist auch jetzt mein ganzer Kummer bei der Farias-Affäre.
| Wie soll eine solche pharisäische Generation, die in Frank- |
reich wie bei uns geradezu gestreichelt wird,[e] die Lagen von |
Druck aushalten und bestehen können, die eines Tages auf sie
| zukommen werden.

Was nun den Beitrag von Herrn Ott betrifft, so möchte ich
| Sie doch einmal bitten, Ihren eigenen Eindruck von meinem
| eigenen her zu überprüfen. Ich habe nach Ihrem Brief den |
Ottschen Beitrag mit Ihren Augen nochmals[f] zu lesen gesucht.
Es ist | mir nicht gelungen. Ich fand[g] die kurze Seite über den
Kon- | flikt mit Husserl maßvoll. Der Brief an Mahnke ist auf alle
| Fälle ein Dokument, das man nicht zitieren würde, wenn man |
gehässig gesinnt wäre. Ferner bitte ich Sie zu beachten, mit | wel-
chem Takt er das Fehlen Heideggers bei der Beerdigung von[h]
| Husserl unausgesprochen gelassen hat. In meinen Augen hat
| er auch bei den weiteren Angaben über die Verwaltungsakte |
durchaus nicht den Eindruck zu erwecken gesucht, als ob | die-
selben auf das Schuldkonto von Heidegger gingen. Ich habe da
doch den Eindruck, daß Sie mit einer gewissen Überempfind- |
lichkeit indirekte Belastungen verleumderischer Art vermuten,
| die ein unbefangener Leser so nicht verstehen kann. Schließ-
| lich bin ich doch selbst sehr sensibilisiert, und bin so viel |
Schlimmeres[i] gewohnt, wenn es sich um üble Nachrede gegen |
Heidegger handelt, daß Herr Ott alles in allem als ein redlicher
| Mann erscheint, der nur manchmal seine wissenschaftliche
Red- | lichkeit mit leichten Einfärbungen mischt. Auf alle Fälle
| scheint mir das aber bei ihm im Abklingen zu sein, und ich |

bemühe mich meinerseits, alle Verschärfungen von Spannungen | zu mildern. Bitte verstehen Sie auch diesen Brief als einen | Beitrag zu diesem Ziele.
Mit den besten Grüßen!

H.-G. GADAMER

ᵃ anschließen; Gad²] anschließen Gad ᵇ imperialistischen Gad²] imperialistischen Gad ᶜ Abenteuer] Aben teuer Gad • Aben-teuer Gad² ᵈ belastend Gehaltenem Gad²] Belastet gehaltenem Gad ᵉ wird, Gad²] ird Gad ᶠ Augen nochmals²] Augen Gad ᵍ fand *corr* ed] fan d Gad ʰ Beerdigung von *corr* ed] Beerdigungvon Gad ⁱ Schlimmeres Gad²] schlimmeres Gad

*

Heidelberg, le 11 avril 1988

[1] *Cher Monsieur von Herrmann,*

Un grand merci pour votre lettre avec ses bonnes nouvelles | qui m'ont fait pousser un soupir de soulagement. Ma maladie de l'automne dernier a eu pour fâcheuse conséquence que j'ai dû reporter diverses obligations à cette année. Je | me suis alors heurté à l'affaiblissement de ma puissance de travail. Mais j'espère bien pouvoir fournir tout ce qui nous concerne. C'est très volontiers | que je rédigerai la préface du bulletin annuel : vu que cela peut attendre le début de l'été, vous pouvez compter | sur moi.

Mais si je vous écris aujourd'hui, c'est surtout en raison de l'ouvrage sur Husserl. Je suis moi aussi | très impressionné par le travail fourni pour ce volume. Mais permettez-moi de dire un mot de la contribution de [Hugo] Ott¹. | C'est quasiment ce que j'ai lu en premier, parce que | après l'expérience de Bochum je craignais le pire. Je dois | vous avouer avoir été agréablement détrompé. Même la critique | du livre de Farias, que j'ai eue entre les mains, m'a semblé | vraiment excellente. Je ne nie pas que dans un cas comme dans l'autre est perceptible un certain ressentiment. La chose | n'est que trop claire à mes yeux. Ott est l'un de ces catholiques | régio-

---

1. Né en 1931, Hugo Ott est professeur émérite d'histoire économique à l'université de Fribourg. Il a publié une biographie de Heidegger sous le titre *Martin Heidegger. Unterwegs zu seiner Biographie*, Campus Verlag, Francfort-New York, 1988 (2ᵉ édition 1992) ; *Martin Heidegger. Éléments pour une biographie*, trad. fr. J.-M. Belœil, Payot, Paris, 1990.

nalistes tombé tout à fait par hasard sur Heidegger lors de ses études | des archives et qui s'est senti mis au défi. De fait, il n'a pas tort d'affirmer que Heidegger a haï l'abus de pouvoir impéria- | liste de l'enseignement catholique de l'Église qui sévissait alors à Fribourg. À l'occasion | de la discussion que j'ai eue à Heidelberg avec Derrida et quelques autres, une question inattendue a été posée en petit comité : celle de savoir si Heidegger | se serait engagé dans l'aventure politique de 1933 si, au lieu d'être à Fribourg, il était resté | à Marbourg. Il y a quelque chose de vrai aussi | dans cette question.

Toutefois, je ne voudrais pas vous cacher plus longtemps mon impression. M. Ott, à Bochum, m'a moins irrité par son animosité [2] que par sa cécité et sa stupidité méthodique. Comment | peut-on critiquer un écrit pro domo *tel que celui qui figure en appendice du | Discours de rectorat, en disant qu'il y a en lui | des omissions de charges accablantes (ou tenues pour telles) ? | C'est là un faux pas herméneutique de M. Ott, | que je lui ai d'ailleurs clairement signalé. Mais bien plus grave était | le naïf pharisaïsme des jeunes participants à Bochum. Et c'est bien là tout ce qui me chagrine dans l'affaire Farias. | Comment une génération aussi pharisienne, caressée dans le sens du poil en France comme chez nous, comment pourrait-elle endurer des situations d'oppression | auxquelles elle sera un jour confrontée [?].*

En ce qui concerne la contribution de M. Ott, je vous | prie instamment de vérifier votre propre impression à partir de | celle que je viens d'exprimer. Suite à votre lettre, j'ai tenté de relire la contribution de [Hugo] Ott avec vos yeux à vous. Je | n'y suis pas parvenu. J'ai trouvé que la page assez brève sur le con- | flit avec Husserl était plutôt modérée. Et, en tout | cas, la lettre à Mahnke[1] constitue un document que l'on ne citerait pas si | l'on était mal disposé [à l'endroit de Heidegger]. Je vous prie de bien vouloir noter en outre | le tact qu'il a eu de ne pas mentionner l'absence de Heidegger | lors de l'enterrement de Husserl. Selon moi, | même dans les informations données par la suite sur les actes administratifs, | il n'a pas du tout voulu donner le sentiment que | ceux-ci étaient à mettre au passif de Heidegger. J'ai l'impression que du fait d'une hyper- | sensibilité à ces questions, vous présumez des accusations indirectes de nature diffamatoire | qu'un lecteur impartial ne peut comprendre ainsi. Au fond, je suis moi-même très sensibilisé à ces questions, et habitué à des choses tellement | pires en fait de médisance à propos | de Heidegger que, tout compte fait, M. Ott m'appa-

---

1. Dietrich Mahnke (1884-1939), philosophe et historien des mathématiques, professeur à l'université de Marbourg à partir de 1927. C'était un spécialiste de Leibniz.

raît comme un honnête | homme, à ceci près qu'il mêle parfois à sa probité scientifique quelques colorations tendancieuses. En tout cas les contrastes me semblent s'estomper et quant à moi je m'efforce d'atténuer | tout ce qui raviverait des tensions. Veuillez comprendre cette lettre elle aussi comme une | contribution à cette fin.

Avec mes meilleures salutations

H.-G. GADAMER

PHILOSOPHISCHES SEMINAR DER UNIVERSITÄT · MARSILIUSPLATZ 1 · 6900 HEIDELBERG 1

Prof. Dr. Hans-Georg Gadamer   11. April 1988

Sehr geehrter Herr von Herrmann,

vielen Dank für Ihr Schreiben mit den guten Nachrichten,
die mich etwas aufatmen lassen. Meine Erkrankung im vorigen
Herbst hatte doch die unangenehme Folge, daß ich verschiedene
Verpflichtungen auf dieses Jahr verschieben mußte und dabei
auf meine geschwächte Arbeitskraft stoße. Doch ich hoffe
schon, alles uns betreffende leisten zu können. Sehr gern
würde ich das Geleitwort an die Jahresgabe anschließen;
da es bis zum Beginn des Sommers Zeit hat, bin ich zuversichtlich.

Heute schreibe ich vor allem wegen des Husserl-Bandes. Auch
ich bin sehr beeindruckt von der in diesem Band geleisteten
Arbeit. Aber erlauben Sie mir ein Wort zu dem Beitrag von Ott.
Ich hatte den Beitrag beinahe als ersten gelesen, weil ich
nach der Erfahrung in Bochum Schlimmes befürchtete. Ich muß
Ihnen gestehen, ich war angenehm enttäuscht. Auch seine Kritik
an dem Buch von Farias, die mir in die Hände kam, schien mir
ganz vorzüglich. In beiden Fällen bestreite ich nicht, daß
ein gewisses Hintergrundressentiment zu spüren ist. Die Sache
ist mir nur zu klar. Ott gehört zu den regional gebundenen
Katholiken, der an Heidegger ganz zufällig durch seine Archiv-
studien geraten ist und sich da herausgefordert fühlte. Er
hat ja damit wirklich nicht Unrecht, daß Heidegger den impera-
listischen Mißbrauch des katholischen Kirchenregiments damals
in Freiburg seinerseits wirklich gehaßt hat. Bei unserer
Heidelberger Diskussion mit Derrida usw. wurde in kleinerem
Kreise die interessante Frage gestellt, ob sich Heidegger
wohl überhaupt in das politische Abenteuer von 1933 einge-
lassen hätte, wenn er damals nicht in Freiburg, sondern noch
in Marburg geblieben wäre. Auch an dieser Frage ist etwas
Wahres.
Nun, ich möchte einfach meinen Eindruck Ihnen nicht vorent-
halten. Herr Ott in Bochum hat mich weniger durch Gehässigkeit

Lettre n° 3 : H.-G. Gadamer à F.-W. von Herrmann,
Heidelberg, le 11 avril 1988, p. 1 (archives von Herrmann)

- 2 -

gereizt als durch Blindheit und methodische Torheit. Wie
kann man eine Verteidigungsschrift, wie sie der Anhang zu
der Rektoratsrede ist, dadurch kritisieren wollen, daß sie
Auslassungen von Belastendem oder für Belastend Gehaltenem
enthält. Das ist ein hermeneutischer Mißgriff des Herrn Ott,
den ich ihm auch deutlich gesagt habe. Weit schlimmer war
aber das naive Pharisäertum der jüngeren Teilnehmer in Bochum.
Das ist auch jetzt mein ganzer Kummer bei der Farias-Affäre.
Wie soll eine solche pharisäische Generation, die in Frankreich wie bei uns geradezu gestreichelt wird, die Lagen von
Druck aushalten und bestehen können, die eines Tages auf sie
zukommen werden.

Was nun den Beitrag von Herrn Ott betrifft, so möchte ich
Sie doch einmal bitten, Ihren eigenen Eindruck von meinem
eigenen her zu überprüfen. Ich habe nach Ihrem Brief den
Ottschen Beitrag mit Ihren Augen nochmals zu lesen gesucht. Es ist
mir nicht gelungen. Ich fand die kurze Seite über den Kon-
flikt mit Husserl maßvoll. Der Brief an Mahnke ist auf alle
Fälle ein Dokument, das man nicht zitieren würde, wenn man
gehässig gesinnt wäre. Ferner bitte ich Sie zu beachten, mit
welchem Takt er das Fehlen Heideggers bei der Beerdigungvon
Husserl unausgesprochen gelassen hat. In meinen Augen hat
er auch bei den weiteren Angaben über die Verwaltungsakte
durchaus nicht den Eindruck zu erwecken gesucht, als ob
dieselben auf das Schuldkonto von Heidegger gingen. Ich habe
da doch den Eindruck, daß Sie mit einer gewissen Überempfind-
lichkeit indirekte Belastungen verleumderischer Art vermuten,
die ein unbefangener Leser so nicht verstehen kann. Schließlich bin ich doch selbst sehr sensibilisiert, und bin so viel
Schlimmeres gewohnt, wenn es sich um üble Nachrede gegen
Heidegger handelt, daß Herr Ott alles in allem als ein redlicher
Mann erscheint, der nur manchmal seine wissenschaftliche Red-
lichkeit mit leichten Einfärbungen mischt. Auf alle Fälle
scheint mir das aber bei ihm im Abklingen zu sein, und ich
bemühe mich meinerseits, alle Verschärfungen von Spannungen
zu mildern. Bitte verstehen Sie auch diesen Brief als einen
Beitrag zu diesem Ziele.

Mit den besten Grüßen!
HG Gadamer

Lettre n° 3 : p. 2

Épilogue

CONSIDÉRATIONS SUR L'ANTISÉMITISME
« INSCRIT DANS L'HISTOIRE DE L'ÊTRE »
ET L'ANTISÉMITISME « MÉTAPHYSIQUE »

La « *question juive* » *dans les* Cahiers noirs *considérée à la lumière de la* « *critique de la métaphysique* »

par Leonardo Messinese

1. *Introduction*

La difficulté qu'il y a à faire face *philosophiquement* à une quelconque « question » – difficulté qui s'accentue par la suite dès lors que l'on procède sur la voie d'une *spécificité* majeure du thème affronté – tient au fait que l'approche philosophique implique de ne pas pouvoir disposer d'un point d'appui qui en serait le légitime présupposé, et à partir duquel procéder en conséquence, mais est toujours dans l'obligation de justifier ses premiers pas sous forme de « présupposé ».

Cette particularité de la philosophie est inscrite dans ses origines elles-mêmes et elle a été reconnue, fût-ce selon des modalités diverses, même dans les époques ultérieures. (Par « diverses modalités », on fait référence à la diversité du *concept fondamental* de philosophie présent chez les différents penseurs : que l'on songe, notamment, à Hegel et à Heidegger.)

Inversement, la difficulté qu'il y a à comprendre une œuvre authentiquement philosophique, même quand elle parle de contenus qui appartiennent à d'autres champs de la pensée et à la vie quotidienne elle-même, naît du fait que la distance originelle entre l'« entendement courant » et la manière dont s'articule la conceptualité philosophique en vient à être oubliée. En sorte que le fait de *nommer* les choses en usant des mêmes termes conduit à

une sorte de court-circuit en vertu duquel il peut sembler à quiconque qu'on se réfère aux *mêmes choses* que celles dont on parle
quand on se situe à l'intérieur de la conceptualité philosophique.

Quand une telle situation se présente, elle est à l'origine du
constant *malentendu* qui se produit dès que le philosophe et le
non-philosophe entrent en communication l'un avec l'autre.
Heidegger, notamment, a exprimé ce malentendu dans les termes
suivants :

> Mais quand le philosopher est prononcé, il est alors à la merci
> [...] de cette *fausse interprétation* essentiellement *concrète* dans
> laquelle l'entendement courant l'explique *comme quelque chose qui
> se trouve subsister là*, et le prend *a priori*, surtout là où il semble être
> essentiel, sur le même plan que les choses dont il s'occupe quoti-
> diennement. L'entendement courant ne tient pas compte du fait
> et ne peut même pas comprendre que *ce dont traite la philosophie
> ne s'ouvre en définitive que dans et à partir d'une transformation du*
> Dasein *humain*. Mais cette transformation de l'être humain, requise
> à chaque pas philosophique, s'oppose à l'entendement courant
> par suite d'une tendance naturelle à toujours en prendre à son
> aise [...][1].

La « tendance naturelle de l'entendement à toujours en
prendre à son aise » – ajoute Heidegger – appartient à « chacun d'entre nous », même quand nous lisons des livres de philosophie, quand nous en écrivons ou que nous produisons des
argumentations[2]. Et, pour éviter tout malentendu, il précise que
« l'entendement courant ne réside pas dans un manque de saga-
cité chez le lecteur, pas non plus dans un manque de disposition
à entrer dans les vues de l'exposé, en sorte que *nous tous*, à des
degrés divers, nous nous trouvons dans cette pénible situation[3] ».

Il n'est pas nécessaire, dans le cadre de notre propos, d'approfondir la modalité spécifique requise par Heidegger pour parve-

---

1. M. Heidegger, *Die Grundbegriffe der Metaphysik, op. cit.*, pp. 422-423 ; trad. fr. p. 422 (traduction légèrement modifiée).
2. *Ibid.*, trad. fr. p. 426.
3. *Ibid.*, trad. fr. p. 383 (C'est moi qui souligne.)

nir à une « transformation » du mode naturel de penser, quitte à mettre ensuite en lumière sous quelle forme spécifique il en vient à déterminer la distance qui sépare le « plan des choses dont nous nous occupons quotidiennement » – et qui semble constituer le niveau de réalité le plus essentiel – et les « choses » dans la mesure où elles se montrent au moment où s'ouvre la « connaissance philosophique ». Il suffira ici de rappeler les observations de Heidegger relatives à l'« index formel » en tant que caractère fondamental des concepts philosophiques et, par là, à la nécessité de ne pas les viser comme quelque chose de « subsistant », mais plutôt comme ce qui invite « à accomplir une transformation de soi-même en direction de l'être le là[1] ».

Sur la base de ces observations, je voudrais donc souligner la possibilité d'un malentendu fondamental qui nous guette toujours dès lors que l'on aborde la pensée d'un philosophe, surtout si les contenus de cette pensée font partie de ce qui implique chaque homme en personne, et dans les convictions qui lui sont chères, pour autant qu'elles atteignent le plan le plus fondamental de son « être homme ».

En lisant les écrits dans lesquels quelques spécialistes autorisés se sont penchés sur les *Cahiers noirs* de Heidegger, on a l'impression qu'est à l'œuvre un tel « malentendu ». Comme Heidegger lui-même l'avait prévu, d'une certaine façon, il guette même les « communications » qui sont le fait de professionnels de la philosophie.

L'écriture des *Cahiers noirs* a relégué au second plan, pendant près d'une quarantaine d'années, à partir de 1931, la production philosophique heideggérienne de type académique. La publication, dans le cadre de la *Gesamtausgabe*, des quatre premiers volumes des « réflexions » contenues dans ces *Cahiers* n'a pas manqué de susciter, comme on sait, un vaste débat au niveau international.

Il faut d'emblée préciser qu'une part consistante de ces débats a même anticipé la publication effective des volumes en question,

---

1. *Ibid.*, p. 423 ; trad. fr. p. 428 (traduction modifiée).

grâce à quelques extraits parus dans la presse quotidienne par lesquels l'opinion publique a été avertie d'un odieux « antisémitisme ». La lecture des « réflexions » contenues dans ces *Cahiers* permettraient de le juger accablant, et il semblerait constituer en outre un thème central de ces écrits.

En réalité, comme cela commence à apparaître, à supposer qu'un tel antisémitisme soit effectivement présent, il ne forme pas de fait le « cœur » des *Cahiers noirs*, dès l'instant où les passages incriminés correspondent à une portion très congrue des *Réflexions* et *Remarques* heideggériennes, même en tenant compte des références « indirectes » au judaïsme présentes en elles. De ce fait, le problème principal que ces passages ont soulevé est celui de comprendre si l'antisémitisme est quelque chose qui a à voir ou non avec la pensée de Heidegger, s'il est au fondement de certains de ses concepts fondamentaux, voire si cela ne doit pas conduire à éliminer les écrits de Heidegger, jugés corrompus, de l'histoire de la philosophie elle-même.

En fait, l'interrogation relative à l'« antisémitisme » heideggérien, qu'il soit véritable ou présumé, n'est pas nouvelle. Disons plutôt que les *Cahiers noirs* ont attiré sur cette question l'attention d'un public plus large que le strict public académique. Mais surtout, ces *Cahiers* ont fourni l'occasion de reprendre sur de nouveaux frais la réflexion sur le thème de l'antisémitisme chez Heidegger et de poser la question de savoir si celui-ci avait eu une portée bien plus grande que celle qui, jusqu'à présent, avait été attribuée par certains interprètes au penseur de Meßkirch.

Ainsi la question, comme nous l'avons dit, est devenue celle de vérifier si l'antisémitisme qui a été attribué à Heidegger, loin d'être seulement cantonné à des affirmations relevant de l'« homme » Heidegger, aurait aussi quelque chose à voir avec sa « pensée ». Plus encore, on a tâché d'établir clairement si d'aventure sa pensée philosophique ne serait pas traversée structurellement par un antisémitisme fort peu recommandable.

2. *Quelques interprétations de la pensée heideggérienne en termes d'antisémitisme antérieurement à la publication des* Cahiers noirs

On peut trouver un relevé, couvrant les années 1929-1934, de prises de position directes ou indirectes de Heidegger, et estimées clairement antisémites, dans le volume d'Emmanuel Faye, très discuté et fort discutable, intitulé *Heidegger, l'introduction du nazisme dans la philosophie*[1], qui a fait grand bruit.

Je tiens à préciser tout de suite que mon intention n'est pas de mener une investigation portant sur les nombreux passages incriminés (surtout des lettres à caractère privé et des discours officiels) de la copieuse littérature secondaire sur Heidegger d'après laquelle l'antisémitisme du penseur s'avérerait amplement prouvé. Je souhaite plutôt faire porter la discussion sur quelques éléments de la question concernant le lien entre sa pensée philosophique et une position antisémite.

À cette fin, nous pouvons partir justement du livre de Faye, pour montrer la différence entre l'interprétation *alléguée* sur la base de certains documents et, d'autre part, le contenu *effectif* de cette même interprétation.

L'auteur cite un extrait d'une lettre de Heidegger à Viktor Schwoerer du 2 octobre 1929, dans laquelle le philosophe allemand faisait référence à l'urgence de la prise de conscience « que nous nous trouvons face à l'alternative suivante : ou nous dotons à nouveau la vie spirituelle allemande de forces et d'éducateurs authentiques, de souche, ou nous la livrons définitivement à la judaïsation croissante, au sens large comme au sens strict du terme[2] ».

---

1. E. Faye, *Heidegger, l'introduction du nazisme dans la philosophie*, Albin Michel, Paris, 2005. [Sur le caractère « fort discutable » (*molto discutibile*) de cet ouvrage, voir le recueil *Heidegger à plus forte raison* (Fayard, Paris, 2007), auquel ont participé Massimo Amato, Philippe Arjakovsky, Marcel Conche, Henri Crétella, Françoise Dastur, Pascal David, François Fédier, Hadrien France-Lanord, Matthieu Gallou, Gérard Guest, Alexandre Schild. (*N.d.T.*)]
2. *Ibid.*, p. 60. Faye reproduit en note les sources de la lettre dans le texte original et dans la traduction française.

J'observe pour commencer que la traduction italienne a choisi de rendre le terme *Verjudung* par *giudaizzazione* (« enjuivement »), dans l'intention de souligner ainsi, conformément à certaines précisions apportées par Faye, l'aspect péjoratif du terme adopté par Heidegger, tout en traduisant d'autre part *bodenständige*, ou « de souche », par « provenant du territoire » (*provenienti dal territorio*), ce qui ne permet pas de saisir la nuance d'ancrage ou d'« *enracinement* en un territoire » qu'exprime le texte allemand.

Quoi qu'il en soit, la « *Verjudung* croissante […] au sens strict » dont parle Heidegger désigne la « judaïsation » du corps enseignant, à savoir l'accroissement du nombre de professeurs et d'étudiants juifs dans l'Université et les milieux académiques[1] ; « au sens large » – poursuit Faye – le terme désigne « tout ce à quoi Heidegger s'opposera jusqu'au bout : le libéralisme, la démocratie, le "temps du *moi*" et le subjectivisme[2] ».

Si à présent nous défalquons la clarification des significations de « judaïsation » (ou « enjuivement ») au sens strict et au sens large opérée par Faye des « interprétations » que par ailleurs il propose d'un antisémitisme patent chez Heidegger[3], j'estime possible de soutenir que, bien malgré lui, l'auteur aide à dégager la signification authentique de la position heideggérienne. Je veux dire par là que, si on considère la signification de « judaïsation […] au sens large » proposée par Faye, rien ne vient s'ajouter à ce qui se trouve déjà dans les écrits de Heidegger, où s'exprime en effet sa critique de la modernité intellectuelle et politique en tant qu'expressions de la « métaphysique moderne de la subjectivité ». Nous aurons l'occasion de revenir sur ce point dans le cours du présent écrit.

---

1. Rüdiger Safranski a rappelé à ce sujet une expression qui avait été forgée sous la république de Weimar par Sebastian Haffner et qui était très répandue dans les milieux universitaires, celle d'« antisémitisme concurrentiel » (R. Safranski, *Ein Master aus Deutschland. Heidegger und sein Zeit*, Hanser, Munich, 1994 ; *Heidegger et son temps*, trad. fr. I. Kalinowski, Grasset, Paris, 1996, p. 271 [qui renvoie à : S. Haffner, *Anmerkungen zu Hitler*, Francfort, 1983, p. 91 ; *Considérations sur Hitler*, trad. fr., Perrin, Paris, 2014 (*N.d.T.*)]

2. E. Faye, *Heidegger, l'introduction du nazisme dans la philosophie, op. cit.*, p. 61.

3. Le soupçon d'antisémitisme, uni à celui de la pleine adhésion au national-socialisme, est présent d'un bout à l'autre du volume de Faye, et l'analyse détaillée qu'appelle sa discussion demanderait un écrit *ad hoc*.

D'autre part, même la critique vis-à-vis du monde moderne demande à être comprise de manière plus appropriée, en évitant avant tout le raccourci consistant à cataloguer les positions heideggériennes sous la rubrique un peu trop commode des « anti » : anti-moderne, anti-humaniste, anti-démocrate, et donc anti-sémite, etc[1].

À cet égard, une référence à ce que Heidegger a exprimé au sujet du système politique démocratique peut être éclairante pour comprendre le sens de la critique heideggérienne. Dans le célèbre entretien accordé au *Spiegel*, publié après sa mort en 1976, comme il l'avait expressément demandé, mais qui s'est tenu comme on sait dix ans auparavant, Heidegger déclarait :

> Le mouvement planétaire de la technique des temps modernes est une puissance qui détermine l'histoire, et sa grandeur ne peut guère être surestimée. C'est pourquoi aujourd'hui une question décisive est de savoir comment on peut faire correspondre en général un système politique avec l'âge technique, et quel système ce pourrait être. Je ne sais pas de réponse à cette question. Je ne suis pas persuadé que ce soit la démocratie[2].

Comme Heidegger le précisera peu après, la question qu'il vise à soumettre en se référant à la démocratie, et à laquelle il n'est pas en mesure d'apporter une réponse, c'est celle de savoir comment être capable de proposer un « chemin qui *corresponde* à l'essence de la technique[3] », et se situant plutôt dans le champ de l'éthique que dans celui de la politique. Considérations analogues à celles de Heidegger relatives aux diverses expressions de la modernité en présence d'une réalité que l'homme n'a pas en main, qu'il ne contrôle pas pleinement, même s'il a l'illusion

---

1. Il conviendrait de garder à l'esprit ce que Heidegger a souligné concernant toutes les positions au nom d'un « anti » : « Tout "anti" pense dans le sens de ce contre quoi il pense comme "anti" » (M. Heidegger, *Parmenides*, Édition intégrale, tome 54, éd. M. S. Frings, Klostermann, Francfort, 1982, p. 77 ; *Parménide*, trad. fr. T. Piel, Gallimard, Paris, 2011).
2. M. Heidegger, « Martin Heidegger interrogé par *Der Spiegel* », in *Écrits politiques 1933-1966*, *op. cit.*, pp. 256-257.
3. *Ibid.*, p. 258. (C'est moi qui souligne.)

de le faire, mais dont il subit plutôt « le contrôle, la demande et l'injonction[1] ».

Probablement moins connu du grand public que d'autres détracteurs de Heidegger au sujet de la « question juive », le chercheur américain David Patterson, enseignant à l'université de Dallas, avait lancé une attaque très virulente contre Heidegger, mais aussi, de manière plus générale, contre une partie non négligeable de la philosophie occidentale, en particulier allemande (Kant, Hegel, Nietzsche)[2] dans un article publié en 1999[3].

Aux yeux de l'auteur, se serait opérée chez Heidegger la « consommation » d'une pensée qui vise à éliminer de la vie humaine Abraham et le Dieu d'Abraham. Elle serait partie prenante de ce qui a conduit à l'Holocauste :

> L'histoire d'un courant majeur dans la pensée occidentale est l'histoire d'un combat visant à éliminer Abraham et le Dieu d'Abraham de la vie humaine. Par conséquent, l'Holocauste a eu lieu non pas malgré mais, en partie du moins, *à cause de la civilisation occidentale telle que l'a façonnée la philosophie européenne.* Cela n'est pas survenu du fait d'un effondrement de la philosophie mais, en partie, comme son accomplissement. Et le nazi Martin Heidegger a constitué le point culminant de ce processus[4].

Selon Patterson, au-delà de Heidegger, il y aurait une véritable « complicité » de nombreux philosophes lors des attaques perpé-

---

1. *Ibid.*, pp. 260-261.
2. Patterson poursuit un filon qui eut parmi ses principaux représentants Emil L. Fackenheim (1916-2003), dont je me borne ici à rappeler le volume *Encounters between Judaism and Modern Philosophy. A Preface to Future Jewish Thought*, Basic Books, New York, 1973. À la pensée du « dernier des philosophes judéo-allemands », Patterson a consacré une étude intitulée *Emil L. Fackenheim. A Jewish Philosopher's Response to the Holocaust*, Syracuse University Press, Syracuse (New York), 2008.
3. D. Patterson, « Nazis, Philosophers, and the Response to the Scandal of Heidegger », *in* J. K. Roth (dir.), *Ethics after the Holocaust. Perspectives, Critiques, and Responses*, Paragon House, St. Paul (Minnesota), 1999, pp. 148-171.
4. D. Patterson, « Nazis, Philosophers, and the Response to the Scandal of Heidegger », art. cité., p. 151 : « *The history of a major current in Western thought is the history of a struggle to eliminate Abraham and the God of Abraham from human life. Therefore the Holocaust happened not despite but, in part, because of Western civilization, as European philosophy shaped it. It came not in a breakdown of philosophy but in part, as its consummation. And at the peak of its consummation stood the Nazi Martin Heidegger.* » (C'est moi qui souligne.)

trées contre les Juifs et le judaïsme. Et cela, que l'on aille regarder de plus près certaines des doctrines philosophiques de Kant, de Hegel et de Nietzsche[1] ou que l'on considère le fait qu'en 1940 près de la moitié des philosophes allemands étaient membres du parti national-socialiste, quitte à se diviser par la suite en différents groupes qui se disputaient la suprématie à l'intérieur du mouvement hitlérien[2].

Sous cet aspect, Heidegger apparaît véritablement aux yeux de Patterson comme la figure qui ressort de l'interprétation proposée par Levinas dans *Totalité et Infini*, sur la base du primat de l'« ontologie » sur l'éthique qu'il a retirée de la lecture d'*Être et Temps*[3]. Je reproduis ici un extrait de l'œuvre de Levinas, particulièrement efficace pour étayer la thèse de Patterson :

> Affirmer la priorité de l'*être* par rapport à l'*étant*, c'est déjà se prononcer sur l'essence de la philosophie, subordonner la relation avec *quelqu'un* qui est un étant (la relation éthique) à une relation avec l'*être de l'étant* qui, impersonnel, permet la saisie, la domination sur l'étant (à une relation de savoir), subordonne la justice à la liberté. [...]
> Là relation avec l'être, qui se joue comme ontologie, consiste à neutraliser l'étant pour le comprendre ou pour le saisir[4].

Pour Levinas, les conséquences néfastes d'une telle démarche, « qui subordonne le rapport à autrui au rapport à l'être en général », sont celles qui conduisent « à la domination impérialiste, à la tyrannie »[5]. Patterson souscrit entièrement à cette herméneutique d'*Être et Temps*, tout comme à ses implications.

Le primat accordé à l'être, dans les termes employés par Levinas, fait pour Patterson de la philosophie heideggérienne – qui suivrait en cela le « préjugé hellénico-chrétien » selon lequel

1. *Ibid.*, pp. 155-159.
2. *Ibid.*, p. 156.
3. *Ibid.*, pp. 159-160.
4. E. Levinas, *Totalité et Infini. Essai sur l'extériorité*, Nijhoff, La Haye, 1961 ; rééd. Le Livre de Poche, Paris, 2012, p. 36.
5. *Ibid.*, p. 38.

« l'Autre est l'Être » – une forme de pensée qui n'a rien à dire sur une autre forme de pensée comme la pensée hébraïque, pour laquelle « l'Autre est la Loi », comme l'avait déjà observé Lyotard[1].

En cette structure foncière de la pensée de Heidegger réside-rait ce que celui-ci a successivement exposé en ce qui concerne le *Volk* (« peuple »), le *Führer* (« dirigeant »), le *Kampf* (« lutte »)[2], et qui l'aurait empêché d'émettre des propos critiques contre la dépravation morale du national-socialisme[3] :

> Bien sûr, si, selon Heidegger, la substance et le bien de l'être humain consistent dans la compréhension de l'être et non dans le souci de la vie de notre semblable – si l'intérêt se porte sur la liberté et non sur la justice, sur ce qui *est* et non sur ce qui est *équitable* – alors les seuls fondements pour critiquer quelque idéologie que ce soit sont ontologiques et non moraux[4].

J'ai tenu à m'arrêter sur les avis de ce chercheur américain à la fois pour rappeler que la *querelle** autour de l'antisémitisme présumé de Heidegger n'est pas née à l'occasion de la publica-tion des *Cahiers noirs*[5], et pour donner un exemple illustrant le fait qu'il ne suffit pas entièrement de se rappeler l'importance de situer la question susdite à l'intérieur de la « pensée philo-sophique » heideggérienne pour trouver la grille de lecture qui convient.

En fait, si l'on établit un tel rapport tout en ayant une compré-

1. D. Patterson, « Nazis, Philosophers, and the Response to the Scandal of Heidegger », art. cité, p. 160. En ce qui concerne Lyotard, la citation figure bien sûr dans *Heidegger et « les Juifs »*, Galilée, Paris, 1988.

2. *Ibid.*

3. *Ibid.*, p. 161.

4. *Ibid.*, pp. 161-162 : « *Indeed, if, according to Heidegger, the substance and the good of human being lie in the comprehension of Being and not in the care for the life of our fellow human being – if the interest is in freedom and not in justice, in what is and not what is lawful – then the only grounds for criticizing any ideology are ontological and not moral grounds.* »

5. Je me bornerai ici à signaler quelques autres contributions à la discussion : T. Sheehan, « Eve-ryone has to Tell the Truth. Heidegger and the Jews », in *Continuum 1* (1990), pp. 30-44 ; J. D. Caputo, « Heidegger's Scandal. Thinking and the Essence of the Victim », *in* T. Rockmore et J. Margolis (dir.), *The Heidegger Case. On Philosophy and Politics*, Temple University Press, Philadelphie, 1992, pp. 265-281 ; A. Bursztein, « Emil Fackenheim on Heidegger and the Holocaust », *Iyyun. The Jerusalem Philosophical Quarterly* n° 53, 2004, pp. 325-336 ; S. Hammerschlag, « Troping the Jew. Jean-François Lyotard's *Heidegger and "the jews"* », *Jewish Studies Quarterly* n° 12, 2005, pp. 371-398.

hension inadéquate des concepts fondamentaux de la philosophie de Heidegger (tels que *Dasein, Seyn, Freiheit, Schicksal, Geschick*
[« être le là », « estre », « liberté », « destin », « destinée »], etc.),
on pourra en arriver à accuser une telle pensée, un peu trop facilement, d'être contre la morale, contre la sainteté de la religion,
et même éventuellement étendre un tel acte d'accusation à bien
d'autres philosophes.

Jugeant insuffisante la solution préconisée par Tom Rockmore
à l'égard de la faiblesse éthique de la pensée de Heidegger, qui
n'est autre à vrai dire qu'un retour à la philosophie des Lumières
de Kant[1], Patterson en vient à indiquer ce qui *doit être opposé* au
primat de l'ontologie qui serait à la racine de tous les maux contenus dans la philosophie heideggérienne :

> La philosophie des Lumières de Kant ne peut être brandie
> comme réponse à Heidegger parce qu'elle a [...] *mené à Heidegger.*
> Ce qui doit être opposé à Heidegger, c'est précisément la métaphy-
> sique juive à laquelle se sont opposés les nazis : non pas l'autono-
> mie du soi-même, mais la sainteté de l'autre, non pas les maximes
> universelles de la raison mais les commandements intransigeants
> de Dieu, non pas la liberté, mais la justice[2].

En dernière analyse, Patterson en vient à dire que, une fois
annulée l'image divine de l'homme, et évanouie la relation du
fini à l'infini, ce dont il rend la philosophie largement responsable, c'est toute l'éthique qui se trouve abolie. Par conséquent,
le champ est libre pour les actions les plus ignobles, au sommet
desquelles nous trouvons l'extermination des Juifs[3].

---

1. T. Rockmore, *On Heidegger's Nazism and Philosophy*, University of California Press, Berkeley, 1992, pp. 237-238.

2. D. Patterson, « Nazis, Philosophers and the Response to the Scandal of Heidegger, art. cité, p. 64 : « *The Enlightenment philosophy of Kant cannot be held up as a response to Heidegger because* [...] *it led to Heidegger. What must be opposed to Heidegger is precisely the Jewish metaphysics that the Nazis opposed : not the autonomy of the self but the sanctity of the other, not the universal maxims of reason but the uncompromising commandments of God, not freedom, but justice.* » (C'est moi qui souligne.)

3. *Ibid.*, pp. 152-153 : « *This assault on the divine image of the human being was conceived by philosophers and carried out by the SS. First conceptual and then actual, it is an assault on divinity, humanity, and the people chosen to attest the chosenness of every human being.* » (« Cette attaque

Mais de cette façon, même en comprenant les raisons pleines d'humanité et fort nobles qui incitent Patterson à lancer son attaque contre Heidegger et les représentants majeurs de la philosophie allemande, il semble qu'il en vienne à proposer, fût-ce involontairement, d'édifier une sorte de muraille infranchissable entre la dimension religieuse et la dimension philosophique qui, assurément, ne nous est pas d'un grand secours pour comprendre non seulement l'élément proprement « conceptuel » mais peut-être même ce qui arrive historiquement en sa complexité croissante[1].

3. La thèse de l'antisémitisme inscrit dans l'histoire de l'être avancée par Peter Trawny

Poursuivons l'examen de notre question en nous référant à présent à certaines études dans lesquelles la présence d'une forme d'antisémitisme chez Heidegger est repérée en s'appuyant sur une relecture de sa pensée philosophique à partir de certaines affirmations à caractère antisémite qui seraient présentes dans les *Cahiers noirs*.

Commençons par la position exprimée par Peter Trawny, l'éditeur des quatre volumes publiés des carnets. Il a fait suivre son travail éditorial d'un ouvrage de commentateur et d'une série d'interventions visant à clarifier et à défendre sa principale thèse interprétative, à savoir qu'on se trouverait en présence, avec Heidegger, d'un « antisémitisme inscrit dans l'histoire de l'être ». Partons de cette première affirmation :

---

de l'être humain comme image de Dieu a été conçue par des philosophes et exécutée par les SS. D'abord conceptuelle puis réelle, c'est une attaque de la divinité, de l'humanité et du peuple élu pour attester l'élection divine de chaque être humain. »

1. Je signale la récente parution d'un ouvrage de Patterson consacré à approfondir plus amplement les « origines métaphysiques » de l'antisémitisme, visant à montrer comment celui-ci naît de la tentation de l'homme d'« être comme Dieu » : *Anti-Semitism and its Metaphysical Origins*, Cambridge University Press, New York, 2015. Il revient dans ce volume sur la pensée philosophique moderne (pp. 107-134) et sur Heidegger, toujours dans le contexte du national-socialisme (pp. 135-146).

Le concept d'antisémitisme inscrit dans l'histoire de l'être ne signifie pas que nous aurions affaire à un antisémitisme particulièrement élaboré ou raffiné. Au fond, Heidegger s'est référé à certaines de ses formes répandues et bien connues. Mais il les a interprétées d'un point de vue philosophique, ce qui veut dire en l'occurrence dans la perspective de l'histoire de l'être[1].

Lorsque Trawny parle de la pensée « de l'histoire de l'être » chez Heidegger, il se réfère au « récit » heideggérien de l'histoire de l'être tel qu'il se déploie entre le « premier commencement », inauguré par les premiers penseurs grecs, et l'« autre commencement », dont le philosophe espérait qu'il se réalisât chez les Allemands.

L'« autre commencement » était pensé en relation avec l'« accomplissement » de l'histoire inaugurée par l'avènement de la « pensée métaphysique » chez les Grecs eux-mêmes, à savoir le peuple du « premier commencement ». À son tour, la pensée métaphysique – caractérisée aux yeux de Heidegger par le fait de n'avoir pas « pensé » l'*être* tout en l'ayant pour horizon, de s'en être tenu à l'étant en son entier et de n'avoir pas « pensé » la logique faute de l'avoir reconduite à son « origine » –, après être passée par différentes phases (la pensée « romaine », la pensée « chrétienne », la métaphysique moderne de la « subjectivité »), s'est incarnée dans les États politiques modernes (tant aux États-Unis avec la démocratie libérale qu'en Union soviétique avec le bolchevisme communiste) et dans l'équipement technique homologuant la planète entière par sa capacité à soumettre à lui-même toute « différence » antérieure, qu'elle soit d'ordre naturel ou culturel[2].

---

1. P. Trawny, *Heidegger und der Mythos der jüdischen Weltverschwörung, op. cit.*, p. 31 ; trad. fr., p. 51. On trouvera une synthèse des positions de l'auteur dans P. Trawny, « Heidegger e l'ebraismo mondiale » [« Heidegger et le judaïsme mondial »], in A. Fabris (dir.), *Metafisica e antisemitismo. I Quaderni neri di Heidegger tra filosofia e politica* [*Métaphysiques et judaïsme. Les Cahiers noirs de Heidegger entre philosophie et politique*] , ETS, Pise, 2015, pp. 9-37.

2. Pour une analyse du rapport entre l'« époque moderne » et la « philosophie » qui la soutient, et notamment en relation à la configuration initiale de la « métaphysique de la subjectivité », nous renvoyons à L. Messinese, *Heidegger e la filosofia dell'epoca moderna. L'« inizio » della soggettività : Descartes*, Lateran University Press, Città del Vaticano, 2ᵉ édition 2004.

Dans ce contexte, parler d'« antisémitisme inscrit dans l'histoire de l'être » signifie pour Trawny parler des positions négatives prises par Heidegger à l'égard des Juifs lorsque c'est au sein de son récit de l'« histoire de l'être » qu'il pense les stéréotypes antisémites très répandus à son époque.

De cette façon, ajoute Trawny, Heidegger a assigné aux Juifs eux aussi, par analogie avec sa référence aux époques de la philosophie et aux peuples européens et extra-européens comme à leurs statuts respectifs, une position à l'intérieur du processus de décadence qui a opéré depuis le « premier commencement ».

Trawny développe son interprétation en recensant trois types d'« antisémitisme inscrit dans l'histoire de l'être » présents dans les *Cahiers*.

Selon le *premier type*, « le Juif apparaît comme un sujet calculateur et sans lien avec le monde, dominé par la "fabrication" (*Machenschaft*)[1] ». Trawny propose la séquence suivante : pour Heidegger il y a une « absence de monde propre au judaïsme », dont l'origine se fonde sur une « tenace habileté au calcul, au trafic et aux entourloupes ». C'est là l'une des formes les plus méconnues du « colossal » (*das Riesige*), lequel, à son tour, est « l'une des formes de la "fabrication", autrement dit de la rationalisation et de la technicisation du monde qui sont en train de devenir totalisantes[2] ». Selon cette première typologie, Heidegger parlerait d'une « absence de monde » *spécifique* attribuée aux Juifs, et transformerait un « préjugé antisémite » en une « figure de pensée » à l'intérieur de sa propre histoire de l'être[3].

---

1. P. Trawny, *Heidegger und der Mythos der jüdischen Weltverschwörung, op. cit.*, p. 39 ; trad. fr. p. 52.

2. *Ibid.*, p. 56.

3. *Ibid.*, pp. 55-56. Donatella Di Cesare, à la thèse de laquelle je m'arrêterai dans le point suivant, souligne elle aussi le thème de la *Weltlosigkeit* (« absence de monde ») attribuée aux Juifs par Heidegger et, en reprenant les analyses développées par Heidegger lui-même dans le cours du semestre d'hiver de 1929-1930 sur la pierre « dépourvue de monde », l'animal « pauvre en monde » et l'homme « configurateur de monde » (voir M. Heidegger, *Die Grundbegriffe der Metaphysik, op. cit.*), elle en vient à estimer que pour le philosophe allemand « le Juif est comme la pierre – *weltlos* » (D. Di Cesare, *Heidegger e gli ebrei, op. cit.*, p. 207). En réalité, c'est toute la question qui devrait être reprise en stipulant clairement que pour Heidegger l'homme n'est « configurateur de monde » que dans la mesure où en lui advient effectivement « la métamorphose de l'être le là », à savoir lorsque lui arrive la « prévalence du monde ». Par conséquent, l'« absence de monde » n'est pas pour Heidegger

Le *second type* est introduit, quant à lui, en relation avec ce que Heidegger dit des Juifs quant à la « race ». Trawny observe que le philosophe, sans pour autant admettre la « pensée raciale » au sens d'une absolutisation des caractères raciaux, n'en attribue pas moins à la race une signification qui lui est propre dans le processus historique[1]. En sorte que les observations figurant dans les *Cahiers noirs* inciteraient à dire que pour Heidegger « la lutte entre Juifs et nazis est une lutte ayant pour enjeu l'histoire, et menée pour des raisons raciales[2] ».

Le *troisième type*, enfin, est repéré par Trawny dans les observations de Heidegger relatives au « judaïsme mondial » (*Weltjudentum*). Le philosophe attribue à ce dernier toutes les « caractéristiques opposées » à ce qu'il visait à sauver avec sa philosophie comme avec sa critique de la modernité qui en est solidaire, en sorte que pour Trawny le Juif « est l'adversaire par excellence de la pensée heideggérienne[3] ». En outre, du fait de « sa *diaspora* sur toute la terre », il serait vu par Heidegger comme un élément d'« hostilité envers l'"attachement au sol" des Allemands[4] ».

Tout en tenant compte des spécifications adoptées par Trawny dont je viens de rendre compte, il me semble qu'à tout prendre l'« antisémitisme » imputé à Heidegger dans les analyses examinées jusqu'à présent, et jusqu'aux éléments d'opposition qui ont pu ressortir à l'encontre des Juifs, *se résolvent* dans les critiques émises par le philosophe dans d'autres directions et que, par conséquent, l'antisémitisme en question est analogue à l'anti-américanisme, à l'anti-bolchevisme, à l'anti-national-socialisme exprimés par Heidegger au cours du temps.

De ce fait, il s'agirait essentiellement d'une opposition à l'égard des Juifs dont on pourrait dire, si l'on veut, qu'elle a bien quelque chose à voir avec la position philosophique de Heidegger, mais

---

quelque chose qui caractériserait les Juifs, c'est la condition à surmonter en une « survenance » pour laquelle *chaque* être humain singulier est appelé à se préparer (cf. *supra*, note 1, p. 418).

1. P. Trawny, *Heidegger und der Mythos der jüdischen Weltverschwörung, op. cit.*, p. 45 ; trad. fr. p. 68.

2. *Ibid.*, p. 71.

3. *Ibid.*, p. 80.

4. *Ibid.*, p. 81.

seulement pour autant que sont imputés aux Juifs – à tort ou à raison – certains éléments négatifs au même titre qu'à d'autres cibles de la critique heideggérienne. Parler d'« antisémitisme inscrit dans l'histoire de l'être » semble jusqu'ici une sorte de *dramatisation* de la question juive chez Heidegger.

Toutefois, Trawny n'en propose pas moins une thèse qui, à première vue, apparaît fort différente de celle qui vient d'être présentée dans ses grandes lignes. Il soutient en effet qu'« il y a dans les textes de Heidegger un antisémitisme inscrit dans l'histoire de l'être qui semble contaminer bien des aspects de sa pensée[1] » et en parle comme d'« une forme spécifique d'antisémitisme[2] ».

En de telles expressions ne se fait plus entendre l'indication d'une « topologie du judaïsme » au sein de la pensée de l'histoire de l'être, mais bien l'hypothèse d'une *connotation antisémite de la pensée de Heidegger en tant que telle*, d'une certaine façon analogue aux interprétations que nous avons examinées précédemment.

Mais en réalité, quand on va voir de plus près ce que Trawny vise avec l'hypothèse d'une « contamination antisémite de la pensée de Heidegger[3] », on s'aperçoit que la modalité de ladite contamination ne parvient pas à porter atteinte à la pensée de l'histoire de l'être en sa dimension fondamentale mais en l'un de ses éléments qui est devenu « caduc », dans la mesure où il était lié à la conviction dont Heidegger fut habité durant quelques années que l'« *autre commencement* » *trouverait son avènement historique au sein du peuple allemand*.

Lisons en entier le passage dans lequel Trawny lui-même, plutôt que de parler effectivement d'une « contamination antisémite » de la pensée de l'histoire de l'être, exprime la thèse selon laquelle l'antisémitisme prêté à Heidegger serait la *conséquence* de sa conviction quant au rôle historique que le peuple allemand était appelé selon lui à jouer[4]. Car, s'il en est bien ainsi, il est difficile de penser à l'antisémitisme comme à un « facteur » important

---

1. *Ibid.*, p. 156.
2. *Ibid.*
3. *Ibid.*
4. *Ibid.*

de la pensée *philosophique* de Heidegger ; par conséquent, même en ce cas de figure, la portée effective de la thèse de Trawny s'avère être très réduite :

> J'estime, nous dit Trawny, que *l'antisémitisme inscrit dans l'histoire de l'être de Heidegger est la conséquence d'un manichéisme inhérent à l'histoire de l'être,* manichéisme qui s'est manifesté à la fin des années 1930, et a poussé sa pensée vers un ou bien/ou bien qui n'a pas épargné les Juifs et leur destin. Au moment où le récit du salut de l'Occident par les Allemands (l'aspiration à une « purification de l'être ») atteint son point critique, les Juifs commencent à faire partie de la troupe des ennemis. Les frontières de la contamination du texte heideggérien coïncident donc avec celles du manichéisme inhérent à l'histoire de l'être. À mesure que l'« Estre » (*Seyn*) et l'« étant » ne constituent plus une alternative reflétant celle entre « autre commencement » et « fabrication » disparaît aussi la possibilité de supposer un « judaïsme mondial » hostile. Parler d'antisémitisme inscrit dans l'histoire de l'être *ne revient donc pas à affirmer que la pensée de l'histoire de l'être serait en tant que telle antisémite*[1].

Analysons brièvement le passage cité. Le seul fait que Trawny évoque les « frontières de la contamination du texte heideggérien » en stipulant qu'elles correspondent à celles du provisoire « manichéisme inhérent à l'histoire de l'être » permet de dire que l'*emphase* avec laquelle cet auteur a soutenu tout du long la thèse de l'antisémitisme inscrit dans l'histoire de l'être chez Heidegger – tel qu'il s'inscrirait plus largement dans un « manichéisme » – au point que Trawny lui-même insiste sur le préjudice qu'aurait porté à la pensée de Heidegger le « récit du salut de l'Occident par les Allemands[2] » – ne semble pas être en quoi que ce soit justifiée.

Mais il y a plus encore. Comme nous avons déjà pu le constater, la thèse de l'antisémitisme historial dans son ensemble, considérée en sa portée effective, ne contient pratiquement rien de plus que ce qui pourrait être appelé – par analogie avec l'ex-

---

1. *Ibid.,* pp. 157-158. (C'est moi qui souligne au début et à la fin du texte.)
2. *Ibid.,* p. 157.

pression adoptée par Trawny – « anti-américanisme inscrit dans l'histoire de l'être », « anti-bolchevisme inscrit dans l'histoire de l'être », etc.

De ce fait, en dernière analyse, la question relative à l'antisémitisme d'ordre *philosophique* dans la pensée de Heidegger en vient à perdre ce caractère « dramatique » auquel il ne semblait pas possible d'échapper sur la base des premières informations quant au contenu des *Cahiers noirs*. Il n'est pas avéré que Heidegger attribue là au peuple juif *en tant que tel* un rôle négatif dans l'histoire de l'être, mais plutôt que celui-ci est *mis sur le même plan* que d'autres peuples et d'autres formations politiques et culturelles.

Les jugements critiques émis par Heidegger à l'égard du judaïsme, au même titre que d'autres, trouvent tout d'abord leur clef herméneutique dans la pensée de la « différence ontologique » et dans la réflexion menée sur la métaphysique, autour desquelles en est venue à se constituer la pensée « de l'histoire de l'être », mais sans que les Juifs constituent pour autant un cas plus grave que les autres de « déracinement hors de l'être ».

Ce qui signifie qu'il y a là une unique clef herméneutique qui permet de comprendre pour quelle raison Heidegger a émis une critique des divers moments ou des différentes phases de l'« histoire de l'être », des diverses « époques de la métaphysique » et des diverses « incarnations » du primat conféré aux « étants » dans l'oubli de l'« estre »[1].

---

1. C'est sur cette même ligne de pensée que se situe la contribution présentée par Alfredo Roche de la Torre à la journée d'étude consacrée aux *Cahiers noirs* qui s'est tenue au séminaire de philosophie de l'université de Pise le 1er juillet 2014 : « L'antisémitisme du philosophe de Meßkirch est seulement une autre expression de sa réflexion portant sur la métaphysique et, en particulier, sur la métaphysique moderne : celle qui aboutit au primat de la rationalité tournant à vide du calcul. C'est en ce sens que la démocratie, le communisme, le nationalisme et même le judaïsme – de manière étrange pour beaucoup d'entre nous –, dans la mesure où ils sont pensés comme autant de manifestations du développement de la rationalité qui calcule et planifie, s'avèrent être autant de phénomènes qui, selon la "perspective politique" de Heidegger, [...] reviennent au même » (A. Roche de la Torre, « I *Quaderni neri* nel contesto della questione politica in Heidegger », *in* A. Fabris (dir.), *Metafisica e antisemitismo, op. cit.*, p. 98).

4. La thèse de l'antisémitisme métaphysique présentée par Donatella Di Cesare

Une autre approche de type philosophique de la question juive chez Heidegger est celle sur laquelle Donatella Di Cesare a attiré l'attention.

Le texte de référence pour connaître sa position est le livre intitulé *Heidegger e gli ebrei*, que nous avons déjà mentionné, précédé et suivi de nombreuses interventions publiées dans d'importants quotidiens italiens et étrangers[1]. Sa thèse centrale est qu'on ne trouve pas un antisémitisme de type racial chez Heidegger, et qu'en cela il n'est pas tributaire des « doctrines biologiques » professées par le national-socialisme ; en revanche y serait bien attesté un antisémitisme ayant une portée spécifiquement « philosophique[2] ». Il s'agirait donc pour Donatella Di Cesare aussi d'un antisémitisme résultant de la philosophie de Heidegger, mais il devrait être caractérisé plus précisément comme « métaphysique », selon elle. Cherchons à mieux comprendre.

Relativement à un antisémitisme ainsi connoté, Di Cesare en vient à présenter une pluralité d'acceptions du terme « métaphysique » afin de clarifier sa propre thèse.

En premier lieu elle postule que Heidegger développe une « métaphysique du Juif », ce qui signifie que Heidegger, en dépit de sa critique de la métaphysique, en serait l'héritier quant à *la manière de poser la question* relative aux Juifs. Selon elle, les considérations péremptoires du philosophe, les sentences expéditives exprimées dans ses réflexions « sont dans l'ensemble des réponses à l'antique question : τί ἐστιν, qu'est-ce que[3] ? ».

Une telle démarche, typique de la métaphysique et attestée de manière éloquente par le *Théétète* de Platon, a été remise en ques-

---

1. Cf. C. Gualdana, *L'instrumentalisation médiatique des* Cahiers noirs *de Martin Heidegger en Italie. Avec quelques notes d'un dialogue inédit avec Friedrich-Wilhelm von Herrmann*, voir pp. 397-449 de la version italienne originale. La contribution de C. Gualdana n'a pas été retenue, rappelons-le, dans la présente version française. (N.d.T.)

2. D. Di Cesare, *Heidegger e gli ebrei*, op. cit., p. 6.

3. *Ibid.*, p. 207.

tion, à l'époque de Heidegger, par Wittgenstein : celui-ci critique la croyance « qu'il y a un *was*, une essence identique, malgré et outre les différences[1] », croyance qui constitue l'authentique « source de la métaphysique », laquelle conduit néanmoins le philosophe à une « complète obscurité[2] ». Eh bien ! souligne Donatella Di Cesare, même s'il critique de façon analogue « la définition de l'identité ou le concept d'essence », Heidegger ne s'interroge pas moins sur les Juifs de manière métaphysique, précisément dans la mesure où il exprime sa préoccupation de « définir et identifier le Juif »[3].

On a là un deuxième accès à la « métaphysique *du* Juif », conférant au génitif une valeur de génitif subjectif. En ce cas, la « *métaphysique du Juif* donne lieu au *Juif métaphysique*[4] », à savoir à une « figure abstraite », « à l'idée du Juif, au paradigme, au Juif idéal »[5]. Et c'est à une telle figure, relève Di Cesare, que sont « ramenés et réduits les Juifs en chair et en os[6] ».

Un autre aspect permettant selon l'auteur de parler de « métaphysique du Juif » tient au fait que ce dernier se trouve défini par le recours à des « *dichotomies métaphysiques* séculaires que par ailleurs Heidegger conteste[7] ». Le Juif représente toujours le pôle négatif de pareilles dichotomies et, par voie de conséquence, le pôle diamétralement opposé qui doit être écarté[8].

Ainsi se ferme un premier cercle pour Di Cesare : « La *métaphysique du Juif* produit un *Juif métaphysique*, l'idée du Juif métaphysiquement définie sur la base des oppositions séculaires qui excluent le Juif, le rejettent dans l'apparence inauthentique, le relèguent dans l'abstraction sans âme, dans l'invisibilité d'un spectre et peu à peu finalement dans le néant[9]. »

---

1. L. Wittgenstein, *Das blaue Buch : Eine philosophische Betrachtung (Das braune Buch)*, Suhrkamp, Francfort, 1980 ; *Le Cahier bleu et le Cahier brun* ; trad. fr. M. Goldberg et J. Sackur, Gallimard, Paris, 1965.
2. *Ibid.*
3. D. Di Cesare, *Heidegger e gli ebrei*, op. cit., p. 6.
4. *Ibid.*, p. 209.
5. *Ibid.*
6. *Ibid.*
7. *Ibid.* (C'est moi qui souligne.)
8. *Ibid.*, pp. 209-210. L'auteur présente une vaste liste de telles dichotomies.
9. *Ibid.*, p. 210.

Un tel procédé « philosophique », selon Di Cesare, est *au fondement* de la « pratique politique », de la « loi » et de son « application », à l'égard desquelles le philosophe ne peut se dire du dehors sous prétexte, par exemple, qu'il n'est pas l'auteur des lois d'un État[1]. D'où sa conclusion très nette : « Si le Juif est exclu, s'il est condamné au néant, c'est parce que *le philosophe en a décidé ainsi*[2]. »

Tel est donc le sens précis de la thèse complexe d'un « antisémitisme métaphysique » attribué à Heidegger par Donatella Di Cesare. Aux « Juifs réels » viennent se substituer trois abstractions : 1. le Juif en soi (*der Jude*) ; 2. la judéité, à savoir la *quidditas* du Juif (*das Jüdische*) ; 3. le judaïsme vidé de sa propre histoire (*das Judentum*).

Donatella Di Cesare soutient qu'il serait préférable de parler d'« antisémitisme métaphysique » plutôt que d'« antisémitisme inscrit dans l'histoire de l'être », selon la thèse de Peter Trawny que nous avons déjà examinée. Les raisons qu'elle invoque sont au nombre de trois. La première est que l'adjectif *seinsgeschichtlich* (« ressortissant à l'histoire de l'être »), en raison de sa « tonalité ésotérique » et de l'« aura mystique » qui en émane, finit par atténuer la brutalité d'un « geste discriminatoire » accompli selon elle par Heidegger à l'endroit des Juifs. La seconde raison est plus fondamentale et consiste à relever que la référence à l'« histoire de l'être » selon Heidegger aurait pour résultat d'amener à considérer la position de Heidegger comme isolée, alors que l'antisémitisme a de bien plus vastes contours. La troisième raison est que, même si l'« histoire de l'être » est bien le paysage au sein duquel apparaît le Juif dans les réflexions heideggériennes, la raison pour laquelle celui-ci se trouve expulsé de cette histoire elle-même tient au fait qu'en mettant en œuvre la « définition » du Juif Heidegger demeure sur le terrain de la métaphysique[3].

Insister sur la thèse de l'antisémitisme métaphysique permet à Di Cesare d'aligner la position de Heidegger sur celle d'autres

1. *Ibid.*
2. *Ibid.*, p. 211. (C'est moi qui souligne.)
3. *Ibid.*, p. 211.

penseurs, philosophes et religieux, qui n'appartiennent pas seulement au passé[1]. Il n'est pas possible toutefois de la suivre sur cette voie dans le cadre de notre propos, et c'est pourquoi j'en viens à présent à formuler quelques réflexions critiques sur la thèse centrale de l'auteur.

On pourrait objecter qu'il serait assez singulier que Heidegger, après s'être livré à une critique serrée de la métaphysique, du moins en son effectivité historique, oubliât cette critique quand il en vient à traiter des Juifs. Mais telle n'est pas l'objection que je voudrais adresser ici à Di Cesare.

Ma réserve est tout autre, et je l'exprime sous la forme d'une question. Est-il si évident que Heidegger, en ce qu'il dit des Juifs, en vienne à exprimer leur « essence métaphysique », celle-ci se trouvant à son tour caractérisée, par-dessus le marché, de manière négative ? Certes, il les définit bien d'une certaine façon et l'on peut invoquer ce qu'il soutient au sujet des Juifs dans telle ou telle de ses déterminations ; mais que, ce faisant, il en affirme l'*essence métaphysique* – et ne reprenne pas plutôt les stéréotypes largement répandus au cours de ces années-là –, cela ne semble pas évident à la lumière des argumentations de l'auteur.

Il me semble, en somme, que c'est Donatella Di Cesare elle-même qui *appose* sur les affirmations heideggériennes le label « essence métaphysique ». Elle le fait aussi sur la base de considérations développées en 1932 par Waldemar Gurian dans son œuvre *Um des Reiches Zukunft*, d'où elle a tiré l'expression d'« antisémitisme métaphysique[2] ». Gurian, en effet, voyait dans l'antisémitisme au pas cadencé du national-socialisme de son temps un rejet du Juif « tenant au sens de la vie[3] » et qui, précisément du

---

1. Donatella Di Cesare présente dans le second chapitre de son livre un compte rendu historique sur « la philosophie et la haine des Juifs » (*ibid.*, pp. 29-82). Elle traite ensuite de Heidegger au fil de deux chapitres. Le premier est consacré au rapport entre « la question de l'Être et la question juive » (*ibid.*, pp. 83-220), et le suivant vise à examiner le rapport de Heidegger à la question juive « depuis » Auschwitz (*ibid.*, pp. 221-279).

2. W. Gerhart (pseudonyme de W. Gurian), *Um des Reiches Zukunft. Nationale Wiedergeburt oder politische Reaktion ?* [*Pour l'avenir du Reich. Renaissance nationale ou réaction politique ?*], Herder, Fribourg-en-Brisgau, 1932.

3. D. Di Cesare, *Heidegger e gli ebrei, op. cit.*, p. 212.

fait de sa portée globale, pouvait être catalogué comme « métaphysique[1] ».

Le trait original des considérations développées par Donatella Di Cesare consiste à donner au syntagme « antisémitisme métaphysique » une signification liée à l'*acception négative* du terme « métaphysique » qui – comme on sait – prévaut dans la philosophie contemporaine et chez Heidegger lui-même. Nous avons vu, toutefois, à quel point il est pour le moins problématique que la thèse adoptée ait été réellement prouvée.

Estimant, quant à elle, pleinement justifiée la thèse selon laquelle Heidegger aurait forgé la figure du Juif métaphysique, Donatella Di Cesare propose un autre approfondissement, visant à montrer comment les « *oppositions hiérarchisées de la métaphysique* » – que Heidegger n'hésite pas à introduire dès lors qu'il s'agit de définir le Juif tout en critiquant par principe une telle façon de procéder – ont une provenance strictement « théologique[2] ». Elle postule ainsi que subsisterait dans l'antisémitisme métaphysique un reliquat de l'« antijudaïsme chrétien », « ayant imprégné de manière inavouée toute la métaphysique occidentale[3] » et qui, à ce qu'il lui semble, « peut sévir aussi dans un contexte prétendument laïcisé ou sécularisé[4] ».

En tout cas, pour en revenir à Heidegger, Donatella Di Cesare affirme que le philosophe allemand est souillé par cette « faute » qu'il a pu lui-même imputer à l'histoire de l'Occident, la « faute de la métaphysique ». Heidegger aurait commis en personne cette erreur « philosophique » dont lui-même, en remettant en question la métaphysique, avait attribué à d'autres la responsabilité[5].

Ainsi se consommerait, dans ce que Heidegger en vient à dire du Juif, le *naufrage* de sa propre pensée philosophique[6].

---

1. À partir de Gurian, D. Di Cesare trouve une autre raison pour parler d'antisémitisme métaphysique : ce serait là « une façon de considérer le Juif comme une figure, une apparition, un phénomène – comme le suggère Gurian – pour en chercher l'essence par-delà, outre, *meta*, selon ce procédé qui pour Heidegger caractérise la métaphysique » (*ibid.*, p. 213).

2. *Ibid.*, p. 212.

3. *Ibid.*, p. 213.

4. *Ibid.*

5. *Ibid.*

6. *Ibid.*

La thèse est assurément suggestive mais contient, me semble-t-il, une forte dose de « dramatisation », analogue à celle que nous avons déjà rencontrée dans la thèse de Peter Trawny. La conceptualité « philosophique » – et cela Heidegger, comme je le rappelais au début de mon propos, l'a fort bien enseigné – requiert que tout ce qui vient faire partie d'un discours philosophique ne soit pas traité comme « quelque chose de subsistant » mais se voie reconduit à ce qui en constitue l'origine. Et cela vaut aussi, de ce fait, quand on se propose de comprendre comment Heidegger a pu penser *philosophiquement* la « question juive », car sinon nous guette toujours le risque de provoquer des courts-circuits.

En conclusion, ma propre thèse, que je n'ai pu qu'ébaucher dans le cours de cet écrit, est que Heidegger a pensé la question juive en relation avec sa « critique de la métaphysique » et, par conséquent, avec *l'unique question fondamentale* sur laquelle il a médité tout au long de sa vie : dans la pensée du philosophe comme dans la vie des hommes, *qu'en est-il de l'être ?*

5. Bibliographie

BURSZTEIN A., « Emil Fackenheim on Heidegger and the Holocaust », *Iyyun. The Jerusalem Philosophical Quarterly*, n° 53, 2004, pp. 325-336.

CAPUTO J. D., « Heidegger's Scandal. Thinking and the Essence of the Victim », *in* T. Rockmore et J. Margolis (dir.), *The Heidegger Case. On Philosophy and Politics*, Temple University Press, Philadelphie, 1992, pp. 265-281.

DI CESARE D., *Heidegger e gli ebrei. I* Quaderni neri, Bollati Boringhieri, Turin, 2014.

FABRIS A. (dir.), *Metafisica e antisemitismo. I* Quaderni neri *di Heidegger tra filosofia e politica*, ETS, Pise, 2015.

FACKENHEIM E. L., *Encounters between Judaism and Modern Philosophy. A Preface to Future Jewish Thought*, Basic Books, New York, 1973.

FAYE E., *Heidegger, l'introduction du nazisme dans la philosophie*, Albin Michel, Paris, 2005.

GERHART W. (pseudonyme de W. Gurian), *Um des Reiches Zukunft. Natio-*

nale Wiedergeburt oder politische Reaktion ?, Herder, Fribourg-en-Brisgau, 1932.

GUALDANA C., *La strumentalizzazione mediatica in Italia dei* Quaderni neri *di Martin Heidegger. Con alcune annotazioni di un dialogo inedito con Friedrich-Wilhelm von Herrmann*, in F.-W. von Herrmann – F. Alfieri, *Martin Heidegger. La verità sui* Quaderni neri, Morcelliana, Brescia, 2016, pp. 395-447.

HAMMERSCHLAG S., « Troping the Jew. Jean-François Lyotard's *Heidegger and "the Jews"*», *Jewish Studies Quarterly* n° 12, 2005, pp. 371-398.

HEIDEGGER M., *Les concepts fondamentaux de la métaphysique. Monde – finitude – solitude*, trad. fr. D. Panis, Gallimard, Paris, 1992.

—, « Martin Heidegger interrogé par *Der Spiegel* », in *Écrits politiques 1933-1966*, présentation, traduction et notes par F. Fédier, Gallimard, Paris, 1995.

—, *Parménide*, éd. M. S. Frings, trad. fr. T. Piel, Gallimard, Paris, 2011.

—, *Parmenides*, édition intégrale, tome 54, éd. M. S. Frings, Klostermann, Francfort, 1982.

LEVINAS E., *Totalité et Infini. Essai sur l'extériorité*, Nijhoff, La Haye, 1961.

LYOTARD J.-F., *Heidegger et « les juifs »*, Galilée, Paris, 1988.

MESSINESE L., *Heidegger e la filosofia dell'epoca moderna. L'« inizio » della soggettività : Descartes*, Lateran University Press, Città del Vaticano, 2ᵉ édition 2004.

PATTERSON D., « Nazis, Philosophers, and the Response to the Scandal of Heidegger », *in* J. K. Roth (dir.), *Ethics after the Holocaust. Perspectives, Critiques, and Responses*, Paragon House, St. Paul (Minnesota), 1999, pp. 148-171.

—, *Emil L. Fackenheim. A Jewish Philosopher's Response to the Holocaust*, Syracuse University Press, Syracuse (New York), 2008.

—, *Anti-Semitism and its Metaphysical Origins*, Cambridge University Press, New York, 2015.

ROCHE DE LA TORRE A., « I *Quaderni neri* nel contesto della questione politica in Heidegger », *in* A. Fabris (dir.), *Metafisica e antisemitismo, op. cit.*, pp. 81-107.

ROCKMORE T., *On Heidegger's Nazism and Philosophy*, University of California Press, Berkeley, 1992.

SAFRANSKI R., *Heidegger et son temps*, trad. fr. I. Kalinowski, Grasset, Paris, 2000.

—, *Ein Meister aus Deutschland – Heidegger und seine Zeit*, Hanser Verlag, Munich - Vienne, 1994.

SHEEHAN T., « Everyone has to Tell the Truth. Heidegger and the Jews », *Continuum 1* (1990), pp. 30-44.

TRAWNY P., *Heidegger und der Mythos der jüdischen Weltverschwörung*, Klostermann, Francfort, 3ᵉ édition 2015.

—, « Heidegger e l'ebraismo mondiale », *in* A. Fabris (dir.), *Metafisica e antisemitismo, op. cit.*, pp. 9-37.

WITTGENSTEIN L., *Le Cahier bleu et le Cahier brun*, trad. fr. M. Goldberg et J. Sackur, Gallimard, Paris, 1965.

—, *Das blaue Buch : Eine philosophische Betrachtung (Das braune Buch)*, Suhrkamp, Francfort, 1980.

Martin Heidegger n'était pas antisémite

par Hermann Heidegger

La publication d'une partie des *Cahiers noirs*, dans le cadre de l'édition intégrale des écrits de Martin Heidegger, a fait naître la supposition, sur la base de quelques passages disséminés çà et là, qu'il aurait été antisémite. Étant son fils, je suis l'un des rares témoins à avoir fait partie de son proche entourage durant la période du national-socialisme, et je peux alléguer les faits concrets suivants :

1. Tout au long de sa vie Martin Heidegger a entretenu des liens étroits d'amitié, voire très étroits, avec des Juifs. Cela fait quelque temps que l'on sait aussi que Hannah Arendt et Elisabeth Blochmann ont été l'une et l'autre amantes de mon père ; et elles ne furent pas les seules. La période du national-socialisme a interrompu leurs relations, mais elle n'a pas mis fin à leurs rapports amicaux, qui se sont poursuivis jusqu'à sa mort.

2. À la fin de 1933, Edmund Husserl était une figure paternelle et un ami pour Martin Heidegger. À l'occasion de nombreux voyages de Marbourg à Todtnauberg, la famille Heidegger a pu passer la nuit rue Loretto auprès de la famille Husserl. Je garde un vif souvenir de l'affection chaleureuse dont « l'oncle Husserl » faisait montre à mon endroit.

Cette amitié a pris fin selon la volonté des époux Husserl. En fait, ils s'étaient rendu compte que les recherches de Martin Heidegger ne suivaient pas la voie tracée par Husserl avec sa

phénoménologie ; il empruntait dorénavant d'autres chemins de pensée. Edmund Husserl avait été éloigné de l'université de Fribourg, en même temps que d'autres enseignants, avant même que Heidegger ait été nommé recteur. Juste après sa nomination, celui-ci a réussi à intercéder auprès du ministère de la Culture du Pays de Bade pour que Husserl et trois autres enseignants juifs titulaires puissent retrouver leurs postes à la faculté de philosophie, ce qui fut en effet le cas avec le décret du 18 avril 1933. Les livres de Husserl ont pu rester à la faculté – et on ne peut passer sous silence le fait que le recteur Heidegger a interdit à Fribourg un autodafé de livres programmé par les nationaux-socialistes.

3. Son assistant Werner Brock, qu'il estimait, avait déjà été congédié lui aussi de l'Université lorsque Martin Heidegger fut nommé recteur mais – poussé par l'intérêt qu'il portait aux collègues qui se retrouvaient dans une situation difficile – il réussit à le faire réintégrer à l'Université. Durant l'automne 1933, Brock a fui l'Allemagne et, avec l'aide de Heidegger, il a obtenu un poste en Angleterre ; après 1945, leur amitié s'est poursuivie avec la même intensité que durant les années fribourgeoises.

4. Moins connue est son amitié avec le couple juif Lily et Wilhelm Szilasi. Lily Szilasi a été elle aussi l'amante de mon père. Au cours des années 1920, mon frère et moi avons passé divers étés, parfois ensemble, parfois séparément, chez « tante Lily » et « oncle Willi » à Feldafing, dans les environs de Munich. Le couple est demeuré en Suisse durant la période du national-socialisme et il est retourné en 1946 à Fribourg, où Wilhelm Szilasi a pu tout de suite retrouver sa propre chaire. Cette amitié elle aussi a été l'amitié d'une vie. En outre, on ne doit pas oublier que nombre d'étudiants juifs sont restés en contact avec Martin Heidegger.

5. Les *Cahiers noirs* contiennent des critiques sévères à l'égard de l'américanisme et du bolchevisme, du christianisme et de l'Église catholique. Ils visent également les Anglais, la technique, la science, l'Université et le national-socialisme, qu'Heidegger avait approuvé dans un premier temps. Par contraste, les rares et

brèves observations sur le judaïsme ne jouent qu'un rôle secondaire. Martin Heidegger lui-même n'y attribuait aucune importance.

Le lecteur attentif ne se laissera pas influencer par l'agitation générale, mais saura se faire sa propre idée en lisant avec attention les écrits de Martin Heidegger.

Postface du traducteur

RETOUR AUX SOURCES

Pascal David

> « Martin Heidegger fut et restera tout autant dans les années
> à venir un grand penseur auquel on ne peut se confronter
> que philosophiquement et non en termes politiques et idéo-
> logiques, tout comme lui-même s'est confronté aux penseurs
> du passé [...][1]. »

Les deux auteurs ou co-auteurs de ce volume m'ont fait l'honneur de me demander d'ajouter une postface à la traduction
française de leur ouvrage, tâche dont je m'acquitte d'autant plus
volontiers que sa lecture et sa traduction m'ont ouvert, comme ce
sera sans doute le cas pour nombre de ses lecteurs, de nouveaux
horizons.

Le propos explicite de ce livre est, comme le signale son Introduction, de « faire en sorte que les manuscrits des cahiers de
toile cirée noire, ou carnets (*Notizbücher*), [...] soient compris
en leur vérité propre ». Une « vérité » quelque peu malmenée
par leur réception médiatique et académique, qu'il ne s'agit
pas seulement ici de rétablir, mais de dégager, de faire apparaître selon le geste phénoménologique de la monstration, à
l'encontre de toute occultation ou contrefaçon, en la laissant
se dire par elle-même. Cet ouvrage s'adresse à des lecteurs qui
ne s'en laissent pas conter et qui, aux faciles anathèmes comme

1. Voir *supra*, Introduction, p. 31.

aux hâtives mises à l'index prenant le relais de l'*Index librorum prohibitorum* institué à la suite du concile de Trente, préfèrent la patience et la rigueur de l'analyse philosophique. Cela suppose, nous dit Francesco Alfieri, que ces notes « soient replacées dans le lexique heideggérien, seule voie », à son avis, « pour ne pas tomber dans des méprises qui portent naturellement à s'écarter dangereusement du parcours que Heidegger a laborieusement tracé ». Cela implique également de « séjourner au sein de la complexité de ces notes pour tenter de les comprendre *sans s'en tenir* à ce qui, au cours de ces dernières années, a semblé à beaucoup être "évident"[1] ». À s'écarter dangereusement de cette voie, nombre d'interprètes se sont en effet engagés dans une forêt aussi obscure qu'inextricable, *una selva oscura*, au point de se retrouver égarés (*smarriti*). Au point d'avoir perdu le contact avec ce dont ils parlent et de projeter sur l'auteur leurs propres préoccupations. Des évidences autoproclamées irréfutables – qu'elles reviennent à marteler « le nazisme de Heidegger » ou « l'antisémitisme de Heidegger », avec une régularité mécanique aussi admirable que celle d'un coucou de la Forêt-Noire sortant de sa boîte à l'heure prescrite, comme si c'étaient là des faits avérés dont il ne s'agirait plus que de mesurer l'ampleur – s'apparentent à des « convictions » telles que les entend une des « mauvaises pensées » de Paul Valéry :

« Convictions ».

Mot qui permet de mettre, avec une bonne conscience, le ton de la force au service de l'incertitude[2].

Non pas que la vérité qu'il s'agit ici de dégager prétende être une certitude, selon l'équivalence toute cartésienne que semble présupposer cette « mauvaise pensée » de Valéry. Mais « le ton de la force » pourrait encore s'appeler tentative d'intimidation

---

1. Voir *supra*, chap. 2, p. 75.
2. P. Valéry, « Mauvaises pensées et autres », in *Œuvres*, tome 2, Gallimard, collection « Bibliothèque de la Pléiade », Paris, 1960, p. 883.

intellectuelle, voire dictature du « on » sous la forme de l'opinion publique. Et l'« incertitude » désigner le brouillard dans lequel titube quiconque entend trancher sur Heidegger en parfaite méconnaissance de sa pensée. À vrai dire, le « ton de la force » ne fait en l'occurrence que prolonger insidieusement ce qu'apparemment il dénonce vertueusement, car lorsque la recherche « cesse de remettre "en question" les résultats auxquels elle est parvenue », elle « finit par devenir, à son insu, l'autre face de la pensée totalitaire et instrumentale »[1]. À force de « résultats irréfutables » auxquels prétendent avoir abouti des lectures hâtives et purement idéologiques – des « lectures » dans le meilleur des cas –, le débat n'a pas été ouvert mais bel et bien verrouillé. Ce débat, il ne s'agit donc pas pour nos auteurs de le rouvrir mais tout simplement de l'*ouvrir* en revenant à Heidegger : retour aux sources ! Car « revenir aux écrits de Heidegger, c'est là l'unique clef de lecture herméneutique à même de réfuter toute "interprétation naïve" – où le terme "naïf" vise à indiquer le résultat obtenu par une collation superficielle de quelques notes de Heidegger, ce qui conduit inévitablement à des résultats privés d'un fondement solide[2] ». Friedrich-Wilhelm von Herrmann décrit ici très exactement la « naïve » réception des *Cahiers noirs* par l'opinion publique formatée par la presse, notamment en France, instrumentalisée et manipulée qu'elle a été sur la base de « la collation superficielle de quelques notes de Heidegger », à savoir, au mépris de la plus élémentaire scientificité, de ce que l'on appelle encore un simple *montage de citations*, extraites de leur contexte et dès lors débitables en coupures de presse. S'il veut retirer quelque profit de sa lecture, le lecteur de ce livre doit donc s'astreindre à laisser de côté, à mettre entre parenthèses toutes ses convictions, ses idées préconçues, ses préjugés peut-être, tant qu'il ne s'est pas directement confronté aux textes, et par là se défaire, eu égard aux sujets abordés, de toutes les opinions qu'il avait « reçues jusques alors » en sa créance.

---

1. Voir *supra*, chap. 1, p. 39.
2. Voir *supra*, chap. 1, p. 36.

Paru en Italie en mars 2016, l'ouvrage de Friedrich-Wilhelm von Herrmann et Francesco Alfieri porte sur les tomes 94 à 97 de la *Gesamtausgabe* ou édition intégrale des écrits de Martin Heidegger, en cours de publication depuis 1975 aux éditions Klostermann de Francfort, et qui compte à présent quelque quatre-vingt-dix volumes. Ces tomes 94 à 97 comprennent la première partie des trente-quatre *Schwarze Hefte* [*Cahiers noirs*], qui restituent les notes prises par Heidegger entre 1931 et le milieu des années 1970, soit pendant plus d'une quarantaine d'années. L'ensemble (avec les cinq autres volumes en attente de publication) ne devait paraître qu'une fois édités tous les autres tomes de la *Gesamtausgabe*. Éditorialement parlant, cette parution prématurée a été décidée par les exécuteurs testamentaires, à l'encontre du vœu exprès de Heidegger lui-même, pour des raisons qui leur appartiennent et dans lesquelles nous n'avons pas à entrer ici. Philosophiquement parlant, les « dernières volontés » exprimées par Heidegger que leur parution fût différée jusqu'à la publication de tous ses autres écrits dans le cadre de la *Gesamtausgabe* nous donnent à entendre que les *Cahiers noirs* ne sont intelligibles que rapportés aux grands traités dont ils accompagnent la gestation et la rédaction à titre, pour ainsi dire, de *marginalia*.

Il s'agit de notes souvent nuitamment jetées à la hâte sur le papier lors de moments d'insomnie de Heidegger – il faudrait pouvoir réentendre à leur sujet le sens propre du terme *élucubrations*, rendu inaudible par son sens péjoratif – et soigneusement reportées le lendemain sur des cahiers ou cahiers de travail à couverture noire en toile cirée, des *Notizbücher*, comme les appelait Heidegger, et aujourd'hui publiés sous le titre de *Schwarze Hefte* ou, en français, *Cahiers noirs*, au nombre de trente-quatre. Comme le précise Friedrich-Wilhelm von Herrmann dans une lettre à la journaliste italienne Claudia Gualdana : « Les *Cahiers noirs* étaient destinés à consigner les fragments et les bribes de pensée qui de temps à autre venaient à l'esprit de Heidegger. En eux Heidegger n'en a pas moins noté bien des pensées, des opinions et des jugements personnels sur des événements et des personnes privées de son temps. Même s'ils sont rédigés dans la

langue de la pensée historiale de l'être, ils n'appartiennent pas pour autant à la pensée pure, systématiquement ordonnée, de Heidegger[1]. » C'est sous le titre douteux, et qui n'est peut-être pas dénué d'arrière-pensées, de *Cahiers noirs* qu'ils ont défrayé la chronique, en France comme en Allemagne, en Italie et ailleurs, dès avant leur parution, sur la base d'extraits savamment distillés et orchestrés par la presse internationale pour frapper l'opinion publique. La « réception » des *Cahiers noirs* aura donc très curieusement consisté à leur opposer une fin de non-recevoir en parfaite méconnaissance de cause, c'est-à-dire dans l'ignorance crasse de leur contenu effectif, sans aucune amorce d'analyse philosophique de ce contenu, et visiblement sans soupçonner la pensée qui s'y livre à profusion et les propulse au rang de publications décisives de la littérature philosophique du xxe siècle. Tout s'est passé comme si des écrits du penseur pouvaient être une affaire moins philosophique au fond que médiatique, relevant du journalisme d'investigation ou de journalistes devenus, selon l'expression de Heidegger, des « intervenants culturels » (*Überlegungen und Winke III*, § 81).

Appelé à faire date dans les études heideggériennes, l'ouvrage de Friedrich-Wilhelm von Herrmann et Francesco Alfieri se tient quant à lui résolument à l'écart de l'*instrumentalisation* idéologique et politique à laquelle nous avons pu assister, de toute « grille de lecture » hâtivement plaquée sur ces carnets, et a pour principale ambition de permettre à un lecteur non prévenu d'accéder à leur propos. Ce qui suppose, assurément, une suffisante herméneutique, ici mise en œuvre. Avant de porter un jugement quelconque sur tel ou tel passage de ces *Cahiers*, ou même sur leur ensemble, il convient en effet de situer l'*économie de leur propos* en le replaçant le cas échéant dans son contexte historique et politique, mais aussi de situer ce propos lui-même au sein du *chemin de pensée* que s'est frayé Heidegger.

Le corps de l'ouvrage se compose de trois chapitres : d'abord,

---

1. F.-W. von Herrmann, lettre (s. d.) à C. Gualdana, citée dans l'édition originale de cet ouvrage : F.-W. von Herrmann et F. Alfieri, *Martin Heidegger. La verità sui* Quaderni neri, Morcelliana, Brescia, 2016, p. 436.

une mise au point sur les *Cahiers noirs* qui ramène sobrement les choses à leurs justes proportions (par F.-W. von Herrmann) ; ensuite, une analyse historico-critique et philologique « se passant de tout commentaire » (*sine glossa*) de leurs contenus, avec citation de nombreux et parfois longs extraits des *Cahiers* (par F. Alfieri), ce qui les met ainsi tout simplement sous les yeux du public au lieu de les soustraire plus longtemps à son attention ; enfin, la précieuse publication de correspondances inédites de Friedrich-Wilhelm von Herrmann avec Martin et Heinrich Heidegger ainsi que Hans-Georg Gadamer, dont les lettres s'échelonnent de 1964 à 1988.

Il convient donc en premier lieu de situer la place et le propos des *Cahiers* au sein du parcours, du chemin de pensée de Heidegger.

La pensée de Heidegger s'est d'abord présentée en 1927, avec *Être et Temps*, comme ontologie fondamentale s'enquérant du sens de l'être de l'étant, et le puisant *aus der Zeit* (« à la source du temps »). À cette première perspective « fait suite » – du moins si l'on en reste à une entente purement chronologique du temps que tout le travail de Heidegger vise précisément à ébranler – la pensée de l'histoire de l'être : à la perspective *fundamentalontologisch* succède donc – à vrai dire elle la précède – la perspective *seynsgeschichtlich*, qui n'envisage plus l'être en tant qu'être *de l'étant* mais, en quelque sorte, « tel qu'en lui-même », ou mieux : soi-même (*Es Selbst*), comme le dira la *Lettre sur l'humanisme*[1]. Pour désigner celui-ci, Heidegger recourt (mais d'une manière qui n'est pas systématique) à la graphie archaïsante *Seyn*, plutôt qu'à l'orthographe actuelle de *Sein*, donc *estre* plutôt qu'être, l'*estre* en sa « vérité » (*Wahrheit*), ou encore dans toute sa splendeur. Avec la pensée de l'histoire de l'être, ou de l'estre, voire de l'être s'amorce ce que Heidegger appelle l'*autre commencement*, par contraste avec ce *premier commencement*, grec, de l'histoire de la philosophie qui, de Platon à Nietzsche, a configuré celle-ci

---

1. M. Heidegger, « Lettre sur l'humanisme », in *Questions III*, trad. fr. R. Munier, Gallimard, Paris, 1976, p. 101, ou édition bilingue Autier, 1964, p. 76 (traduction modifiée).

comme métaphysique. Cette métaphysique que Kant a entendu refonder et Nietzsche dépasser par un renversement du platonisme, il s'agit pour Heidegger de la « surmonter » (*überwinden*, ou encore *verwinden*). La préparation de l'*autre commencement* se dégageant du premier commencement s'installe dès lors dans un entre-deux, une transition ou un passage (*Übergang*). C'est à la préparation ou à la mise en œuvre de cet « autre commencement », ou premier commencement autrement commencé, qu'est consacré tout le travail de Heidegger depuis le début des années 1930, à commencer par les *Apports à la philosophie (De l'avenance)*[1], rédigés entre 1936 et 1938 et publiés de manière posthume en 1989 à l'occasion du centenaire de la naissance du philosophe. Or tous les *Cahiers de travail*[2] – ainsi que nous les appellerons dorénavant, selon le titre sous lequel ils devraient être traduits en français car cette appellation semble de loin préférable à celle, usurpée, de « Cahiers noirs » – se situent sur cette nouvelle lancée inaugurée, quant aux traités, avec les *Apports.*

Avec les *Apports à la philosophie*, les sept grands traités « historiaux », ou frayant la voie de la pensée de l'histoire de l'être, sont à présent presque tous édités dans les tomes 66 à 72 de la *Gesamtausgabe*, où se lit le travail accompli par Heidegger dans le domaine de l'histoire de l'être entre 1936 et 1944. Ils sont respectivement intitulés *Besinnung, Die Überwindung der Metaphysik, Die Geschichte des Seyns, Über den Anfang, Das Ereignis* et, enfin, *Die Stege des Anfangs*, à savoir : *Méditation du sens, Surmonter la métaphysique, L'Histoire de l'estre, En passant par le commencement, De l'avenance* et, enfin, *Passerelles du commencement.* C'est dire l'ampleur monumentale de ce continent, pour beaucoup encore *terra incognita*, de la pensée de Heidegger, dans la mesure où jusqu'à présent seuls les *Apports à la philosophie* sont accessibles au lecteur francophone non germaniste. C'est dire aussi qu'aucune inter-

---

1. M. Heidegger, *Beiträge zur Philosophie (Vom Ereignis)*, éd. F.-W. von Herrmann, Klostermann, Francfort, 1989 ; trad. fr. F. Fédier parue aux Éditions Gallimard en 2013.

2. À l'exception sans doute du premier, disparu probablement du fait de n'avoir pas été retenu par Heidegger parce qu'il ne relevait pas encore de la perspective de l'histoire de l'être. Telle est du moins l'hypothèse fort plausible émise par F.-W. von Herrmann.

prétation sérieuse et herméneutiquement suffisante des *Cahiers* ne pourra faire l'économie d'une connaissance approfondie de ces textes dont les carnets sont des suppléments et des compléments. S'il est permis de risquer cette analogie, les *Cahiers* sont à ces sept grands traités doctrinaux ce que les *Zusätze* (« compléments » ou « suppléments », *addenda*) des *Principes de la philosophie du droit* de Hegel sont au corps de la doctrine, au « système » : des éclaircissements, des compléments, des illustrations et des prolongements souvent très éclairants, mais qui ne se confondent pas ni n'interfèrent avec le rythme immanent du concept.

Ce qui ne va pas sans entraîner plusieurs conséquences importantes : les *Cahiers de travail* se situent tous dans la perspective de la pensée de l'histoire de l'être et dans la préparation d'un « autre commencement » ; ils *accompagnent* la rédaction des sept grands traités historiaux (ou s'inscrivant dans la perspective de l'histoire de l'être) auxquels ils *se rattachent* sans pour autant articuler la pensée de Heidegger de manière systématique comme le font lesdits traités ; ils ne peuvent être compris qu'à la lumière de ceux-ci, à commencer par les *Apports* ; et enfin, ils leur sont *subordonnés* :

> [...] ce que les *Cahiers noirs* contiennent de pensées philosophiques doit être lu seulement sur la base de la connaissance des traités et des cours antérieurs de Heidegger. Par rapport aux écrits de l'œuvre principale, les *Cahiers noirs* sont à considérer comme secondaires et subordonnés ! [...] *ils ne sont pas indispensables dans leur ensemble pour comprendre l'œuvre intellectuelle de Martin Heidegger*[1].

En d'autres termes : les *Cahiers de travail* n'engagent pas de manière décisive le sens de la pensée de Heidegger ni, assurément, lorsqu'il s'agit de « pensées, opinions et jugements personnels sur des événements et des personnes privées de son temps[2] », mais ni non plus en leur teneur proprement philoso-

---

1. Propos de F.-W. von Herrmann rapporté par Claudia Gualdana *in* F.-W. von Herrmann et F. Alfieri, *Martin Heidegger. La verità sui Quaderni neri*, *op. cit.*, p. 325. (C'est moi qui souligne.)
2. Voir *supra*, p. 452.

phique, fussent-ils rédigés dans la langue de la pensée historiale de l'être. Cette subordination à d'autres écrits ne revient nullement pour autant à en minimiser en quoi que ce soit l'importance philosophique, dans l'éclairage toujours nouveau qu'ils donnent aux questions abordées et autrement approfondies.

Mais c'est dire aussi que l'on ne saurait faire fond sur les *Cahiers de travail*, qu'on ne saurait extrapoler à partir d'eux la moindre thèse caractérisant, et en l'occurrence invalidant, la pensée de Heidegger, y compris la pensée de l'histoire de l'être (*das seynsgeschichtliche Denken*). C'est pourtant ce qu'a entrepris leur éditeur allemand, Peter Trawny, dans ses postfaces aux volumes qu'il a édités comme dans ses publications (parfaitement synchronisées), en parlant très inconsidérément d'un « antisémitisme inscrit dans l'histoire de l'être ». Une variante italienne de cette thèse est celle, soutenue par Donatella Di Cesare[1], d'un « antisémitisme métaphysique » qui serait inhérent à toute la pensée allemande depuis Luther et qui, en passant par Kant et Hegel, trouverait son point d'orgue chez Heidegger. Nous nous permettons de reprendre ici, à ce sujet, les lignes que nous écrivions dans un essai paru au début de l'année 2015 : « La pensée allemande est trop souvent présentée comme si l'antisémitisme en était un trait constant, de Kant à Heidegger, en une sorte de chaîne ininterrompue à laquelle ne manquerait aucun maillon [...]. L'antisémitisme serait donc en quelque sorte consubstantiel à la pensée allemande, il en serait, par quelque mystérieux atavisme, une tare congénitale. Heidegger, quant à lui, ne ferait que boucler la boucle qui commencerait avec Kant [...]. Le génocide du XXᵉ siècle serait au fond l'aboutissement du sourd travail accompli par des forces souterraines en leur soudaine éruption dans le déchaînement de l'inhumain[2]. »

Voilà pour le « mauvais roman ». Pour nous limiter à Heidegger, précisons que nous ne sommes pas en présence ici d'un contresens, mais bien d'une cascade de contresens : dans l'ac-

---

1. D. Di Cesare, *Heidegger e gli ebrei. I Quaderni neri, op. cit.*
2. P. David, *Essai sur Heidegger et le judaïsme. Le nom et le nombre*, Éditions du Cerf, Paris, 2015, pp. 251-252.

cusation d'antisémitisme portée contre Heidegger, puis dans
l'inscription de ce prétendu antisémitisme dans la pensée de
l'histoire de l'être, à moins qu'il ne soit « métaphysique ». Ces
deux formes alléguées d'antisémitisme font l'objet d'une étude de
Leonardo Messinese dans l'Épilogue du volume. À l'encontre de
cette thèse il y a de nombreux témoignages – dont ceux, et non
des moindres, de Karl Jaspers, Herbert Marcuse, Hans Jonas – et
il y a l'analyse rigoureuse (plutôt que « naïve », « personnelle »
ou purement fantaisiste) des textes.

Que le proche entourage familial du philosophe tienne à *rétablir la vérité*, à défendre la mémoire de Martin Heidegger contre
tout ce qui vient la salir et la calomnier, comme c'est le cas ici
avec les témoignages d'Arnulf et de Hermann Heidegger, cela
mérite qu'on s'y arrête, si prégnante que puisse être la dictature
de l'opinion publique conditionnée par la presse ou, comme le
dit Heidegger, « aux yeux et aux oreilles mis sous presse[1] ». Puis il
y a l'analyse patiente et rigoureuse des écrits, au terme de laquelle
il s'avère qu'il ne peut y avoir d'antisémitisme inscrit dans la pensée de l'histoire de l'être (F.-W. von Herrmann) et « qu'il n'y a
pas trace d'antisémitisme chez Heidegger » (F. Alfieri)[2].

Il ne saurait non plus y avoir trace de philosémitisme, dans
la mesure où ni judaïsme *ni christianisme* ne s'inscrivent dans la
perspective de l'histoire de l'être. Chez Heidegger, la question
du judaïsme est en effet indissociable de celle du christianisme,
et dans les *Cahiers* c'est le christianisme et non le judaïsme qui
est pris pour principale « cible », et plus généralement l'Occident
chrétien. Ce lien est affirmé déjà dans le § 61 des *Apports à la philosophie* où Heidegger parle de « *la* pensée hébraïque-chrétienne de
la création », comme si elle était unitaire. Selon lui, elle relève de
la relation métaphysique de cause à effet, et plus généralement de
la faisance ou fabrication (*Machenschaft*). Mais c'est là une autre
question. Il y a bien une expérience originaire chrétienne de la
vie en son accomplissement, dégagée par les deux grands cours

---

1. M. Heidegger, *Überlegungen VIII, op. cit.*, § 39 : « *gepreßte Augen und Ohren* » (p. 161).
2. F.-W. von Herrmann et F. Alfieri, *Martin Heidegger. La verità sui Quaderni neri*, p. 325 : « [...]
che in Heidegger non vi è traccia di antisemitismo. » Voir *supra*, p. 363.

de 1920-1921 et de 1921 consacrés à la « phénoménologie de la vie religieuse », comme il y a bien une expérience originaire juive de la vie en son accomplissement – et ce même cours évoque « la religion juive » (*die jüdische Religion*) et « l'expérience factive de la vie chez les Juifs » (*die faktische Lebenserfahrung der Juden*)[1]. La religion n'est plus envisagée ici comme appartenance confessionnelle mais comme manière d'être au monde et d'accomplir, « factivement », la tâche qu'il me revient chaque fois à moi d'y accomplir. Mais il faut bien se garder de confondre cette « vie chrétienne » et cette « vie juive » avec ce que Heidegger appelle respectivement *Christentum* et *Judentum*, qui recouvrent bien plutôt ces expériences originaires. L'usage bien établi qui consiste à traduire systématiquement les mots allemands en -*tum* par des mots en -*isme* est toutefois contestable, et Francesco Alfieri propose de les rendre plutôt par « caractères » chrétien, juif, américain, slave, russe, etc. Le « caractère », entendu en ce sens, c'est ce que l'on appelle encore le « génie », comme « talent inné, disposition naturelle à certaines choses[2] ». Cette piste de réflexion nous a paru souvent éclairante pour donner accès aux phénomènes visés, sans que pour autant il nous soit paru possible de la suivre partout. Notamment en ce qui concerne ce que Heidegger appelle *Weltjudentum* ou encore *internationales Judentum*. Non pas la « juiverie » mondiale ou internationale chère à la littérature antisémite – même si le mot, conservé par la toponymie, n'a pas toujours eu un sens péjoratif en français, de même que les anciens quartiers juifs des vieilles villes espagnoles s'appellent toujours en castillan des *juderías* –, terme qu'emploient inconsidérément les traducteurs de Peter Trawny, mais un monde juif *planétarisé*[3], à l'échelle gigantesque de ce que l'on appelle de nos

---

1. M. Heidegger, *Phänomenologie des religiösen Lebens* [Phénoménologie de la vie religieuse], in *Gesamtausgabe*, tome 60, éd. M. Jung, Th. Regehly et C. Strube, Klostermann, Francfort, 1995, pp. 70 et 141.
2. Quatrième sens attribué au mot « génie » dans le dictionnaire de Littré. Voir la traduction française du § 19 des *Beiträge* par F. Fédier : « la forme définitive du marxisme, qui n'a vraiment rien à voir ni avec le génie juif (*Judentum*) ni avec le génie russe (*Russentum*) » (*Apports à la philosophie, op. cit.*, p. 75).
3. F. Fédier, « Martin Heidegger et le monde juif », intervention au cours du colloque « Heidegger et les Juifs », publié in *Heidegger et les Juifs, op. cit.*, pp. 228-231.

jours « mondialisation » ou « globalisation », qui équivaut pour Heidegger à une perte du monde et par là à une dévastation de l'être humain, pour autant que l'être au monde en est constitutif comme existential, ou forme la structure ontologique de l'existence humaine mise au jour par *Être et Temps*. Cette plasticité du terme *Judentum* est précisément la dimension au sein de laquelle vient se frayer un sens plutôt fluide que rigide.

La « collation superficielle de quelques notes de Heidegger », ce montage de citations relevant d'une fabrication, et indigne d'une démarche philosophique, a donc entendu faire barrage aux *Cahiers de travail*, en prétendant en fournir par là, de manière entièrement arbitraire, la seule et unique clef interprétative ou « grille de lecture ». À partir de cette collation, quatorze passages assez brefs des *Cahiers de travail*, formant en tout moins de trois pages, à savoir une portion extrêmement congrue des quelque mille deux cents pages publiées, ont pu être incriminés pour accabler leur auteur en faisant peser sur lui la charge d'un antisémitisme dont la réalité et même la profondeur seraient irréfutables. Quatorze passages effectivement critiques, du moins pour certains d'entre eux, à l'égard des Juifs et de tout ce qui se rattache au *Judentum* – de même que d'autres passages, à vrai dire beaucoup plus nombreux et développés des mêmes *Cahiers*, sont critiques à l'égard du christianisme, de l'américanisme, du libéralisme, du bolchevisme et, *last but not least*, des Allemands. Heidegger reprend certains *stéréotypes* propres à son époque à propos des Juifs, tels que l'habileté au calcul, l'absence d'attaches, au sujet desquels il faut toutefois s'empresser de souligner qu'ils ne sont jamais appliqués *spécifiquement* au peuple juif mais plus généralement à l'époque des Temps nouveaux, de la rationalité triomphante et de la pensée calculante. Cela ne justifie assurément pas toujours le propos mais permet de le circonscrire comme ne relevant pas, si contestable soit-il, de l'antisémitisme. Que de tels passages puissent être lus comme relevant de l'antisémitisme, Heidegger n'avait pas été sans s'en aviser dans une « remarque à l'attention des ânes bâtés » où l'antisémitisme est qualifié de *töricht und verwerflich*, « insensé

et blâmable[1] », ou « abject », donc à tous égards répréhensible et indéfendable. Notons-le bien : Heidegger a tenu très tôt à se démarquer expressément et sans aucune ambiguïté – y compris comme recteur – de toute forme d'antisémitisme alors même que celui-ci était en train de s'installer comme idéologie dominante, *Weltanschauung* encouragée par le pouvoir alors en place.

Il y a quelque chose de bien étrange à qualifier d'antisémite un auteur qui non seulement n'a jamais admis en être un mais a toujours vivement protesté contre le fait d'être ainsi catalogué[2], l'a fait savoir par ses écrits mais aussi par ses faits et gestes avant, pendant et après l'épisode de son rectorat, à une époque où il était bien vu de revendiquer cette appellation.

Le moindre service à rendre à la vérité, sauf à fausser gravement et délibérément toute la perspective, serait quand même de reconnaître qu'il n'y a guère de pages des *Cahiers* qui ne contiennent une critique radicale de la *Weltanschauung* nationale-socialiste ou de ses présupposés, c'est-à-dire aussi de la composante antisémite et raciale de son idéologie. Il nous faut donc comprendre, avec le recul, que, si regrettable soit-elle, la reprise de quelques stéréotypes en quelques rares passages des « carnets » – *et dont l'absence ne changerait rien au propos* – s'accompagne d'un refus de principe de tout antisémitisme.

Or la réception des Cahiers *a préféré le plus souvent se laisser obnubiler par ces quelques passages incriminés au lieu de faire face à leur véritable propos.* Face à un nombre si restreint de passages tenus pour « compromettants », voire « accablants », on a recouru au concept étrange de « contamination ». Dès lors, toute ligne écrite par Heidegger, sur quelque sujet que ce soit, devient *a priori* suspecte. Les textes de Heidegger ne sont plus lus dans l'esprit qui a présidé à leur rédaction, mais exclusivement en fonction des opinions préconçues de celles et ceux qui s'en prétendent les

---

1. M. Heidegger, *Anmerkungen II, op. cit.*, [77], p. 159.
2. Voir sur ce point l'importante lettre de Martin Heidegger à Hannah Arendt de l'hiver 1932-1933, in Hannah Arendt et Martin Heidegger, *Lettres et autres documents 1925-1975*, trad. fr. P. David, Gallimard, Paris, 2001, pp. 70-72. Hannah Arendt / Martin Heidegger, *Briefe 1925 bis 1975 und andere Zeugnisse*, éd. V. Ludz, Klostermann, Francfort, 1998.

interprètes. La conception herméneutique de l'interprétation à laquelle Heidegger a fait droit dégringole alors en une conception platement positiviste qui ne voit plus dans les textes des monuments mais des « documents ». C'est là très exactement le point aveugle de cette conception positiviste, dégagé par Heidegger dans le § 32 d'*Être et Temps* :

> Une explicitation n'est jamais une saisie d'un donné préalable en l'absence de présupposés. Si, dans sa réalisation concrète particulière, *l'explicitation au sens de l'exacte interprétation d'un texte aime en appeler à ce qui est là « noir sur blanc »* (was »dasteht«), *ce qui est immédiatement là « noir sur blanc » n'est alors rien d'autre que l'idée préalable soustraite à toute discussion comme allant de soi par celui qui mène l'explicitation* ; cette idée préconçue dépend nécessairement de chaque position de départ adoptée pour expliciter [...][1].

Se régler sur « l'idée préalable soustraite à toute discussion comme allant de soi par celui qui mène l'explicitation » (*die selbstversändliche, undiskutierte Vormeinung des Auslegers*) constitue précisément cette « idée préconçue » qui ne fait que retrouver dans les textes de Heidegger ce qu'elle a commencé par y projeter. Cette « idée préalable soustraite à toute discussion comme allant de soi », c'est celle précisément que les auteurs du présent ouvrage entendent mettre en discussion, en toute fidélité à une démarche herméneutique rigoureuse.

Prenons un exemple : dans son chef-d'œuvre *L'Amant de Lady Chatterley*, dont la première édition date de 1928, D. H. Lawrence fait dire à son personnage féminin s'adressant à son mari, Lord Clifford : « Tout ce que vous faites, c'est profiter des autres, grâce à votre argent, comme n'importe quel Juif ou Schieber[2]. » La note du traducteur français précise simplement : « *Schieber* : trafiquant, profiteur (allemand) ». C'est un terme très rare sous la

---

1. M. Heidegger, *Sein und Zeit*, op. cit., p. 200 (p. 150 de l'édition originale) ; trad. fr. p. 196. (C'est moi qui souligne.)
2. D. H. Lawrence, *Lady Chatterley's Lover*, William Heinemann Ltd, Londres, 1932, chap. XIV, p. 215 (« *You only belly with your money, like any Jew or any Schieber !* ») ; *L'Amant de Lady Chatterley*, trad. fr. F. Roger-Cornaz, Gallimard, Paris, 1932, chap. XIII, p. 333.

plume de Heidegger, mais qu'il lui arrive d'employer en ce sens. Pour D. H. Lawrence comme pour Heidegger, cela fait partie des stéréotypes ambiants. Mais qui ira dire que *L'Amant de Lady Chatterley* est un roman antisémite, que ce bref passage en est la clef, ou encore qu'il faudrait rayer le nom de D. H. Lawrence de la littérature anglaise ? Imagine-t-on un seul instant un compte rendu du roman de D. H. Lawrence faisant du passage cité la clef de tout le livre en question ? Tout en prenant ses distances avec des stéréotypes de ce genre, Friedrich-Wilhelm von Herrmann souligne qu'ils relèvent d'opinions privées et personnelles mais n'engagent pas la pensée de l'histoire de l'être, fussent-ils rédigés dans la langue de la pensée historiale de l'être. C'est pourquoi il peut ajouter posément que « si scandale il y a », il n'est pas constitué par la présence des quatorze passages incriminés des *Réflexions* relatifs aux Juifs ou au monde juif, mais par la manière de s'y rapporter – « falsificatrice, diffamatoire et profondément dénuée de vérité » en son instrumentalisation.

Mais la prose de Heidegger, dira-t-on, ne relève pas de la fiction, elle engage tout autrement son auteur que ne le font les propos d'un personnage de roman. Assurément, et c'est pourquoi il faut y regarder de plus près. Sous la plume de Heidegger semble s'être produit un étrange *télescopage* entre, d'une part, les conditions historiques dans lesquelles a dû vivre et survivre le peuple juif, réduit à n'exercer que certains métiers et contraint à partir de là à développer certaines aptitudes à l'encontre de sa propre vocation – dans la mesure où « la pensée juive procède d'une intransigeante *désobnubilation* vis-à-vis du calcul[1] » et donc de la « pensée calculante » que Heidegger oppose à la « pensée méditante » –, et, d'autre part, une illustration ontique contestable de la pensée historiale relevant de stéréotypes et de ce qui s'est appelé à l'époque de Shaftesbury et de Kant la « caractéristique ». Il est indéniable que, dans certains propos critiques à l'égard du génie juif ou des Juifs des trois premiers volumes

---

1. S. Zagdanski, « Pensée juive », *in* P. Arjakovsky, F. Fédier et H. France-Lanord (dir.), *Le Dictionnaire Martin Heidegger*, Éditions du Cerf, Paris, 2013, p. 983.

des *Cahiers*, Heidegger recourt à certains stéréotypes. Ces stéréotypes aussi contestables que répandus ne relèvent pas de sa
pensée mais d'opinions privées auxquelles – est-il besoin de le
préciser ? – ni les auteurs de cet ouvrage ni l'auteur de ces lignes
ne souscrivent. Mais il est tout aussi contestable de les mettre au
compte d'un antisémitisme dont Heidegger lui-même se défend,
et proprement délirant d'en faire le fond ou le ressort de sa pensée. Les rubriques sous lesquelles Heidegger prend position de
façon critique sur le génie juif ou le monde juif (*Judentum*) sont
les suivantes : l'absence d'ancrage, l'absence d'histoire, la pure
et simple computation à propos de l'étant, le gigantesque (ou
le colossal), la rationalité vide se résumant à une simple comptabilité, le fait de ne pas pouvoir poser la question de l'être,
la fabrication (ou faisance) de l'étant, l'absence d'attaches, le
déracinement de tout étant hors de l'être. Toutes ces notions
répertoriées relèvent de l'histoire de l'être, aucune d'entre elles
ne vise à signaler des traits spécifiquement juifs. Le génie juif
ou le monde juif tel que le caractérise alors Heidegger semble
donc consister essentiellement à accomplir mieux que d'autres
l'essence de l'époque moderne.

Dans une tout autre perspective, un éclairage inattendu
semble apporté à cette thèse par un livre de l'historien américain Yuri Slezkine intitulé *Le Siècle juif*, où les Juifs, qualifiés de
« mercuriens », passent pour être ceux qui incarnent le mieux
cette « modernité » que Heidegger appelle le plus souvent l'âge
des Temps nouveaux (*Neuzeit*) :

> L'Âge moderne est l'Âge des Juifs, et le xxᵉ siècle est le siècle
> des Juifs. La modernité signifie que chacun d'entre nous devient
> urbain, mobile, éduqué, professionnellement flexible [...]. En
> d'autres termes, la modernité, c'est le fait que nous sommes tous
> devenus juifs[1].

1. Y. Slezkine, *The Jewish Century*, Princeton University Press, Princeton (New Jersey), 2004 ; *Le Siècle juif*, trad. fr. M. Saint-Upéry, La Découverte, 2009, p. 9. La thèse selon laquelle les Juifs « sont par excellence le monde moderne » se trouvait déjà exprimée par un personnage de Pierre Drieu la Rochelle dans son roman *Gilles* qui date de 1939 (Gallimard, collection « Folio », Paris, 1984, p. 159), mais ne relève pas en tant que telle de la littérature antisémite.

Yuri Slezkine analyse « le succès spectaculaire des Juifs dans les domaines les plus éminents de la vie moderne[1] » au tournant du xxᵉ siècle et par la suite, mais aussi leur rôle moteur de « chevilles ouvrières » dans le nationalisme, le capitalisme, le libéralisme et le communisme. D'où la thèse massive selon laquelle « le xxᵉ siècle est le siècle des Juifs ». À ses yeux, « à l'ère du nomadisme fonctionnel, les Juifs sont le peuple élu par excellence en tant qu'ils sont aussi les "modernes" par excellence[2] ». D'où, selon l'auteur, « une affinité spécifique entre les Juifs et la modernité[3] ». Il évoque « la montée en puissance des Juifs au sein de l'élite politique américaine[4] », mais s'attarde davantage sur ce qu'il appelle le « taux de pénétration » des plus hautes instances du régime soviétique et de son appareil répressif par des fonctionnaires juifs, et par là sur la forte implication de Juifs « de nationalité » dans la déportation et la « liquidation » des opposants au régime ou des éléments tenus pour « suspects » : le fait que « le Goulag, ou Administration générale des camps, fut dirigé par des fonctionnaires juifs depuis sa création historique en 1930 jusqu'à fin novembre 1938 », qu'« en 1934, quand la Guépéou fut transformée en NKVD, les Juifs "de nationalité" constituaient le groupe le plus important parmi les cadres dirigeants de la police secrète soviétique[5] », et que « quiconque avait le malheur de tomber entre les mains de la Tchéka avait de fortes chances de se retrouver confronté à un interrogateur juif, et éventuellement d'être exécuté par lui[6] ». Avec force statistiques l'auteur entend montrer à quel point, en Russie comme aux États-Unis notamment, une « surreprésentation » des Juifs est notable dans certaines élites et certaines professions. C'est là ce que Heideg-

---

1. Y. Slezkine, *The Jewish Century*, op. cit., p. 95.
2. *Ibid.*, p. 76.
3. *Ibid.*, p. 250.
4. *Ibid.*, p. 570. Heidegger parle dans le § 24 des *Überlegungen XII* (in *Gesamtausgabe*, tome 96, op. cit., p. 46) de « la montée en puissance du génie juif » (*Machtsteigerung des Judentums*). Incriminer ce passage comme relevant de l'antisémitisme relève donc de la pure et simple ineptie.
5. Y. Slezkine, *The Jewish Century*, op. cit., p. 347.
6. *Ibid.*, p. 283. Y. Slezkine cite Leonard Shapiro, « The Role of the Jews in the Russian Revolutionary Movement », *Slavonic and East European Review*, n° 40, décembre 1961, p. 165.

ger appelle « judaïsation » (*Verjudung*) *stricto sensu* ; quant à la « judaïsation » *lato sensu,* elle correspond aux traits saillants de la « modernité », qui n'ont rien de spécifiquement juif[1]. Eussent-elles figuré dans un écrit de Heidegger, certaines déclarations de Yuri Slezkine n'auraient pas manqué de susciter l'indignation au nom de la lutte – par elle-même légitime – contre l'antisémitisme. Le livre de Yuri Slezkine, quant à lui, s'est vu décerner en 2005 le *National Jewish book award* du Jewish Book Council. Deux poids, deux mesures. Que Heidegger évoque « le Juif Litvinov[2] » ou « le Juif Freud[3] » – raisons suffisantes dans l'opinion publique et la presse pour le taxer d'antisémitisme –, notre historien américain ne trouverait rien à y redire. Quant à la pertinence de son opposition entre « apolliniens » et « mercuriens », entre peuples attachés à la terre et peuples nomades, transfrontaliers, passeurs, c'est là une autre question qui dépasse de loin le cadre de notre propos. Il ressort de cette rapide confrontation que les passages des *Cahiers* estampillés comme « antisémites » sous prétexte qu'il y est question des Juifs ne relèvent en rien de l'antisémitisme, et même qu'une minorité de ces rares fragments relèvent de stéréotypes, au point de se réduire à une peau de chagrin.

Mais revenons à l'analyse « historico-critique » fouillée menée par Francesco Alfieri. Elle pourrait encore être définie comme philologique. Il convient de s'y arrêter et d'en mesurer toute la portée dans la mesure où elle constitue en quelque sorte la matrice de tout l'ouvrage. Cette analyse invite en effet chaque fois à délivrer, selon un geste rigoureusement *phénoménologique,* le sens de concepts que bien des interprètes ont rabattu à tort sur un plan ontique au lieu de faire droit à leur dimension ontologique,

---

1. Sur ce passage de la lettre de Heidegger à Viktor Schwoerer du 2 octobre 1929, voir *supra,* Épilogue, p. 421.

2. *Überlegungen XIV, op. cit.,* [119-121], pp. 242-243. Rappelons que « Juif » est alors une « nationalité » ou « appartenance ethnique » (*национáльность*) dans le monde soviétique, au même titre que, par exemple, « Russe », « Ukrainien », « Géorgien », « Ouzbek », « Tatar » ou « Kirghize ».

3. *Überlegungen XIV, op. cit.* [79-80], p. 218. Ce dernier passage s'éclaire à partir du § 92 des *Überlegungen IX* (*op. cit.*), où Heidegger évoque la « "psychanalyse" juive ». Sur cette problématique ou cette approche de la psychanalyse, voir J.-J. et A. Rassial (dir.), *La psychanalyse est-elle une histoire juive ?,* Éditions du Seuil, Paris, 1981, actes d'un colloque qui s'est tenu à Montpellier en 1980 et auquel a participé Emmanuel Levinas.

ce qui les a gravement défigurés. Dans les limites de notre propos nous nous arrêterons aux concepts de « combat », de « sol », de « déracinement », de « désert » et de « désolation » (*Kampf, Boden, Entwurzelung, Wüste, Verwüstung*).

Le « combat » (ou la « lutte ») dont parle Heidegger, parfois qualifié de « spirituel » (*geistiger Kampf*), n'est ni l'engagement militant sur le terrain de l'idéologie politique où s'affrontent des « visions du monde » (*Weltanschauungen*), ni l'affrontement guerrier qui met aux prises des armées et des peuples. Ce « combat » est irréductible à sa dimension anthropologique et ne se comprend qu'à la lumière du fragment 53 d'Héraclite[1] sur le πόλεμος : « Guerre (combat) est le père de toutes choses, de toutes le roi ; et les uns, elle les porte à la lumière comme dieux, les autres comme hommes ; les uns, elle les fait esclaves, les autres, libres. » Ce « combat » s'enracine dans la vérité de l'être. Le ramener aux terrains de bataille revient à fausser compagnie à sa dimension ontologique en le rabattant sur le plan ontique.

Le « sol » n'est pas non plus ce qui est visé par là sur un plan ontique. Ce n'est pas le terroir ni une composante de l'idéologie *Blut und Boden*. *Boden* est un concept phénoménologique présent à ce titre chez Husserl, que l'on pourrait traduire plutôt par « ancrage ». « *Le sol* pour Heidegger est toujours lié au fait de se tenir sur quelque chose qui vous soutient, et renvoie par là à la solidité de la chose telle qu'elle repose en elle-même. Le sol qui vous soutient est référé à la "chose même" à partir de quoi il est atteint. *"Sol" est par conséquent un concept phénoménologique ; la remontée en pensée au sol qui soutient est remontée à ce qui est de l'ordre du phénomène* », écrit fort bien en ce sens Francesco Alfieri[2]. Dans cette perspective, le « déracinement » (*Entwurzelung*) n'est pas la métaphore végétale d'un arrachement au sol nourricier ou à la terre natale et à sa glèbe, mais bien le déracinement de l'étant hors de l'être. En ce qui concerne l'être humain, le déracinement est la réduction de l'homme à lui-même, ce que le § 76 des

1. *Op. cit.*
2. Voir *supra*, chap. 2, p. 109.

Überlegungen VII appelle la *Vermenschung des Menschen*. Le « déracinement » n'est pas à penser en termes de nomadisme et de sédentarité, mais essentiellement, voire exclusivement, dans son rapport à l'être. Il est significatif à cet égard que, dans un passage des *Überlegungen VII* (§ 75), Heidegger parle du déracinement à propos du monde paysan, qui continue pourtant à faire souche là où il est : « la ferme la plus reculée est d'ores et déjà détruite *de l'intérieur* par la radio et le journal ». On comparera avec profit ces lignes avec celles qu'écrivait Simone Weil sur le « déracinement paysan » dans son livre précisément intitulé *L'Enracinement* : « Cet état d'esprit [instillé par les intrusions citadines] est aggravé par l'installation dans les villages de TSF, de cinémas, et par la circulation des journaux tels que *Confidences* et *Marie-Claire*, auprès desquels la cocaïne est un produit sans danger[1]. » Le « déracinement paysan » n'est pas nécessairement de l'ordre de l'« exode rural ». Déracinement est donc bien un concept ontologique qui met en jeu la relation de l'étant à l'être – en l'occurrence l'être d'une « nature » que les citadins détruisent d'autant plus qu'ils viennent s'y « ressourcer ». L'ancrage dont parle Heidegger est si peu un « enracinement » quasi végétal qu'il est essentiellement solidaire d'une migration (*Wanderung*). Il ne s'agit pas d'opposer sédentarité et nomadisme en se laissant enfermer à l'intérieur de cette opposition, ni même d'opposer « apolliniens » et « mercuriens », mais de penser la co-appartenance entre ancrage et migration. Cette co-appartenance est nommée à son tour par Heidegger, à partir de la poésie de Hölderlin, « habitation », dont une essentielle « migration » constitue « le trait foncier » :

> Si nous parvenons à penser le verbe « habiter » avec assez d'ampleur et de sens, il nomme pour nous la manière selon laquelle les hommes accomplissent sur terre et sous la voûte du ciel leur migration de la naissance jusqu'à la mort. Pareille migration peut revêtir bien des aspects et ne manque pas d'être riche en métamor-

---

1. S. Weil, *L'enracinement. Prélude à une déclaration des devoirs envers l'être humain*, Gallimard, Paris, 1949, rééd. Flammarion, collection « Champs », Paris, 2014, p. 147 ; passage cité par F. Fédier in M. Heidegger, *Écrits politiques*, op. cit., note 57, p. 306.

phoses. Elle n'en constitue pas moins *le trait foncier de l'habitation* comme séjour humain entre terre et ciel, naissance et trépas, joie et douleur, œuvre et parole[1].

« Migration » nomme ici cette mobilité propre à la vie humaine, cette aventure que le § 72 d'*Être et Temps* appelle *Geschehen*, qui la rend à son tour porteuse d'histoire – *Geschichte*.

La « dévastation », enfin, fait l'objet d'une analyse percutante dans la sous-section du deuxième chapitre intitulée : « Par-delà la "destruction" (*Zerstörung*) *visible* se tient, inapparente, l'*invisible* "dévastation" (*Verwüstung*) ». Heidegger a été le contemporain d'effroyables destructions. Mais comment penser la destruction ? Comment y faire face spéculativement avec la responsabilité qui incombe au penseur ? Dans la remontée de la destruction visible à la dévastation invisible, la destruction se trouve reconduite à son origine, à sa provenance et même à sa condition de possibilité. Mais cette remontée suppose, pour être accomplie, une conversion du regard, du visible à l'invisible, de l'apparent à l'inapparent, ou en d'autres termes : de l'étant à l'être, de l'ontique à l'ontologique. Le terme *Verwüstung* (« dévastation ») indique une voie possible pour penser en profondeur ce qui se joue en toute destruction. *Verwüstung* vient de *Wüste*, le désert, ce désert dont Nietzsche dit qu'il « croît » (« *die Wüste wächst* ») et qui n'est autre pour lui que celui du nihilisme. Il s'agit moins toutefois d'une désertification que d'une désertion, celle du sens. Le terme allemand *Wüste* d'où vient *Verwüstung* est apparenté au latin *uastus* (« ravagé », « dépeuplé », « désolé ») lui-même apparenté au verbe *uacare* (« être vide »), d'où encore *uacuum* (« le vide »). D'où cette *große Leere*, ce grand vide, cette grande vacuité dont parle Heidegger à propos de notre époque. Désert il y a lorsque tout ce qui avait un contenu et faisait sens s'est vidé de son contenu et de son sens en perdant toute relation au commencement, c'est-à-dire une relation susceptible d'être

---

1. M. Heidegger, « Hebel – der Hausfreund », in *Gesamtausgabe*, tome 13, *op. cit.*, pp. 138-139 ; « Hebel – l'ami de la maison », trad. fr. J. Hervier, in *Questions III*, Gallimard, Paris, 1975, pp. 53-54. Nous faisons figurer en italique le passage malencontreusement omis par l'édition française.

Martin Heidegger

porteuse d'avenir. Le tumulte de notre époque consiste à se remplir de son propre vide, c'est là « mendier le tumulte », comme disait Pascal[1]. Le « désert », c'est « l'enlisement et la dissipation de toute possibilité de décisions essentielles » (*Überlegungen XII*, § 8). « Désert » n'est pas sous la plume de Heidegger un concept géographique mais ontologique. C'est pourquoi toute imagerie ontique fait ici fausse route. Il ne s'agit pas du Sahara – mais pas non plus de ce « long et redoutable désert » (Deutéronome, 1, 19) séparant l'Égypte du pays d'Israël qu'est le Sinaï. N'en déplaise à Donatella Di Cesare[2], qui laisse libre cours à son imagination, le « désert » dont parle Heidegger dans les cahiers dits « noirs » n'entretient strictement aucun rapport avec l'univers biblique. Dévastation il y a dès lors qu'il y a « assurance d'une pérennité du déracinement de tout[3] ». La destruction est physique, la dévastation spirituelle. Mais « la dévastation invisible est plus virulente (*eingreifender*) que les destructions visibles », dit Heidegger dans le § 134 des *Überlegungen XIII*, en une phrase dont on se gardera de minimiser la portée, qui est immense. Plus envahissante, plus intrusive, plus invasive, mais invisible parce que métaphysique. Les atroces destructions opérées par le XXᵉ siècle[4] auxquelles se réfère Heidegger, qu'il s'agisse de « l'horreur des "chambres à gaz" [...] qui demeur[e] à jamais impardonnabl[e] » (*Anmerkungen I* [151]) ou d'Hiroshima, demandent à être lues à la lumière des remarques de Heidegger sur destruction et dévastation. Le danger d'une auto-destruction de l'humanité ne dispense pas de s'interroger sur le péril d'une destruction ou plutôt d'une dévastation de l'être humain en l'homme, une fois celui-ci réduit à lui-même comme « animal technicisé » déraciné de l'être. Une telle dévastation serait aux yeux de Heidegger « la fin », ce qu'il

1. B. Pascal, *Pensées, op. cit.*, n° 139 – Lafuma 136 in Pascal, *Œuvres complètes*, Éditions du Seuil, L'Intégrale, 1963, p. 517. On trouve une extraordinaire *mise en perspective historiale* de Pascal, à notre connaissance sans équivalent au sein des écrits publiés à ce jour de Heidegger, dans le § 63 des *Überlegungen X* (in *Gesamtausgabe*, tome 95, *op. cit.*, pp. 342-346), l'un des très rares paragraphes de ce volume où figurent les termes *modern, das »Moderne«* et *Modernität*.
2. D. Di Cesare, *Heidegger e gli ebrei, op. cit.*, p. 127 ; voir *supra*, chap. 2, note 2, pp. 267-268.
3. M. Heidegger, *Metaphysik und Nihilismus, op. cit.*, § 136, p. 146.
4. Songeons par exemple au titre du livre de Raul Hilberg paru en 1961 : *The Destruction of the European Jews* (Yale University Press).

appelle dans le § 152 des *Apports à la philosophie* « *la régression catastrophique du dernier homme au rang d'animal technicisé, qui du coup va jusqu'à perdre l'animalité originale de la bête bien insérée dans son environnement* »[1]. À cet égard, une confrontation serait fort instructive avec les vues très profondes exprimées par Primo Levi dans son livre traduit en français sous le titre *Si c'est un homme*[2].

Ces quelques échantillons du travail fourni par Francesco Alfieri dans une analyse historico-critique *sine glossa* (« se passant de tout commentaire » – entendons de toute intrusion personnelle dans une problématique qu'elle vise simplement à dégager), que nous venons de prélever en les signalant tout particulièrement à l'attention du lecteur, suffisent déjà amplement à illustrer, nous semble-t-il, la méthode mise en œuvre par l'auteur, qui est rigoureusement *phénoménologique* : remonter de la platitude ontique sur laquelle ces concepts ont pu être indûment rabattus, et par là dévoyés, à leur stricte teneur *ontologique*, et ainsi donner à voir ce dont il retourne. Aucune lecture de Heidegger ne peut prétendre à la moindre rigueur ni à la moindre loyauté ou probité intellectuelle si elle ne s'astreint pas à cette discipline et ne fait pas droit à cette exigence.

---

1. M. Heidegger, *Beiträge zur Philosophie*, op. cit., p. 275 ; trad. fr. p. 315.
2. P. Levi, *Se questo è un uomo*, Einaudi, Turin, 1958 ; *Si c'est un homme*, trad. fr. M. Schruoffeneger, Pocket, Paris, 1988.

APPENDICES

APPENDICES

BIBLIOGRAPHIE

1. Œuvres de Martin Heidegger

« Vom Geheimnis des Glockenturms », in *Aus der Erfahrung des Denkens*, in *Gesamtausgabe*, tome 13, section 1 : « Veröffentliche Schriften 1910-1976 », éd. H. Heidegger, Klostermann, Francfort, 1983 ; « Le mystère du clocher », trad. fr. H. X. Mongis, *Port-des-Singes*, n° 2, printemps-été 1975.

« Die Selbstbehauptung der deutschen Universität », in *Reden und andere Zeugnisse eines Lebensweges*, in *Gesamtausgabe*, tome 16, section 1 : « Veröffentlichte Schriften 1910-1976 », éd. H. Heidegger, *ibid.*, 2000, pp. 107-117; « L'Université allemande envers et contre tout elle-même », in M. Heidegger, *Écrits politiques 1933-1966*, présentation, traduction et notes par F. Fédier, Gallimard, Paris, 1995.

« Bemerkungen zu einigen Verleumdungen, die immer wieder kolportiert werden », in *Reden und andere Zeugnisse eines Lebensweges, op. cit.*, pp. 468-469.

Die Grundprobleme der Phänomenologie, in *Gesamtausgabe*, tome 24, éd. F.-W. von Herrmann, *ibid.*, 1975 ; *Les problèmes fondamentaux de la phénoménologie*, trad. fr. J.-F. Courtine, Gallimard, Paris, 1985.

Die Grundbegriffe der Metaphysik. Welt – Endlichkeit – Einsamkeit, in *Gesamtausgabe*, tome 29/30, éd. F.-W. von Herrmann, *ibid.*, 1992 ; *Les concepts fondamentaux de la métaphysique. Monde – finitude – solitude*, trad. fr. D. Panis, Gallimard, Paris, 1992.

Vom Wesen der menschlichen Freiheit. Einleitung in die Philosophie, in *Gesamtausgabe*, tome 31, éd. H. Tietjen, *ibid.*, 1982 ; *De l'essence de la liberté*

humaine. Introduction à la philosophie, trad. fr. E. Martineau, Gallimard, Paris, 1987.

Vom Wesen der Wahrheit, in *Sein und Wahrheit*, in *Gesamtausgabe*, tome 36/37, éd. H. Tietjen, *ibid.*, 2001, pp. 81-264.

Schelling. Vom Wesen der menschlichen Freiheit (1809), in *Gesamtausgabe*, tome 42, éd. Ingrid Schüßler, *ibid.*, 1988 ; *Schelling. Le traité de 1809 sur l'essence de la liberté humaine*, trad. fr. J.-F. Courtine, Gallimard, Paris, 1977.

Ontologie. Hermeneutik der Faktizität, in *Gesamtausgabe*, tome 63, éd. K. Bröcker-Oltmanns, *ibid.*, 1988 ; *Ontologie. Herméneutique de la factivité*, trad. fr. A. Boutot, Gallimard, Paris, 2012.

Beiträge zur Philosophie (Vom Ereignis), in *Gesamtausgabe*, tome 65, éd. F.-W. von Herrmann, *ibid.*, 1989 ; *Apports à la philosophie (De l'avenance)*, trad. fr. F. Fédier, Gallimard, Paris, 2013.

Besinnung, in *Gesamtausgabe*, tome 66, section 3 : « Unveröffentlichte Abhandlungen. Vorträge – Gedachtes », éd. F.-W. von Herrmann, *ibid.*, 1997, pp. 419-428.

Metaphysik und Nihilismus, in *Gesamtausgabe*, tome 67, section 3 : « Unveröffentlichte Abhandlungen », éd. H.-J. Friedrich, *ibid.*, 1999, pp. 4-174.

Die Geschichte des Seyns, in *Gesamtausgabe*, tome 69, éd. P. Trawny, *ibid.*, 1998.

Über den Anfang, in *Gesamtausgabe*, tome 70, éd. P.-L. Coriando, *ibid.*, 2005.

Das Ereignis, in *Gesamtausgabe*, tome 71, éd. F.-W. von Herrmann, *ibid.*, 2009.

Die Stege des Anfangs (1944), in *Gesamtausgabe*, tome 72, éd. F.-W. von Herrmann, *ibid.* (en préparation).

Überlegungen II-VI (Schwarze Hefte 1931-1938), in *Gesamtausgabe*, tome 94, section 4 : « Hinweise und Aufzeichnungen », éd. P. Trawny, *ibid.*, 2014.

Überlegungen VII-XI (Schwarze Hefte 1938-1939), in *Gesamtausgabe*, tome 95, section 4 : « Hinweise und Aufzeichnungen », éd. P. Trawny, *ibid.*, 2014.

Überlegungen XII-XV (Schwarze Hefte 1939-1941), in *Gesamtausgabe*, tome 96, section 4 : « Hinweise und Aufzeichnungen », éd. P. Trawny, *ibid.*, 2014.

Anmerkungen I-V (Schwarze Hefte 1942-1948), in *Gesamtausgabe*, tome 97, section 4 : « Hinweise und Aufzeichnungen », éd. P. Trawny, *ibid.*, 2015.

Was ist Metaphysik ?, Klostermann, Francfort 2007[16]; « Qu'est-ce que la métaphysique ? », trad. fr. H. Corbin, *in* M. Heidegger, *Questions I*, Gallimard, Paris, 1968.

« *Mein liebes Seelchen !* » *Briefe Martin Heideggers an seine Frau Elfride 1915-1970*, éd. G. Heidegger, Deutsche Verlags-Anstalt, Munich, 2005 ; « *Ma chère petite âme !* » *Lettres de Martin Heidegger à sa femme Elfride 1915-1970*, trad. fr. M. A. Maillet, Éditions du Seuil, Paris, 2007.

Écrits politiques 1933-1966, présentation, traduction et notes par F. Fédier, Gallimard, Paris, 1995.

2. Autres indications bibliographiques

ALES BELLO A. et ALFIERI F. (dir.), *Edmund Husserl e Edith Stein. Due filosofi in dialogo*, Morcelliana, collection « Filosofia », Brescia, 2015.

BRENCIO F. (dir.), *La pietà del pensiero. Heidegger e i* Quaderni neri, Aguaplano, Passignano, 2015.

Collectif, *Heidegger et les Juifs*, actes du colloque « Heidegger et les Juifs » qui s'est tenu à la Bibliothèque nationale de France et au Centre Culturel Irlandais-Paris du 22 au 25 janvier 2015, publié in *La Règle du Jeu*, n° 58/59, septembre 2015.

CONRAD-MARTIUS H., « Phänomenologie und Spekulation », *in* M. J. Langeveld (dir.), *Rencontre-Encounter-Begegnung. Festschrift für F. J. J. Buytendijk*, Utrecht-Anvers, 1957, pp. 116-128 ; trad. angl. : « Phenomenology and Speculation », in « Philosophy Today » 3(1959), pp. 43-51.

—, *Die transzendentale und die ontologische Phänomenologie*, in H. Conrad-Martius, *Schriften zur Philosophie. Gesammelte kleinere Schriften*, éd. E. Avé-Lallemant, tome 3, Kösel, Munich, 1963-1965, pp. 385-402.

DAVID P., *Essai sur Heidegger et le judaïsme. Le nom et le nombre*, Éditions du Cerf, Paris, 2015.

DI CESARE D., *Heidegger e gli ebrei. I* Quaderni neri, Bollati Boringhieri, Turin, 2014.

—, *Heidegger & Sons. Eredità e futuro di un filosofo*, Bollati Boringhieri, Turin, 2015.

FAYE E., *Heidegger, l'introduction du nazisme dans la philosophie*, Albin Michel, Paris, 2005.

FÉDIER F., *Heidegger. Anatomie d'un scandale*, Robert Laffont, Paris, 1988.

—, *Regarder voir*, Les Belles Lettres, Paris, 1995.

HERRMANN F.-W. VON, *Die Selbstinterpretation Martin Heideggers*, Anton Hain, Meisenheim am Glan, 1964.

—, « Zeitlichkeit des Daseins und Zeit des Seins. Grundsätzliches zur Interpretation von Heideggers Zeit-Analysen », *in* R. Berlinger et E. Fink (dir.), *Philosophische Perspektiven. Ein Jahrbuch*, tome 6, Klostermann, Francfort, 1972.

HUSSERL E., *Briefe an Roman Ingarden. Mit Erläuterungen und Erinnerungen*

cn Husserl, éd. R. Ingarden, Nijhoff, collection « Phaenomenologica », La Haye, 1968.

—, *Die Krisis der europäischen Wissenschaften und die transzendentale Phänomenologie*, in *Husserliana. Gesammelte Werke*, tome 6, éd. W. Biemel, Nijhoff, La Haye, 2ᵉ édition 1976, p. 140 ; *La Crise des sciences européennes et la phénoménologie transcendantale*, trad. fr. G. Granel, Gallimard, Paris, 1976.

IADICICCO A., « Avvertenza della traduttrice », *in* M. Heidegger, *Quaderni neri 1938-1939 (Riflessioni VII-XI)*, Bompiani, Milan, 2016, pp. V-XII.

JONAS H., « Wandlungen und Bestand. Vom Grunde der Verstehbarkeit des Geschichtlichen », *in* V. Klostermann (dir.), *Durchblicke. Martin Heidegger zum 80. Geburtstag*, Klostermann, Francfort, 1970.

KERN I., « Einleitung des Herausgebers », *in* E. Husserl, *Zur Phänomenologie der Intersubjektivität. Texte aus dem Nachlaß*, tome 3 : *1929-1935*, in *Husserliana. Gesammelte Werke*, tome 15, éd. I. Kern, *ibid.*, 1973, pp. XV-LXX.

LYOTARD J.- F., *Heidegger et « les Juifs »*, Galilée, Paris, 1988.

OTT H., *Martin Heidegger. Unterwegs zu seiner Biographie*, Campus Verlag, Francfort-New York, 1988 (2ᵉ édition 1992) ; *Martin Heidegger. Éléments pour une biographie*, trad. fr. J.-M. Belœil, Payot, Paris, 1990.

ROCKMORE T., *On Heidegger's Nazism and Philosophy*, University of California Press, Berkeley, 1992.

SAFRANSKI R., *Heidegger et son temps*, trad. I. Kalinowski, Grasset, Paris, 2000.

STEIN E., *Selbstbildnis in Briefen*, tome 2 : *1933-1942*, Introduction de H.-B. Gerl-Falkovitz, édition établie et annotée par M. A. Neyer, 2ᵉ édition revue et corrigée par H.-B. Gerl-Falkovitz, in ESGA, tome 3, Herder, Fribourg-Bâle-Vienne, 2006.

—, *Selbstbildnis in Briefen*, tome 3 : *Briefe an Roman Ingarden*, Introduction de H.-B. Gerl-Falkovitz, édition établie et annotée par M. A. Neyer, en collaboration avec E. Avé-Lallemant, in ESGA, tome 4, Herder, Fribourg-Bâle-Vienne, 2ᵉ édition 2005.

—, *Potenz und Akt. Studien zu einer Philosophie des Seins*, texte introduit et établi par H.-R. Sepp, in ESGA, 10, Herder, Fribourg-Bâle-Vienne, 2005.

—, *Endliches und ewiges Sein. Versuch eines Aufstiegs zum Sinn des Seins*, éd. L. Gelber et R. Leuven (ESW, II), Herder, Louvain-Fribourg-Bâle-Vienne, 1950, 2ᵉ édition 1962, 3ᵉ édition 1986.

—, « Anhang : Martin Heideggers Existenzphilosophie – Die Seelenburg », texte introduit et établi par A. U. Müller *in* E. Stein, *Endliches und ewiges Sein. Versuch eines Aufstiegs zum Sinn des Seins, op. cit.*

TRAWNY P., *Martin Heideggers Phänomenologie der Welt*, Alber, Fribourg-Munich, 1997.

—, *Die Zeit der Dreieinigkeit. Untersuchungen zur Trinität bei Hegel und Schelling*, Königshausen & Neumann, Wurtzbourg, 2002.

—, « Nachwort des Herausgebers », *in* M. Heidegger, *Überlegungen VII-XI (Schwarze Hefte 1938-1939)*, *op. cit.*, pp. 447-455.

— « Nachwort des Herausgebers », *in* M. Heidegger, *Überlegungen XII-XV (Schwarze Hefte 1939-1941)*, *op. cit.*, pp. 277-285.

—, *Heidegger und der Mythos der jüdischen Weltverschwörung*, Klostermann, Francfort, 3ᵉ édition 2015 ; *Heidegger et l'antisémitisme. Sur les « Cahiers noirs »*, trad. fr. J. Christ et J.-C. Monod, Éditions du Seuil, Paris, 2014.

TUGENDHAT E., *Der Wahrheitsbegriff bei Husserl und Heidegger*, de Gruyter, Berlin, 1970.

VONGEHR T., « "Der liebe Meister". Edith Stein über Edmund und Malvine Husserl », *in* D. Gottstein et H. R. Sepp (dir.), *Polis und Kosmos. Perspektiven einer Philosophie des Politischen und einer philosophischen Kosmologie. Eberhard Avé-Lallemant zum 80. Geburtstag*, Königshausen & Neumann, Wurtzbourg, 2008.

WELTE B., « Discorso alla sepoltura di Martin Heidegger. Cercare e trovare », *Humanitas*, n° 4/33, 1978, section monographique sur Heidegger éditée par G. Penzo, pp. 423-426, repris *in* G. Penzo (dir.), *Heidegger*, Morcelliana, Brescia, 1990, pp. 123-126.

INDEX NOMINUM

ALES BELLO, Angela : 334.
ALFIERI, Francesco : *passim*.
AMATO, Massimo : 421.
ANAXIMANDRE : 113.
ARENDT, Hannah : 56, 359, 443, 461.
ARISTOTE : 63-64, 148, 347.
ARJAKOVSKY, Philippe : 421, 463.
AUGUSTIN, saint : 63.
AVÉ-LALLEMANT, Eberhard : 333, 370.

BACHOFEN, Johann Jakob : 129.
BARMAT, Julius : 243.
BARTH, Karl : 218.
BÄUMLER (BAEUMLER), Alfred : 79, 105, 129.
BEAUFRET, Jean : 389.
BENZ, Wolfgang : 302.
BERGSON, Henri : 177.
BERLINGER, Rudolph : 385.
BIEMEL, Walter : 366.
BLOCHMANN, Elisabeth : 359, 443.
BRENCIO, Francesca : 365-366.
BROCK, Werner : 444.
BRÖCKER-OLTMANNS, Käte : 64.
BRUNSCHVICG, Léon : 165.
BURSZTEIN, Ari : 426.

BUYTENDIJK, Frederik Jacobus Johannes : 330.

CAPUTO, John D. : 426.
CONCHE, Marcel : 421.
CONRAD-MARTIUS, Hedwig : 329-334.
CORIANDO, Paola-Ludovica : 49.
CRÉTELLA, Henri : 421.

DASTUR, Françoise : 421.
DAVID, Pascal : 421, 447, 457.
DERRIDA, Jacques : 402-403, 410.
DESCARTES, René : 70, 166-167, 195, 199, 206.
DI CESARE, Donatella : 267-268, 274-275, 277, 364, 371-372, 430, 435-439, 457, 470.
DILTHEY, Wilhelm : 177.
DOMARUS, Max : 241.
DRIEU LA ROCHELLE, Pierre : 464.

EMPÉDOCLE : 47.

FABRIS, Adriano : 429, 434.
FACKENHEIM, Emil Ludwig : 424.
FARÍAS, Víctor : 32, 374-375, 388-390, 394-396, 409-410.

FAYE, Emmanuel : 390, 421-422.
FÉDIER, François : 267, 364, 389-390, 394, 396, 421, 459, 463, 468.
FEHÉR, István : 56.
FICHTE, Johann Gottlieb : 26, 70.
FIGAL, Günter : 363.
FINK, Eugen : 376, 385.
FINKIELKRAUT, Alain : 44.
FRANCE-LANORD, Hadrien : 421, 463.
FREUD, Sigmund : 261, 466.
FRIEDRICH, H.-J. : 49.
FRINGS, Manfred S. : 423.

GADAMER, Hans-Georg : 21, 32, 367, 374-375, 385, 388-391, 395, 400, 402-405, 407, 412, 454.
GALLOU, Matthieu : 421.
GEIGER, Moritz : 334.
GEORGE, Stefan : 161, 180, 221, 260.
GERHART, Waldemar : *voir* GURIAN, W.
GERL-FALKOVITZ, Hanna-Barbara : 369-370.
GOEBBELS, Joseph : 352.
GOETHE, Johann Wolfgang von : 191, 199.
GOTTSTEIN, D. : 371.
GRAML, Hermann : 302.
GUALDANA, Claudia : 12, 32, 435, 452-453, 456.
GUEST, Gérard : 421.
GURIAN, Waldemar : 438-439.

HAFFNER, Sebastian : 422.
HAMMERSCHLAG, Sarah : 426.
HEGEL, Georg Wilhelm Friedrich : 26, 46, 55, 57-58, 69, 278, 298, 344, 417, 424-425, 456-457.
HEIDEGGER, Arnulf : 33, 40, 458.
HEIDEGGER, Elfride : *voir* PETRI, E.
HEIDEGGER, Fritz : 377, 386.
HEIDEGGER, Heinrich : 108, 377-378, 386.

HEIDEGGER, Hermann : 12, 29, 40, 42, 163, 294, 358-360, 443, 458.
HEIDEGGER, Jörg : 12.
HEIDEGGER, Martin : *passim.*
HELDE, Klaus : 39.
HÉRACLITE : 113, 467.
HERDER, Johann Gottfried von : 199.
HERRMANN, Friedrich-Wilhelm von : *passim.*
HERRMANN, Veronika von : 374.
HEYSE, Hans : 165, 182.
HILBERG, Raul : 470.
HITLER, Adolf : 30-31, 45, 81, 94, 116, 123, 226, 239, 241, 279-282, 285, 292-293, 297, 300-301, 307-308, 312, 314, 317, 323-324, 326, 350, 362, 395.
HÖLDERLIN, Friedrich : 47, 69, 131, 134, 140, 170, 191, 221, 237, 252, 260, 359, 361, 373, 468.
HONECKER, Martin : 370.
HUSSERL, Edmund : 64-65, 70, 109, 152, 255, 274, 279, 283-284, 317-318, 326-335, 366, 368, 371-372, 409-410, 443-444, 467.
HUSSERL, Malvine : 328, 443.

IADICICCO, Alessandra : 231-232.
IMHOF, Beat W. : 371.
INGARDEN, Roman : 329, 333-334, 370.

JASPERS, Karl : 165, 292, 359, 458.
JONAS, Hans : 56, 458.
JUNG, M. : 459.

KANT, Immanuel : 25-26, 70, 424-425, 427, 455, 457, 463.
KERN, Iso : 330.
KIERKEGAARD, Søren Aabye : 64, 102, 312.

KLAGES, Ludwig : 105.
KLOSTERMANN, Vittorio : 56, 76, 358-360, 362-363, 372.
KUTISKER, Ivan Baruch : 243.

LACOUE-LABARTHE, Philippe : 402-403.
LANGEVELD, Martinus Jan : 330.
LAWRENCE, David Herbert : 462-463.
LEIBNIZ, Gottfried Wilhelm von : 53-54, 199, 410.
LÉNINE (Vladimir Ilitch Oulianov, dit) : 339.
LEVI, Primo : 471.
LEVINAS, Emmanuel : 425, 466.
LITVINOV, Maxime Maximovitch : 263, 466.
LÖWITH, Karl : 56.
LUTHER, Martin : 64, 457.
LYOTARD, Jean-François : 426.

MAHNKE, Dietrich : 410.
MARCUSE, Herbert : 458.
MARGOLIS, Joseph : 426.
MARX, Karl : 344.
MESSINESE, Leonardo : 12, 32, 429, 458, 466.
MÜLLER, A. U. : 369.
MUSSOLINI, Benito : 280, 297.

NENON, Thomas : 317.
NEWTON, Isaac : 53-54.
NEYER, Maria Amata : 369-370.
NIETZSCHE, Friedrich Wilhelm : 25, 57, 102, 129, 145, 170, 196-197, 200, 251-252, 266, 268-269, 283, 312, 359, 361, 373, 424-425, 454-455, 469.

OTT, Hugo : 409-410.

PARMÉNIDE : 113, 423.
PASCAL, Blaise : 165, 470.

PATTERSON, David : 424-428.
PAUL, saint : 62-63.
PENZO, Giorgio : 386.
PETRI, Elfride (ép. de M. Heidegger) : 30, 61, 63, 328, 373.
PFÄNDER, Alexander : 334.
PFLAUMER, Ruprecht : 385.
PLATON : 298, 361, 435, 454.
PÖGGELER, Otto : 70, 359.

RADEK, Karl : 263.
RASSIAL, Adélie : 466.
RASSIAL, Jean-Jacques : 466.
REGEHLY, Thomas : 459.
RICŒUR, Paul : 403.
RILKE, Rainer Maria : 220-221, 260.
ROCHE DE LA TORRE, Alfredo : 434.
ROCKMORE, Tom : 426-427.
RÖHM, Ernst J. G. : 395.
ROOSEVELT, Franklin Delano : 280, 301, 350.
ROSENBERG, Alfred : 317.
ROTH, J. K. : 424.

SAFRANSKI, Rüdiger : 422.
SARTRE, Jean-Paul : 389.
SCHELLING, Friedrich Wilhelm Joseph von : 26, 55, 191, 349.
SCHILD, Alexandre : 421.
SCHRÖTER, Manfred : 349.
SCHÜSSLER, Ingeborg : 52.
SCHWOERER, Viktor : 421, 466.
SEPP, Hans Rainer : 317, 370-371.
SHAFTESBURY, Anthony Ashley Cooper : 463.
SHAPIRO, Leonard : 465.
SHEEHAN, Thomas : 426.
SLEZKINE, Yuri : 464-466.
STALINE (Iossif Vissarionovitch Djougachvili, dit Joseph) : 280, 301, 350.
STEIN, Edith : 334, 367-372.
STERNBERGER, Dolf : 293.
STRUBE, C. : 459.

SZILASI, Lily : 444.
SZILASI, Wilhelm : 444.

THOMAS D'AQUIN, saint : 146.
TIETJEN, Hartmut : 48, 113.
TILLICH, Paul : 293.
TRAWNY, Peter : 38-44, 48-49, 51, 57,
    59, 94, 189, 277, 357-358, 373, 428-
    434, 437, 440, 457, 459.
TUGENDHAT, Ernst : 379.

ULMER, Karl : 379.

VALÉRY, Paul : 450.
VOLPI, Franco : 358-360.
VONGEHR, Thomas : 371.

WAGNER, Richard : 208.
WEIL, Simone : 468.
WEISS, Hermann : 302.
WELTE, Bernhard : 377, 386.
WITTGENSTEIN, Ludwig : 436.

ZAGDANSKI, Stéphane : 463.

Avertissement du traducteur   9

Préambule de l'administrateur du Nachlaß *de Martin Heidegger*   11

MARTIN HEIDEGGER
LA VÉRITÉ SUR SES *CAHIERS NOIRS*

Remerciements   17

Introduction   21

1. Clarifications nécessaires sur les *Cahiers noirs*   35

Par-delà la naïve instrumentalisation orchestrée par la présomption d'intuitions faciles

(Friedrich-Wilhelm von Herrmann)

1. Avant-propos sur les Cahiers noirs *ou « carnets » de Martin Heidegger, 35 – 2. L'origine de la confusion interprétative sur les* Cahiers noirs, *37 – 3. Les « carnets » ou « cahiers reliés en toile cirée noire » de Martin Heidegger replacés dans l'ensemble de son œuvre, 47 – 4. Les* Cahiers noirs *ne sont pas philosophiquement déterminants, 56 – 5. Aucun antisémitisme ne peut trouver place dans la pensée de l'histoire de l'être chez Heidegger, 58 – 6. Grandeur et portée du cheminement philosophique de Martin Heidegger, 61 – 6.1. L'expérience originaire de Heidegger dans le domaine de la pensée : celle d'une « philosophie vivante de la vie », 61 – 6.2. Les cours de Heidegger en qualité de* Dozent *de 1919 à 1923 comme voie d'élaboration de la phénoménologie herméneutique de la vie factive, 62 – 6.3. Les cours de Marbourg de 1923-1924 à 1928 envisagés en tant qu'ils mènent à l'élaboration de la première œuvre capitale,* Être et Temps, *65 – 6.4. L'expérience de l'historialité de l'être lui-même et la voie de la pensée de l'histoire de l'être, 67.*

2. Les *Cahiers noirs*   73
Analyse historico-critique se passant de tout commentaire
(Francesco Alfieri)

1. Avant-propos « pour ceux qui ne sont pas en nombre – pour les rares êtres libres », 73
*– 2. Réflexions II-VI (Cahiers noirs 1931-1938), 77 – 2.1. La fermeté de la position
de Heidegger à l'égard du national-socialisme*, 77 *– 2.2. Entwurzelung, Boden et leurs
composés : leur « origine » et leur usage a-politique*, 130 *– 2.2.1. Entwurzelung – une forte
résistance*, 130 *– 2.2.2. Boden et ses composés*, 143 *– 3. Réflexions VII-XI (Cahiers
noirs 1938-1939)*, 159 *– 3.1. La « prise de distance » explicite avec le national-socialisme
et la motivation du silence actif de Heidegger*, 159 *– 3.2. « L'homme moderne » versus
« l'homme tourné vers l'avenir »*, 188 *– 4. Réflexions XII-XV (Cahiers noirs 1939-1941)*,
238 *– 4.1. La vision du monde nationale-socialiste : les conséquences de l'« effet destructeur de la culture »*, 238 *– 4.2. Par-delà la « destruction » (Zerstörung) visible se tient,
inapparente, l'invisible « dévastation » (Verwüstung)*, 249 *– 5. Remarques I-V (Cahiers
noirs 1942-1948)*, 278 *– 5.1. La parole à Heidegger : « Je ne dis pas cela pour me défendre
mais seulement à titre d'information » et comme « simple constatation »*, 278 *– 5.2. « Auto-
anéantissement » : des Réflexions aux Remarques*, 335 *– 6. Post-scriptum*, 356.

**3. Des correspondances inédites de Friedrich-Wilhelm von Herr-
mann – qui restent à aborder**   367
(Francesco Alfieri)

1. Avant-propos : Edith Stein et Martin Heidegger, 367 *– 2. Critères de la présente édition*,
375 *– 3. Trois lettres de Martin et Heinrich Heidegger adressées à Friedrich-Wilhelm von Herrmann*, 376 *– 3.1. Martin Heidegger à Friedrich-Wilhelm von Herrmann : lettre n° 1*, 378
– 3.2. Martin Heidegger à Friedrich-Wilhelm von Herrmann : lettre n° 2, 382 *– 3.3. Heinrich
Heidegger à Friedrich-Wilhelm von Herrmann : lettre n° 3*, 385 *– 4. Hans-Georg Gadamer
et l'affaire Farías de 1987*, 388 *– 4.1. Hans-Georg Gadamer à Friedrich-Wilhelm von Herrmann : lettre n° 1*, 391 *– 4.2. Hans-Georg Gadamer à Friedrich-Wilhelm von Herrmann : lettre
n° 2*, 400 *– 4.3. Hans-Georg Gadamer à Friedrich-Wilhelm von Herrmann : lettre n° 3*, 407.

Épilogue

CONSIDÉRATIONS SUR L'ANTISÉMITISME
« INSCRIT DANS L'HISTOIRE DE L'ÊTRE »
ET L'ANTISÉMITISME « MÉTAPHYSIQUE »

La « question juive » dans les *Cahiers noirs* considérée à la lumière
de la « critique de la métaphysique »   417
(Leonardo Messinese)

1. Introduction, 417 *– 2. Quelques interprétations de la pensée heideggérienne en termes
d'antisémitisme antérieurement à la publication des Cahiers noirs*, 421 *– 3. La thèse de
l'antisémitisme inscrit dans l'histoire de l'être avancée par Peter Trawny*, 428 *– 4. La thèse de
l'antisémitisme métaphysique présentée par Donatella Di Cesare*, 435 *– 5. Bibliographie*, 440.

Martin Heidegger n'était pas antisémite   443
(Hermann Heidegger)

Postface du traducteur : *Retour aux sources* 447

APPENDICES

Bibliographie 475

Index nominum 481

Composition : Nord compo
Achevé d'imprimer
par Normandie Roto Impression s.a.s.
61250 Lonrai, en mars 2018.
Dépôt légal : mars 2018.
Numéro d'imprimeur : 1800189.

ISBN 978-2-07-273008-5 / Imprimé en France.

318351